РУССКИЕ

ДНЕВНИКИ

Русские дневники

МОСКВА «СОВЕТСКАЯ РОССИЯ» 1990

Русские дневники

1812 ГОД...

*Военные
дневники*

[рукописная дарственная надпись]

*26 VI 52
г. Москва*

МОСКВА «СОВЕТСКАЯ РОССИЯ» 1990

9(С)15
Т93

Составление и вступительная статья
доктора исторических наук
А. Г. Тартаковского

Художник
Г. Г. Федоров

Г $\dfrac{4702010104—155}{\text{М-105(03)90}}$ 150—90

ISBN 5—268—00886—2

1812 ГОД ГЛАЗАМИ СОВРЕМЕННИКОВ

1

«Письма — больше, чем воспоминанья, на них запеклась кровь событий, это — само прошедшее, как оно было, задержанное и нетленное»*,— всем нам знакомо это афористически точное определение А. И. Герценом частной эпистолярии. То же, но еще с большим основанием можно отнести к дневникам. Ведь содержание письма, всегда имеющего конкретного адресата-современника, «фильтруется» отношением к нему автора. Давно подмечено, что к разным людям пишутся порой и различные по идейно-психологической окраске и по мере умолчаний письма. В дневнике же, веденном прежде всего для «самого себя», автор выражает строй своих мыслей и чувств, то, что знает об окружающем, гораздо полнее и откровеннее.

«Дневник больше, чем воспоминания», но, разумеется, не во всех случаях познания прошлого, а в тех, когда мы хотим понять событийную сторону непредрешенного еще исторического процесса, как она воспринималась включенной в этот процесс личностью,— в дневнике «вернее выражается человек в историческую минуту его деятельности»**, ибо воспоминания — это уже «обдуманное воссоздание жизни»***, тогда как дневник — ее непосредственный остаток.

И пусть, когда пройдут годы и десятилетия, появятся обширные мемуарные повествования, восстанавливающие не распознанную в свое время связь между событиями, их неизвестные ранее или вовсе «засекреченные» обстоятельства, о которых и заикнуться-то прежде было опасно,— все равно это никогда не заменит дневников. Если прошлое не удалось каким-либо образом «застенографировать», существенные его черты в самой своей «нетленности», в реальных (а не осмысленных задним числом) сцеплениях и динамике будут безвозвратно и невосполнимо потеряны для потомков.

Как же сообразуется со сказанным мемуарная традиция 1812 г.?
Уточним поначалу, что само это ключевое для нас понятие — «1812 год» — имеет не только календарный, но исторически более обширный

---

* Г е р ц е н А. И. Соч.: В 30 т.— Т. VIII.— М., 1956.— С. 290.
** Б а р т е н е в П. И. Предисловие к письмам Д. С. Дохтурова// Русский архив.— 1874.— № 5.— С. 1090.
*** В я з е м с к и й П. А. Полн. собр. соч.— Т. VII.— Спб., 1882.— С. 135.

смысл: как обозначение заключительного тура войн России с наполеоновской Францией, в которых, при всем несходстве социально-политических целей каждой из них, было и нечто общее. Еще их участники отчетливо сознавали нерасторжимую связь Отечественной войны с заграничными похо́дами и расценивали последние естественным продолжением предшествующей кампании. Как писал армейский партизан К. А. Бискупский, «Отечественная война *завершилась* походом 13, 14 и 15 годов»*, и потому они объединяли с ней эти походы (вплоть до окончательного низложения Наполеона в 1815 г.) в одну целостную «эпоху 1812—1815 годов» или просто «эпоху 1812 года»**. В таком значении мы и будем далее употреблять это понятие.

Эпоха эта, быть может, как никакая другая в новой русской истории, оставила после себя множество всякого рода памятных записок — мощный их поток, движение которого совершалось, со своими взлетами и спадами, непрерывно на протяжении целого столетия,— первые из них возникли еще осенью 1812 г., последние — в 1911 г. Общее число приведенных ныне в известность мемуарных памятников о той эпохе составляет около 500 наименований, причем в дореволюционное время не было ни одного года, когда бы не печатались воспоминания и дневники, так или иначе ей посвященные***.

Мемуарная традиция 1812 г., в созидание которой внесло свой посильный вклад несколько поколений русского общества, представлявших чуть ли не все его социальные «срезы», обрела поистине всесословный, хотя идейно далеко не однозначный характер и в духовной жизни страны играла весьма важную роль.

Денис Давыдов как-то заметил, что «резец беспристрастного историка не отделит» имен ряда прославленных участников Отечественной войны от «великих воспоминаний 1812 года», полагая их вместе с тем и «великими воспоминаниями XIX века» в целом****. Под «воспоминаниями» же он имел в виду, думается, не только глубину и живучесть впечатлений от той эпохи в памяти современников, но и сами их записки о 1812 г. и то особое место, какое они занимали среди всех остальных мемуарных произведений послевоенных десятилетий.

_____

* Бумаги, относящиеся до Отечественной войны 1812 года, собранные и изданные П. И. Щукиным.— Ч. VII.— М., 1903.— С. 310. (Курсив мой.— *А. Т.*)
** Лажечников И. Несколько заметок и воспоминаний по поводу статьи «Материалы для биографии А. П. Ермолова»//Русский вестник.— 1864.— № 6.— С. 783; Липранди И. П. Опыт каталога всем отдельным сочинениям по 1872 год об Отечественной войне 1812 года.— М., 1876.— С. IV; Митаревский Н. Воспоминания о Бородинском сражении//Русский инвалид.— 1861.— № 119.
*** Тартаковский А. Г. 1812 год и русская мемуаристика.— М., 1980.
**** Сочинения Д. В. Давыдова.— М., 1860.— Ч. I.— С. 31; Сочинения Д. В. Давыдова.— Спб., 1893.— Т. I.— С. 148.

И действительно, как теперь установлено, до 50-х гг. XIX в. русская мемуарная литература развивалась в значительной мере благодаря мемуаристике 1812 г.— уже потому хотя бы, что каждые вторые выходившие тогда мемуары так или иначе касались той эпохи. В тот же период создается и ряд замечательных по своим историческим и литературным достоинствам воспоминаний о 1812 г., по праву считающихся мемуарной классикой XIX в.

Говоря о «великих воспоминаниях 1812 года», не следует забывать еще об одном немаловажном моменте, ускользающим нередко от нашего внимания. Речь идет о том, как они соотносились с отображением 1812 г. в художественной литературе первой половины XIX в. Наиболее глубоко и совершенно он отразился в достигших в ту пору высокой эстетической зрелости поэтических жанрах. Не было тогда в России ни одного мало-мальски заметного поэта, который не откликнулся бы на эту национально-героическую тему,— от патриарха русской поэзии Г. Р. Державина с его торжественно-монументальными, классицистическими одами и гимнами 1812—1813 гг. до проникновенной историко-публицистической лирики Ф. И. Тютчева 1850-х гг., и, само собой разумеется, нельзя не напомнить здесь о таких вершинных поэтических созданиях, как «Полководец» А. С. Пушкина и «Бородино» М. Ю. Лермонтова. Но совсем иначе обстояло дело с повествовательно-прозаическими жанрами.

Ввиду относительной неразвитости в первой половине XIX в. исторической прозы реалистического толка тема 1812 г. в русской повести и романе не получила сколько-нибудь достойного отображения. Она была как бы монополизирована массовой исторической беллетристикой, выдержанной в сентиментально-мелодраматичных, возвышенно-романтических, ходульно-авантюрных шаблонах устаревавших литературных направлений и мало восприимчивой к реальной действительности прошлого. К тому же некоторые произведения, например пресловутые романы Ф. В. Булгарина и Р. М. Зотова, крайне посредственные в чисто литературном плане, ориентированные на невзыскательные вкусы мещанско-обывательской среды, были пронизаны расхожими постулатами официальной идеологии и казенно-патриотической риторикой.

Мемуарная литература об Отечественной войне и заграничных походах, весьма обильная и бурно развивавшаяся, явно опережала в этих условиях прозу. По сути дела, до выхода в свет в конце 1860-х гг. великого романа Л. Н. Толстого она была (если не считать незаконченного наброска А. С. Пушкина «Рославлев», явившегося полемическим откликом на одноименный роман М. Н. Загоскина) едва ли не главным средством исторически-достоверного познания эпохи 1812 г.— даже сравнительно с профессиональной историографией, которая, при всем богатстве накопленного ею фактического материала, несла на себе неистребимую печать официозной заданности. Тем самым мемуаристика, с ее предельной конкретностью и раскованностью в запечатлении подлинной картины войны, поведения и душевного мира человека на войне, прокладывала пути к формированию реалистических способов ее историко-художественного освоения, подготовляя в известной мере появление и самой толстовской эпопеи.

Неслучайно, между прочим, изданные уже в наше время антологии русской литературы об Отечественной войне в прозаической их части состоят главным образом из мемуарно-документальных, а отнюдь не беллетристических произведений — еще одно свидетельство того, сколь прочно мемуаристика 1812 г. удержалась в культурно-историческом сознании*.

Но вот что знаменательно — в этом широком и чрезвычайно насыщенном мемуарном потоке решительно преобладают воспоминания, мемуары в точном смысле слова, хронологически же самый ранний его слой занимает здесь весьма скромное место: из общего числа 500 произведений дневников, писанных в гуще событий,— всего двадцать два названия**. Причем двенадцать из них — это дневники гражданских лиц самых разных общественных категорий: придворных, столичной аристократии, провинциального чиновничества, духовенства, купечества и т. д.*** И только десять дневников принадлежало воен-

---

* 1812 год в русской поэзии и воспоминаниях современников.— М., 1987; Клятву верности сдержали: 1812 год в русской литературе.— М., 1987; «России верные сыны...»; Отечественная война 1812 г. в русской литературе первой половины XIX в.— Т. 1—2.— Л., 1988.

** В этой связи может лишь озадачить суждение о том, что из 500 мемуарных произведений об эпохе 1812 г. до нас дошло «только 2 (два!) дневника» и что ленинградскому историку В. Г. Бортневскому, опубликовавшему дневник П. С. Пущина, удалось тем самым «разыскать третий исторический памятник такого рода» (Д е г т я р е в А. Я. Предисловие//Дневник Павла Пущина. 1812—1814.— Л., 1987.— С. 3). Опустим пока такую мелочь, как то, что дневник П. С. Пущина давно известен в литературе и частично был напечатан еще в 1912 г. Хуже другое — это тенденциозно уменьшенное число может создать у читателя совершенно превратное представление о скудости и без того небогатого фонда русских дневников 1812 г.

*** Листок из дневника митавского старожила 1812//Финский вестник.— 1847.— № 8; Дневник, веденный в Москве в сентябре и октябре 1812 г.//Библиографические записки.— 1858.— № 18; Дневник священника Н. А. Мурзакевича. 1776—1834//М у р з а к е в и ч. История города Смоленска.— Смоленск, 1877; Б у л г а к о в А. Я. Дневник. Декабрь 1811 — июнь 1812; август — сентябрь 1812//Русский архив.— 1866.— Ст. 700—703; 1867.— Ст. 1361—1374; Хроника Киевской общественной жизни по дневнику митрополита Серапиона (1804—1824)//Киевская старина.— 1884.— № 7; Двенадцатый год в записках В. И. Бакуниной//Русская старина.— 1885.— № 9; Записки дневные о делах и вещах достопамятных протоиерея Н. Г. Скопина//Саратовский исторический сборник. Т. 1.— Саратов, 1891; П о б е д о н о с-ц е в П. В. Из дневника 1812 и 1813 годов о московском разорении//Русский архив.— 1895.— № 2; Из дневника М. С. Ребелинского//Русский архив.— 1898.— № 9; В и л л а м о в Г. И. Дневник. 1812//

ным*. На военных дневниках мы далее — в соответствии с нашей темой — и сосредоточимся, памятуя о том, что армия была тогда ведущей силой государства, от которой зависели судьбы отечества, а военный человек — центральной фигурой эпохи, которая привлекала к себе всеобщее внимание.

Столь малая доля дневников, отложившихся от того времени, и особенно дневников военных, находит свое объяснение в общих условиях эпохи с ее бурными военно-политическими катаклизмами. Сама обстановка кровопролитных сражений, изнурительных маршей, непрестанных передвижений огромных человеческих масс, горящих городов и деревень, полного разлада привычных связей и неустроенности быта, естественно, не располагала к ведению в сколько-нибудь значительном числе регулярных записей. К тому же стремление запечатлеть то или иное событие вообще возникает чаще всего по мере того, как с течением времени выявляется его **исторический** смысл. И чем оно крупнее, чем длительнее и глубже его воздействие на духовную жизнь поколений, чем больше объем исторической памяти о нем, тем, понятно, меньше в отразившей это событие письменной мемуарной традиции удельный вес дневникового слоя.

Вместе с тем на малой величине военных дневников сказались и последующие утраты — в реальной действительности 1812 и последующих годов их было все же гораздо больше того, чем мы доныне располагали.

Русская старина.— 1912.— № 7; Т у р г е н е в Н. И. Дневник. 1811—1816//Архив бр. Тургеневых.— Вып. 1.— Спб., 1913; Из записок А. Г. Хомутовой//Русский архив.— 1867.— Ст. 1053—1865.

* М и р к о в и ч Ф. Я. Дневник [27 марта 1812 — 3 февраля 1813]//Ф. Я. Миркович. 1789—1866: Его жизнеописание, составленное по собственным его запискам, воспоминаниям близких людей и подлинным документам.— Спб., 1889; С е н - П р и Э. Ф. Дневник с 12 марта по 16 октября 1812//Х а р к е в и ч В. И. 1812 год в дневниках, записках, воспоминаниях современников.— Вып. 1.— Вильна, 1900; [С в е ч и н]. Из дневников русского офицера о заграничном походе 1813 года [январь — апрель]//Русский архив.— 1900.— № 7; З а к р е в с к и й А. А. Дневник 1815—1816 гг.//Сборник старинных бумаг, хранящихся в музее П. И. Щукина.— Ч. Х.— М., 1902; Из дневника генерала Гартинга [8 августа — 4 сентября 1812 г.]//Труды ИРВИО.— 1912.— Т. 6.— Кн. 2; Из дневника капитана лейб-гвардии Семеновского полка П. С. Пущина за 1812 год//Отечественная война 1812 года. Собрал С. П. Аглаимов. Исторические материалы лейб-гвардии Семеновского полка.— Полтава [1912]; Дневник Павла Пущина. 1812—1814.— Л., 1987; С и м а н с к и й Л. А. Журнал [7 марта — 31 декабря 1812]//Военно-исторический сборник.— 1912.— № 2, 4; 1913.— № 1—4; 1914.— № 1—2; Записки генерала Каховского о походе во Францию в 1814 г. [1—31 января]//Русская старина.— 1914.— № 2, 3; Я к у ш к и н И. Д. Отрывки из дневника 1812 года [17—31 марта]//Очерки по истории движения декабристов.— М., 1954; Дневник Александра Чичерина. 1812—1813.— М., 1966. Опубликованный П. И. Бартеневым «Дневник свитского офицера. 1813» С. Г. Хомутова на самом деле является не дневником, а его письмами к сестре, А. Г. Хомутовой (Русский архив.— 1869.— № 7.— Ст. 219—703; 1870.— № 1.— Ст. 164—174).

Судить об этом можно, например, по широко известным офицерским запискам Ф. Н. Глинки, А. Ф. Раевского, И. И. Лажечникова, И. Т. Радожицкого, Н. А. Дуровой. В том виде, в каком они были изданы в послевоенные десятилетия,— это ретроспективные повествования собственно мемуарного или художественно-публицистического типа. Но то и дело звучат в них характерные дневниковые «проговорки», прерывистый ритм анналистических описаний с целыми кусками почти нетронутого текста поденных записей — неоспоримые признаки существования в 1812—1815 гг. походных дневников. Но, растворившись в этих повествованиях, в первичном своем виде они до нас не дошли. Подобные им походные дневники часто встречались еще в середине прошлого века, и ученые, предпринимавшие тогда разыскания исторических материалов по эпохе 1812 г., были о том достаточно осведомлены. В 1860 г. Н. Ф. Дубровин, признавая особую ценность «походных записок, веденных <...> во время самой кампании», отмечал, что «большая часть этих записок находится в руках частных лиц», что «без всякого сомнения, в России ходит по рукам много неизвестных еще нам рукописных дневников о кампании 1812 года»*. О наличии этих «драгоценных» рукописей в семьях участников войн начала века свидетельствовал за несколько лет до того и один из их престарелых ветеранов И. П. Липранди — подробнее о нем мы еще скажем далее. Военный писатель, знаток той эпохи, энергичный собиратель ее мемуарного наследия, он, по собственным наблюдениям, нарисовал удручающую картину стихийного уничтожения подлинных дневников 1812 г.— то ли по равнодушию, то ли по небрежению, а то и просто по невежеству потомков: «Все такие рукописи <...> преимущественно дневники, со смертию участников, владельцев оными, переходят к наследникам и в особенности в поместьях, где эти неоцененные материалы <...> часто служат для оклейки зимних рам, а еще чаще <...> в столицах и городах, сбываются прислугою в мелочные лавочки, что мне самому неоднократно случалось открывать»**. Мы не знаем дальнейшей участи этих и других, аналогичных дневниковых рукописей. Процесс их исчезновения растянулся на долгие годы и ныне, очевидно, не восстановим.

2

На этом фоне и проступает в истинном значении предлагаемый в настоящем издании читателю свод военных дневников эпохи 1812 г. Впервые по архивным первоисточникам вводятся в оборот полные тексты шести таких памятников. Их авторы, деятельнейшие участники войн 1812—1814 гг., генералы — Д. М. Волконский и В. В. Вяземский, штабные офицеры — Н. Д. Дурново, И. П. Липранди, А. А. Щербинин, А. И. Михай-

---

* Артиллерийский журнал.— 1860.— № 5.— С. 159.
** Л и п р а н д и И. П. Материалы для истории Отечественной войны 1812 г.— Спб., 1867.— С. 13.

ловский-Данилевский*. Выходцы из просвещенных кругов российского дворянства, исконно связанных — и семейным воспитанием, и сословно-корпоративными традициями — с армией, с военной службой, эти люди при всей разности личных судеб и при всех различиях в военно-профессиональном положении одинаково остро ощущали необычность и величие происходивших на их глазах событий, вдумчивыми наблюдателями которых и явили себя в своих дневниках.

В течение долгих десятилетий после войны дневники эти пребывали в забвении, и лишь с начала нынешнего века сведения о них и отдельные их тексты стали проникать в литературу, но в целом они до последнего времени были мало известны даже специалистам, как, впрочем, оставались почти неизвестными и авторы некоторых дневников (например, Д. М. Волконский, В. В. Вяземский), в сущности, только теперь извлекаемые из исторического небытия.

Обратим сперва внимание на единовременную публикацию всех этих дневников в составе настоящего издания, что должным образом может быть понято лишь в сопоставлении с тем, как вообще вводились в оборот дневники эпохи 1812 г. Если воспоминания о ней начали печататься еще с конца Отечественной войны и к 1860-м гг. в периодике и отдельными книгами их вышло много более сотни, то дневники становятся достоянием гласности сравнительно поздно — с середины XIX в. (в 1847 г.— отрывки из дневника «митавского старожила», в 1858 г.— тоже анонимный дневник за период французской оккупации Москвы), военные же дневники — и того позднее: только с конца 1880-х гг. (поденные записки конногвардейского офицера Ф. Я. Мирковича). Таким образом, для того чтобы обнародовать десять доселе известных военных дневников, понадобилось протекшее с того времени столетие, тогда как в одном нашем издании сразу появляется шесть дневников — факт сам по себе впечатляющий. Несколько слов в его пояснение.

Публикация мемуарных источников по эпохе 1812 г., принявшая до революции широкий размах, особенно интенсивной была в периоды повышения исторических интересов к ней в русском обществе. Последний по времени такой подъем приходится на начало XX в.— в России готовились тогда отмечать 100-летний юбилей Отечественной войны, а мемуаристика уже давно вошла в сферу занятий научной археографии. Усилиями ученых, военно-исторических обществ, губернских архивных комиссий было выявлено и обнародовано множество мемуарных произведений на эту тему. Именно в то время увидело свет и большинство военных дневников 1812 г. Но после революции, когда заметно ослаб интерес к военной истории, свелась к минимуму и публикаторская дея-

* К 175-летнему юбилею Отечественной войны отрывки из дневников Д. М. Волконского, Н. Д. Дурново, И. П. Липранди были опубликованы нами в журнале «Знамя» (1987.— № 8). Публикация вызвала положительные отклики в печати (Коммунист.— 1987.— № 14; Юность.— 1988.— № 1.— С. 5; История СССР.— 1988.— № 4).

тельность в области мемуаристики 1812 г. Возрождение **этого** интереса накануне и после Великой Отечественной войны 1941—1945 гг. в деле освоения мемуарного наследия 1812 г. не привело к каким-либо сдвигам. Почти ничего не дал и 150-летний юбилей Отечественной войны, вызвавший немало документальных публикаций,— из дневников вышли тогда в свет только походные записки за 1812 и 1813 гг. близкого к будущим декабристам офицера лейб-гвардии Семеновского полка А. В. Чичерина — плод не столько планомерных поисков, сколько случайной и счастливой находки.

Очевидное затухание в последние 60—70 лет публикаций мемуарных источников по эпохе 1812 г. породило даже впечатление об исчерпанности резерва их неразысканных доселе рукописей, о том, что «золотоносная жила» архивов истощилась в этом отношении еще в начале нынешнего столетия и в наше время ожидать каких-либо открытий не приходится.

Впечатление это было верно, однако лишь отчасти — применительно к тем мемуарно-дневниковым рукописям, которые к исходу дореволюционного периода находились в ведомственных архивах, музеях, библиотеках, хотя в их тайниках еще и тогда хранились отдельные такие рукописи, не имевшие шансов появиться в печати по политическим причинам.

Но в немалом числе они оставались никому неведомыми в семейных бумагах самих мемуаристов, у их потомков, духовных наследников, и только после того, как, вздыбленные революцией и гражданской войной дворянские архивы и частные собрания стали оседать с 20-х гг. в государственных хранилищах, здесь постепенно скапливаются и эти рукописи.

Побуждаемые новым — 175-летним — юбилеем Отечественной войны, историки и архивисты в последние годы заново обследовали архивохранилища Москвы и Ленинграда и среди всех этих не попадавших прежде в поле зрения рукописей обнаружили несколько десятков первоклассных по своей исторической значимости мемуарных произведений, в том числе и те шесть дневников, что представлены в настоящем издании*.

Но их значение не сводится просто к количественной стороне дела — они существенно пополняют слой синхронно запечатленной информации о 1812 г., столь дефицитной, как мы видели, и ценимой историками, что называется, «на вес золота».

Сочетая достоверность воссоздания обстановки с живостью непринужденного рассказа, эти дневники доносят до нас жар неостывших впечатлений эпохи, не опосредованное последующими наслоениями восприятие ее глазами современников. Мы не ошибемся, если скажем, что ими так или иначе затронуты наиболее значительные явления эпохи

---

* На основе этих разысканий Институтом истории СССР АН СССР совместно с архивохранилищами Москвы и Ленинграда подготовлена фундаментальная публикация ранее не известных мемуарных источников по эпохе 1812 г. в составе более 30 произведений широкого жанрового диапазона, написанных людьми разных поколений и различных социокультурных слоев.

как в собственно военных аспектах с фигурами прославленных полководцев 1812 г., так и в плане внутренней жизни русского общества, включая и обостренные войной его социальные и политические коллизии.

Более подробно о том новом, что содержится в публикуемых дневниках (со сведениями о последующей участи их рукописей, военной
биографии и общественно-политическом облике авторов) рассказано
в предпосланных им вступительных статьях. Отсылая к ним читателя,
постараемся выявить лишь некоторые общие черты этих дневников —
именно как свода, как определенной совокупности памятников.

Прежде всего должен быть отмечен их хронологический диапазон.
Кроме дневникового фрагмента Липранди за 3 и 4 сентября 1812 г.,
остальные дневники отличаются весьма широким охватом событий.
«Журнал» Вяземского захватил большую часть Отечественной войны.
Весь 1812 г., почти без пропусков в подённых записях, запечатлён в дневнике Дурново (не забудем, что за пределами нашей публикации остались хранящиеся в архиве столь же систематичные его дневники и за
1813—1814 гг.). «Военный журнал» Щербинина и «Журнал» Михайловского-Данилевского охватывают от первого до последнего дня войны
1813 г., причём тот и другой имели своими «предшественниками» не до-
шедшие до нас подённые записи за 1812 г. Наконец, дневник Волконского
объемлет собой все войны 1812—1814 гг. (правда, с пробелом утраченных записей с марта по август 1813 г.). Из ранее опубликованных военных дневников эти войны в целом охвачены только в упомянутых выше
походных записках П. С. Пущина, а кампания 1812 г.— в дневниках офицеров Измайловского полка Л. А. Симанского и конногвардейского полка
Ф. Я. Мирковича. Все же другие дневники велись от случая к случаю или
всего по нескольку месяцев и даже недель.

Такой значительный временной масштаб придаёт публикуемым
дневникам особое качество. Вчитываясь в их день за днём движущиеся
записи, закрепляющие ход событий с мельчайшими бытовыми реалиями,
на разных уровнях театра боевых действий и сдвинутого нашествием
течения жизни в столицах и провинции, всё время чувствуешь непод-
дельный размах великой освободительной войны, всю эту поднявшуюся
в едином порыве громаду людей разных «состояний» и невольно прони-
каешься эпическим ощущением 1812 г.

Небезынтересны наблюдения над возрастом авторов дневников. Среди них чётко выделяются люди двух генераций.

Одна, старшая, представлена именами Волконского и Вяземского —
отпрысков старинных княжеских родов. Оба они родились в последней
трети XVIII в., с детских лет были записаны в гвардейские полки, но в
действительную службу вступили в конце 1780 — начале 1790-х гг. и на
военном поприще выдвинулись как молодые сподвижники А. В. Суворова,
впоследствии командуя крупными воинскими соединениями. Воспитанные
в духе идейных, психологических, культурно-бытовых устоев екатерин-
ского царствования, 1812 г. они встретили зрелыми людьми, с большим

военным опытом, с прочно сложившимися взглядами на современную жизнь, политику, историю. Все это не могло, понятно, не наложить своей печати и на их дневники, отмеченные, как увидит читатель, архаизмами лексики, правописания, литературного стиля и даже самой манеры мышления.

Другая, младшая по возрасту, генерация — это Дурново, Липранди, Щербинин, Михайловский-Данилевский. Они почти сверстники, родились в начале 1790-х гг., в первые годы александровского царствования получили домашнее или университетское образование, некоторые тогда же прошли специальную военную подготовку. Только один из них — Липранди — начал службу в Шведской войне 1808—1809 гг., боевое крещение остальных связано с 1812 г., и для всех них он стал самым сильным, самым жгучим потрясением жизни, сформировавшим их воззрения и нравственный склад. (Липранди, Щербинин, Михайловский-Данилевский обретут впоследствии известность мемуарными сочинениями о войнах эпохи 1812 г., а последний станет в 1830—1840-х гг. и знаменитым их историком.) Это поистине «дети 1812 года», если только понимать данную формулу не в узко идеологическом, а в более обширном — «поколенческом» — ее смысле.

Нет нужды доказывать, что дневники, созданные людьми столь разных генераций, различаются между собой самым ощутительным образом. Нагляднее всего это видно из сопоставления дневников Волконского и Дурново, принадлежавших к одной и той же социокультурной среде. Но как разительно не схожи они — и по углу зрения на военную и общественную жизнь, и по ее оценкам и политическим симпатиям, не говоря уже, разумеется, о различии в языке (русском в одном случае, французском — в другом), слоге, интонации. Педантически-размеренным, чересчур деловым и скупым для интимного дневника поденным заметкам Дурново, порою скрытного и многое опускающего, противостоят льющиеся как бы сплошным потоком колоритные,. полные старинных и истинно народных речений записи Волконского, раскрывающие привлекательную в своей патриархальной цельности натуру автора. И хотя Д. М. Волконский, ведя дневник, эстетических целей не преследовал — для него он был бытовым документом, отвечающим каждодневным духовным запросам,— для нас эти записи обретают в иных случаях качество художественной выразительности.

Представители этих двух генераций отчетливо различаются и своим профессиональным статутом в кампаниях 1812—1814 гг.

Волконский и Вяземский к 1812 г. уже давно в генеральских чинах. Первый из них — генерал-лейтенант, с конца Отечественной войны командовал корпусом, а в 1813—1814 гг. руководил длительной осадой Данцига и предводительствовал Тульским ополчением; второй — генерал-майор, командуя бригадой, возглавлял авангард армии П. В. Чичагова во время Березинской операции.

Нелишне здесь будет заметить, что дневники русских военачальников 1812 г. до сих пор почти не были известны. Единственно, что дошло до нас,— это веденные с 12 марта по 16 октября 1812 г. записки французского эмигранта на русской службе Э. Ф. Сен-При, состоявшего при П. И. Багратионе начальником штаба 2-й Западной армии. Кроме того, есть сведения о том, что накануне и во время Отечественной войны «собственноручные заметки» типа дневниковых записей составлял М. Б. Барклай-де-Толли — ныне этот бесценный источник, очевидно, затерян*. Та же участь постигла не менее интересный походный дневник А. П. Ермолова, который велся им и в Отечественной войне и в заграничных походах 1813—1815 гг.— на этот счет сохранилось и его собственное признание одному из друзей**. Отсюда вполне очевиден уникальный характер генеральских дневников Волконского и Вяземского, тем более что основная масса русских генералов 1812 г., командовавших бригадами, дивизиями, корпусами, не оставила после себя и позднейших воспоминаний.

Дурново, Липранди, Щербинин, Михайловский-Данилевский — квартирмейстерские (или свитские) офицеры, сотрудники штабов и адъютанты виднейших военачальников, вступившие в войну прапорщиками, поручиками, штабс-капитанами. Важно учесть, что ранее напечатанные офицерские дневники представлены именами гвардейских офицеров «невысоких» чинов, кругозор которых, как правило, редко простирался дальше полков и дивизий; из квартирмейстерских же дневников 1812 г. известны только поденные записи обер-квартирмейстера 3-го пехотного корпуса подполковника М. Н. Гартинга, содержащие сухой перечень боевых действий с 8 августа по 17 сентября. Не очень богаты и воспоминания квартирмейстерских офицеров той эпохи о 1812 г. Можно назвать лишь мемуары будущего военного историка Д. П. Бутурлина, служившего тогда подпоручиком в штабе 2-й Западной армии***, записки А. Н. Муравьева, в 1812 г. состоявшего при Главной квартире М. Б. Барклая-де-Толли, а после войны — основателя первых декабристских организаций, и его брата Н. Н. Муравьева-Карского, впоследствии крупного военного деятеля и дипломата — к ним мы еще вернемся далее. Сказанным уже достаточно оттеняется ценность квартирмейстерских дневников, публикуемых в нашем издании.

Офицеры свиты его императорского величества по квартирмейстерской части (позднее получившей наименование Генерального штаба) составляли накануне войны один из наиболее образованных, мыслящих, наилучшим образом подготовленных в военно-ученом отношении слоев

---

* См.: В е й м а р н Ф. Барклай де Толли и Отечественная война// Русская старина.— 1912.— № 8.— С. 200, 202; № 9.— С. 328; № 10.— С. 110, 112, 113; № 12.— С. 633.
** Русский архив.— 1889.— № 9.— С. 68; Е р м о л о в А. А. П. Ермолов. 1777—1861: Биографический очерк.— М., 1912.— С. 69.
*** Б у т у р л и н Д. П. Кутузов в 1812 году//Русская старина.— 1894.— № 10—12.

офицерского корпуса русской армии — так сказать, цвет военно-дворянской интеллигенции. Недаром, наряду с гвардейской молодежью,
квартирмейстерское офицерство явилось той средой, которая взрастила
многих участников декабристского движения.

Уже по роду своих обязанностей они должны были вести штабные
«журналы боевых действий» и вообще изо дня в день документировать
ход военных операций, что заставляло их острее и чаще других задумы-
ваться над сутью событий, осмыслять их развитие, закрепляя свои впечатления на бумаге,— не только в официальном, но и в частном порядке.
Оттого, между прочим, в квартирмейстерских записках так тесно пере-
плетаются сведения личного, даже интимного свойства с сугубо дело-
выми отметками о маршах, дислокации воинских соединений, их участии
в боях и т. д. Очень характерен в этом плане «Военный журнал» Щербинина — уже само его название ясно указывает на приоритет официально-
штабных записей над личными.

Еще одна особенность служебного положения квартирмейстерских
офицеров — их исключительная осведомленность в сокровенных планах
командования, во взаимоотношениях между военачальниками и вообще
во всем том, что происходило в Главной квартире. Достаточно полно
эта осведомленность проявилась, как увидит читатель, и в дневниках нашего издания с их обостренным вниманием к стратегической и военно-
политической стороне событий 1812 г.

Иногда высказывается уничижительный взгляд на штабных офицеров того времени как преуспевающих карьеристов, чуждавшихся труд-
ностей боевой жизни и озабоченных лишь добыванием очередных чинов
и наград. Такой взгляд сложился в результате неправомерного пере-
несения на эпоху 1812 г. военно-исторических представлений, относящихся к более позднему времени, и, справедливости ради надо сказать,
не без влияния саркастически-неприязненного изображения штабной
офицерской среды в «Войне и мире» Л. Н. Толстого. Но для войн начала
XIX в. это глубоко неверное представление. Обремененные многообраз-
ными обязанностями по подготовке боевых операций, рекогносцировке,
выбору позиций, топографическим съемкам местности, расквартированию
войск, квартирмейстерские офицеры участвовали еще и в боях, выполняли
в ходе больших сражений ответственные адъютантские поручения и часто
попадали в очень рискованные переделки. Сколь были далеки от благо-
получия тяжкие условия повседневного существования этих подлинных
тружеников войны, красноречиво свидетельствовал в своих записках
Н. Н. Муравьев-Карский — сослуживец и боевой товарищ едва ли не
всех офицеров, чьи дневники публикуются в нашем издании. Рассказывая
об отступлении с братом Михаилом в составе 1-й Западной армии к Смоленску, Н. Н. Муравьев писал: «Служба наша не была видная, но трудо-
вая, ибо не проходило почти ни одной ночи, в которую нас куда-нибудь
не посылали. Мы обносились платьем и обувью, не имели достаточно
денег, чтобы заново обшиться. Завелись вши. Лошади наши истощели

от беспрерывной езды и от недостатка в корме. Михайла начал слабеть в силах и здоровье, но удержался до Бородинского сражения, где он, как сам говорил мне, «к счастию, был ранен, не будучи более в состоянии выдержать усталости и нужды». У меня снова открылась цинготная болезнь, но не на деснах, а на ногах. Ноги мои зудели, и я их расчесывал, отчего показались язвы, с коими я, однако, отслужил всю кампанию, до обратного занятия нами в конце зимы Вильны, где, не будучи почти в силах стоять на ногах, слег»*.

Вот в какой обстановке приходилось жить и действовать квартирмейстерским офицерам, и этот суровый военно-бытовой контекст непременно следует иметь в виду при обращении к их дневникам.

Дневники Дурново, Щербинина, Михайловского-Данилевского интересны также и тем, что отразили некоторые аспекты преддекабристской общественной ситуации.

Всех троих объединяли не только общая штабная служба, но и личные узы. Дурново и Щербинин — близкие друзья еще с предвоенной поры, по совместным квартирмейстерским занятиям в Петербурге при князе П. М. Волконском. Михайловский-Данилевский тесно сблизился с Щербининым осенью 1812 г. в штабе Кутузова в Тарутино и там же, видимо, познакомился с Дурново. Следом этих дружеских отношений явились их «перекрестные» упоминания друг друга в публикуемых дневниках, а также и в дневнике Дурново за 1813 г. Роднила их и причастность к передовым общественным течениям эпохи 1812 г.

Из дневника Дурново, в частности, устанавливается, как увидит читатель, существование тайного политического общества квартирмейстерских офицеров, образованного в январе 1811 г.,— «Рыцарства». Это, очевидно, самая ранняя из известных ныне в исторической литературе преддекабристских организаций. Ее участников Дурново в своих намеренно немногословных записях не называет, но имена некоторых из них указаны в записках Н. Н. Муравьева-Карского: видными членами общества с момента его основания, помимо Дурново, были Щербинин и прапорщик И. А. Рамбург, тоже не раз поминаемый в дневнике Дурново как один из близких его друзей. В «Военном журнале» Щербинина нет и тени намека на «Рыцарство», но бросается в глаза необычная запись за 29 марта 1813 г. Отмечая, что наступление весны вызвало в его сердце радость, Щербинин пишет: «Дружба доброго Д..., сопровождавшего меня в марте, содействовала к тому. Вечер провел я у Д... и Р...».

Необычность этой записи в том, что она — единственная во всем «Военном журнале», где фамилии реальных лиц даны зашифрованно; во всех остальных случаях, при упоминании десятков генералов и офицеров, в том числе и своих приятелей-сослуживцев по квартирмейстерской части, Щербинин именует их полностью. Для такой зашифрованной передачи фамилий в личном дневнике, во многом еще черновом и не предназначенном для постороннего глаза, надобны были какие-то очень веские

---

* Русский архив.— 1885.— № 10.— С. 226.

мотивы, и их трудно было бы понять, если бы «Военный журнал» рассматривался изолированно. Теперь же, в свете того, что мы, благодаря дневнику Дурново, знаем о «Рыцарстве», их потаенный смысл начинает проясняться. Совершенно очевидно, что за сокращениями Д. и Р. скрывались не кто иные, как Дурново и Рамбург, ибо из всех упоминаемых в «Военном журнале» лиц только они двое, вместе с самим Щербининым, состояли в этом глубоко законспирированном офицерском сообществе, и назвать их полностью представлялось, видимо, далеко не безопасным. Факт же постоянного общения Щербинина с Рамбургом и Дурново как раз в эти мартовские дни подтверждается дневником последнего за 1813 г. Прибыв 19 марта из Петербурга в Главную квартиру, Дурново пишет: «Буду теперь со своими друзьями. Я буду жить с Рамбургом». 20 марта: «Обедал в трактире «Париж». Щербинин, Рамбург <...> были здесь». 31 марта: «Вечером, располагая своим временем, отправился в город, чтобы порассуждать с Щербининым о превратностях человеческой судьбы». И в последующие месяцы 1813 г. дневник в самых теплых тонах фиксирует их совместное времяпрепровождение. Так, 29 июня Дурново записывает: «Рамбург сопровождает меня в Альтвассер <...> Мы поехали повидаться с нашим другом Щербининым»*.

На этом одном примере мы убеждаемся, что лишь в сочетании и взаимосвязи друг с другом публикуемые дневники могут быть прочитаны адекватно их реально-историческому смыслу, лишь эта «взаимодополняемость» позволяет извлечь скрытую в них, но очень важную информацию.

Отметим также, что Щербинин и Михайловский-Данилевский во время Отечественной войны входили и в группу прогрессивно настроенных офицеров, сплотившихся вокруг походной типографии — агитационного центра русского штаба. Возглавлял ее ученый и просветитель А. С. Кайсаров, человек стойких антикрепостнических убеждений, вдохнувший в армейские летучие издания 1812 г. живую струю вольнолюбивого патриотизма. В его духовной эволюции прослеживается немало общего с идейными исканиями ряда декабристов старшего поколения. По верному наблюдению Ю. М. Лотмана, «многие связи декабристской эпохи корнями уходят» в походную типографию 1812 г.** Ближайшим же сотрудником А. С. Кайсарова, автором выпускавшихся ею летучих изданий был А. И. Михайловский-Данилевский и наряду с ним упоминаемый в его «Журнале 1813 года» капитан лейб-гвардии Егерского полка, адъю-

---

* ОРГБЛ, ф. 95, № 9536, ил. 13 об., 22, 43 об. Щербинин и Дурново продолжали поддерживать дружеские отношения и после войны. В семейном архиве последнего сохранился большой комплекс писем к нему Щербинина за 1815—1817 гг. (ЦГИА СССР, ф. 934, оп. 2 д. 1111, л. 1—65).

** Л о т м а н Ю. М. Тарутинский период Отечественной войны 1812 года и развитие русской общественной мысли//Ученые записки Тартуского государственного университета.— Вып. 139.— 1963.— С. 9.

тант П. П. Коновницына Д. И. Ахшарумов и виднейший в будущем декабрист М. Ф. Орлов, имя которого мы не раз встречаем в публикуемом дневнике его друга Дурново*.

Фигуры Щербинина и Михайловского-Данилевского мы видим еще в одном объединении дворянской молодежи той поры, преемственно связанном и с «Рыцарством» и с группой военных публицистов походной типографии. Это кружок военных историков, преимущественно квартирмейстерских и гвардейских офицеров, сложившийся во время летнего перемирия 1813 г. в Рейхенбахе. Его облик восстанавливается по «Письмам русского офицера» и другим припоминаниям Ф. Н. Глинки — едва ли не идейного лидера кружка**. Здесь оживленно, в духе народной героики и гражданственно-просветительских традиций, обсуждалась программа создания исторических трудов о 1812 г. и предпринимались практические шаги по претворению ее в жизнь. Своеобразным манифестом историко-патриотических устремлений рейхенбахского кружка явилась статья Ф. Н. Глинки «Рассуждение о необходимости иметь Историю Отечественной войны 1812 года» — замечательный памятник русской публицистики послевоенной эпохи. В «Журнале» Михайловского-Данилевского, в записях о пребывании в Рейхенбахе, явственно различимы отголоски этих обсуждений, в частности его бесед с Ф. Н. Глинкой «Об искусстве писать историю», а в «Военном журнале» Щербинина засвидетельствованы личные связи участников кружка в период перемирия. По показаниям Ф. Н. Глинки, он включал в себя, кроме Щербинина и Михайловского-Данилевского, знакомых нам по их «журналам» Д. И. Ахшарумова и М. А. Габбе, а также квартирмейстерских офицеров А. Г. Краснокутского, Н. В. Сазонова и младшего брата А. А. Щербинина Михаила — двое последних упоминаются в дневнике Дурново за 1812 г. Не исключено, что сам он и Рамбург, находясь с начала перемирия в Рейхенбахе и дружески общаясь с участниками кружка***, тоже не были чужды его интересам и его деятельности, которую есть все основания расценить как первую серьезную попытку осмысления декабристским поколением исторического опыта 1812 г.

Далеко не случайно, что в последующие годы Щербинин, Михайловский-Данилевский и их друзья — персонажи публикуемых дневников окажутся втянутыми в передовое общественное движение эпохи по участию и в масонских ложах, и в литературных обществах декабристского толка, и в самих тайных политических организациях 1816—1825 гг.

Столь же не случайно и то, что уже после подавления восстания

---

* Т а р т а к о в с к и й А. Г. Военная публицистика 1812 года.— М., 1967; Памятные книжные даты, 1987.— М., 1987.— С. 27—32.
** Г л и н к а Ф. Н. Письма русского офицера.— Ч. V.— М., 1915.— С. 152—154; О н ж е. Письма к другу.— Ч. I.— Спб., 1816.— С. 1—2.
*** Русский архив.— 1869.— Ст. 248; ОР ГБЛ, ф. 95, № 9536, л. 37, 43—44, 47, 49.

Н. Д. Дурново и А. А. Щербинина, в молодости прикосновенных к конспиративным политическим организациям, но затем отошедших от них, постигает общая судьба — они попадают под подозрение Николая I и рано или поздно, при разных поворотах своей последующей биографии, оказываются в опале, разделив в этом отношении участь многих других уцелевших представителей декабристской периферии.

Отразили дневники и некоторые стороны мировоззрения декабристского поколения, пробужденные заграничными походами. Приведя его в соприкосновение со странами, уже не знавшими крепостного права, с более высоким уровнем просвещения, культуры, гражданских свобод, они неизбежно наталкивали на сравнение с русскими общественными порядками и тем обостряли социальное зрение молодых офицеров.

О роли заграничных впечатлений в складывании своих политических взглядов сами декабристы часто говорили на следствии, но очень лаконично, в виде сжатых формул в ответах на сакраментальный вопрос: «Откуда заимствовали вы свободный образ мыслей?»[*] Не писали они об этом сколько-нибудь подробно и в позднейших воспоминаниях. О ранних же попытках осмысления будущими декабристами опыта заграничных походов нам тоже мало что известно. Сохранилось, например, свидетельство о том, что К. Ф. Рылеев, прошедший конногвардейцем кампании 1814—1815 гг., составил вскоре по их завершении несколько записок, содержавших в себе сравнение социально-политического положения европейских стран с крепостнической действительностью России, и на фоне этих сопоставлений «зародилась в нем мысль, что в России все дурно, для чего необходимо изменить все законы и восстановить конституцию»[**]. Однако сами эти записки до нас не дошли. Более развернуто, хотя — по цензурным условиям — в несколько смягченных тонах впечатления подобного рода изложены в «Письмах русского офицера» Ф. Н. Глинки, а также в небольшом числе изданных вскоре после войны офицерских записок (А. Ф. Раевского, И. И. Лажечникова, И. Т. Радожицкого), вышедших из «недекабристской» среды. Тем важнее конкретные наблюдения над политическим устройством, хозяйственным бытом, нравами, культурными достопримечательностями германских и австрийских земель Щербинина и особенно Михайловского-Данилевского. В «Журнале 1813 года» он сумел выразить свои вольнолюбивые настроения того времени, острую неприязнь к «нравственной неволе» и приниженному положению крепостных, к жестоким законам абсолютистского государства в виде весьма прозрачных аллюзий.

Следовательно, и в публикуемых дневниках закрепилась частица

---

[*] См., например: Восстание декабристов.— Т. III.— М., 1927.— С. 8, 44, 71; Т. X.— 1953.— С. 108; Т. XIV.— 1976.— С. 50.
[**] Воспоминания о Рылееве его сослуживца по полку А. И. Косовского (1814—1818)//Литературное наследство.— Т. 59.— М., 1954.— С. 241—242.

того восприятия западноевропейской действительности, которое питало умонастроения дворянской интеллигенции в канун образования декабристских обществ.

3

Военные дневники 1812 г., вводимые ныне в читательский оборот, не могут быть верно поняты, если не оценить их и как памятники русской мемуарной культуры XVIII — начала XIX в.

Истоки мемуаристики нового времени, еще не вполне изученные нашей наукой, уходят в «седую древность», в литературно-исторические жанры позднего средневековья: «жития», «хождения», статейные списки, летописи и т. д. В их недрах исподволь вызревали повествовательно-стилистические приемы изображения общества и человека, воспринятые впоследствии дневниками и воспоминаниями нового времени. Однако дневник, как наиболее простая по своей природе, непритязательная, доступная в житейском обиходе форма запечатления движущейся во времени действительности, «старше», «первичнее» воспоминаний, требующих от автора более высокого интеллектуального уровня и зрелых исторических размышлений.

В силу своей «первичности», большей близости к событиям и распространенности дневник пользовался часто и сравнительно большим авторитетом, общественным признанием, будучи наделен в глазах современников атрибутами особенно высокой подлинности, истинности. Видимо, с этим связаны, между прочим, не столь уже редкие даже в XIX в., в том числе и в военной среде, случаи авторского обозначения позднейших воспоминаний «дневниковыми» терминами. Один из ярких в этом смысле примеров — знаменитый «Партизанский дневник» 1812 г. Д. В. Давыдова, составлявшийся им на протяжении 1814—1839 гг. как чисто мемуарное произведение, без какого-либо обращения к поденным записям, которых в ходе Отечественной войны он вообще не вел.

Формируясь в начале XVIII в. в качестве самостоятельного жанрового образования, дневники долгое время продолжают испытывать на себе воздействие средневековой повествовательной традиции, особенно летописей — самого древнего и влиятельного ее жанра. Достаточно явственно оно сказывается и на воспоминаниях, но все же заметно меньше, чем на дневниках, которые непосредственно вырастают из анналистической структуры летописного повествования. Как бы то ни было, в его формах построены все созданные в России вплоть до 60-х гг. XVIII в. мемуарные жизнеописания, где собственно мемуарное и дневниковое начала еще не вполне размежеваны. Сохраняют летописную форму некоторые автобиографические сочинения, возникшие даже и в последующие десятилетия, хотя мемуаристика в целом уже во многом обновила тогда свой облик. Пережиточные черты летописного мышления были свойственны и более широкому кругу явлений русской культуры (историографии, художественному творчеству, литературному сознанию и т. д.) конца XVIII — первой трети XIX в.

Нет поэтому ничего удивительного в том, что и в дневниках нашего издания, вышедших из-под пера старших по возрасту участников войны, воспитанных в традициях прошедшего века, различимы «атавизмы» летописной манеры повествования. Так, в повседневных записях Волконского за 1812 г. мы узнаем столь характерные для нее речевые стереотипы, неторопливо-монотонный ритм как бы извне предопределенного течения событий, простодушный взгляд на них, моралистические сентенции.

Восходящая своими корнями к ранним стадиям формирования русской мемуаристики неразмежеванность в ней мемуарного и дневникового начал, ее, так сказать, генетическая предопределенность, дает себя знать еще очень долгое время в практике мемуаротворчества. Весьма характерна она и для первой трети XIX в. Вычленение, кристаллизация «воспоминательной» струи из стихии поденных записей, наиболее исконного и укоренившегося в обществе способа фиксации исторической действительности,— вполне естественный для той эпохи путь сложения многих мемуарных повествований. Отчетливо это видно и в материалах нашего издания, отразивших разную меру движения от поденных записей к мемуарным. Если, например, дневники Волконского, Вяземского, Дурново, Щербинина представляют собой поденные записи в их первозданном виде, еще не тронутые последующим прикосновением к ним редакторской руки авторов, то «Выписка из дневника» Липранди обозначила собой начальный момент его преобразования в мемуарный рассказ. В «Журнале» же Михайловского-Данилевского заметен уже более сильно продвинувшийся процесс преображения дневниковых записей в произведение мемуарного характера, хотя он еще далек от завершения,— именно поэтому дневниковая первооснова в передаче событий и их авторском восприятии сохраняется еще и здесь.

Среди публикуемых дневников только один — «Военный журнал» Щербинина — был начат (и завершен) во временны́х пределах эпохи 1812 г., явившись первым его «дневниковым» опытом (точнее, самым первым таким опытом надо признать затерянные позднее походные записки Щербинина за период Отечественной войны). В числе ранее известных произведений этого рода есть еще несколько дневников, авторы которых — гвардейские офицеры Ф. Я. Миркович, П. С. Пущин, И. Д. Якушкин, А. В. Чичерин — также были впервые вовлечены в дневниковое творчество 1812 годом, давшим, как видел читатель, столь мощный импульс развитию мемуаристики в России.

Но остальные дневники нашего издания никак не связаны своим происхождением ни с Отечественной войной, ни с заграничными походами. Они представляют собой фрагменты, вычлененные из хронологически более обширных дневников, которые велись еще до 1812 г. и продолжались после того, иногда очень длительное время, образуя многотомные своды поденных записей.

В самом деле, Волконский вел дневники более трети века — с 1800 по 1834 г. (умер он в мае следующего года). Вяземский составлял свой «Журнал» с 1803 г. до смерти поздней осенью 1812 г. Дневник Липранди (в подлинном виде, к сожалению, утраченный) велся на протяжении громадного периода — с 1807 г. до конца 1870-х гг., т. е. также почти до его смерти, и вряд ли в этом отношении было что-либо подобное ему среди русских дневников XIX в. Годом позже начинает составлять дневниковые «журналы» Михайловский-Данилевский и доводит их до середины 1826 г., обращаясь к ним от случая к случаю и позднее. С ноября 1811 по сентябрь 1828 г.— до последних своих дней — вел дневник и Дурново.

Стало быть, все эти дневники берут свое начало в первые годы XIX в. и ведутся с тех пор непрерывно всю последующую жизнь авторов, обрываясь, как правило, только с их кончиной,— это в равной мере относится и к старшей и к младшей их генерациям. Но если Волконский и Вяземский начинают свои дневники в «среднем» для той поры возрасте — соответственно в 31 год и в 28 лет, то представители младшей генерации — в совсем юные годы, еще в начале своего жизненного пути: Липранди — в 17, Михайловский-Данилевский — в 18, Дурново — в 19 лет.

Столь низкий возрастной «ценз» приобщения молодого офицерского поколения к ведению дневников сам по себе достаточно показателен как симптом того, насколько глубоко укоренилась к началу XIX в. дневниковая культура в военно-дворянских слоях русского общества. Нельзя не видеть здесь результат совершавшегося на протяжении целого столетия духовного самоопределения личности, роста ее исторического самосознания и складывания на этой основе самой потребности повседневно закреплять впечатления о себе и своем времени — таким путем накапливался и опыт самоанализа, самовоспитания и навыки конкретного наблюдения над разнообразием окружающей жизни. И запечатлению эпохи 1812 г. в большей части наших дневников мы обязаны не ее собственным, если можно так сказать, источнико-творческим стимулам, а именно этой, еще до того сложившейся, устойчивой потребности их авторов постоянно «давать себе некоторый отчет в своем дне»*.

С этой точки зрения небезынтересно бросить общий взгляд на развитие дневниковой ветви русской мемуаристики в предшествующее время.

Поденные записи в виде «карманных журналов», «памятных книжек», «дорожных» или «путевых» заметок и т. д., вошедшие в обиход русской жизни с петровского времени, имели по своей тематике преимущественно «внешне-событийный» в отношении личности автора характер. Довольно многочисленные, особенно во второй половине XVIII в., они, как правило, отрывочны, невелики по размерам, фиксируют несколько дней, месяцев, иногда ряд лет, но с немалыми перерывами — в зависи-

_____

* В я з е м с к и й П. А. Записные книжки (1813—1848).— М., 1963.— С. 171.

мости от прикосновенности автора к событиям государственным, придворным, военным, дипломатическим и т. д. Только конец столетия отмечен отдельными дневниками такого характера, веденными систематически долгий срок (например, знаменитые «Памятные записки» статс-секретаря Екатерины II А. В. Храповицкого за 1782—1793 гг.).

Обширных же дневников «личностного» типа, составлявшихся вследствие осознанного стремления авторов последовательно, день за днем заносить на бумагу все, что он знал о «самом себе» и окружающем в течение сколько-нибудь длительного периода жизни, было тогда и того меньше. Появляются они лишь в середине века в толще провинциального дворянства и духовенства («Журнал» курского помещика И. П. Анненкова с 1745 по 1762 г., поденные записи саратовских священников Г. А. и Н. Г. Скопиных, веденные в общей сложности с 1762 по 1826 г.). Но дневников этого типа, представляющих высшие, наиболее просвещенные круги «первенствующего сословия» — столичные, аристократические, военно-дворянские,— XVIII в. вплоть до его исхода почти не знает.

Поэтому мы не погрешим против истины, если признаем монументальные своды поденных записей, фрагменты которых за 1812—1814 гг. публикуются в нашем издании, крупной вехой в историческом развитии дневникового творчества, обозначившей собой общий подъем в начале XIX в. русской мемуарной культуры.

Чтобы лучше понять, как вписываются публикуемые дневники в это развитие, надо уяснить, к чему они предназначались, каковы были объективно обусловленные цели их создания.

С момента появления на арене духовной жизни России и в течение почти всего XVIII в. мемуары и дневники писались главным образом ради удовлетворения личных потребностей автора, для его семьи, детей, наследников, близких. Иногда при составлении мемуарных произведений имелось в виду донести и до отдаленных потомков память об авторе и его роде, но за границы этого фамильно-дружеского круга они по своим целевым установкам не выходили. Пожалуй, единственно, кто из авторов дневников XVIII в. смотрел несколько шире на их задачи, был известный воспитатель Павла I С. А. Порошин. Человек незаурядный, выделявшийся среди окружающих умственным кругозором, европейской образованностью и высокоразвитым чувством истории, он свои подробные и замечательно интересные повседневные записи о жизни при дворе в 1764—1765 гг. вел не просто для собственного употребления, а с ясным пониманием их исторического значения — в том смысле, что видел в них материал для будущего «дееписателя» екатерининского царствования*. (Много позднее, в XIX в. ведение дневников на политические и литературно-общественные темы с такой отчетливо осознанной целью «заготовки»

---

* Семена Порошина записки, служащие к истории его императорского высочества благоверного государя цесаревича и великого князя Павла Петровича.— 2-е изд.— Спб., 1881.

материала для будущих историй станет весьма распространенным явлением, и яркий пример того — дневник А. С. Пушкина 1833—1835 гг.) Но это исключение лишь подтверждало правило — мысль о сколько-нибудь широком *современном* читателе, об общественном звучании этих произведений, а тем паче о предании их гласности была глубоко чуждой сознанию людей того времени и их нравственно-психологическому складу. Она казалась неприемлемой прежде всего с позиций принятой тогда системы культурных ценностей, норм этики и литературно-бытового поведения. Случаи их рукописного распространения и публикации даже к концу века были чрезвычайно редки и каждый раз вызывались какими-то особыми обстоятельствами привходящего свойства.

Положение меняется лишь в первое десятилетие XIX в., в существенно изменившихся условиях общественно-политического, культурного и литературно-журнального развития — в те же примерно годы, когда начинают вестись и представленные в нашем издании дневники. Именно теперь в прессе и отдельными изданиями выходят составленные еще в глубинах XVIII в. воспоминания его исторических деятелей, а среди людей, только приступающих в эти годы к писанию мемуарных сочинений, появляются и такие, кто уже предназначает их для читающей публики, непосредственно ориентирует на печать.

Этот необычайно важный для последующих судеб мемуаристики сдвиг в ее целевой установке сильнее всего проявил себя в собственно мемуарах и куда меньше — в дневниках. В силу большой «интимности», «сокровенности» они в массе своей по-прежнему оставались в пределах изначальных личностно-семейных целей, и их «скрытая эволюция» совершалась в консервативных формах и более замедленными темпами.

Тем не менее дневники тоже не избежали новых веяний, и в материалах нашей публикации наличествуют обе эти тенденции: одна, «новаторская», связанная со зреющим пониманием общественно-современных функций мемуаристики; другая, «архаичная», замыкающая ее на узких рамках внутрифамильного употребления. Причем, водораздел между ними четко проходит и здесь по линии разграничения старшей и младшей генерации авторов.

Волконский и Вяземский — люди, всецело сложившиеся в культурно-этических понятиях XVIII в., предназначают поденные записи исключительно для себя, усматривая в них сферу приложения своих душевных сил и разнообразных интересов, поверяя им многое такое, что никогда, наверное, не высказали бы вслух, и не помышляя о том, чтобы ознакомить с ними кого-либо из посторонних (правда, Волконский изредка по вечерам читает отрывки из дневника жене*). Поэтому тот и другой мало заботятся и о внешнем облике своих «журналов», пишут их наспех, неразборчивым почерком, иногда не дописывая или сокращая отдельные слова и т. д.

_____

* ОР ГПБ, ф. 775, № 4860, л. 105 об.

Совсем иной вид имеют дневники представителей офицерской молодежи начала XIX в. Так, дневник Дурново уже своим оформлением достаточно выразительно свидетельствует о намерениях автора. Он пишется неизменно аккуратно, почти каллиграфически, трудно читаемые тексты за военное время для удобства пользования позднее перебеляются, а совокупность записей за каждый год регулярно переплетается в тисненные золотом сафьяновые книжки. Если же учесть лаконичность, «недоговоренность» самих записей, то нельзя не признать, что эти дневниковые книжки Дурново изготовлял в расчете и на современного читателя — надо полагать, из родственной ему военно-аристократической среды.

Еще дальше пошел в «рассекречивании» дневника Липранди. Свои ежедневные записи о политической и военной жизни России первой трети XIX в. он не только не таил от окружающих, но, наоборот, прибегал к ним всякий раз, когда обстоятельства вынуждали его публично оправдываться перед современниками и утверждать свою роль в исторических событиях, к которым был причастен. Начиная с 1820-х гг. Липранди широко знакомил с фрагментами дневника (в том числе и за 1812 г.) литераторов, ученых, издателей, способствовал распространению их в списках, включал в историко-критические разборы трудов об Отечественной войне, а в 1860—1870-х гг., опираясь на свой старый дневник, выступал в журналах и газетах с мемуарно-полемическими статьями на животрепещущие тогда исторические темы, но... мы уже вторглись в весьма далекую от нашего предмета сферу, и есть поэтому смысл поставить здесь точку.

Итак, всего шесть дневников, казалось бы, случайно отколовшихся от 1812 г., но какое богатство сведений, какое разнообразие оттенков и форм мемуарного творчества! В них, словно в фокусе, скрестились важнейшие явления русской мемуарной культуры — итог духовного развития общества нескольких исторических эпох. Но еще важнее эти дневники отображением той эпохи, которая вызвала их к жизни.

Вершинная в XIX в. точка ее осмысления — выход в свет «Войны и мира», ибо, как не без основания было замечено в свое время, «только благодаря Л. Н. Толстому история 1812 года перестала быть историей о генералах и Отечественная война осмыслила свое название»*. Еще не в полной мере оценено и то громадное влияние, какое толстовский роман оказал на русское историческое сознание в его обращениях к 1812 г. (историографию, искусство, обыденные исторические представления и т. д.) и во все последовавшее с тех пор время — вплоть до наших дней.

---

* Амфитеатров А. В. 1812 год: Очерки из истории русского патриотизма//Амфитеатров А. В. Собр. соч.— Т. 16.— Спб., 1913.— С. 13.

Неудивительно, что все когда-либо написанное об этой эпохе — и давно известное и вновь найденное — мы невольно соотносим с романом Толстого как с неким исчерпавшим тему абсолютом, высшим эталоном, и в любом отклонении от воссозданной в нем эпической картины русской жизни начала XIX в. стараемся увидеть и отклонение от правды истории — таково ни с чем не сравнимое обаяние того «тона правды», который пронизывает собой гениальный роман.

Вообще, надо сказать, что традиция рассмотрения его преимущественно сквозь призму исторической достоверности на фоне мемуарных свидетельств об эпохе и исторических исследований о ней (неважно — с положительным ли или отрицательным знаком) зародилась еще в самый момент появления романа и «передалась даже современным нам литературоведам»*.

Но при всей привлекательности такого подхода он чреват явной аберрацией исторического зрения, ибо Толстой — не историк-летописец, а его книга — не пособие по изучению прошлого. И дело не только в том, что, как ни обширна была эрудиция автора романа в эпохе 1812 г., не все известное тогда о ней попало в поле его зрения и что после издания «Войны и мира» появилось множество исторических материалов, рисующих эту эпоху несколько по-иному. Главное же — не принимается здесь во внимание ни художественная природа толстовского повествования, ни породившие его условия острой идейно-литературной борьбы 60-х гг. XIX в., ни резко индивидуальные черты философско-этических и литературно-психологических исканий писателя, воплотившихся в ткани его повествования.

Было бы поэтому ошибочным и дневники нашего издания мерить лишь их соответствием роману Толстого, хотя они тоже самым тесным образом сопряжены с документально-историческим фоном «Войны и мира». Однако сопряжение это — особого рода.

Читатель без труда заметит, что многие их записи (особенно в дневниках Волконского, Дурново, Вяземского) о боевых эпизодах, борьбе партии в Главной квартире, поведении и политических размышлениях исторических деятелей, быте дворянского общества, московских событиях 1812 г., реакции простонародья и аристократической верхушки на нашествие, самой атмосфере народной войны и т. д. не просто созвучны роману, а как бы прямо предвосхищают, «подсказывают» его батальные и семейные сцены, сюжетные линии, образы реальных и вымышленных персонажей, их душевный мир, склад воззрений и т. д. Поразительно, однако, что все эти дневники в пору писания романа не были известны Толстому,— и тут мы еще раз не можем не отдать должное силе художественно-исторических прозрений великого писателя.

Одного этого было бы достаточно, чтобы признать несомненным

---

* Л и х а ч е в Д. С. Литература.— Реальность.— Литература.— Л., 1981.— С. 128—129.

высокое историко-культурное значение дневников нашего издания. Но они обладают и совершенно самостоятельными познавательно-историческими качествами, выходящими за пределы аналогий с «Войной и миром».

В одном из откликов на журнальную публикацию отрывков из наших дневников, приуроченную к 175-летнему юбилею Отечественной войны, было сказано, что в них «есть некоторые оттенки, которые не найдешь ни у Толстого, ни в учебниках»*. Это очень верное наблюдение, но речь должна идти не об отдельных частностях, а о том, что эти дневники открывают новые грани, целые пласты исторической жизни того времени и она предстает в них куда более сложной, многокрасочной, «глубинной». Освещая в свежем ракурсе, часто с неожиданной стороны и фактическую канву событий и характеры действующих лиц, дневники доносят живое дыхание эпохи 1812 г. и тем самым помогают нам глубже постичь ее непреходящие ценности.

А. Тартаковский

---

* Юность.— 1988.— № 1.— С. 5.

ДНЕВНИКИ

ДНЕВНИКИ

Н. Д. ДУРНОВО

Николай Дмитриевич Дурново (1792—1828) происходил из знатной дворянской семьи. Дед его, тоже Николай Дмитриевич — генерал-аншеф, сенатор, в царствование Екатерины II управлял комиссариатским департаментом. Отец, Д. Н. Дурново — гофмаршал, тайный советник; по матери — урожденной Демидовой — он был потомком знаменитого уральского промышленника Акинфия Демидова. В 1810 г. Н. Д. Дурново поступает колонновожатым в свиту его императорского величества по квартирмейстерской части, в апреле 1811 г. в чине прапорщика назначается адъютантом ее управляющего князя П. М. Волконского и находится при нем до конца заграничных походов, когда П. М. Волконский был уже начальником штаба Александра I. В 1812 г. Н. Д. Дурново участвует в боях при Тарутине, Малоярославце, Вязьме, Красном, в походе 1813 г. отважно сражается под Люценом, Бауценом, Кульмом, Лейпцигом, в марте 1814 г. с союзными войсками вступает в Париж, в том же году производится в штабс-капитаны и среди немногих, наиболее отличившихся квартирмейстерских офицеров причисляется к Гвардейскому генеральному штабу. Пользуясь расположением Александра I, Н. Д. Дурново и по завершении кампаний успешно продвигается по службе: в 1815 г. он — флигель-адъютант, в 1819 г.— полковник, заведует библиотекой Главного штаба, а с 1824 г. управляет канцелярией начальника Главного штаба И. И. Дибича*.

Еще перед Отечественной войной Н. Д. Дурново приобщается к тому кругу военно-дворянской молодежи, из которого вышли впоследствии многие участники декабристского движения, его идеологи и руководители первых

---

* Формулярный список Н. Д. Дурново — ЦГВИА, ф. 489, д. 7055, л. 25—26; Русский инвалид.— 1828.— № 384; Столетие Военного министерства. 1802—1902.— Т. II.— Кн. 2.— Спб., 1904.— С. 162—163; Приложение.— С. 128.

революционных организаций. Так, среди его друзей по квартирмейстерской службе, а затем и по военным походам мы видим будущего основателя Союза спасения, Военного общества и Союза благоденствия А. Н. Муравьева, одного из самых ярких представителей дворянской революционности, главу Кишиневской ячейки декабристов М. Ф. Орлова, члена Союза благоденствия и Южного общества· С. Г. Волконского.

После войны, живя почти безвыездно в Петербурге, Н. Д. Дурново тесно соприкасается со столичной литературно-общественной средой (в его дневнике за эти годы есть записи о Г. Р. Державине, И. А. Крылове, А. С. Пушкине, А. С. Грибоедове, А. А. Перовском), присутствует на заседаниях «Беседы любителей русского слова», посещает музыкальные вечера, бывает у издателя «Отечественных записок» П. П. Свиньина, где собирается цвет литературной интеллигенции Петербурга*. Не порывает он в те годы личные отношения и с передовой частью военной интеллигенции, хотя политические воззрения бывших друзей молодости, ставших членами тайных обществ, он, видимо, не разделяет**.

Как бы то ни было, 14 декабря 1825 г. Н. Д. Дурново без колебаний встал на сторону правительственного лагеря, повсюду сопровождал нового императора, вел по его заданию переговоры с восставшими на Сенатской площади. Именно ему было поручено в ночь с 14 на 15 декабря арестовать К. Ф. Рылеева, по получении же известия о «бунте» Черниговского полка он срочно командируется на Украину с особым заданием по производству следствия, а 13 июля 1826 г. в числе самых доверенных лиц присутствует при повешении пяти декабристов на кронверке Петропавловской крепости.

Вооруженное выступление декабристов Н. Д. Дурново, как следует из его дневника, осуждает, некоторых из них наделяет уничижительными эпитетами: «бунтовщики», «заговорщики», «безумцы» и т. д. Вместе с тем, пристально наблюдая за ходом следствия, он все время выделяет среди доставляемых в Зимний дворец давних своих приятелей, озабочен тем, как сложится их дальнейшая жизнь,

---

* Т е р е б а н и н а Р. Е. Записи о Пушкине, Гоголе, Глинке, Лермонтове и других писателях в дневнике П. Д. Дурново//Пушкин: Исследования и материалы.— Т. VIII.— Л., 1978.— С 249—265, 270, 275.

** Л о т м а н Ю. М. Декабрист в повседневной жизни//Литературное наследие декабристов.— Л., 1975.— С. 66—69.

явно им сочувствует. «Мог ли я когда-либо поверить,— записывает Н. Д. Дурново после рассказа о сопровождении в крепость М. Ф. Орлова 28 декабря 1825 г.,— что мой прежний товарищ (в другом месте он прямо называет его «мой друг».— *А. Т.*) будет отведен мной в обиталище преступления и раскаяния»,— а в конце записи о гражданской казни осужденных на каторгу и ссылку декабристов, когда их ставили на колени, срывали мундиры, знаки отличия и т. д., отмечает: «Один только Александр Муравьев, мой старый товарищ, был без ошельмования приговорен просто к жительству в Сибирь»*. В этих словах — не только удовлетворение по поводу относительно благоприятной участи А. Н. Муравьева, но и порицание унизительных экзекуций, позорящего дворянскую честь обряда казни, равно как и неоправданной жестокости самого приговора для Н. Д. Дурново, поверившего в ходившие среди столичного дворянства слухи о великодушии Николая I к мятежникам, видимо, неожиданных. Во всяком случае, как вспоминал позднее С. Г. Волконский, когда его, арестованного, везли в январе 1826 г. из Умани в Петербург и он встретил по пути своего «короткого знакомца» Н. Д. Дурново, тот настоятельно уговаривал его «ничего не скрывать» на следствии, «потому что все ясно и явно известно в Петербурге, и уверяя, что тогда можно надеяться на милосердие государя»**.

Примечательна сама тональность записей дневника о Николае I. Если, искренне скорбя о кончине Александра I, Н. Д. Дурново отзывается о нем с величайшим пиететом, то в многократных упоминаниях нового императора с ноября 1825 г. по июль 1826 г. подчеркнуто сдержан, сух, протокольно фиксирует лишь его участие в событиях и, в отличие от других лиц из царского окружения, оставивших панегирические свидетельства о поведении Николая I во время восстания и следствия, не роняет в его адрес ни одного похвального слова. Только в связи с появлением в Зимнем дворце в дни междуцарствия одиозно-зловещей фигуры Аракчеева, которого, по мнению Н. Д. Дурново, «в любой другой стране население разорвало бы <...> на части», выражает некоторые, правда, весьма неопределенные, с известной долей скепсиса, надежды: «Новый мо-

---

* Козьменко И., Яшунский И. К истории восстания 14 декабря 1825 г.: (Из дневника флигель-адъютанта Н. Д. Дурново)// Записки отдела рукописей Всесоюзной библиотеки им. В. И. Ленина.— Вып. 3.— М., 1939.— С. 14, 17—19, 21.
** Записки С. Г. Волконского (декабриста).— Спб., 1902.— С. 443.

нарх вызовет обожание подданных, если начнет свое царствование удалением от кормила правления этого тигра, ненавидимого всей Россией. Да хранит нас Бог, чтоб он не вкрался в доверие государя»*.

Н. Д. Дурново, видимо, остро ощущал неблагоприятную для своей репутации прикосновенность к подвергнутым репрессиям друзьям молодости. Несмотря на официальность своего положения, он испытывал беспокойство за будущее, опасаясь ареста. Так, 4 января 1826 г.— еще на первых порах следственного процесса, когда со всей страны в Петербург ежедневно свозились десятки подозреваемых в причастности к тайным организациям и в личных связях с заговорщиками людей, Н. Д. Дурново отметил в дневнике: «Рано утром приехал за мной фельдъегерь барона Дибича. Я думал уже, что буду отправлен в места отдаленные, но страх был напрасен» — дело шло о сущем пустяке: ему поручалось от имени императора пригласить баварского генерала Левенштейна на военный парад**. Страх этот был навеян, однако, не только сиюминутным настроением рубежа 1825—1826 гг., но и старыми связями Н. Д. Дурново, восходившими еще к началу деятельности тайных антиправительственных организаций, и в этом плане весьма симптоматична запись в дневнике от 17 июня 1817 г.: «Я спокойно прогуливался в моем саду, когда за мною прибыл фельдъегерь от Закревского***. Я подумал, что речь идет о путешествии в отдаленные области России, но потом был приятно изумлен, узнав, что император мне приказал наблюдать за порядком во время передвижения войск от заставы до Зимнего дворца»****.

Угроза на сей раз миновала, но опасение Н. Д. Дурново на счет того, что его декабристские связи не останутся для правительства тайной, было не столь уж безосновательным. Так или иначе, но участие в подавлении восстания странным образом не повлияло на дальнейшее продвижение карьеры Н. Д. Дурново — в противоположность тем, кто 14 декабря находился рядом с императором; он не был отмечен ни новыми наградами, ни придворными пожалованиями, ни должностным повышением, пребывая в течение 9 лет в полковничьем чине и занимая прежний пост в Главном штабе. При производстве же в марте 1828 г.

* Козьменко И., Яшунский И. Указ. соч.— С. 13.
** Там же.— С. 18.
*** А. А. Закревский — дежурный генерал Главного штаба.
**** Лотман Ю. М. Указ. соч.— С. 68.

в генерал-майоры Н. Д. Дурново не был оставлен при Николае I, что, казалось бы, естественно вытекало из его многолетней службы в императорской свите, а когда открылась Турецкая кампания, получил назначение в армейскую бригаду — очевидный признак царской немилости — и 18 сентября 1828 г. в боях под Варной был убит*.

Свой дневник Н. К. Дурново вел с ноября 1811 г. до последних дней жизни (завершающая запись помечена 14 сентября 1828 г.) — это 17 изящно переплетенных в зеленый сафьян с золотым тиснением книжек, куда с завидным постоянством, обычно вечером, перед сном, заносил происшедшее за день. Запись велась на французском языке ровным, убористым, каллиграфическим почерком, без помарок, исправлений, и никаких признаков последующего обращения к ним, их редактирования и позднейших анахронизмов они в себе не содержат.

Любопытная деталь — дневник за 1812—1814 гг. написан на бумаге с водяными знаками 1816—1817 гг., бумага же дневника за все последующие годы имеет водяные знаки предшествующих лет**. Таким образом, дошедший до нас дневник периода наполеоновских войн представляет собой не первичные поденные записи, а перебеленные автором из ранее 1816—1817 гг. их тексты — важное наблюдение, позволяющее уяснить ту цель, к какой вообще предназначались Н. Д. Дурново его дневники. Вполне очевидно, что записи, веденные наспех по ходу боевых действий, на маршах, сразу после сражений, не удовлетворили своим внешним обликом автора, и во второй половине 1810-х гг. он решил аккуратно переписать дневники военных лет и придать им единообразный вид, продолжая точно так же оформлять книжки с поденными записями и в дальнейшем. И сделал он это скорее всего потому, что вел их не столько для себя, сколько в расчете на читателей — современников и потомков, усматривая в этом дневниковом труде источник для познания в будущем своего времени, что не могло, между прочим, не отразиться и на самой манере ведения записей, на целеустремленности отбора фактов текущей жизни и мере авторской откровенности.

Небезынтересно, кстати, заметить, что точно таким же

---

* Г л и н к а В. М. Кто изображен на двух портретах работы Б. Ш. Митуара//Памятники культуры. Новые открытия: Ежегодник. 1979.— Л., 1980.— С. 314—316.
** ОР ГБЛ, ф. 95, № 9335—9551.

образом — и по характеру записей, и по совершенно аналогичному оформлению книжек — вел свой многолетний дневник, насыщенный общественными и литературно-художественными впечатлениями 1830—1850-х гг., и младший брат Н. Д. Дурново — Павел Дмитриевич, в молодости гвардейский офицер, затем влиятельный чиновник и придворный, по жене — А. П. Волконской (дочери покровителя своего брата П. М. Волконского) породнившийся с обширным кланом Волконских, в том числе и с декабристом С. Г. Волконским*. Можно думать, что ведение поденных заметок, закреплявших обстоятельства собственной жизни, политические и литературные события эпохи, было для обоих братьев не просто данью аристократическо-великосветской моде, а устойчивой духовной потребностью — своего рода семейной традицией.

После гибели Н. Д. Дурново его дневник вместе с другими личными бумагами перешел к П. Д. Дурново, а позднее в общем составе семейного архива был унаследован его сыном — московским генерал-губернатором, членом Государственного совета П. П. Дурново, но после его смерти в 1919 г. следы местонахождения дневника теряются, и только в 1938 г. он был приобретен ОР ГБЛ.

Дневник Н. Д. Дурново давно привлек к себе внимание историков. Первые попытки его публикации (за годы наполеоновских войн) предпринимались еще в 1910—1920-х гг., но не были, к сожалению, осуществлены**. В 1914 г. П. П. Дурново предоставил для публикации в одном из исторических журналов тенденциозно подобранные отрывки из дневника за время междуцарствия и восстания декабристов***, в несколько расширенном варианте отрывки на ту же тему увидели свет в 1939 г.**** Никаких же других значительных фрагментов дневника до последнего времени в печати не появлялось, лишь в 1987 г. в связи со 175-летним юбилеем Отечественной войны нами был опубликован относящийся к ней отрывок *****. В целом же дневник остается пока не введенным в научный оборот, и публикация всего его текста — дело будущего.

Ниже печатается в русском переводе полный, без ка-

---

    * Теребенина Р. Е. Указ. соч.— С. 248—255.
    ** ЦГИА СССР, ф. 1101, оп. 2, д. 291; ЦГАЛИ, ф. 1337, д. 71.
    *** Вестник Общества ревнителей истории.— 1914.— № 1.
    **** Козьменко И., Яшунский И. Указ. соч.— С. 11—21.
    ***** Знамя.— 1987.— № 8.— С. 154—187.

ких-либо изъятий и сокращений, дневник Н. Д. Дурново за 1812 г.— памятник высокой исторической ценности.

Надо сказать, что дневниками, охватывающими весь ход кампании и сохранившимися в их первозданном виде, мы располагаем в очень малом числе. Дневниками же такого рода, которые бы вышли не из рядовой офицерской среды, а из-под пера лиц, причастных к высшему командованию армии и столь осведомленных в военно-политической ситуации 1812 г., мы до сих пор не располагали вовсе. Напомним: накануне и в начале войны Н. Д. Дурново состоит при П. М. Волконском, в свите императора 28 марта отправляется из Петербурга в Вильну, в 1-ю Западную армию, разделяет с ней всю тяжесть отступления первых недель войны, 8 июля вслед за Александром I покидает Главную квартиру, на несколько дней (24—27 июля) заезжает в Москву и 30 июля возвращается в Петербург, откуда 6 сентября командируется в ставку М. И. Кутузова к начальнику штаба соединенных армий Л. Л. Беннигсену, с трудом, обходными путями, через несколько губерний — Москва уже в руках французов — добирается до армии перед вступлением ее в Тарутинской лагерь, до 17 ноября участвует в боевых действиях, после чего, сопровождая Л. Л. Беннигсена, едет из-под Березины в Петербург и прибывает туда 6 декабря.

Благодаря этим постоянным передвижениям на громадных пространствах Европейской России, широте и многообразию военно-географических наблюдений, Н. Д. Дурново, как немногие из его современников-мемуаристов, видел 1812 г. с разных точек зрения и в различных социальных срезах — так сказать, панорамно, стереоскопически.

Ценность дневника, несомненно, повышается из-за редкой систематичности записей, которые велись на всем протяжении 1812 г. почти каждый день (только 13—14, 27—29 июля, 7—19 августа, 1—2 октября отмечены одной суммарной записью). В сочетании с точностью фиксации всего того, что попадало в поле зрения Н. Д. Дурново в столицах, на театре боевых действий, в прифронтовой полосе, это придает дневнику значение свода достоверно датированных исторических реалий — важного подспорья для уточнения хронологии и фактической канвы событий Отечественной войны. При этом нельзя, конечно, упускать из вида известного лаконизма записей, скользящих, как правило, по внешнему течению событий, не затрагивающих внутренний мир автора, избегающих опасных сюжетов,— словом, содержание ряда записей предстает перед нами как бы зашифрованным, и потому их адекватное прочтение предполагает в иных случаях специальные исторические разъяснения.

Дневник Н. Д. Дурново за 1812 г. возвращает нас к истокам его жизненного пути. Уже с первых страниц он погружает читателя в живую атмосферу повседневных общений квартирмейстерских офицеров, знакомя с их картографическими занятиями и адъютантскими обязанностями, с умственными запросами и бытовым укладом жизни, а позднее — и с самим их участием в войне. Причем круг квартирмейстерского офицерства русской армии эпохи 1812 г. воссоздан в дневнике с такой полнотой, с какой ранее, в других мемуарных источниках, не был еще представлен. То и дело возникают тут имена принадлежавших преимущественно к этой среде лиц, которые в конце 1810— начале 1820-х гг. окажутся в той или иной мере втянутыми в орбиту декабристского влияния. Помимо отмеченных выше М. Ф. Орлова, С. Г. Волконского, А. Н. Муравьева, это: Артамон Захарович Муравьев, Михаил Николаевич Муравьев, В. А. и Л. А. Перовские, П. П. Лопухин, П. И. Фаленберг, А. А. и М. А. Щербинины.

Та же среда нашла широкое отражение в созданных уже после войны и хорошо известных в литературе автобиографических записках А. Н. Муравьева и его брата — Н. Н. Муравьева-Карского, примыкавшего тогда к вольнолюбиво настроенному офицерству, а позднее известного генерала, прославившегося в Крымской войне взятием Карса. Дневники Н. Д. Дурново заметно перекликаются с этими записками, некоторые его сообщения могут быть правильно поняты лишь в сопоставлении с ними, во многом же сам он существенно их дополняет и корректирует.

Правда, записи за первые месяцы 1812 г. несут в себе печать столичной военно-придворной хроники: царские смотры, парады, дворцовые приемы, дипломатические рауты, званые обеды — по своим родственным отношениям Н. Д. Дурново был вхож в дома петербургской аристократии и правительственной знати. Но и в этой части дневника заключены свежие сведения о надвигающемся столкновении с наполеоновской Францией, о подготовке к войне, о пробуждающемся патриотизме. Отдельные же записи имеют уникальный характер.

Так, 25 января Н. Д. Дурново пишет: «Сегодня исполнился год, как было основано наше общество под названием «Рыцарство». После обеда у Г. Демидова я к девяти часам отправился в наше собрание, состоявшееся у «Отшельника». Мы оставались вместе до трех часов утра; четыре первоприсутствующих рыцаря председательствовали на этом собрании». Год спустя — 25 января 1813 г.— он отмечает: «Сегодня два года, как было основано наше «Рыцарство». Я один из собратьев в Петербурге, все прочие просвещенные члены — на полях сражений, куда и я собираюсь возвратиться»*.

Перед нами, несомненно, конспиративный офицерский кружок политического толка — одно из звеньев слабо освещенной в литературе и таящей в себе еще немало загадочного предыстории декабристских обществ. Единственно, что мы знали до сих пор о нем,— это мемуарное свидетельство Н. Н. Муравьева-Карского.

Как явствует из его записок, во второй половине 1811 г. в Петербурге им было учреждено «юношеское собратство» «Чока», исповедовавшее наивно-утопические идеалы всеобщего равенства и нравственного перевоспитания, но с четко выраженной руссоистско-республиканской окраской. «И по составу участников <...> и по одушевлявшим их помыслам,— отмечает исследователь,— оно органически входит в предысторию декабризма»**. «Собратство» включало в себя Арт. Зах. Муравьева, М. И. Муравьева-Апостола, В. А. и Л. А. Перовских. Кроме того, Н. Н. Муравьев намеревался привлечь сюда младшего брата Михаила, дальнего родственника Никиту Муравьева и М. И. Колошина. Несколько лет спустя М. И. Муравьев-Апостол в письме к основателю «собратства» вспоминал о «планах 1811 года, которые с такой радостью мы претворяли в жизнь»***.

К участию в «собратстве» был приглашен и колонновожатый И. А. Рамбург, но поскольку он «принадлежал уже к другому обществу <...> не решался вступить к нам без предварительного совещания со своим братством». Среди его членов, продолжает свой рассказ Н. Н. Муравьев, были Н. Д. Дурново, А. А. Щербинин, В. Х. Вильдеман, И. Ф. Деллинсгаузен (имена трех последних, как и И. А. Рамбурга, мы также находим в дневнике среди близких друзей и сослуживцев автора) «и еще некоторые молодые офицеры наши». «Собираясь у Дурново», они «таились

---

* ОР ГБЛ, ф. 95, № 9536, л. 7 об.

** А з а д о в с к и й М. К. Затерянные и утраченные произведения декабристов//Литературное наследство.— Т. 59.— М., 1954.— С. 608.

*** З а д о н с к и й Н. Новое в истории декабризма//Октябрь.— 1963.— № 7.— С. 181.

от других товарищей своих». И все же И. А. Рамбург «обнаружил желание соединить вместе оба общества и выразил надежду, что можно будет согласовать обоюдные виды наши, о чем говорил уже сочленам своим». Начавшаяся вскоре кампания 1812 г. оборвала, однако, эти планы*.

В свете дневниковых записей Н. Д. Дурново впервые выясняется, таким образом, что это — едва ли не самая ранняя из установленных ныне преддекабристских организаций, возникшая еще в январе 1811 г. («собратство» «Чока» образовалось на полгода позднее — не ранее августа 1811 г.) и не распавшаяся, вероятно, во время Отечественной войны и заграничных походов. Тайное общество Дурново — Рамбурга отразило начавшийся перед войной процесс идейного брожения среди квартирмейстерской молодежи и, безусловно, было отмечено свободолюбивыми устремлениями — иначе не могло бы быть и речи о слиянии его с республиканским «Чокой». Как теперь становится очевидным, оно имело писаный устав, иерархическую структуру, регулярно собиралось на заседания, подолгу обсуждая занимавшие их участников вопросы, причем, судя по записи Н. Д. Дурново от 25 января 1812 г., было довольно многочисленным, раз на одном только заседании председательствовало сразу четыре «первоприсутствующих» члена — видимо, из числа основателей. Во внутреннем устройстве и ритуале «Рыцарство» воспроизводило организационные начала масонских лож — черта, как известно, характерная для разного рода политических объединений раннего декабризма. Неслучайно в этом смысле само его название, вызывающее невольные ассоциации с сформировавшимся не позднее 1814 г. при решающем участии М. Ф. Орлова «Орденом русских рыцарей» — революционной конспиративно-просветительской организации, также воспринявшей некоторые внешние атрибуты масонства. (Знаменательно, что первые признаки зарождавшегося «Ордена» прослеживаются еще в рядах русской армии, сосредоточенной перед войной 1812 г. на западной границе,— в той же, очевидно, среде, в которой вращался тогда и Н. Д. Дурново**.)

По идейному облику и составу участников из его близ-

---

* Русский архив.— 1885.— № 9.— С. 26—27. См.: Н е ч к и н а М. В. Движение декабристов.— Т. I.— М., 1955.— С. 103—106.
** Л о т м а н Ю. М. Указ. соч.— С. 67; О н ж е. М. А. Дмитриев-Мамонов — поэт, публицист, общественный деятель//Ученые записки Тартуского государственного университета.— Вып. 78.— 1959.— С. 26—27.

кого окружения с «Рыцарством» была, вероятно, преемственно связана тайная организация квартирмейстерских офицеров, существовавшая в русской армии в 1813—1814 гг. В ней обсуждались проблемы «политического состояния... отечества, юстиции, нашего просвещения и общественных злоупотреблений» — с той целью, чтобы «со временем иметь влияние на государственное управление». Ее численность и персональный состав еще не прояснены, известно только, что, кроме члена «Рыцарства» И. Ф. Деллинсгаузена, сюда входили также не раз упомянутые в дневнике Н. Д. Дурново Е. Ф. Мейендорф 1-й и Е. К. Мейендорф 2-й*. Не исключено, впрочем, что и сам он был каким-то образом причастен к этой организации.

Записи дневника за весенние месяцы 1812 г., когда в ожидании начала кампании квартирмейстерский корпус переместился в Вильну и ее окрестности, запечатлели сближение Н. Д. Дурново с Александром, Николаем и Михаилом Муравьевыми. 6 апреля, в день приезда в Вильну, он отмечает: «Братья Муравьевы пригласили меня расположиться у них на квартире. Я принял их любезное приглашение». Казалось бы, здесь лишь малозначимая бытовая деталь. Однако истинное значение этой скупой записи не будет верно понято, если вновь не обратиться к их автобиографическим запискам.

Вспоминая о том, как с братьями он снял в Вильне квартиру на Рудницкой улице, Н. Н. Муравьев пишет: «К нам присоединился, чтобы вместе жить <...> прежний товарищ мой, а тогда адъютант князя П. М. Волконского прапорщик Дурново», «мы жили артелью и кое-как продовольствовались»**. А. Н. Муравьев со своей стороны подтверждает: «Мы, таким образом, до раскомандирования в разные места продолжали в общей артели жить вместе» и причисляет к «артельщикам» прапорщика Н. Е. Лукаша***, по дневнику — также одного из друзей Н. Д. Дурново. Сам он (записи за 9 и 19 апреля) дополняет их М. И. Колошиным и капитаном П. И. Брозиным, который «испросил разрешения вступить в наше товарищество и обедать вместе». Вскоре к ним присоединяются, поселившиеся, правда, отдельно, М. Ф. Орлов,

---

* Ч е р н о в С. Н. У истоков русского освободительного движения.— Саратов, 1960.— С. 24—25.
** Русский архив.— 1885.— № 9.— С. 41—42.
*** М у р а в ь е в А. Н. Сочинения и письма.— Иркутск, 1986.— С. 87.

А. А. Щербинин и другие офицеры квартирмейстерского корпуса.

Но не одни лишь хозяйственные заботы, сходные жизненные потребности и распорядок службы соединяли между собой «артельщиков». И даже не воинское товарищество, как оно ни было значимо само по себе («Неловкость полностью изгнана из нашего союза, и нас связывают крепкие дружеские узы»,— отмечает Н. Д. Дурново в записи от 11 апреля). Сам термин «артель» в офицерском лексиконе 1810-х гг. имел определенный идейный оттенок, и в не меньшей мере «артельщиков» сплачивала общность духовных интересов. «У нас было несколько книг, и мы занимались чтением»,— свидетельствовал Н. Н. Муравьев*. Отголоски острых споров о прочитанном, совместных обсуждений животрепещущих тогда тем, в том числе роли масонских конспираций в европейском общественном движении послереволюционной эпохи (это видно, в частности, из упоминаний Н. Д. Дурново нашумевшей книги реакционного публициста А. Баррюэля «История якобинизма»), мы находим и в его дневнике за время пребывания в Вильне весной 1812 г.

В муравьевском «артельном союзе» кануна Отечественной войны отчетливо угадываются некие контуры, в известном смысле прообраз основанного тем же Н. Н. Муравьевым в 1814 г. идейно-дружеского объединения квартирмейстерских офицеров — Священной артели, которая характеризуется в исторической литературе как «колыбель» и непосредственная предшественница Союза спасения**.

Дневник высветляет еще один важный эпизод 1812 г., также небезынтересный с точки зрения связей Н. Д. Дурново с передовой офицерской средой. Речь идет об участии не раз уже упомянутого М. Ф. Орлова в миссии генерал-адъютанта А. Д. Балашева, отправленного в ночь с 13 на 14 июня из Главной квартиры к Наполеону с предложением переговоров при условии безоговорочного отвода «Великой армии» за русскую границу,— последняя попытка Александра I разрешить возгорающийся военный конфликт мирным путем.

Современному читателю об этой исторической миссии более всего известно, вероятно, из красноречивого и пси-

---

* Русский архив.— 1885.— № 9.— С. 42.
** Н е ч к и н а М. В. Указ. соч.— Т. I.— С. 124—131; К а л а н т ы р-с к а я И. Е. Письма декабристов Н. Н. Муравьеву-Карскому как источник по истории Священной артели//Археографический ежегодник за 1972 год.— М., 1974.— С. 142—158.

хологически проникновенного описания ее в «Войне и мире». Но, рассказывая об отъезде А. Д. Балашева из Вильны, Л. Н. Толстой отметил только, что ему сопутствовали трубач и два казака, об Орлове же не обмолвился ни словом. Это и понятно: необыкновенно точный в воссоздании реальных обстоятельств эпохи, Л. Н. Толстой опирался здесь на мемуарную записку о поездке к Наполеону самого А. Д. Балашева, где имя Орлова не было упомянуто. Предназначая ее в 1836 г. для готовившегося А. И. Михайловским-Данилевским по царскому заказу «Описания Отечественной войны», бывший министр полиции явно не пожелал сохранить для потомства столь примечательный эпизод военной биографии опального к тому времени декабриста. Вслед за тем и вся последующая историография Отечественной войны — вплоть до середины нашего века, основываясь на записке А. Д. Балашева, обходила этот эпизод полным молчанием.

Умалчивание о нем историков на первых порах поддерживалось также и тем, что участие Орлова в поездке к Наполеону уже по характеру возложенного на него задания держалось еще в большем секрете, нежели официально-дипломатические аспекты миссии А. Д. Балашева.

В чем же оно заключалось? Ответ на этот вопрос начал понемногу проясняться по мере того, как в печать стали проникать воспоминания ряда военных, осведомленных в сокровенных сторонах деятельности русского штаба в Отечественной войне. Еще Н. Н. Муравьев-Карский свидетельствовал, что М. Ф. Орлов, посланный «к Наполеону для переговоров», «привез известие, что французская армия претерпевает нужду, особливо в коннице»*, а из напечатанных впервые в 1955 г. записок А. Н. Муравьева мы узнали, что при отправлении с А. Д. Балашевым М. Ф. Орлову «поручено было тайно высмотреть состояние французских войск и разведать о духе их». Пока же А. Д. Балашев вел переговоры с Наполеоном, М. Ф. Орлов оставался при маршале Л. Н. Даву и, беседуя с ним в присутствии офицеров его штаба, проявил недюжинную находчивость, остроумие и чувство собственного достоинства**. Из всего этого следовало, что дело касалось задания разведывательного характера.

Спустя несколько лет был обнаружен в архиве и собственноручный отчет М. Ф. Орлова о его поездке, представленный по возвращении 21 июня в Главную квартиру. Из

* Русский архив.— 1885.— № 9.— С. 77—78.
** М у р а в ь е в А. Н. Указ. соч.— С. 91—92.

43

отчета окончательно выяснилось, что М. Ф. Орлов, который и раньше с успехом выступал на поприще военной разведки, явился первым русским офицером, проникшим в начале кампании 1812 г. в самый центр «Великой армии» и доставившим командованию всесторонние и точные о ней данные, значение которых в тех условиях трудно было переоценить. Он, в частности, прозорливо распознал стратегический замысел Наполеона, решившего, по мнению М. Ф. Орлова, после крушения надежд на генеральное сражение в районе Вильны, разделить 1-ю и 2-ю Западные армии и устремиться всей мощью своих войск в глубь России. Сообщения и рекомендации М. Ф. Орлова повлияли, как можно было полагать, на планы дальнейшего ведения войны, в немалой мере определив решение М. Б. Барклая-де-Толли продолжать отступление ради скорейшего соединения с армией П. И. Багратиона*.

Таков исторический контекст записей об этом эпизоде в дневнике Н. Д. Дурново. Они ценны прежде всего тем, что были сделаны по горячим следам и отразили, вероятно, рассказы самого М. Ф. Орлова — на это указывает доверительно-дружеский стиль их отношений, как он вырисовывается из дневника. (М. Ф. Орлов — вообще одно из наиболее часто упоминаемых в нем лиц из близкого окружения Н. Д. Дурново, и, как ни о ком другом, он отзывается о нем с нескрываемым восхищением. «Это человек высокого духа, и с ним есть о чем поговорить»,— записывает он, например, 12 апреля.)

К тому, что было известно на сей счет прежде, дневник добавляет новые выразительные штрихи. Особенно существенна запись за 21 июня о завершении миссии: «Орлов вернулся вместе с генералом Балашевым <...> Император провел более часа в беседе с Орловым. Говорят, что он был очень доволен его поведением в неприятельской армии. Он смело ответил маршалу Даву, который пытался задеть его в разговоре». Уже один тот неизвестный доселе факт, что немедленно по возвращении М. Ф. Орлова Александр I имел с ним продолжительный и конфиденциальный разговор, убедительно свидетельствует и о том, что сама посылка его с разведывательным поручением в наполеоновскую армию под покровом участия в миссии А. Д. Балашева была предпринята по личному распоря-

---

* Т а р т а к о в с к и й А. Г. Бюллетень М. Ф. Орлова о поездке во французскую армию в начале войны 1812 г.//Археографический ежегодник за 1961 год.— М., 1962.— С. 416—438.

жению царя, и о чрезвычайной важности привезенных им сведений, косвенно подтверждая их *стратегически* значимый для русского штаба характер.

И за последующий период войны в дневнике немало ускользавших от позднейших мемуаристов и историков сведений о военно-дипломатических акциях командования, об его оперативных планах, отдельных сражениях, духе войск, откликах в столицах на ход военных действий и т. д. Дневник передает впечатление автора чуть ли не о всех виднейших генералах, офицерах, партизанах того времени — героях 1812 г., имена которых ныне на слуху любого мало-мальски образованного человека.

Не лишены интереса и записи в дневнике о взаимоотношениях военачальников, о борьбе «партий» в Главной квартире. Суждения об этом автора тоже по-своему «партийны», а иногда и откровенно пристрастны. Читатель, конечно, обратит внимание на его недоброжелательный тон в отношении М. И. Кутузова — это требует некоторых пояснений.

Уезжая в сентябре из Петербурга в армию, Н. Д. Дурново заручился двумя рекомендательными письмами самого высокого ранга: одно, на имя главнокомандующего, получил от его жены — Е. И. Кутузовой; другое, адресованное Л. Л. Беннигсену,— от близкого к своей семье П. А. Зубова (кстати, связанного с последним еще по антипавловскому заговору 1801 г.). Так что с этой точки зрения, в определении своей позиции в Главной квартире, Н. Д. Дурново имел равные возможности выбора. Но став адъютантом Л. Л. Беннигсена и войдя в его окружение, этот 20-летний прапорщик, совершивший только первую свою кампанию, не обладавший должным жизненным опытом, попал в самое пекло антикутузовской оппозиции. Как вспоминал один из очевидцев, «центром злословий была квартира генерала Беннигсена»*. В основе их лежали неудовлетворенные военные амбиции и открытая вражда к Кутузову начальника его штаба. Он плел вокруг главнокомандующего интриги, вовлекая в них всех его недругов в Главной квартире и находя поддержку у штабных служистов придворно-аристократического толка — вроде ярого ненавистника Кутузова флигель-адъютанта С. С. Голи-

---

* Л е в е н ш т е р н В. И. Записки//Русская старина.— 1901.— № 1.— С. 126.

цына*, о котором, между прочим, Н. Д. Дурново отзывается в дневнике с явной неприязнью и которого корит за то, что его «сплетни <...> много способствуют поддержанию разногласий между старыми генералами» (запись за 9 октября).

Подстрекаемый английским эмиссаром при русском штабе Р. Вильсоном, Л. Л. Беннигсен в сентябре — октябре 1812 г. слал в Петербург Александру I доносительные письма, всячески порочившие Кутузова лично и как полководца, добиваясь смещения его с поста главнокомандующего с тем, чтобы самому стать во главе армии — намерение, нашедшее отзвук и в дневнике Н. Д. Дурново. Но попытки эти не укрылись от внимания Кутузова: «О Беннигсене говорить не хочется, он глупой и злой человек. Уверяли его такие же простаки, которые при нем, что он может испортить меня у государя и будет командовать всем: он, я думаю, скоро поедет»,— писал главнокомандующий жене 28 октября 1812 г.**. И в середине ноября Беннигсен действительно «поехал» — иными словами, был выслан Кутузовым, получившим санкцию Александра I, из армии.

На недоброжелательство Н. Д. Дурново к Кутузову повлияло, вместе с тем, не только его положение в Главной квартире. С не меньшей силой сказался здесь и более обширный пласт военных умонастроений осени 1812 г., связанных с критикой принятого Кутузовым способа руководства военными действиями со стороны довольно заметной части русских офицеров и военачальников, а среди них были А. П. Ермолов, М. А. Милорадович, М. И. Платов, Н. Н. Раевский и даже столь верные сподвижники Кутузова, как П. П. Коновницын и К. Ф. Толь. Горя патриотическим нетерпением, желая скорейшего изгнания из России наполеоновской армии, они не всегда брали в расчет сопряженные с этим трудности и не могли подняться до постижения мудрой осмотрительности стратегических соображений полководца — его стремления решить исход войны «малой кровью» при сохранении боеспособности основных сил русской армии. Отображением именно этих настроений явились разбросанные в дневнике упреки в «медлительности», почти «полном бездействии» Кутузова,

---

* Марченко В. Р. Мои соображения о войне 1812 года// Русская старина.— 1896.— № 3.— С. 503.
** М. И. Кутузов: Сборник документов.— Т. IV.— Ч. 2.— С. 237—238.

вынуждающего «нас двигаться черепашьим шагом» и т. д.

Было бы поэтому опрометчиво, исходя лишь из антику- тузовской ориентации дневника и близости Н. Д. Дурново к кругу Беннигсена, видеть в нем штабного карьериста такого, скажем, типа, как всем памятный персонаж «Вой- ны и мира» — Борис Друбецкой, тоже состоявший в 1812 г. при Беннигсене. А с такой точкой зрения мы встречаемся, между тем, в одном из недавних откликов на журнальную публикацию дневника, где говорится, что Дурново мог уви- деться в штабных кругах «с Друбецким и Бергом, о кото- рых невольно вспоминаешь, читая его дневники», что Дур- ново будто бы «занимают и развлекают» раздоры в вер- хах армии*.

Некоторые черты облика и поведения Друбецкого, как они изображены в романе, и в самом деле напоминают запечатленные в дневнике нравы в Главной квартире. Вот, например, мы читаем у Толстого: «В начальствовании армией были две разные, определенные партии: партия Ку- тузова и партия Беннигсена, начальника штаба. Борис находился при этой последней партии, и никто так, как он, не умел воздавать раболепно уважение Кутузову, давать чувствовать, что старик плох и что все дело ведется Бен- нигсеном. Теперь наступила решительная минута сраже- ния, которая должна была или уничтожить Кутузова и передать власть Беннигсену, или, ежели бы даже Куту- зов выиграл сражение, дать почувствовать, что все сделано Беннигсеном».

И все-таки Дурново — это не Друбецкой. Если пос- ледний строил свою карьеру на поддержании разлада между Беннигсеном и Кутузовым, то Дурново усматривал в этом один только вред для дела борьбы с нашествием: «Наш главный штаб в открытой войне с главным штабом фельдмаршала. Можно ли надеяться победить неприятеля, пока происходит междоусобная война!» (запись за 9 ок- тября). Как и Друбецкой, Дурново не лишен честолюбия, но смысл его существования не в ловком подыгрывании покровителям из генеральских сфер, не в «искательстве» в штабных канцеляриях, не в добывании чинов и наград — при полном безразличии к участи отечества, а в исполнении воинского долга: он тяжело переживает вынужденное пребывание в Петербурге, когда его «товарищи на поле битвы», рвется в действующую армию, преисполнен пат-

---

* Б а б а е в Э. «Тон правды»//Знамя.— 1987.— № 8.— С. 131— 132.

риотических чувств (записи за 7 и 22 августа, 1—2 и 3 октября).

Есть, однако, и более глубокие основания, исключающие сближение автора дневника с персонажем толстовского романа. Тот особый, исторически конкретный тип личности, который олицетворял собой Дурново, с его сложными, порою взаимоисключающими связями с эпохой и последующей, далеко не ординарной, судьбой — остался вообще за пределами писательского внимания Толстого. Трудно сказать — оттого ли, что личность такого типа не укладывалась в магистральное направление его художественных и философско-нравственных исканий; оттого ли, что она не была еще открыта в общественной жизни первой четверти XIX в. историческим знанием толстовского времени, оттого ли, наконец, что сам дневник не был известен Толстому. Но кто знает: попади этот дневник в руки Толстого в пору неустанных разысканий для «Войны и мира» всякого рода записок, писем, дневников современников и напряженных размышлений над характерами героев, он, наверно, обогатил бы его свежими военно-бытовыми деталями, психологическими подробностями и, быть может, несколько уточнил бы сам взгляд великого писателя на эпоху 1812 г.

ДНЕВНИК 1812

Январь.

1. Ранним утром я отправился к великому князю Константину[1] со всеми офицерами Главного штаба, чтобы поздравить его высочество с Новым годом; затем мы пошли к квартирмейстеру генералу барону Сухтелену[2] и князю Волконскому[3]. Парад был отменен; я этим воспользовался, чтобы поздравить старую графиню Зубову[4]. Ее внучка, графиня Елизавета Зубова[5], помолвленная с бароном Розеном[6], стала фрейлиной двора. В 9 часов вечера я отправился на придворный маскарад. Толпа купцов была такой большой, что с трудом удалось сквозь нее пробиться; жара — столь удушающая, что я не думал, что выберусь оттуда.

2. Провел утро за работой в Главном штабе, обедал дома. Вечер — у полковника Жандра[7], адъютанта великого князя. Он давал небольшой бал. Хотя я много танцевал,

это не помешало мне там соскучиться. В два часа ночи вернулся домой.

3. Все утро я оставался за работой в Главном штабе. Обед у графини П. Зубовой[8]. Туда также пришел герцог Серра Каприола[9] со своей семьей. После полудня я возвращаюсь к себе, чтобы написать большое число писем своим отсутствующим товарищам. Написав письма, занимаюсь чтением до тех пор, пока не ложусь в постель.

4. Закончил в Главном штабе модель горы, которую начал 27 ноября 1811 по модели полковника Пенского[10], требовавшего, чтобы копия не уступала оригиналу. Для меня эта модель горы останется свидетельством моего терпения. Князь Волконский приказал мне получить деньги в императорской казне и вручить их полковнику Эйхену[11]. Меня заставили довольно долго ждать и назначили на завтра. Обед у Г. Демидова[12]. Вечер у герцога Серра Каприола, немного там потанцевал. Вернулся домой после полуночи.

5. Получив казенное жалованье, я отправился в конюшню Г. Демидова, который мне обещал лошадь для завтрашнего парада. Лошадь оказалась вполне хорошей. В Главном штабе я начал план города Борисова и его окрестностей. Вечер в гостиной.

6. Стояли жестокие морозы: в 7 часов утра, одевшись как можно теплее, я отправился в Зимний дворец, чтобы получить резолюцию его величества по поводу парада. К 8 часам утра великий князь Константин вышел из кабинета императора с приятной новостью, что парад отменен. Термометр показывал около двенадцати градусов, я вернулся к себе, чтобы переодеться, и оставался дома до одиннадцати часов. На реке происходило освящение гвардейских знамен. Император и великий князь обнажили головы. Церемония длилась в течение часа. Обед дома. Сразу же после этого мы отправились с Г. Феншау с визитами к господам Путятину[13] и Олсуфьеву. Вечером — бал у полковника Солдаена[14]; конногвардейцы скучали как бы в наказание.

7. Утром был у князя Волконского, затем — при дворе. Обед дома. Вечером бал у купца Кусова[15], было до 500 персон разного рода людей. Танцевали много экосезов, было более ста пар. Ужин очень умеренный. Сегодня сгорел Аничков дворец, принадлежащий великой княгине Екатерине[16]. Это было объявлено в 7 часов вечера. Император и все его адъютанты находились там до шести часов утра,

это не помешало сгореть большей части дворца. Хорошо поработала полиция!

8. Отправившись к князю, застал его еще в постели, так как он лег в семь часов утра. Пошел работать в Главный штаб. Обед в комнате моего брата. Оставшуюся часть дня провел у себя.

9. Я сопровождал князя на малый парад. Затем работал в Главном штабе, провел весь вечер у себя дома за писанием письма Деллингсгаузену[17]. Проведя все утро в бегах, предпочитаю остаться вечером дома. Рассеял скуку, которую испытал утром. Спокойная жизнь — в моем вкусе.

10. Повторение вчерашнего утра. Сначала у князя, потом за работой, обедал дома. После обеда написал дяде и посетил господ Смирнова и Краснокутского. Когда мне было пятнадцать лет, я был влюблен в Марию Смирнову. Все проходит с годами. Закончил день у господина Олсуфьева.

11. Утро прошло очень скверно в передней дворца и в Главном штабе. Обедал у госпожи Безобразовой. Возвратясь домой, навестил затем Лукаша[18] и Василия Перовского[19]. Вечером скучал в гостиной. Счастье, что я там не заснул.

12. Отправился к князю Волконскому. Он мне дал поручение и письмо к генералу Опперману[20], командующему инженерным корпусом. Я вернулся к работе в Главном штабе. Сегодня похоронили генерала Бауэра[21]. Остаток вечера провел у себя дома.

13. Отправился во дворец. Сегодня праздник императрицы Елизаветы[22]. Обедня началась в полдень. Император садится на лошадь, и мы возвращаемся на Дворцовую площадь. Он объезжает войска, которые затем проходят взводами. Это продолжается до двух с половиной часов. Было девять градусов мороза, и так как я не надел ничего теплого, то окончательно промерз, но не заболел. Отобедав дома, пролежал в кровати до 9 часов вечера. Оставшуюся часть вечера провел в своей комнате.

14. Провел часть утра за чтением «Тридцатилетней войны» Шиллера, которую закончил, и за «Большими военными операциями» Жомини[23]. Редкий случай, когда могу провести утро у себя дома. Нанес визиты господам Резимонту и Безобразову. Пообедав у дедушки, отправился затем к господину Ададурову[24] и завершил день у госпожи Козловой.

15. На этой неделе службу несет Орлов[25], поэтому я отправился работать прямо в Главный штаб. Благодаря

этому у меня было больше времени утром, которое я провел за чтением трудов Жомини. После полудня мы с Александром Левшиным зашли[26] к Георгию Феншау. Он квартирует в доме Браницкого на Мойке. Возвратясь домой, нашел Лукаша, который только что появился. Щербинин[27] ушел и Рамбург[28] тоже, под предлогом головной боли. Мы оставались вдвоем с Лукашем до десяти часов вечера. Мои сани тут же доставили его домой. Это прекрасный юноша и к тому же с хорошими принципами.

16. После чтения дома Жомини я отправился в Главный штаб работать. Обед у госпожи Козловой. От нее — в театре; опера и две комедии Фигаро меня немного развлекли. Вечер у Г. Демидова. Пришло много народа, но было скучно. Возвратился в полночь.

17. Прибыв в Главный штаб, узнал, что князь Волконский объявил колонновожатым, что не будет публичных экзаменов и что они могут облачиться в военную форму. Я поспешил поделиться этой доброй новостью со своим дорогим Рамбургом, после чего отправился получить четыре шитья, три для Лукаша и одно для Рамбурга. Обед дома. Вечером Щербинин, Лукаш и Рамбург пришли ко мне ужинать. Мы радуемся счастью наших товарищей и остаемся вместе более шести часов, не заметив, как прошло время.

18. Провел утро за работой в Главном штабе. Мы отправились обедать вместе с маркизом Мезонфором[29] к графине Зубовой, где оставались до шести часов, затем проводил маркиза на Морскую и провел несколько часов у дедушки[30]. Вечер у герцога Серра Каприола. Там собралось много народа.

19. После работы в Главном штабе с Феншау сопровождал царский поезд в санях. Время благоприятствовало нашей прогулке. Обед дома. Вечером мы были в свете, где играла музыка и танцевали. Это было даже занятно.

20. Для перемены занятий направляюсь на работу в Главный штаб, это мне совсем не наскучило. Наше общество очень приятно. Маркиз пытается завести разговор, своими остротами он нас не позабавил. После обеда занимаюсь чтением Жомини. Вечер у господина Свистунова[31] до десяти часов.

21. Сегодня состоялся большой парад всего гарнизона. Войска шли сначала взводами, затем колоннами; это продолжалось довольно долго. Я зашел на минутку к Селявину[32]. В час отправился на завтрак по приглашению Новосильцова. Обед у старушек Янсон. У них всегда очень

хороший стол. В шесть часов возвращаюсь домой и уже никуда больше не выхожу.

22. Утром был у князя Волконского, при дворе, на небольшой прогулке и в Главном штабе за работой. После обеда у Григория Демидова возвратился к себе домой, чтобы почитать Жомини. Вечером вновь отправился к тому же Демидову; на Исаакиевской площади встретил англичанина Чарльза, спорившего с извозчиком, который не хотел его везти; я усадил его в свои сани и довез до Казанского собора. Вечер был ни веселым, ни грустным, и пришло мало народа.

23. Император прибыл на малый парад и произвел смотр одного из гвардейских батальонов. Я тут же направился в Главный штаб поработать. Вечером мы пошли с Лукашем и Щербининым в Малый театр, где давали «Терпсихору» и «Аттилу». Обе пьесы были очень милы. Маркиз Мезонфор пришел к нам провести вечер.

24. Утро было посвящено службе и работе. Обед на половине моих братьев. Господин Резимонт также туда пришел и оставался у меня до семи часов. Я тут же написал Колычеву[33], от которого получил письмо утром. Вечер у господина Олсуфьева.

25. Сегодня исполнился год, как было основано наше общество под названием «Рыцарство». После обеда у Г. Демидова я к девяти часам отправился на наше собрание, состоявшееся у «Отшельника». Мы оставались вместе до трех часов утра; четыре первоприсутствующих рыцаря председательствовали на этом собрании.

26. Князь Волконский отправил меня к военному министру[34], который сообщил мне о производстве в офицерские чины наших колонновожатых. Приказ еще не появился. Окончив занятия в Главном штабе в три часа, я отправился к коменданту, где напрасно прождал до четырех часов. Возвратясь к себе домой, застал всех за обедом. Вечер у герцога Серра Каприола, где оставался до ужина. Я нашел у себя приказ, который мне был прислан одним из плац-адъютантов.

27. Принес приказ князю. Он поручил мне его прочесть тем, кто был произведен в чины. Вот их имена: Муравьев 5-й[35], Голицын 2-й[36], Зинковский[37], Апраксин[38], Перовский 2-й, Дитмарх[39], Мейендорф 2-й[40], Цветков[41], граф Строганов[42], Мейендорф 1-й[43], Глазов[44], Фаленберг[45], Лукаш, Данненберг[46], Рамбург, Перовский 1-й[47], Муравьев 3-й[48]. Радость их по поводу получения чинов не может быть описана словами, так как они числились унтер-офицерами,

и теперь их положение совершенно переменилось. Пошел поделиться этой новостью с графом Строгановым и Апраксиным. Они уже знали ее от Рамбурга. Был с Лукашем в Главном штабе. Он уже имел форму и пришел только для того, чтобы поблагодарить князя. Обед у господина Олсуфьева, после которого составилась партия в казино. Я отправился на французский спектакль; давали «Ричард Львиное Сердце». Вечер — у господина Свистунова, где сыграл партию в бильярд с маркизом Мезонфором.

28. Наши новые офицеры в числе 18 человек были представлены императору в Знаменном зале. В час я отправился к герцогу Серра Каприола-сыну[49]. После обеда мы поехали в Красный Кабак, чтобы покататься с гор; десять человек приняло участие в этой прогулке; мы изрядно позабавились, но без скандала, и после обеда все возвратились в город. Каждый направился к себе домой. Я занялся чтением мемуаров герцога Сен-Симона[50] о французском дворе, это меня очень заинтересовало. В десять часов, почувствовав усталость, лег спать.

29. Ранним утром отправился в канцелярию Гурьева[51], министра финансов, чтобы получить полторы тысячи рублей, которые я должен отдать князю Волконскому. Мне пришлось ждать больше двух часов приказа, по которому я смог получить деньги из императорской казны. После этого я прождал еще один час. Вот превосходно проведенное утро: освободившись к трем часам, пошел обедать к господину Козлову. После того занялся у себя дома чтением. Вечер в гостиной, было мало народа.

30. Я работал в Главном штабе, пока не пришел князь, приказавший мне отправиться в канцелярию полковника Толя[52]. Последний дал копию описания местности, в котором мне были знакомы только несколько рек; этим я занимался до трех часов. После обеда, отдав должное сну, я отправился к десяти часам к Лавалю[53], куда получил приглашение на карты. Там весь высший свет города. К одиннадцати часам общество было приглашено в зал для спектаклей, где сначала давали «Любовный обман». Господа Демидов, Свистунов, М. М. Пушкин, маркиз Мезонфор-отец, Луи Полиньяк и Дюран[54] очень хорошо исполняли свои роли, за исключением Пушкина, у которого были трудности с произношением. Вторая пьеса прошла много лучше. Давали «Замысел развода». Играли те же, за исключением Дюрана. После этого состоялся бал. Через три часа сели за стол. Прибыл и великий князь Константин. Дом по-настоящему великолепен, это не позволяло

мне соскучиться. Наши новые офицеры впервые появились в свете.

31. Провел утро за работой в Главном штабе. Пообедав дома, отправился к себе, чтобы снять усталость после прошедшей ночи. Читал до одиннадцати часов, после чего лег спать. Я нуждался в отдыхе.

Февраль.

1. Проработав, как проклятый, до трех часов, совершил прогулку в санях. Обед у госпожи Козловой, в шесть часов нанес визит госпоже Путятиной[55]; она не захотела меня принять. Я провел несколько часов со своим другом Лукашем, который нес службу в наказание. Затем у доброй госпожи Ададуровой. Закончил свой день у герцога Серра Каприола.

2. Почувствовав вкус к прогулкам сразу же после работы, я прокатился вместе со Львом Перовским. Обед дома. Маркиз Мезонфор вскоре пришел ко мне. Сыграли партию в шахматы. Остаток дня провел у себя за чтением и писанием писем своим друзьям — самое приятное занятие для меня. Я не оставляю ни одного письма без немедленного ответа. В полночь пошел спать.

3. Я был вынужден отправиться на службу к князю, так как мой товарищ Михаил Орлов уехал ночью в Москву. Его брат Федор решил покончить с собой и с этой целью зарядил пистолет тремя пулями[56]. К счастью, заряд был слишком сильным, пистолет разорвался и только слегка его ранил. Так как император не прибыл на малый парад, я отправился работать в Главный штаб. Обед у госпожи Ададуровой. Вечер у кузена Г. Демидова, где сыграл партию в бостон.

4. Поделил утренние часы между князем, малым парадом и передней императора. В полдень отправился к Сергею Волконскому[57], который был посажен под домашний арест за историю, которая произошла у него с Сергеем Ланским[58] на балу у Лавалей. Причиной тому — Лачинов[59], драгунский офицер гвардии. Он был влюблен в княжну Одоевскую[60], а Ланской на ней женился. Волконский принял сторону Лачинова и оскорбил Ланского, а тот подал рапорт военному министру Балашову[61]; последний был вынужден передать рапорт его величеству. Волконский был заключен в своей комнате. Вечер у Г. Демидова.

5. Побывав на малом параде и при дворе, я попросил разрешения у князя отлучиться на сегодняшнее утро.

Я отправился с Аклечеевым к старику Зиновьеву на дачу напротив Крестовского. Покатались по льду и вскоре пообедали, а уже к шести часам вернулись в город. Не могу сказать, что эта поездка меня развлекла. Дамы, которые там были, мне не знакомы. Вечер в гостиной.

6. Утро я провел по обыкновению у князя Волконского, на малом параде и в Главном штабе. Погода была очень хорошая, и я потом совершил прогулку со Щербининым. Обед дома, вечер на спектакле. Давали «Любовь и случай» и «Мельницу Сансуси». Обе пьесы очаровательны. Со спектакля я отправился к Путятину, где танцевали. Посол Франции[62] сегодня давал большой бал. Это мне, однако, не помешало отправиться на бал к Путятину.

7. Закончив службу и утреннюю работу, я отправился к князю Павлу Лопухину[63], который продал моей матери верховую лошадь. Так как эта покупка предназначалась для меня, я хотел ее посмотреть. Лопухина не было дома. Обед у графини П. Зубовой. Вечер у госпожи Олсуфьевой. Там велись светские разговоры, что мне весьма наскучило.

8. Вернувшись из Главного штаба, я пришел в восторг, обнаружив у себя лошадь, которую мы купили у князя Лопухина; она обошлась в полторы тысячи рублей, я ей дал имя **Гордый**. После обеда занялся чтением мемуаров Сен-Симона. Вечер у Г. Демидова. Вернулся в полночь.

9. Пришел слишком поздно к князю. Он был уже у императора. Выйдя от императора, князь попросил у меня сани, чтобы ехать в Главный штаб. Маркиз Мезонфор, опоздавший на полчаса, был послан на службу вне очереди и вследствие того очень рассержен. Вечер у герцога Серра Каприола.

10. Утро у князя Волконского, затем на малом параде и, наконец, работа в Главном штабе. Кузен Г. Демидов дал обед по случаю своего дня рождения; после отдыха я занялся чтением. Вечером скучал у того же Демидова. Невозможно быть более невыносимым, чем хозяин дома.

11. Сопровождаю князя верхом на большом параде. Моя новая лошадь идет очень хорошо. Обед у графини Девиер, тетки Рамбурга. Туда также пришел и князь Волконский. В 9 часов отправился к старику Демидову; там накурено как в табачной лавке. Его невестка очаровательна.

12. Утро прошло, как обычно, в работе. Вечером пришло трое моих друзей провести несколько часов со мной, мы играли в бостон. Они покинули меня только в час ночи.

13. Войдя во дворец, я встретил своего товарища Ми-

хаила Орлова, который вернулся из Москвы. Его возвращение облегчило мою службу при князе, которая, однако, была не слишком тяжелой. Вечер у госпожи Путятиной, танцевали до трех часов утра. Бал был очень занимательным, кавалеры — угодливы, а дамы крайне любезны. Все было очаровательно.

14. Направился прямо в Главный штаб поработать. Орлов несет службу. Я совершил прогулку на лошади. Обед у моих братьев, затем читал «Битву старых и новых богов» Парни[64]. Провел вечер у госпожи Олсуфьевой, где танцевали.

15. После занятий в Главном штабе отправился обедать к старику Демидову. У моих родителей он, по обыкновению, остается на целый день. И я провел целый день у него. Вернулся вечером. Сыграл партию в бостон и был вынужден присутствовать на ужине.

16. Маленький грек Згуромали[65] не справлялся со своим огромным планом Данцига, мне пришлось ему помочь в этом труде, что нас заняло очень надолго. Обед дома. Вечер в гостиной, было не очень занятно.

17. Работал в Главном штабе, пока не узнал, что заболел Орлов. Я отправился к коменданту за приказом. Потом мы совершили прогулку со Щербининым. Вечером я пошел в русскую баню, после чего лег спать. Это настоящее наслаждение.

18. Сегодня должен был состояться большой парад, но из-за мороза его отменили. В конце концов я отправился к Щербинину на завтрак, после чего совершил прогулку верхом. Вечером ненадолго зашел к госпоже Ададуровой и к старику Демидову[66].

19. Окончив службу, направился в Главный штаб поработать. Мне дали заканчивать план Каменца, начатый капитаном Тарасовым[67]. Обед у госпожи Козловой; там я узнал, что Сергей Хомутов[68], камер-паж, переведен в наш корпус подпоручиком, это мне не доставило особого удовольствия. Вечером сыграл партию в бостон с Г. Демидовым; это лучше, чем просто там скучать.

20. Утро на службе и на работе. Обед дома. Затем отправился на спектакль с Бухнеем. Давали «Оракул из Ирато, или похищение» и «Свидания горожан». После спектакля мы отправились к Путятину и вместе с хозяином дома, усевшись вчетвером, вели разговоры.

21. Я сопровождал князя Волконского на малый парад. Туда также прибыл и император. Пообедав дома, отправился к себе изучать инструкцию о поведении офицера

Главного штаба. Вечер у госпожи Олсуфьевой, где танцевали довольно долго. Хозяйка была бы очаровательна, будь она менее болтлива.

22. Я начал свой день с того, что отправился к князю, затем ко двору и, наконец, в манеж Михайловского дворца, где император инспектировал гренадерский полк, который выступает в поход. После работы в Главном штабе встретился с подполковником Чуйкевичем[69], который меня пригласил на завтрак. Я помог ему в организации лотереи и взял один билет. Завтрак был очень хорош, а часы выиграл один господин, который отправился в Москву. Возвратился на квартиру, через некоторое время вышел к обеденному столу. После обеда написал много писем, а вечер провел в гостиной. Я попросил у князя разрешения отправиться в Смольный монастырь, чтобы присутствовать на экзаменах благородных девиц. Получив разрешение, я отправился туда в одиннадцать часов. Девицам задавали вопросы по истории, географии, физике и иностранным языкам. Они отвечали очень хорошо. Обед с братьями. Затем — верховая прогулка. Вечер в кабинете матери.

24. Князь меня снабдил многими поручениями, я дважды направлялся к генерал-инженеру Опперману. Обед у госпожи Олсуфьевой, от которой возвратился домой, где находился до семи часов. Вечер у герцога Серра Каприола, вернулся к ужину.

25. Погода очень хорошая, она позволила провести малый парад неподалеку от манежа. Мы ожидали на мостовой. Полковник Рене[70] и подпоручик Хомутов были при императоре. Отделавшись от князя, я отправился к Щербинину и Рамбургу. Мы совершили с последним прогулку пешком. На прогулке я встретился с князем Сергеем Волконским, от которого узнал, что генерал-квартирмейстер Сухтелен отправился в Стокгольм и что его сопровождают маркиз Мезонфор и князь Голицын 1-й[71]. Ему поручена дипломатическая миссия. Наша чертежная теряет в маркизе Мезонфоре своего близкого товарища. После полудня визит Бибикову, офицеру инженерного корпуса[72], некогда колонновожатому; затем посетил Резимонта, старика Демидова, где поиграл в бостон и закончил день у Нарышкина.

26. Направился прямо в Главный штаб поработать. Затем совершил прогулку верхом. После обеда написал Лукашу. Вечер у кузена Гр. Демидова, где я оставался до часа пополуночи.

27. После обычной работы, которая продолжалась до трех часов, совершил прогулку пешком, чтобы разогреть конечности и немного подышать воздухом. Обед на половине моих братьев. Часть вечера провел у себя за чтением Жомини, другую — у госпожи Путятиной, где танцевали. Там всегда весело.

28. Отправился сначала к князю Волконскому, затем ко двору и, наконец, в Главный штаб. Князь сегодня объявил полковнику Пенскому, что он должен быть готов отправиться в армию. В настоящее время он командует нашей чертежной. Получив после обеда письмо от Лукаша, я прочел его Рамбургу, который был болен. Вечер у госпожи Олсуфьевой, где танцевали до трех часов ночи.

29. Отправившись к князю Волконскому, сопровождал его ко двору. Там я встретил Чернышева, флигель-адъютанта, который прибыл из Парижа[73]. Это дает повод к тысячам предположений. Полагают, что у нас будет война со всей Европой. Я надеюсь, что мы выйдем из нее с честью и славой. Находясь на военной службе, я хотел бы иметь повод отличиться. Князь снабдил меня многими поручениями в городе, я закончил утро в работах в Главном штабе. Обед у старика Демидова. Графиня Орлова[74], известная своим богатством, послала от себя четыре строевых лошади и, по своей редкостной доброте, приехала также сама. Я ее видел впервые. Она старается быть красивой, но, говорят, и очень любезна. После завтрака пошел к себе, чтобы немного соснуть. Я очень нуждался в этом, ибо почти не спал предыдущую ночь; отдохнув, отправился провести вечер к тому же Демидову. Там составилась партия в макао.

Март.

1. Утром направился во дворец для несения службы при князе Волконском, которого проводил ко двору. Получив устный приказ, приступил к занятиям в Главном штабе. Обед дома, после обеда выполнял поручения князя. Вечер у себя.

2. Мы отправились с князем на большой плац Семеновского полка, где император инспектировал лейб-гвардии Егерский и Финляндский полки и Гвардейский экипаж. Сразу же после этого они были отправлены в Польшу. Вся гвардия выступает немедленно. Вечером я побывал на спектакле, давали «Господин Пурсоньяк». День закончился у госпожи Козловой.

3. Несмотря на ужасную погоду, парад состоялся.

Я был вынужден туда поехать верхом. Затем отправился к Орлову, который был болен. Часть времени после обеда у дедушки. Вечер у старика Демидова, где играл в бостон и макао.

4. Я говел. Это мне не помешало нести службу и работать в Главном штабе. Обед дома. Был постный стол. Вечером пришел священник, который читал нам молитвы. Затем в гостиной.

5. Император инспектировал гвардейскую артиллерию. Она отправляется в Польшу. Невозможно видеть что-либо лучше. Я тут же иду в Главный штаб, чтобы поработать. Вечером после молебствия, которое продолжается не более часа, мы остаемся в гостиной.

6. Утром направился к князю Волконскому, которого я сопровождал ко двору. Не было ничего интересного. Говорят постоянно о войне, но с большой осторожностью, каждый боится полиции, которая в настоящее время многочисленна, как никогда. После работы в Главном штабе отправляюсь обедать к госпоже Козловой. Возвратясь домой, навожу порядок в своих делах. Вечер мы проводим в молитвах, которые продолжаются до $10^1/_2$ ч.

7. Утро во дворце, откуда мы идем смотреть Измайловский и Литовский полки, которые отправляются к армии. Мой денщик, прождав меня некоторое время, решил возвратиться домой. Было 15 градусов мороза, а я отправился из Семеновских казарм в Главный штаб в простой форме. К счастью, со мной ничего не случилось. Вечером пошел в русскую баню.

8. Утро поделил между князем Волконским и Главным штабом. Обед дома. С сего дня в нашем доме поселилась Элен Мейсман в качестве компаньонки. Ее нельзя назвать красивой женщиной, но ей нельзя отказать в приятности, и скорее даже можно назвать ее хорошенькой. Она воспитывалась в Смольном монастыре и, следовательно, чрезвычайно застенчива. Вечер мы провели в молитвах, нас исповедовал священник церкви Симеона отец Яков. Мой брат Павел[75] говеет в первый раз.

9. В 9 часов мы всей семьей отправились в церковь Мраморного дворца и удостоились там святого причастия. Возвратясь домой, выпил чаю и сменил костюм. Отправился работать в Главный штаб. Погода была настолько хорошая, что я решил совершить прогулку верхом. Вечером слушали вечернюю службу. Остаток времени провел у себя.

10. Утро у князя Волконского, при дворе и на малом

параде. Затем выполнял некоторые поручения князя. Обед у генерала Ададурова[76]. Вечер у старика Демидова, где я сыграл партию в бостон. Разошлись, как всегда, до полуночи.

11. Князь послал меня по делам службы на Васильевский остров. Исполнив поручение, я отправился в Главный штаб, чтобы закончить план Кременца, начатый капитаном Тарасовым. Вечером, почувствовав себя нездоровым, поспешил в постель.

12. В этот день император Александр взошел на трон всея Руси. Во дворце был большой прием. Будучи нездоровым, я не смог туда отправиться и послал рапорт князю Волконскому. Многие лица выразили мне сочувствие и пришли меня проведать, в том числе Щербинин и Рамбург.

13. Утром вынужден был принять рвотное и вследствие этого оставаться целый день в своей квартире. Это меня ослабило до такой степени, что я не мог пошевелить ни рукой, ни ногой. Обитатели дома пришли меня проведать.

14. Мне стало немного лучше, но я был еще до такой степени слаб, что боялся пошевелиться, и провел утро за чтением Гримуарда[77], который рассуждает о службе в Главном штабе. Вечером пришел Щербинин составить мне компанию.

15. Сегодня утром я чувствую себя не лучше, чем вчера. У меня постоянно сильный насморк и ужасная боль в груди. Плохое предзнаменование для человека, который вскоре должен отправиться на войну. Князь Сергей Волконский, Щербинин и Путятин пришли проведать меня. Многие офицеры нашего корпуса написали мне. Они жалеют о моем отсутствии в чертежной. Я могу похвастаться дружественным отношением большинства своих товарищей. Вечером я решил отправиться к братьям и провел час в гостиной. Возвратился и сразу же лег в постель.

16. Провел все утро у себя за чтением «Жиль Блаза». После обеда вернулся в гостиную. В десять часов вечера отправил в Вильну денщика Николая с верховой лошадью и лошадью для упряжки. Полковник Сергей Ушаков[78], из кавалергардов, любезно согласился присматривать за ними. Это весьма кстати, так как очень редко он проводит день без того, чтобы не напиться. Через несколько дней я также должен буду покинуть Петербург.

17. Утром остался у себя читать «Жиль Блаза». Пообедав, отправился повидать матушку и дедушку. Михаил

Щербинин[79] пришел ко мне на несколько минут. Его брат Александр заболел. В десять часов я лег спать.

18. Хотя я чувствую себя лучше, но крайняя слабость помешала мне отправиться работать в Главный штаб, я провел утро за чтением «Жиль Блаза». Георгий Феншау пришел ко мне обедать. Вечером решился навестить моего друга Щербинина, который серьезно болен. Люблю его как брата.

19. Провел все утро у себя. Два часа искал свою шпагу и наточенную мною саблю. Я не застал господина Резимонта. Обедал с родителями. Сперанский, государственный секретарь[80], Магницкий[81] и Воейков, флигель-адъютант[82], были арестованы за то, что имели переписку с Францией. Это наделало много шума в городе.

20. Утром направился в Главный штаб представиться князю Волконскому. Он меня принял очень хорошо и отпустил, так как дел не было. Я тут же отправился заплатить долг Рено и возвратил Коцебу[83] векселя, которые принадлежали Вильдеману[84]. Обед у госпожи Ададуровой. Провел несколько часов со Щербининым, который серьезно болен. Вечер у госпожи Ададуровой.

21. Утром был у министра финансов Гурьева, чтобы получить деньги. Он мне дал приказ, по которому я мог получить деньги; я тут же отнес их князю. Большую часть вечера провел у своего друга Щербинина, остальное время у старика Демидова, где курили, как в табачной лавке.

22. Все утро оставался у себя читать барона Фетхейма. Рамбург сегодня отправился в Финляндию, где он будет под командой полковника Хатова[85]. Весь вечер у Щербинина.

23. Утром отправился в Невскую лавру проститься с могилами моих братьев. Вернувшись к себе, занялся чтением. Обедал с родителями. После обеда у Щербинина. Он не совсем здоров. Вечер в гостиной.

24. Пообедав у князя, отправился ко двору. Орлов меня предупредил, что я буду командирован в Вильну. В самом деле, возвратясь домой, я обнаружил приказ немедленно отправиться в Главную квартиру и ожидать князя Волконского, который должен был прибыть вместе с императором. Я пошел к Щербинину пригласить его поехать вместе со мной, но так как он был еще слишком слаб, он должен был сначала испросить разрешения у своего врача. Пообедав у себя дома, я отправился с визитами к старой графине Зубовой, графине П. Зубовой, господину Резимонту и, наконец, закончил день у старика Демидова,

где составилась партия в бостон. Его внучка очаровательна.

25. Князь меня отправил к министру финансов, чтобы достать 5500 рублей. Мне пришлось прождать больше часа, чтобы получить пропуск в императорскую казну, но так как сегодня праздник, я там не нашел никого и был вынужден прождать еще два часа. Это настоящая му́ка — проводить свою жизнь в прихожей. Наконец, добившись получения суммы, я передал пять тысяч рублей генералу Вистицкому[86], 300 рублей поручику Богдановичу[87] и остаток князю Волконскому. После полудня отправился к своей тетке Демидовой, но не застал ее дома. Вечер у Демидова в Тайцах.

26. Я купил пистолеты, которые необходимы для военного человека. Щербинин мне заявил, что он не сможет отправиться вместе со мной, ибо здоровье вынуждает его остаться на некоторое время в Петербурге. Князь Волконский, отправляя меня, дал поручение к Плюшару[88]. Затем пошел в церковь Всех скорбящих. Вечером нанес визиты герцогу Серра Каприола и закончил день у Путятина.

27. Утром отправился к князю. Он мне дал поручение, которое меня задержало до четырех часов. Обед у госпожи Козловой. Вечером пошел в канцелярию министра полиции с восемью подорожными, из которых одна для меня. Освободившись, поехал к госпоже Олсуфьевой, где застал все светское общество. Не про́шло и двух часов, как возвратился домой.

28. В десять часов утра простился с князем Волконским. Я не мог покинуть своих родителей без слез. В первый раз мне пришлось уезжать из отчего дома. В половине второго дня отправляюсь в путь в бричке в сопровождении единственного аги. Прибываю в Стрельну без приключений. Дороги еще очень хороши и достаточно снега, чтобы ехать в санях. В Кипенях довольно долго ждал лошадей, но зато мне дали превосходных. Это не помешало мне прибыть достаточно поздно в Коскопо.

29. В три часа утра прибыл в Чирковцы. Там появился на свет мой дядя Демидов[89], когда его мать возвращалась из Парижа. Я пил кофе в Ополье. Ямбург именуется городом, но в нем лишь два каменных дома, которые находятся в руинах. Дорога из Петербурга в Нарву примечательна почтовыми станциями, довольно красивыми и одинаковой архитектуры. Они были не́давно построены правительством и принадлежат немцам, которые содер-

жат там постоялые дворы. Все имущество в них обложено налогом. Столовая очень хорошо сервирована. В четверть первого я въехал в Нарву. Город маленький, но красивый и укрепленный. Петр Великий взял его у шведов в 1704; у половины жителей города катаракта, которая очень заметна. Выехав из Нарвы, проследовали через Иван-город — крепость, специально построенную русскими, когда город был под властью шведов. Въезжая в Эстонию, я заметил, что лошади там крайне малы. Я проехал через Вайвару и оказался у Чудского озера.

30. На станции Малый Пунгерн было так холодно, что мой ага налакался как свинья. Я был вынужден взять его с собой в бричку, так как он не мог держаться на коз-лах. Мои родители совершили большую ошибку, отпустив меня с таким плохим слугой. В Игафири я повстречался с бароном Швакгеймом[90] и Докторовым[91], адъютантами графа Комаровского[92], которые направлялись в Вильну. В десять часов вечера мы вступили в Дерпт или Дорпат. Город мне показался довольно большим. Нам составило большого труда объясняться с кучерами, которые говорят только по-эстонски; я не знаю этого языка.

31. В шесть часов утра я прибыл в Удерн. Моя бричка не могла больше двигаться на полозьях, я приказал ее поставить на колеса, так как повсюду уже показывалась земля. Я проехал через Куйкетц, Тейниц и Гульбен, не увидев ничего примечательного, если не считать маленько-го города Валка, который находится между двух послед-них местечек.

Апрель.

1. В три часа утра прибыл в маленький городок Воль-мар, где сменил лошадей. В оставшуюся часть дня не произошло ничего интересного. На дороге очень много песку. В 9 часов вечера прибыл в Ригу. В этом городе я должен был взять новую подорожную. С большим трудом получил ее в канцелярии генерал-губернатора Эссена[93]. Пообедав на постоялом дворе, покинул Ригу в двенадца-том часу ночи.

2. Ночь провел в Олайне. Евреи там содержат почту. В Митаве пил кофе с генерал-инженером Труссоно[94], который также направлялся в Вильну. Я надеялся найти генерала Довре[95] в Шавли. Он уехал незадолго до этого. Паренсов[96] был удивлен, встретив меня. Он мне объявил, что Вильдеман в городе. День, когда мы заключили друг друга в объятия, был незабываемым для двух людей,

связанных крепкой и испытанной дружбой. Я провел у него часть ночи и отправился в дорогу в 4 часа утра.

3. Простившись с Паренсовым и Вильдеманом, я отправился в путь. Мы расстались, чтобы встретиться на поле славы. В течение всего дня я путешествовал без приключений, но ожидал на каждой станции лошадей по целому часу. Страна очень бедная, и жители живут в постоянной нищете.

4. В восемь часов утра прибыл в Кейданы, чтобы встретиться с капитаном Брозиным[97], который также направлялся в Вильну. Мы продолжили путь вместе, разместившись в бричке, люди следовали на телеге. На станцию, где мы обедали, прибыл полковник Брюсс, который направлялся курьером в Англию. Он был на австрийской службе. Несмотря на курьерский паспорт, он не мог двигаться быстрее и ожидал лошадей так же, как и мы. В 9 часов вечера прибыли в Ковно; так как не было совсем лошадей, пришлось переночевать. Брозин развлекался со служанкой-еврейкой.

5. При выезде из Ковно встретили князя Михаила Голицына, который прибыл туда. Он направлялся к своему дяде графу Шувалову, командиру 4-го пехотного корпуса[98]. Мы ему рекомендовали служанку. В Жижморах отправились к полковнику Федорову[99], который нам устроил хороший обед. В Соболишках мы вновь повстречались с князем Голицыным, который решил поехать с нами. Постоянно нам недостает лошадей; это поистине несносно.

6. Поутру вновь неудача с лошадьми. Мы проехали 9 почтовых станций, и нигде нас не могли ими обеспечить. В то время, как им давали корм, мы позавтракали паштетом из гусиной печенки, принесенным Михаилом. Наконец, к пяти часам вечера торжественно въехали в Вильну. Я отправился на постоялый двор привести в порядок свой туалет, а затем поехал к генералу Мухину[100]. Братья Муравьевы пригласили меня расположиться у них на квартире. Я принял их любезное приглашение.

7. Александр Муравьев[101] пришел разбудить меня, чтобы пригласить выпить кофе, после чего я вернулся к себе в комнату. Узнав, что полковник Потемкин, шеф 48-го егерского полка[102], в Вильне, я пошел повидать его. Это старинный друг нашего дома и даже дальний родственник со стороны его жены. Мы отправились вместе к графу Кутайсову, артиллерийскому генералу[103]. Он нас пригласил к себе на обед. После обеда драгунский полковник внезапно почувствовал себя очень плохо. Он катался по

полу, опрокидывая кресла и столы, словом, это был дьявол. Первый раз я видел подобные человеческие страдания. Врач, которого нашли, ничего не смог сделать для больного. Оставалось набраться терпения и ждать, чем кончится страшная лихорадка. Мы покинули этот дом, чтобы отправиться вместе с Потемкиным на спектакль. Польские артисты давали оперу, в которой я не понял ровным счетом ничего. Зал был невелик, актеры — отвратительны. После спектакля я возвращаюсь к себе и ложусь в постель.

8. После завтрака в восемь часов утра каждый занялся своим делом. Я навестил многих наших офицеров. Пообедав в час, мы все отправились на гору под названием Замковая. У въезда в город на вершине горы расположена древняя полуразрушенная башня, которая, очевидно, была построена много веков тому назад. С нее открывается прекрасный вид на город Вильно, расположенный в равнине, окруженной горами. Вилия тянется змеей по полянам, долинам и оврагам. Против Замковой горы находится другая под названием Бекешина. Мы решили на следующий день отправиться на эту гору. Я провел у Мессинга вечер за игрой в бостон.

9. Написав письма родителям, я отправился к генерал-квартирмейстеру Мухину, которому вручил свои аттестаты для назначения. Капитан Брозин испросил разрешения вступить в наше товарищество и обедать вместе с нами. Мы согласились. Вечером многие офицеры пришли ко мне на чай. Они оставались до полуночи. Это разозлило Александра Муравьева, который заявил, что подобный образ жизни ему не подходит, так как мешает ему заниматься. Я его успокоил, угостив даровым шоколадом, который я выиграл. Мир был восстановлен.

10. Мы начали день с того, что напились шоколаду, после чего отправились на Бекешину гору. Вид с ее вершины еще более прекрасен, чем с Замковой горы, так как она возвышается над прочими горами; на ней также находится башня, построенная в честь рыцаря, который низвергся с вершины горы и утонул в Вилие для того, чтобы доставить удовольствие своей даме. Тело рыцаря было похоронено в башне. Она, очевидно, была построена много веков тому назад, хотя местные жители нас уверяли, что существует не более 50 лет. Узнав, что прибыл Михаил Орлов, я отправился его повидать. Он разделяет убеждение Александра Муравьева и даже превосходит его в вере в существование Троицы. Его братья мешают его занятиям.

11. Часть утра мы с Александром Муравьевым занимаемся чертежом крепости св. Павла, на котором мы сделали много замечаний. Днем мы отправились к Орлову, он мне разрешил взять на дом труд аббата Баррюэля[104]. Вечером к нам пришли князь Голицын, Зинковский, Глазов и Вешняков[105]; музицировали и пели до полуночи. Давно я так не развлекался. Неловкость полностью изгнана из нашего союза, и нас связывают крепкие дружеские узы.

12. Утром мы читали Баррюэля. Александр Муравьев, будучи убежденным масоном, порой приходил в ярость от чтения этого труда. Мы читали отдельные выдержки из текста с намерением образумить его. Задача почти невозможная. Я написал брату Сергею[106]. Перед обедом на квартире мы отправились вместе с Николаем Муравьевым[107] в кофейню, чтобы поиграть на бильярде. Я очень люблю эту игру. Затем зашел к Сазонову[108] выпить чаю. Вечер у Михаила Орлова. Это человек высокого духа, и с ним всегда есть о чем поговорить.

13. Провел утро за писанием письма родителям. Вечером отправились прогуляться по бульвару. Мы узнали, что прибыли Селявин и Сулима[109]. Я отправился их искать и нашел у Орлова. Я имел намерение остаться с ними, но проклятые колики вынудили меня лечь в постель. Забылся за чтением Баррюэля.

14. Прошел год с того времени, как мы были произведены в офицерские чины. Мы отправились к городским воротам, чтобы видеть приезд императора; но так как он не прибыл, потеряв терпение, вернулись домой. В час дня пушки, колокола, барабаны и крики «Ура!» возвестили нам о появлении его величества в Вильно. Офицеры из императорской квартиры вышли его встречать. Войска были построены побатальонно, и у дверей дворца император был встречен губернатором и прочими властями.

15. Закончив свои домашние дела, я отправился к полковнику Черепанову[110], который был назначен генерал-вагенмейстером, но не нашел его на квартире. Вечером, отправившись к Орлову, застал у него Селявина и Михаила Голицына. Мы проговорили до десяти часов.

16. Утро и день прошли в работе у полковника Черкасова[111]; мы уже отвыкли от этого. Вечером мой друг Щербинин пришел повидать меня. Орлов и Голицын ужинали у нас. Сыграли партию в шахматы и только в полночь разошлись.

17. Утром я написал в Петербург родителям и брату.

Затем мы совершили прогулку по городу. Погода очень хорошая. Сегодня так же жарко, как в Петербурге 20 мая. Князь Волконский опаздывает с прибытием. Мы начинаем опасаться, не случилось с ним что-либо по дороге. Ужин у Зинковского.

18. Отправились с Александром Муравьевым в окрестности Вильны, чтобы сделать съемку города с птичьего полета. Два других Муравьева, Колошин[112] и Вешняков наносили ее на планшетку. Погода была очень хорошей, но ветер столь силен, что невозможно было рисовать. Мы сделали только небольшую часть и отложили оставшееся на следующий день. Вечером, совершая прогулку, я отправился к князю Сергею Волконскому и князю Лопухину, которые живут на одной квартире. Польская девушка нас развлекала в течение многих часов. Я остался верен своим принципам и не притронулся к ней.

19. Утром я отправился в Доминиканский монастырь, который очень красив. Из него ненадолго зашел к Сулиме. Так как все братья Муравьевы были уже на съемках, мы обедали вместе с Колошиным. Это очаровательный юноша, но чрезмерно сентиментальный; он, должно быть, влюблен. Вечером совершил с Орловым прогулку по городу, был в церкви.

20. Утром Орлов мне сказал, что ожидается прибытие князя Волконского. Я оделся и отправился к нему. Он встретил меня очень хорошо. Все офицеры нашего корпуса, находящиеся в Вильне, явились представиться нашему шефу. Генерал Мухин отдал ему свой рапорт. Я сопровождал князя во дворец. Пообедав дома, зашел к Орлову, с которым мы отправились во дворец, к заутрене и к обедне. Я имел счастье похристосоваться с нашим императором.

21. Сегодня пасха. Утром я отправился к князю Волконскому, князю Платону Зубову[113], генералу Уварову[114]. В нескольких верстах от города состоялся превосходный парад. Говорят, что император остался очень доволен. Мы пообедали дома и поиграли в пилль. Вечером я провел некоторое время у Орлова, затем у Михаила Голицына и завершил день у Зинковского. Это отличный юноша с твердыми принципами. В свои 25 лет он не просто офицер Главного штаба.

22. Орлов любезно согласился со мной посмотреть верховую лошадь. Все те, которых нам показали, меня не устраивали. Затем я отправился работать к князю Волконскому. Возвратясь к себе в $2^1/_2$, я нашел уже обед убранным и вынужден был довольствоваться холодной пищей.

Мой дядя Дурново[115] прислал мне письмо с адъютантом, в котором просил меня выслать ему тысячу рублей, что я и сделал. Вечер провел с Орловым и Зинковским.

23. До часу дня — работа у князя над картой Готтхольда. Обед у Зинковского, который меня сопровождал при выборе лошади. Отправившись к Потемкину, я нашел у него графа Кутайсова и многих других мне знакомых лиц. Затем — у князя Сергея Волконского и Лопухина. Князь мне разрешил не приходить к нему на работу завтра утром.

24. Утром мы с Михаилом Муравьевым отправились за город испытать новый инструмент Рейсига, который определяет расстояние без измерения. Этот инструмент не был нами испытан, так как малейший ветер его расстраивает, а если поместить его под укрытие, то он показывает неверно. В полдень мы вернулись в город, потом продолжили наши наблюдения. Вечером работал у князя над картой Готтхольда. Я выявлял дороги — труд, бесспорно, поучительный и занимательный.

25. Мы намеревались продолжить наши работы по съемке, когда за братьями Муравьевыми явился генерал Мухин. Я провел утро у себя за чтением Баррюэля. Вечером продолжил поучительный труд у князя. В 9 часов направил стопы к Орлову. Мы отправились вместе на бал, который польская знать дает императору. Великий князь Константин и оба принца Ольденбургские были уже там[116]. В глубине зала был установлен портрет его величества, у подножья которого появилась очень красивая женщина, представлявшая Польшу. Она ему подносила корону. Император прибыл на бал несколько позже с супругой генерала Беннигсена[117]. Я не заметил, чтобы красивая особа была сильно испугана. Мадмуазелей Вейс[118] и Удинец невозможно было различить: обе юные и миловидные. Госпожа Багмевская не оправдала моих ожиданий. В два часа был ужин. Он был весьма скромным, особенно за тем столом, где мы расположились.

26. Отправившись к князю Волконскому, узнал, что он уже уехал в Луцк с императором. Его величество отправился инспектировать армейский корпус и вернется не раньше, чем через три-четыре дня. Я вернулся к себе, чтобы написать письмо в Петербург. После обеда отправился вместе с Зинковским повидать Зинковича, который хочет продать лошадь, но он назначил несусветную цену. Вечером мы выпили пуншу у хозяина нашего дома пана Стаховского.

27. Закончив письма родителям, я занялся картой Готтхольда. Представляю себе, как князь по возвращении будет очарован, увидев, что вся его прекрасная карта испачкана. После обеда читаю Баррюэля и провожу несколько часов у Орлова. В одиннадцать часов ложусь в постель.

28. Я работал у себя дома, когда мне сказали, что министр полиции Балашов прибыл из Петербурга и привез мне многочисленные письма от родителей. После обеда мы вместе с Александром Муравьевым отправились на прогулку верхом на речку Погулянку. Там мы повстречали мадмуазель Вейс, на которую мои товарищи смотрели с восхищением. Она также была на лошади. Ее матушка следовала за ней в маленькой коляске. В трех верстах от города находится прекрасная дача генерала Беннигсена. Мы осмотрели ее бегло, так как некому было посторожить наших лошадей. Во время Второго раздела Польши генерал Беннигсен, в то время подполковник Изюмского гусарского полка, произвел блестящую атаку в долине Погулянки; теперь он выбрал это место для своего уединения.

29. Утром отправился посмотреть лошадь, принадлежащую графу Платеру. Она мне очень понравилась, но цена чрезмерна. Надеюсь, что он будет более рассудителен и согласится мне ее отдать за восемьсот рублей. Вернувшись к себе, я прочел несколько глав Баррюэля. Очевидно, автор озлоблен масонами. Зинковский пришел повидать меня. Мы провели вечер за игрой в пикет.

30. Я отправился к Орлову, чтобы узнать какие-либо вести о возвращении императора и князя Волконского. Их ожидают послезавтра. Вечером я имел удовольствие обнять моего горячо любимого друга Щербинина. Он вернулся из соседей губернии со съемок. Когда я его увидел, мое сердце затрепетало. Такая дружба только крепнет с годами.

Май.

1. Я был еще в постели, когда казначей графа Платера явился ко мне сообщить, что его хозяин уступает лошадь за 850 рублей. Я тут же ее купил, затем отправился к князю Волконскому. Занимался у себя дома чтением. После обеда мы отправились на прогулку верхом за город. Я очень доволен своей лошадью, которую назвал Селиной. Щербинин провел вечер у меня.

2. Отправился к князю. Он поручил мне исправлять

карту границ России. Неожиданно в полдень появился генерал Беннигсен и забрал с собой карту, что доставило мне большое удовольствие. Пообедав дома, я отправился прогуляться на лошади на берег Закреты.

3. Отправился к дежурному генералу за приказом для князя. Оставшуюся часть утра занимался у себя дома. Вечером совершил прогулку по городу на лошади.

4. Начал свой день с того, что отправился к князю, а затем — к Орлову. Я был у последнего до тех пор, пока не пришли мне сказать, что дядя Дурново прибыл в Вильну. Я сразу же отправился к нему. Он не только мой родственник, но и мой друг. Мы провели день вместе у генерала Петровского[119]. Так как дядя остановился на том же постоялом дворе, где я живу с момента своего прибытия в город, я предложил ему переночевать у меня. В течение всей ночи невозможно было сомкнуть глаза из-за евреев, которые рычали как волки. Это канун их большого праздника.

5. Я сопровождал дядю к министру полиции Балашову и к Уварову. Мы обедали вместе на постоялом дворе, совершив загородную прогулку верхом. Затем я отправился на ужин к генералу Петровскому. Провел ночь на постоялом дворе у дяди.

6. Мы встали рано утром, чтобы написать письма в Петербург. Ненадолго зашел к князю, который любезно отпустил меня, не снабдив никакой работой. Обед у генерала Петровского. После короткого сна совершил прогулку на лошади по городу. Я встретил князя и Гурьева. Остаток вечера мы с дядей провели у Петровского.

7. Дядя поднялся в четыре утра, чтобы приготовиться к отъезду. В шесть часов он отправился в Бухарест, где находится 29-й егерский полк, шефом которого он назначен. Я ему не завидую, так как он едет на перекладных. Написав письмо родителям, ненадолго отправляюсь к князю. Петровский меня пригласил на обед, я откликнулся на его предложение тем более охотно, что у него кормят лучше, чем у нас. В пять часов вечера, поев мороженого у Лареда, мы отправились с Зинковским в местность, которую совсем не знали; там встретили много гуляющих. На обратном пути мы мчались, рискуя провалиться в болоте.

8. Поднявшись в пять часов утра, мы вместе с Зинковским и Н. Муравьевым отправились прогуляться пешком по холмам, окружающим Вильно. Находясь на Маршальской горе, мы увидели прибытие в долину, расположен-

ную на другом берегу Вилии, шести гренадерских полков и 32 пушек, которые принадлежали первой гренадерской дивизии. Они выстроились в линию. Возвратясь домой в восемь часов, я узнал, что князь приказал мне явиться на смотр. Я отправился как можно скорее на свой пост и успел прибыть вовремя на равнину, где расположились войска. Среди лиц, которые сопровождали императора, я увидел господина Нарбонна, адъютанта Наполеона[120], и двух французских офицеров. Уже два дня, как они прибыли в Вильно по приказу своего императора. Нарбонн — сын Людовика XV и его дочери. Он появился на свет в результате сомнительной связи между королем и его дочерью. Злую шутку играет судьба с бедными людьми: родной брат Людовика XVI находится в подчинении человека, который узурпировал власть во Франции. Маневры удались на славу. После обеда, написав письмо полковнику Ушакову с просьбой прислать мне лошадь, я отправляюсь в Закрет. Ал. Муравьев, повстречав мадмуазель Вейс, прогуливавшуюся на лошади, покинул нас, чтобы ее проводить. Мы остались дома вместе с Вешняковым. Вечер у Орлова.

9. Будучи вынужден работать у князя Волконского, я поднялся рано утром. Затем написал письмо родителям. Мы весьма скромно пообедали дома, не рискуя получить расстройство желудка. Наш повар, конечно, не был выписан из Франции. Затем я провел несколько часов у Орлова; приятно поговорить о разных вещах с умным человеком. Вечер у Зинковского. Это добрый малый.

10. Состоялись маневры на Погулянке. Я не могу туда отправиться из-за нарыва, который мешает мне садиться на лошадь. Князь меня спросил, почему я не сопровождал его. Чтобы избежать объяснений, я послал ему рапорт. После обеда имел удовольствие увидеть дорогого Лукаша. Он вернулся в свою дивизию. Мы отправились провести вместе вечер у Щербинина.

11. Утром Лукаш пришел ко мне, я его проводил к князю Волконскому, которому он представился как генерал-квартирмейстеру. Мы пообедали вместе в трактире «Ливония», где сносно кормят. До девяти часов мы болтали со Щербининым, вспоминая наши славные вечера в Петербурге. Одному господу богу известно, вернутся ли эти времена. Закончил свой день у Орлова.

12. Отправившись к князю, нашел там Кудашева[121], адъютанта великого князя Константина. Он любезно согласился передать мое письмо полковнику Ушакову.

Обед дома. Остаток вечера у Щербинина, где мы играли в бостон.

13. Рано утром мы должны быть на маневрах. В связи с этим встал в пять часов утра и отправился к князю Волконскому. Там я узнал, что смотр состоится на следующий день. По приказу князя я работал оставшуюся часть утра в канцелярии. Вечером мы с Лукашем прогуливались в саду перед тем, как отправиться к Щербинину.

14. Утром император отправился в Главную квартиру 6-го корпуса, которым командует генерал Эссен[122]. Князь Волконский сопровождает его в этом путешествии. Неизвестно, сколько времени они будут отсутствовать. Весь вечер в обществе друзей.

15. Все утро прошло за работой в канцелярии князя. Это становится необычайно скучно. Днем делали различные глупости у друга С... Пришел туда надменный еврей, который развлекался вместе с четырьмя людьми из общества. Я не был в их числе, так как испытываю отвращение к развратным женщинам.

16. Повторение вчерашнего дня. До обеда — работа в канцелярии. После очень короткого отдыха я совершил прогулку верхом. Это мой единственный отдых. Вечером — разговоры с моим товарищем Орловым.

17. После работы в канцелярии мы с Вешняковым отправились в трактир «Литовец», где получили хороший обед. Там мы узнали, что князь вернулся из Гродно. Николай и Михаил Муравьевы отправились в Видзы, мы их сопровождали шесть верст от города, а затем вернулись.

18. Провел все утро в работе в канцелярии, после чего мы с Вешняковым отправились обедать в трактир «Четырех наций», но я предпочитаю ему трактир «Литовец». После отдыха мы все собрались у Щербинина играть в бостон. В 9 часов отправились на прогулку.

19. В пять часов утра я сопровождаю князя Волконского на место, где должны проводиться маневры третьей пехотной дивизии. Вскоре прибыл император и поручил командование второй линией князю. Последний отправил нас с приказом к бригадным генералам. Его величество был в такой степени удовлетворен учением, что поставил генерала Коновницына[123] в пример всей армии и выдал каждому солдату по пять рублей. Я вернулся домой совершенно усталый. Только собрался передохнуть, как за мной послал князь, чтобы я продолжил работу по исправлению карты. Итак, я задержался на работе до восьми

часов вечера. Наконец, я дома. Чувствую большую потребность в отдыхе.

20. Утром нанес визиты графу Кутайсову и князю Трубецкому[124]. Обед в «Четырех нациях». Сегодня воскресенье, и мы отправились прогуляться в сад. Там весь высший свет. Можно увидеть много красивых женщин. Вечером для разнообразия я отправляюсь к Щербинину.

21. Утро в невыносимой работе в Главном штабе, где теряется время и зрение. Днем Александр Муравьев отправился в Гродно с полковником Мишо[125], им предстоит делать съемку. Теперь я совсем один на квартире. Наше блестящее общество рассеялось по разным уголкам Польши. Я совсем не против остаться в Вильне вплоть до начала кампании. Вечером мой слуга Николай и две мои лошади прибыли от полковника Ушакова, который любезно доставил их из Петербурга.

22. Все утро в канцелярии князя. Обед в трактире «Литовец» вместе с Вешняковым. Мы отправились вместе по дороге на Руднишки произвести съемку на протяжении трех верст, рисуя только то, что можно увидеть по обеим сторонам дороги. Мы проделали этот путь на лошадях. Сегодня мой друг Лукаш пришел ко мне переночевать. Это большое утешение для меня, так как я остался совсем один в огромном доме, почти целиком занятом потомками Моисея. Вечером мы отправились к Щ.

23. Я бы провел все утро за работой, если бы Мухин не пожелал послать за картой, которую я исправлял. Это мне позволило пораньше вернуться домой. Обед вместе с Лукашем в «Четырех нациях». Вечером мы совершили прогулку в Верки, находящиеся в четырех верстах от города. Их расположение восхитительно. Мы все были на лошадях. Погода благоприятствовала нашей прогулке. Вернувшись домой, я обнаружил Паренсова, который прибыл от графа Витгенштейна.

24. Намеревался провести утро за работой, но поскольку Мухин еще не вернул карту, я отправился побеседовать к Орлову. Обед с графом Кутайсовым. Он любит поесть. Вернувшись к себе, я застал многих офицеров нашего корпуса, которые пришли выпить чаю и покурить. Затем мы отправились на прогулку.

25. Сегодня я не мог избежать невыносимой работы: генерал Мухин вернул карту. После отдыха, прочитав несколько глав Флориана[126], я отправился на прогулку на моей прекрасной лошади; она идет очень хорошо. Вечер вместе с полковником Толем у Орлова.

26. После работы в канцелярии я отправился вместе с Лукашем и Зинковским обедать в «Четыре нации». В саду было много народу. Вернулся домой верхом. Перед тем, как лечь спать, мы сыграли партию в бостон.

27. Все утро за работой. Обед у князя Платона Зубова. Он дал нам великолепный обед с превосходным вином. Мы договорились с В. Апраксиным[127], адъютантом Уварова, отправиться на лошадях в Верки, но так как ему было лень, я, не задумываясь, отправился туда один.

28. Часть гвардейского отряда вошла сегодня в Вильну, остальные части расквартированы в окрестностях города. После обеда князь Иван Голицын[128], через которого я познакомился с П. Зубовым, представил меня пану хорунжему Удинцу. Его семнадцатилетняя внучка Александра — самая очаровательная особа, которую я когда-либо видел, грациозная и наивная для своего возраста. Решительно я влюблен. В течение двух часов находился в настоящем экстазе. Совершив прогулку на лошади, я провел вечер у Лопухина и Волконского. Нам пришли сказать, что пожар в Рудницкой. Мы побежали туда. Все было кончено.

29. Был вынужден встать в шесть часов утра из-за смотра пехотных гвардейских полков, который был проведен у городских ворот. Император остался доволен. Это продолжалось до девяти с половиной часов. Работал в канцелярии до обеда, который состоялся в «Четырех нациях». После прогулки верхом в саду я отправился на чашку чая к князю Зубову. Мне показалось, что он также ухаживает за очаровательной Удинец. На его стороне миллион дохода и большой опыт с женщинами. На моей — мои восемнадцать и красивая фигура. Посмотрим, кто одержит победу. Остаток вечера — у Лопухина.

30. Провел все утро за работой над картой. Вечером отправился погулять и нанес ответный визит господину Бартцу, дяде Щербинина[129]. Закончил день у себя за чтением Флориана.

31. В пять часов утра я сопровождал князя Волконского на Погулянку. Расположив там войска, мы отправились встречать императора. Маневры начались в семь часов и продолжались до полудня. Мы вернулись крайне измученными от усталости. Все прошло довольно хорошо; по крайней мере, его величество казался удовлетворенным. Отправившись пообедать в трактир «Четыре нации», я нашел там своего кузена Александра Левшина и другого офицера егерского полка, которого зовут так же, как и мое-

го брата, и его близкого родственника. Они доставили мне удовольствие, согласившись переночевать в моем доме. Мы провели весь вечер за приятной беседой. Александр — отличный товарищ, правда, немного легкомысленный, но с редким характером. Его образование не блестяще, это еще одна ошибка его родителей. С пятнадцати лет он был предоставлен сам себе. Его старший брат Николай[130] был ранен под Фридландом и умер от ран несколько месяцев спустя.

Июнь.

1. Мы провели все утро на прогулке по улицам города и в поисках приключений. Князь Зубов пригласил меня провести у него день. Там всегда хорошо кормят, и я не пренебрег этим предоставившимся случаем. Мы отправились в окрестности города. Вечером мой кузен Левшин отбыл в свой полк.

2. Утром мы с Колошиным и Лукашем отбыли верхом в Верки, где квартирует лейб-гвардии егерский полк. Мы сбились с дороги и в течение двух часов бродили вокруг деревни, где квартировал Левшин. Слуга, которого он послал навстречу нам, нашел нас случайно и доставил к своему хозяину. День прошел очень приятно, и в десять часов мы вернулись в город.

3. Утром я продолжил наскучившую мне работу в канцелярии. Обед в трактире «Вильно». Левшин также явился туда. Днем они зашли ко мне покурить и поболтать с князем Голицыным, офицером их полка.

4. Прибыв в канцелярию, я узнал, что полковник Толь отправился с секретным поручением. В настоящее время это тайна для всех, в каждом видят шпиона, говорят друг другу на ухо, шушукаются, смотрят исподлобья, одним словом, кажется, что война решена. Тем лучше. Мы окунемся в родную стихию. Давно уже каждый из нас сгорает от нетерпения проявить себя на поле чести. Наши юные головы заняты мыслями только о битвах, о схватках с врагом и о славных подвигах. Мы с удовольствием променяем миртовый венок на лавровый. Вернувшись домой, я узнал, что Александр Муравьев также отправлен с секретной миссией. Еще одна тайна!

5. После работы в канцелярии мы с Лукашем отправились обедать в трактир «Вильно». Сыграли несколько партий в бильярд и, так как погода стоит превосходная, оседлали лошадей, чтобы отправиться в Верки повидать Левшина. По дороге мы встретили обозы лейб-гвардии

егерского полка, который, как нам сказали, выступил утром. Мы не рискуем продолжить наше путешествие и, накормив лошадей, возвращаемся в город. Сегодняшние новости свидетельствуют о близящейся войне.

6. Работал все утро. Обед у графа Кутайсова. Говорят о формировании четырех казачьих полков на Украине, Волыни и в Польше. Граф Витт[131] должен командовать ими. Полковник П. Щербатов[132] будет командовать двумя полками. Молния ударила возле нашего дома и убила женщину и девочку. Это было ужасно.

7. Утром работал в канцелярии. Обед у князя Кутайсова. Я не долго себя упрашивал пойти туда, где кормят и поят очень хорошо. Вечером мы отправились на прогулку верхом вместе с Александром Муравьевым, который вернулся, исполнив свое поручение. Многие французские дезертиры, прибывающие в Вильно, говорят, что император Наполеон прибыл к своей армии и произвел ей смотр. Это явное предвестие войны.

8. Провел утром пять часов за работой в канцелярии. Простительно в состоянии ожидания войны, что я все перепутал в работе, которая портит глаза и осанку, притупляет мысли. Кто не согласится со мной в том, что не так уж важно наносить горы на план Гродно или отмечать множество домов на карте Подолии. Вечером я отправился к мадмуазель Удинец, но не застал ее дома.

9. Ненадолго зашел к князю, а затем отправился ко двору. Никого не нашел во дворце. Пополудни отправился к мадмуазель Удинец, но не застал ее дома. Я так часто упоминаю об Александрине в своем дневнике, что хочу доставить себе удовольствие описать ее наружность. Она небольшого роста, но великолепно сложена. Ее волосы белокурые, глаза живые и искрящиеся умом. Ее плечи соперничают с мрамором по своей белизне. Одним словом, в свои шестнадцать лет она имеет фигуру Венеры и пробудила во мне неистовую любовь. Отправившись в сад, я имел счастье встретить мою богиню, которую сопровождал во время всей прогулки. Я проводил ее до дому. Новости плохие. Говорят об отступлении к Свенцянам и переводе туда Главной квартиры.

10. Утро прошло за работой в канцелярии. Найдя коляску и лошадей, мы направились в Закрет на бал, который дают генерал-адъютанты и флигель-адъютанты его величеству и всей польской знати. Бал прошел очень хорошо и оживленно. Он не мог мне не понравиться хотя бы потому, что там была моя очаровательная

Александрина. Император сам к ней неоднократно обращался и заметил, что она, по-видимому, интересуется офицером его Главного штаба (это он говорил обо мне). Она наивно ответила, что это может быть и что, впрочем, я достоин любви. Эта женщина мне положительно вскружила голову. Она великолепна, как роза. Мадмуазель Вейс и госпожа Башмакова единственные, кто могут — конечно, не сравниться с ней,— но быть названы после нее. Его величество, к счастью, ушел. Ужин был сервирован в саду. Луна своим печальным светом освещала нас обоих. Быть может, скоро мне придется ее покинуть... Я вернулся в город в четыре с половиной часа утра.

11. Среди сегодняшних новостей отметим, что генерал Мухин теряет место генерал-квартирмейстера и что его заменит полковник Толь. Без сомнения, последний более способен занимать эту должность. За исключением пожаров в городе, нет больше ничего существенного. Утро прошло в нестерпимой работе в канцелярии. Я рассчитываю на то, что скоро французы меня оторвут от этой работы. Обед у князя Зубова. Он лег отдохнуть после еды, и я отправился к себе домой. Вечером прогулка по бульварам. Много говорят о неприятеле, но только шепотом.

12. Весь день разговоры о французах, из этого больше не делают тайны. Утверждают, что они скоро переправятся через Неман у Ковно. Борьба начинается. Пришло время для каждого русского доказать свою любовь к Родине.

13. Я был еще в постели, когда Александр Муравьев пришел мне объявить, что французы перешли через нашу границу в количестве пятисот тысяч человек. Не будучи в состоянии противопоставить им такое же количество людей, мы вынуждены отступать в глубь страны. Вот почему мы изменили диспозицию нашего военного министра Барклая-де-Толли. Говорят, что он будет сменен, но эта новость требует подтверждения. Я отправился к князю Волконскому, который приказал мне быть готовым покинуть Вильно ночью. Весь день мы делали приготовления. Говорят, что город будет взят штурмом. Приходят, уходят, рассуждают, и никто не понимает друг друга. Генерал-адъютант и министр полиции Балашов отправился на переговоры с Наполеоном. Михаил Орлов его сопровождает в качестве адъютанта. Вечером за мной прислал князь и приказал взять под арест нашего гравера, который ему написал дерзкое письмо. Только в полночь я вернулся к себе домой отдохнуть.

14. В три часа утра я покинул Вильно вместе с полков-

ником Селявиным и многими другими офицерами Главного штаба. Император и князь выехали ночью. В нескольких верстах от города лошадь меня понесла и сбросила на землю. Дурное предзнаменование в начале кампании. Отступив две версты от города, мы сделали двухчасовой привал. Я с большим удивлением узнал, что мадмуазель Вейс, дочь начальника полиции, путешествует вместе с нами. Мое удивление возросло еще более, когда князь Трубецкой нам объявил, что она с ним помолвлена. Мы никак не ожидали подобного союза. Еще через несколько верст мы остановились в чистом поле, чтобы провести там ночь. Французы вошли в Вильно. Русские сожгли мост через реку. Мой слуга пропал вместе с двумя моими лошадьми и со всем багажом. Надо сказать, это довольно неприятное начало войны.

15. В три часа утра мы продолжили отступление к Неменчину. Я надеялся там найти своего слугу и своих лошадей, но ошибся в своих ожиданиях. Пообедав и отдохнув в Устинье, Главная квартира проделала еще несколько верст и остановилась в чистом поле. В Сорокполе я с Александром Муравьевым остановился в имении, принадлежащем дедушке моей очаровательной Александрины. Она бросилась в мои объятия. Невозможно описать радость, которую я испытал, увидев ее. Мы провели восхитительный вечер. Облачко грусти делало ее еще более прекрасной. Может быть, мы видимся последний раз в жизни? Через несколько часов французы станут хозяевами и земли и моей любимой. Они ею распорядятся по законам военного времени. Не имея возможности предложить ей экипаж, я не мог взять ее с собой: потеряв своего слугу и свой багаж, я остался одинок и беден, как церковная крыса. Вечером она дала на память прядь своих волос.

16. Ранним утром мы покинули Сорокполь. Невыносимый пыткой было для меня добровольно отказаться от моей любимой. Вся дорога становилась адом. Войска разбили биваки у Свенцян. Император, повстречав нас, приказал мне отправиться к князю Волконскому, которому я понадобился. Через два часа после прибытия в Главную квартиру я был послан вместе с подполковником Клаузевицем[133] на поиски подходящего места для размещения биваков войскам, идущим позади главных сил армии. Мы выбрали позицию в Давгелишках, в 24 верстах от Свенцян. Деревня была предназначена для Главной квартиры и императора. Клаузевиц написал рапорт ге-

нералу Фулю[134], отправив меня вновь в Свенцяны. Я прибыл туда в час ночи, валясь с ног от усталости. К счастью, я нашел своего агу и своих лошадей, которых потерял по дороге из Вильны.

17. Утром отдал рапорт генералу Фулю. Мне представился случай разговаривать с императором. В полдень был вновь командирован вместе с полковником графом Мейстером[135], капитаном Брозиным, подпоручиком Берген-строллем[136] и Лукашем в деревню Давгелишки. Я обрисовал трем последним позицию, которую выбрал вместе с Клаузевицем, после чего мы провели оставшуюся часть дня вместе. Среди сегодняшних новостей главная, что Наполеон со своей армией вступил в Вильно и его окрестности. Господин Сегюр[137], лейтенант французского егерского полка, взят в плен. Несколько сот гусар было убито.

18. Мы провели целый день в ожидании императора и его Главной квартиры. Все напрасно. Я использовал время, чтобы написать родителям. После полудня гвардия и гренадерская дивизия прибыли на свои позиции. Стало очевидно, что сражения не будет. Пока мы только отступаем. Граф Мейстер, побывав в Свенцянах, возвратился к вечеру.

19. Утро прошло в ожидании императора. Он прибыл в пять часов вечера, но не остановился в Давгелишках, а продолжал, вместе с князем Волконским, путь к Видзам. Мы также сели на лошадей и к вечеру прибыли в Видзы, где нам были приготовлены квартиры. Привели много французских пленных. Я их вижу в первый раз.

20. Весь день прошел в работе у князя. Наше рвение было вознаграждено хорошим обедом. Вот сегодняшние новости: 1-й корпус нашей армии в Солоках, Уваров во главе кавалерии совсем рядом с ним. Князь Багратион со Второй армией прошел Волковыск. Платов[138] с казаками в Лиде. Военный министр Барклай-де-Толли в Свенцянах с третьим и четвертым корпусами. Неприятель подошел к Сулиной Корчме. В это время пришел в нашу Главную квартиру Вильдеман: он отправляется в 1-й корпус.

21. Все утро прошло в работе у князя Волконского. Главная квартира остается в Видзах. Орлов вернулся вместе с генералом Балашовым. Они были на переговорах с Наполеоном. Император провел более часа в беседе с Орловым. Говорят, что он был очень доволен его поведением в неприятельской армии. Он смело ответил маршалу Даву[139], который пытался его задеть в разговоре.

22. То, что мы предвидели, случилось: мой товарищ Орлов, адъютант князя Волконского и поручик квалергардов, пожалован флигель-адъютантом. Он во всех отношениях достоин этой чести. Барклай-де-Толли прибыл в Видзы в полдень. Его Главная квартира — в двух верстах от города. Корф[140] с авангардом в Давгелишках. Граф Шувалов во главе 4-го корпуса присоединился к Корфу. Граф Витгенштейн[141] и Уваров составляют наш правый фланг.

23. Мы были вынуждены оставить Видзы и перенести Главную квартиру в Замостье. Я проделал часть пути с князем, который сопровождал императора. Его величество, обогнав по дороге гвардейские полки, остался очень недоволен тем, как они шли. Из рапорта барона Корфа мы узнали, что был послан капитан польских улан с эскадроном, чтобы сделать разведку со стороны Михайлишек. По возвращении этот капитан увидел, что дорога в Свенцяны занята неприятелем, и тут же принял решение — проложить путь с саблей в руке. Этот храбрый человек был поддержан своим отрядом, и, хотя французы были сильнее более чем в десять раз, он пробился к нашему авангарду, потеряв не много людей, в том числе двух штаб-офицеров. Император пожаловал ему за храбрость орден Георгия 4-й степени.

24. В четыре часа утра мы отправились в путь. Главная квартира была переведена в Белмонты — местечко, принадлежащее графу Мануци. Я выпил кофе с владельцем этого местечка. Император опаздывал с прибытием. Лишь только я собрался пообедать, как князь меня отправил с письмом императора к генералу Дохтурову[142], который находился в Шарковщизне, в 45 верстах от Белмонт. Я проделал этот путь в почтовой карете и прибыл туда на закате дня. Корпус отступил в полном составе. Десна нас отделяла от неприятеля. Под командой Мюрата[143] и Удино[144] находилось свыше 30 тысяч человек. Чтобы не быть отрезанным Великой армией, Дохтуров вынужден был отправиться к Новогрудку. В первый раз я увидел неприятеля. Не имея возможности вернуться в почтовой карете, я взял лошадь у казака. Погода была ужасна: дождь лил как из ведра, гром гремел, и молнии меня ослепляли. Канонада усиливала ужас этой ночи. По этой причине я прибыл в Белмонты только в полночь. Император уже уехал оттуда.

25. Худо-бедно добрался до Иказны, где находилась квартира императора. Это местечко расположено в десяти

верстах от Белмонт. Меня одолевал сон. Император, получив рапорты Барклая, перенес свою Главную квартиру в Милоховку, отступив на три польские мили, или на 21 версту. От князя Багратиона и генерала Платова нет никаких известий.

26. Главная квартира перенесена в Янчины, находящиеся неподалеку от Дриссы. Во время марша мы сделали привал в Лепеле, небольшом городке, расположенном на Двине. Оставшуюся часть дня мы трудились как каторжные над картой России. Во всех корпусах не хватало карт местностей, по которым они проходили. Вместо того, чтобы изготавливать в Петербурге карты Азии и Африки, нужно было подумать о карте Русской Польши. Хорошая мысль всегда приходит с опозданием. Император на лошади объехал позиции.

27. Мы сопровождали императора во время осмотра предмостных укреплений на Двине. Из воздвигал полковник Эйхен. Вчера 3-й, 4-й и 5-й армейские корпуса вступили в Дрисский лагерь. Главная квартира его величества осталась в Янчинах, Барклая-де-Толли — в Дворчанах, в двух верстах от нашей. Не было никаких известий о движении неприятеля. Одни предполагают, что он направился на Ригу, другие — что на Минск; я придерживаюсь последнего мнения. В таком случае наши укрепленные позиции не будут иметь никакого значения. Мы будем вынуждены их покинуть, не дав сражения. Пока что мы только отступали.

28. Весь день прошел за работой. Нет никаких сведений о французах. Наши аванпосты проделали двадцать верст от своих позиций, не встретив ни одного неприятеля. Евреи предполагают, что Минск занят самим Наполеоном. Это заставляет нас сделать фланговый марш.

29. После полудня я сопровождал полковника Толя в осмотре укрепленного лагеря. С фронта и с правого фланга позиция достаточно хорошо защищена. Имеется, однако, овраг у деревни Щебёры, в котором неприятель может расположиться в безопасности от оружейного или пушечного выстрела со стороны редута, находящегося в нескольких сотнях шагов. Левое крыло очень слабое, однако этого не надо опасаться: более чем вероятно, что неприятель не будет нас атаковать с этой стороны. Эта позиция была хорошо выбрана еще до начала кампании генералом Фулем.

30. Утро прошло в работе. Полковник Толь был назначен генерал-квартирмейстером вместо Мухина, генерал

Ермолов[145]— начальником штаба вместо Паулуччи[146]. Все удовлетворены этими назначениями.

Июль.

1. Мы провели все утро в работе. Это начинает мне серьезно надоедать. Я предпочитаю час в день сражаться, чем корпеть над картой Смоленской губернии, что меня еще больше убеждает в неизбежности отступления. Князь Волконский серьезно болен, лежит в постели и не может пошевельнуться. Со вчерашнего утра женщины говорят о его нездоровье. Это досадное начало кампании.

2. В шесть часов утра император через фельдъегеря приказал князю отправляться в Белковщизну, куда будет перенесена и Главная квартира. Вследствие этого мы покинули укрепленный Дрисский лагерь и перешли через Двину. Вот мы уже в Витебской губернии. Движемся длинной цепью, не зная причин, по которым мы покинули наши укрепленные позиции. Не слышно, чтобы что-нибудь говорили о французах.

3. Командующий 1-м корпусом послал свой авангард под командой генерал-майора Кульнева[147] произвести разведку. Этот авангард встретил неприятеля, внезапно его атаковал и обратил в бегство, отбросив на семь верст. Он взял в плен французского генерала Сен-Жени[148] и сотни солдат. Говорят также, что Динабург был атакован шесть раз неприятелем, но без всякого успеха. Им не удалось завладеть его укреплениями. Мы работали весь день.

4. Главная квартира императора переведена из Белковщизны в Забеллу, в 15 верстах перехода. В настоящее время мы находимся в 30 верстах от Полоцка. Министр разместил свою квартиру в трех верстах от императорской. По прибытии мы тут же принялись за работу. Нам не дают времени даже передохнуть.

5. Главная квартира императора переведена из Забеллы в Ольшовку. Переход составил 30 верст. Земля, по которой мы идем, очень плодородна. Жаль, что колосья, которые уже высоко поднялись, будут уничтожены лошадьми. Я сопровождал императора верхом. Мы повстречали войска, и император был крайне недоволен тем, как они шли. Он приказал взять под арест полковника, командовавшего полком. Этот акт суровости необходим при настоящих обстоятельствах.

6. Провели утро в работе, несмотря на приказ, который требовал, чтобы мы подготовились к отъезду. Главная

квартира оставалась целый день в Ольшовке. Вечером мы получили известия, повергшие нас в уныние. Император, повидавшись с министром Барклаем, принял решение покинуть армию. Он отправился в путь ночью и увез с собою князя Волконского. Мы получили приказ от его сиятельства отправиться в Великие Луки и ожидать новых распоряжений. Это поистине прискорбно. Что делать? Надо слушаться своего начальника.

7. Всеобщее уныние воцарилось в нашей Главной квартире. Мы отправились из Ольшовки в Полоцк. Эта древняя столица Витебской губернии в настоящее время населена евреями и поляками, русских почти не встретить. Пообедав в трактире вместе с Орловым, мы отправились повидать полковника Толя. Полагают, что император отправился в Москву, но неизвестно, так ли это. Я провел приятный вечер со своим другом Щербининым.

8. Мы покинули армию. Прощайте, мои мечты о славе, о битвах, о чинах, орденах и т. д.— мы возвращаемся домой. Нас возглавляет полковник Селявин. Мои товарищи по несчастью — Орлов, Сулима, Сазонов, Вашутин[149] и Вешняков. По приказу князя мы отправились в Великие Луки. В Тучеве довольно хорошо передохнули и остановились на ночлег в Липове. Двигаемся дальше с нашими лошадьми.

9. Ранним утром двинулись в путь. В Литвине сделали привал на несколько часов, чтобы накормить лошадей и самим получить обед, довольно скудный. Мы прибыли в деревню Березову на ночлег довольно поздно. За два перехода нами сделано 98 верст. Совершенно очевидно, что неприятель не может проникнуть в край, который мы в настоящее время пересекаем, так как повсюду крестьяне остаются в хижинах, тогда как в Польше мы видели только полностью опустошенные деревни.

10. Переход не больше 15 верст. Мы прибыли в Невель, где одни только евреи и мало русских. В первый раз после отъезда из Вильны мы разместились на хороших квартирах. Нас накормили прекрасным обедом; так как шел дождь, мы оставались целый день дома. Капитан Сазонов и прапорщик Вешняков составили мне компанию. Это славные ребята. Первому немного вскружил голову его капитанский чин.

11. С сожалением покинул нашу прекрасную квартиру в Невеле, чтобы продолжить путь. В Гребцах мы передохнули и остановились на ночлег в Сенькове. Это далеко не то, что в Невеле. Блохи нас выгнали из дому, и мы вынуж-

дены были найти пристанище на сеновале, где провели ночь довольно сносно. Там с нами не произошло таких приключений, как с Дон Кихотом на постоялом дворе в Сьерра Морена.

12. Вступили в Псковскую губернию и к полудню вошли в Великие Луки. Город достаточно велик и населен только русскими. Видишь только своих соотечественников. Евреи полностью изгнаны. Мы надеялись там найти приказ князя, но ошиблись в своих ожиданиях. Это поистине очень неприятно.

13 и 14. Спокойно отправились в Великие Луки. Чтобы скрасить путь, по дороге читали письма Кливленда, переведенные с английского на русский язык, и очень плохо[150]. Оставшееся время было поделено между прогулкой, отдыхом и сном. Я квартировал вместе с капитаном Сазоновым и Вешняковым, первый страшно ленив, и этот порок помешает ему достичь чего-либо; второй — добрый малый, но с небольшими способностями.

15. Мы узнали сегодня, что подписан мир с турками. Они нам уступили все земли, которые им принадлежали до Прута, и, таким образом, крепости Хотин, Аккерман, Бендеры, Килия и Измаил в нашем распоряжении. Секретарь графа Левенгельма[151] нам принес известие о сражении между корпусами Остермана[152] и Неаполитанского короля, имевшем место неподалеку от Витебска. Победа осталась на нашей стороне. Бригадный генерал Окулов[153] убит. Это был хороший офицер.

16 и 17. Ничего не прояснилось в нашем положении. Мы остаемся в Великих Луках в ожидании приказа князя Волконского, которого все еще нет. Мы предпочитаем, чтобы наша участь была бы решена побыстрее. Нет ничего более унылого, чем пребывать в неопределенности.

18. Наконец, приказ князя получен. Орлов возвращается к армии. Полковник Селявин, капитан Сазонов, Вашутин, Вешняков и я отправляемся в Москву. Другие офицеры под командованием капитана Сулимы остаются с нашими повозками. Весь день я провел в поисках лошадей. Много раз я обращался к городничему и все без успеха. Там я встретил сенатора Бибикова[154], отца юноши, с которым я служил в нашем корпусе. Наконец, к 11 часам вечера мы получили лошадей, из числа тех, которые шли через мост. Жители в ужасе: говорят, что неприятель уже в Усвяте. Купцы уезжают в глубь страны.

19. В полночь мы, наконец, покинули Великие Луки, двинулись в направлении Новгорода, что нам было предпи-

сано князем. Нам совершенно не ясно, зачем мы должны делать подобный крюк. Повсюду дают хороших лошадей. В Порхове мы прождали некоторое время. Хорошая погода благоприятствует нашей поездке и скрашивает дурную дорогу и ужасную тряску в телеге. Этот экипаж чрезвычайно неприятен для непривычных людей. Сазонов неважно **себя** чувствует.

20. Падая от усталости, мы продолжали свой путь к Новгороду. К вечеру прибыли туда без приключений. Жители собрались на главной площади в ожидании приезда императора, которого ждали через несколько часов. Это нам не помешало сменить лошадей и отправиться в Бронницы. Мы так устали, что отдых был просто необходим. Провели там всю ночь.

21. Покидая Бронницы, мы повстречали императора. С ним в коляске был граф Толстой, обер-гофмаршал[155]. В Зайцеве встретили графа Аракчеева[156], который посоветовал нам подождать приказа князя Волконского. Последний заболел и остался в Москве. Вечером курьер нам принес известие, что князь не может покинуть Москву, так как ему очень плохо. Мы решили двигаться далее.

22. В полночь мы отправились в путь на скверной телеге. Я испытываю муки и готов повесить того, кто изобрел этот проклятый экипаж. Наконец, выехав из Валдая, мы повстречали князя Волконского и вернулись на почтовую станцию. Князь дал мне разрешение съездить на пять дней в Москву, чтобы повидать родителей. Мои другие товарищи по путешествию отправились в Петербург. Я продолжал путь совсем один. Это еще более скучно.

23. Буквально падаю от усталости. Это мне не помешало продолжить путь так быстро, как только возможно. В три часа я приехал в Тверь, резиденцию герцога Ольденбургского, мужа великой княгини Екатерины. Весь день у меня сильно болела голова. Это жестоко — в свои 18 лет трястись в телеге. Нужно иметь железное здоровье, чтобы это выдержать.

24. В двух станциях от Москвы я встретил отца и мать[157], которые возвращались в Петербург. Побыв с ними полчаса, я продолжил свой путь в Москву, чтобы повидать там своего дядю. В десять часов я, наконец, прибыл в древнюю столицу. Приведя себя в порядок в доме дяди Демидова на Мясницкой, отправился к нему в Немецкую слободу. Был обед, я испытал восхищение, так как не ел несколько дней. Вся московская молодежь облачилась в военную

форму. Спешно формируются полки. Мой дядя командует одним из них. После отдыха отправился повидать господ Беклемишева, Хомутова[158], Обрезкова[159] и свою тетку Петровскую на Тверском бульваре. Там была толпа. Почти что не видно фраков: все, кто может носить оружие, отправляются в новый род войск под названием ополчение. Вечер у госпожи Нарышкиной. Ее дочь Екатерина недавно вышла замуж за генерала Обрезкова и уже беременна. Такова жизнь!

25. Провел все утро в визитах, это невыносимо. Я отправился повидать Ив. Ив. Демидова[160], мадмуазель Хомутову[161], мадмуазель Кириллову. Обед у дяди. Он очень предупредителен. Мы отправились вместе на Пресненские пруды. Вечер у Бахметева[162]. Его дом был возведен на одних лишь сваях.

26. Вновь наносил визиты. Обед у дяди Демидова. Он дал мне на память красивую золотую цепочку. Ужин у Бахметева. Затем я ушел, чтобы приготовиться к отъезду.

27, 28 и 29. Ровно в полночь покинул Москву. Я вновь еду в телеге, испытывая те же неудобства, что и по дороге в Москву. Ничего интересного не было до Торжка. Я повстречал адъютанта графа Витгенштейна Игнатьева, который сообщил мне известие о разбитии французского корпуса Удино нашим первым корпусом. Это первая победа нашей армии, одержанная над неприятелем. Она преисполнила радостью императора и весь Петербург. Мы продолжили путешествие вместе с Игнатьевым[163]. Он ротмистр гусарского полка.

30. В три часа мы прибыли в С.-Петербург и нашли улицы опустевшими. Я очень рад вновь увидеть родные пенаты. В десять часов, обняв родителей, отправился представиться князю Волконскому. Остаток дня — с братом Сергеем. В восемь часов ложусь в постель. Я нуждаюсь в отдыхе.

Август.

1. Сразу же по прибытии в Петербург был вынужден отправиться в канцелярию князя. В настоящее время мы делаем карту Смоленской губернии. Обед у графини Зубовой. По возвращении домой я отправился к господину Резимонту. Лег в постель очень поздно.

2. Все утро в работе в Главном штабе. Ничего не изменилось за время моего отсутствия. Мы были заняты с 9 часов утра до трех дня. После полудня я отправился на Каменный остров, чтобы получить распоряжение князя

Волконского, который состоит при его величестве. Вечер в гостиной.

3. Утро за работой. Обед у госпожи Козловой. Затем отправился к своему брату Сергею в пансионат Жакино, где он завершает свое образование. Мы сегодня получили бюллетень из корпуса Витгенштейна. Ничего существенного.

4. Я был освобожден от работы в Главном штабе, так как получал деньги у Гурьева. Как обычно, он заставил меня прождать несколько часов. Отправившись к князю, чтобы отнести деньги, я встретил его в пути. Он мне поручил отнести несколько карт императору. Я их передал его лакею. Обед дома. Вечером с братом Сергеем отправился на Крестовский и Каменный острова. Хотя воскресенье, гуляющих было мало. Обстоятельства, в которых мы находимся, причиной этому.

5. Для разнообразия я провел все утро за работой над моей несносной картой Смоленской губернии. Невозможно вести более нелепую жизнь: в течение шести часов в день наносить реки и горы. Таким образом я глупею и становлюсь неспособным заняться другими делами. Часть времени провел с родителями.

6. Работаю в Главном штабе. Князь нам оказывает честь, регулярно приходя проверять наши труды. Обед вместе с родителями. Вечером занимаюсь у себя.

7. Отправившись в Главный штаб, я обременил полковника Селявина просьбой быть моим заступником перед князем и ходатайствовать о разрешении возвратиться в армию. Его сиятельство ответил, что моя просьба резонна, что она делает мне честь, но некому меня заменить и поэтому он вынужден мне отказать. Я удовольствовался добрыми словами. Но собираюсь продолжить свои попытки и не успокоюсь, пока не примкну к храбрым защитникам Отечества. Обед у господина Резимонта. Вечер в гостиной.

8. Часть утра у Гурьева, где получил деньги. Затем отправился к графу Зубову, который вернулся к себе, и на Каменный остров, чтобы передать деньги князю. Император отправился в Финляндию. Он в Або должен встретиться с наследным принцем Швеции Карлом-Иоанном, бывшим Бернадотом[164]. Вернувшись к себе, вынужден лечь в постель, ощущая сильную головную боль. Вот последствия путешествия в телеге.

9. Чувствую себя как побитая собака. У меня болит голова. Вот последствия телеги. Нужно иметь железное

здоровье, чтобы выдержать это. Понятно, что через несколько лет службы фельдъегери заболевают чахоткой. Сазонов, Вешняков и Грибовский[165] пришли повидать меня. Я не премину их поблагодарить, когда буду в силах.

10. Моя голова в прежнем положении и мешает мне передвигаться. Родители отправились на два дня к Демидову в Тайцы. Вечером в течение многих часов мне надоедал Грибовский. Мой денщик Николай вернулся из армии вместе с моими лошадьми. Они в хорошем состоянии, и я рад их снова видеть здесь.

11. Хотя моя болезнь стала проходить, я еще вынужден оставаться в своей комнате. Брат Сергей пришел составить мне компанию на целый день. Вечером он вернулся в свой пансион. Нет абсолютно никаких новостей из армии. Говорят, что мы играем с огнем.

12. Мое здоровье мало-помалу восстанавливается. Голова болит меньше. Многие приходят меня повидать. У меня хватило сил написать письмо дедушке, который находится в своем имении Салтыково, и другое письмо — Щербинину, в армию. Родители вернулись вечером из Тайц.

13. Я вынужден остаться у себя дома: вторичный приступ болезни, который опаснее, чем сама болезнь. Так как я занимался, то не заметил, как прошло время; меня навещали родители и другие лица.

14. Весь день у себя. Говорят, что французы овладели Смоленском после крайне жестокого сражения. Так как Смоленск расположен на горе и хорошо укреплен, они потеряли много народа. Великий князь Константин прибыл в Петербург в сопровождении только одного лакея.

15. Первый раз я отважился выйти на прогулку. Погода была очень хорошей. Брат провел целый день со мной. Обед у родителей. После обеда отправился на прогулку верхом вместе с Вешняковым. В порту мало иностранных судов: их испугала война. Это вполне понятно. Вечер в гостиной.

16. Чтобы испытать себя, я сел на лошадь в манеже графа Потоцкого. Все идет довольно хорошо. Вечером на русском спектакле. Давали трагедию «Дмитрий Донской». Когда актеры хотели объявить анонс на завтра французской пьесы, в партере раздался адский шум, который не позволил продолжить выступление. Это длилось более пяти минут, и актеры так и удалились, ничего не сказав.

17. Я был в силах направиться в Главный штаб, чтобы продолжить карту Смоленской губернии. Каждый день одно и то же. Обед у госпожи Козловой. Остаток дня дома. Вечером были в гостиной.

18. Утром был у обедни и там узнал о победе, одержанной генералом Тормасовым[166] над австрийцами и саксонцами, которыми командовал князь Шварценберг[167] и французский генерал Ренье[168]. Эту новость сообщил капитан Лопухин, адъютант Тормасова. Смоленск был полностью сожжен французами. Они жестоко расправились с нашими, которые им сопротивлялись. Наполеон может сказать, как Пирр, что еще две-три такие победы, и он потеряет всю свою армию. Вечером пошел повидать госпожу Ададурову. Затем — в гостиной.

19. Отправился работать в Главный штаб. Карту Смоленской губернии разрезали, и нам нечего было делать. Обед у госпожи Козловой. Пошел к себе, чтобы написать дедушке и дяде Демидову.

20. Все утро работал в Главном штабе над картой Смоленской губернии. Обед дома. После обеда совершили с Вешняковым прогулку верхом. Повстречали двух великих князей — Николая и Михаила с их гувернерами[169]. Вечер в гостиной.

21. Утром работал в Главном штабе. Полковник Селявин сообщил мне известия, которые доставили мне много горя. Мой друг Вильдеман ранен пулей в локоть. Хотя рана его не опасна, он вынужден покинуть армию. Мы теряем в нем блестящего боевого офицера. Коцебу[170], поручик Главного штаба, был взят в плен французами. Император вернулся сегодня из поездки в Финляндию. Вместе с ним вернулся мой начальник князь Волконский. Еще не известны последствия соглашения, которое они заключили с наследным принцем Швеции Карлом-Иоанном. Пообедав у госпожи Ададуровой, нанес визит моей тетке Демидовой и графине Зубовой. Вернувшись к себе, написал Щербинину в Главную квартиру.

22. Для разнообразия я стал работать над картой Смоленска. Это становится невыносимым: мои товарищи на поле битвы, а я осужден коснеть в чертежной безо всякого смысла. Оставшуюся часть дня дома. Нет никакого желания выходить после подобного утра, и как в мои годы показаться в обществе! Князю Волконскому доложили о моем несчастье. Он не хочет дать мне разрешения присоединиться к нашим храбрецам.

23. Все утро в Главном штабе. Обед в светском об-

ществе. Платон Зубов пригласил много гостей. Освободившись, отправился на немецкий спектакль на бенефис семьи Гебхард. Курьер генерала Эссена[171] привез известие о кончине подполковника Тидемана[172] из Главного штаба. Он был смертельно ранен.

24. За работой в Главном штабе. Мне кажется, что этой карте Смоленской губернии не будет конца. Обедаю с родителями. Оставшуюся часть вечера занимаюсь у себя чтением. Приятно быть предоставленным самому себе. Я не понимаю тех, кто говорит, что это скучно.

25. Сегодня воскресенье. Я отправился повидать Чернышева. Он был у себя. Обедал вместе с братом Сергеем у госпожи Козловой. После обеда мы пошли к господину Резимонту, после чего вернулись домой и отправились в гостиную.

26. Снова за работой в Главном штабе. Обед дома. Вечером на немецком спектакле. Дают «Сестер из Праги». Линденштейн меня изрядно позабавил. Он вошел в роль. В последнее время я приобрел вкус к немецким пьесам; таким образом, я не смогу полностью забыть этот язык, который в свое время изучил основательно.

27. Утро прошло, как обычно, в Главном штабе. Будь с нами маркиз Мезонфор, он бы нас развеселил, но он в Швеции, и нам остается лишь наша пустая работа. Нам недостает физических упражнений, и потому мы решили с Вешняковым совершить прогулку верхом. Он собирается прийти к нам на чашку чая.

28. Работал в течение пяти часов подряд. Каторжники не работают больше. Отправился обедать вместе с толстяком Кисловским[173] и Фридрихом Феншау в трактир к Тардифу. Мы там хорошо отдохнули и выпили отличного вина. Я там остался, чтобы доставить удовольствие своим товарищам по обеду. Распрощавшись с Кисловским у дверей театра, вернулся домой.

29. После работы в Главном штабе и обеда отправился к князю Волконскому. Получены известия из армии. Неприятель, атаковав наш левый фланг, которым командовал генерал Багратион, был разбит этим храбрым генералом. Говорят о подробностях битвы.

30. Так как сегодня тезоименитство императора Александра, я отправился на Каменный остров. Курьер привез известия из нашей Главной армии о генеральном сражении, которое было дано 26 числа сего месяца при деревне Бородино. Утверждают, что неприятель был разбит по всем статьям, но, несмотря на победу, мы должны были

отступить на следующий день. Это вызывает сомнения. Мы потеряли невероятное количество людей. Вся гвардия была введена в бой. Генералы князь Багратион, князь Горчаков[174], Тучков[175], Кретов[176], граф Воронцов[177], два брата Бахметевы[178] были ранены. Граф Кутайсов пропал. Полагают, что он взят в плен. Один из братьев Тучковых был убит[179]. Мы отправились вместе с императором в Таврический дворец, откуда верхом поехали в Невскую лавру. Императрицы, два великих князя и великая княгиня Анна следуют за нами в каретах. После обедни и богослужения князь Горчаков[180], исправляющий должность военного министра, прочел громким голосом реляцию о битве. Затем отправились завтракать к митрополиту Амвросию[181]. Обедал дома. Вечером на спектакле. Давали «Всеобщее ополчение» и «Любовь к отечеству». Последняя пьеса — смесь балета с пением. Автора Висковатова[182] и старейшего актера Дмитревского[183] вызывали на сцену. Поужинав дома, отправился с Приклонским[184] на маскарад.

31. Все утро в Главном штабе. После обеда Вешняков пригласил меня на прогулку верхом. После большой прогулки он пришел ко мне выпить чаю. Вечер в гостиной. Смертельная скука.

Сентябрь.

1. Все утро за работой в Главном штабе. Надеюсь, что этот месяц принесет перемену в моей несчастной судьбе. Я делаю все возможное, чтобы покинуть Петербург и вернуться в армию. Обед дома. Вечером у себя.

2. Вновь работал почти шесть часов подряд. Князь Волконский регулярно приходит проверять наши труды, он находит, что мы недостаточно деятельны. Этот человек хочет нас уморить в чертежной. Пообедав у госпожи Козловой, отправился к себе отдохнуть и завершил день в гостиной.

3. В то время как я работал, князь Волконский приготовил мне самый приятный сюрприз. Он объявил мне, что посылает меня в армию с картой Московской губернии, которую я должен передать генералу Вистицкому. В настоящее время это удовлетворяет мои желания. Я снова возвращаюсь на поле чести.

4. Несмотря на предстоящий отъезд, отправился в последний раз работать в Главный штаб. Без малейшего сожаления покидаю несносный зал чертежной и товарищей, которые осуждены там погибать от скуки. Я простился с родителями. Они совсем не в восторге. Это вполне

естественно. После обеда отправился проститься с графиней Зубовой и господином Резимонтом.

5. Провел все утра в бегах. Побывал у княгини Кутузовой[185], князя Голицына и у многих других лиц. Пообедав дома, отправился к Платону Зубову, который мне дал рекомендательное письмо к генералу от кавалерии Беннигсену, а княгиня Кутузова дала такое же письмо к своему мужу, главнокомандующему всеми армиями. Таким образом, меня хорошо снабдили. Закончил день вместе с родителями.

6. Отправился на Каменный остров проститься с князем Волконским. Он дал мне много добрых советов, но я не знаю, как им следовать. Он советовал мне, между прочим, ехать не по Московской дороге, а через Ярославль. Возможно ли, что наша древняя столица занята неприятелем! Нет, этого не может быть. Попрощавшись с родителями, я сажусь в телегу. Не знаю почему, у меня мрачное предчувствие, что я больше не возвращусь в родной город. С помощью двух курьеров сажусь на телегу. Этот экипаж все так же невыносим. Я выехал из Петербурга в $3^1/_2$ часа. Проехал весь день и всю ночь без приключений. Поскольку у меня курьерская подорожная, мне не приходится ждать лошадей и не удается передохнуть хотя бы четверть часа. Меня сопровождают в путешествии мой верный ага и слуга полковника Мишо, которого я препровождаю к его хозяину. Я взял две телеги, каждую с тремя лошадьми. Погода стоит прекрасная, но ночи темные.

С 7 по 19. Со мной не приключилось ничего примечательного до Твери. Въехав в этот город, я увидел много полков, которые шли мне навстречу. Это губернское ополчение. Им командует князь Шаховской, некогда чиновник дирекции Петербургских театров[186]. Теперь весь свет устремился на военную службу. Я продолжил свой путь к Клину, но дальше не смог проехать, так как барон Винценгероде[187] со своим русским отрядом находится в Песках, а неприятель завладел Москвой. Эта древняя столица двести лет жила в совершенном спокойствии и вот теперь взята ненасытным Наполеоном. Говорят, что он обратил ее в пепел. Он вошел в Москву 2 сентября под барабанный бой и с развернутыми знаменами. Главнокомандующий армиями уступил ее без боя. Я ничего не мог понять. Куда же девалась храбрость наших славян? Неужели они забыли своих предков? Я был вынужден воротиться в Тверь, чтобы отправиться по дороге на Ярославль. Князь Волконский мне дал добрый совет, чтобы я ехал через этот город, но он мне не сказал, что Москва была взята. От Твери до Кашина были только крестьянские лошади, однако вполне хорошие. Я не мог миновать Кашин, не повидав дедушку, который находился в своем имении Салтыково в 15 верстах от города. Он был тронут моим вниманием и несказанно рад меня видеть. Вместе с ним была его дочь, госпожа Беклемишева, со своим мужем и детьми. Моя тетка была прежде всего добрая мать и добрая жена. Я вновь приехал в Кашин, сменил лошадей и отправился по дороге в Ярославль. Эта губерния примечательна тем, что в ней почти совсем нет леса. Дворяне, неспособные носить оружие, заняли должности смотрителей почтовых станций. Вследствие этого они ведут мучительную жизнь. В городе Ярославле сейчас живет великая княгиня Екатерина со своим мужем принцем Георгием Ольденбургским. Меня накормили отвратительным обедом в трактире, который достоин названия кабака. На одной из станций около Ярославля я с удивлением увидел князя Волконского. Он ехал по поручению императора к действующей армии. Мы проделали вместе путь до Ростова. Этот город знаменит святым Дмитрием, который здесь похоронен. Город Юрьев-Польский назван в честь многочисленных полей, которые его окружают. Деревня Симы ныне прославилась тем, что в ней умер главнокомандующий князь Багратион, окончивший жизнь перед моим прибытием в Симы вследствие ран, полученных при Бородине. Генерал-лейтенанта Тучкова там ждала та же участь. Во Владимире губернатор[188] осыпал меня любезностями. Выяснилось, что он служил вместе с моим отцом. Я взял с собой карту этой губернии, чтобы отвезти в армию. В Касимове на Оке я нашел до пяти тысяч раненых в жалком состоянии. Там был также генерал-комиссар Татищев[189] со своими чиновниками. Я переехал Оку на лодке. Большая часть жителей этой местности — татары, потомки завоевателей России. В Рязани я пожалел одного унтер-офицера из гвардейских егерей по фамилии Кривцов[190], который направлялся пешком в армию. Я его взял с собой. В Туле провел несколько часов с начальником полиции Кашинцовым[191], родственником генерала Балашова. Я прождал лошадей на постоялом дворе всю ночь. Отправившись в путь на восходе дня, проехал через Тарусу и, наконец, прибыл в Главную квартиру в деревне Богородское. Я немедленно передал свои письма генералу Беннигсену. Его сиятельство принял меня со всей свойственной ему добротой и обещал оставить меня при себе. Я был в восторге, так как это превосходный генерал и, как говорят, хорош в бою. У такого начальника надеюсь как следует выучиться военному делу. С превеликой радостью встретился со своими товарищами и прежде всего со Щербининым. В настоящее время я квартирую вместе со своим дядей Демидовым, который придан генералу Беннигсену. Вот другие лица, составляющие его окружение: полковник, флигель-адъютант князь Сергей Голицын[192], гвардейский капитан Полиньяк[193], Андрекович[194], поручик Корсаков[195], Ланской[196], Панкратьев[197], Клетте, князь Александр Голицын[198], аудитор Бестужев[199]. Я имел честь быть принятым в это избранное общество. Мы провели вечер очень весело, пили пунш и пели. Лагерная жизнь мне нравится. Я люблю эту всеобщую деятельность, которая здесь царит постоянно.

20. Армия все еще отступает. Главная квартира перенесена из Богородского в Тарутино, деревню, расположенную на реке того же названия. Мы отправились вместе с Беннигсеном осматривать позицию, на которой должна сосредоточиться наша армия. Она крайне несовершенна. Мы можем быть атакованы не только с флангов.

21. Армия вступила на позиции при Тарутино, начали делать флеши, о чем генерал Беннигсен отдал приказ еще вчера вечером. После полудня была слышна сильная канонада в арьергарде, которым командовал генерал от инфантерии граф Милорадович. Мы потеряли мало людей и ни одного офицера. Она закончилась в нашу пользу. Было взято в плен четыре сотни французов. Огонь прекратился лишь с окончанием дня. Ночь прошла совершенно спокойно, мы плотно поели.

22. Я сопровождал генерала Беннигсена в осмотре позиций. Весь день прошел спокойно. Вечером была стычка с авангардом, которая закончилась в нашу пользу.

23. Утром мы отправились к главнокомандующему Кутузову. Французы прислали генерала Лористона, чтобы просить свидания с Кутузовым. Последний поручил князю Волконскому заменить его в этой беседе. В четыре часа пополудни наш генерал отправился на аванпосты. Граф Милорадович предложил ему встретиться с Неаполитанским королем, а Беннигсен дал согласие отправить на неприятельские аванпосты полковника Потемкина, графа Полиньяка и князя Голицына, чтобы объявить Мюрату, что Беннигсен желает его видеть. Спустя некоторое время бригадный генерал Ренье явился нам сказать, что король

не замедлит прибыть. В самом деле, он вышел в поле. Граф Беннигсен направился ему навстречу. В течение 20 минут они беседовали друг с другом. Мы не знали содержания их разговора, так как не могли их услышать. Мы вернулись очень поздно в Главную квартиру. Костюм Мюрата был совершенно особенный. Он — в расшитых золотом зеленых панталонах и красных сапогах. Его мундир был также очень богатым. Огромный султан венчал его большую шляпу. Одним словом, он имел вид скорее шута, чем короля. Его свита была одета более благопристойно, но без всякой изысканности.

24. Главная квартира была переведена из Тарутино в Леташовку, расположенную позади позиции. Это местечко насчитывает не больше десятка домишек. Мы очень плохо разместились в курной избе. К позиции была добавлена еще одна флешь.

25. Армия остается на позиции при Тарутино. Хотя перемирие не было заключено, командующие авангардами условились между собой прервать военные действия на некоторое время. Неаполитанский король подъехал к нашим аванпостам, не подвергаясь ни малейшей опасности. Милорадович точно так же подъехал к французским.

26. Мы провели все утро вместе с генералом Беннигсеном, изучая наши позиции на правом фланге. Неприятель остается спокоен. Вернувшись в Главную квартиру, получили хороший обед у генерала. Генерал-квартирмейстер Толь также произвел рекогносцировку.

27. Утром генерал отправился на левый фланг нашей позиции. Он обозрел местность вплоть до дома Кусовникова. В этой поездке нас сопровождал полковник Кроссар, офицер австрийского Генерального штаба[200]. Не знаю, каковы его заслуги: в нем по меньшей мере много вульгарного. С нами не произошло ничего интересного.

28. Ровным счетом ничего нового. Все спокойно на аванпостах. Говорят, что мы находимся в состоянии мира. Главная квартира расположена в Леташовке. Мы проводим время очень приятно: целый день поем, едим и пьем. Мой дядя Демидов стал военным. Он ведет ту же жизнь, что и мы.

29 и 30. Мы постоянно находимся на тех же позициях. Говорят, что французы собираются отступать. Этот слух требует подтверждения. Генерал Беннигсен огорчил нас грустной новостью: имея неприятности с главнокомандующим Кутузовым, он отправляется в Петербург. Я жалею своего начальника, который более не остается на поле чести.

Октябрь.

1 и 2. Все остается в прежнем положении. Генерал Беннигсен больше не говорит о своем отъезде. Похоже, он помирился с фельдмаршалом Кутузовым; я не верю, что это искренне, так как он продолжает сказываться больным. Многие русские партизаны расстраивают коммуникации неприятеля, в том числе славный Фигнер[201], доблестный Сеславин[202], храбрый Давыдов[203]. Надо надеяться, что они сумеют им отомстить. Полагают, что французы решили покинуть Москву. Эта новость требует подтверждения.

3. Генерал Беннигсен послал меня с бароном Армфельдом[204] сделать с птичьего полета съемку нашего левого крыла. Мы пошли прямо от дома Кусовникова, встретив офицеров Главного штаба из авангарда. Они нам сказали, что эта съемка была ими давно уже сделана; нам осталось ее только скопировать. Это нам не помешало выдать этот труд за свой. Весь день ничего интересного.

4. После полудня генерал послал меня вместе с бароном Армфельдом на правый фланг нашего авангарда к казачьему полковнику Сысоеву[205] с вестью о том, что он прибудет на пост. Ожидают нападения. В течение всей ночи мы тщетно ожидали, что пойдем в цепи с нашими хозяевами-казаками. Неприятель в ста саженях. Он нас оставил в покое.

5. Так как генерал не прибыл, мы вернулись обратно. Генерал Ермолов сказал, что атаки не было: ничего не обнаружено в течение вчерашнего вечера. После обеда я вновь был послан к авангарду. Надеюсь, что на этот раз не напрасно. В $8^1/_2$ вечера генерал Беннигсен прибыл со всем своим штабом на квартиру, которую мы ему приготовили. Он завтра будет командовать всеми войсками, которые должны будут вести наступление.

6. В четыре часа утра отправились в поход. Темнота ночи была причиной того, что мы несколько раз сбивались с дороги и едва не наткнулись на неприятельские аванпосты. Наконец, на утренней заре мы присоединились ко второму пехотному корпусу. Наши войска состояли из 2-го, 3-го и 4-го корпусов, десяти казачьих полков и четырех полков кавалерийского корпуса. Марш осуществлялся тремя колоннами. Первая состояла из казаков генерал-майора графа Орлова-Денисова[206], 20-го егерского полка, который генерал Меллер[207] должен был поддерживать регулярной кавалерией. Она была направлена на правый фланг и должна была опрокинуть левый фланг

неприятеля, а также атаковать его с тыла. Вторая образована из 1-й пехотной колонны, впереди которой было 2 пехотных полка, составивших бригаду полковника Пиллара[208], с ней было 4 артиллерийских орудия; этой колонной командовал командир второго пехотного корпуса генерал-лейтенант Багговут[209]; за ней следовал 3-й корпус, которым командовал генерал-майор граф Строганов[210], дальше шли все артиллерийские орудия линейных полков, две пешие батареи и две конно-артиллерийские роты. Третья колонна под командованием генерал-лейтенанта графа Остермана-Толстого состояла из 4-го корпуса, с которым была одна пешая батарея. В 6 часов утра мы вышли к аванпостам неприятеля. Колонна полковника Пиллара выступила немедленно. Три пушечных выстрела, произведенных по приказу Беннигсена, послужили сигналом к бою. Тотчас же были установлены наши батареи и колонны 2-го корпуса устремились в атаку. Неприятель ответил на наши выстрелы лишь 5 минут спустя. Третьим по счету ядром, выпущенным им, унесло у нас храброго генерал-лейтенанта Багговута, под которым была убита лошадь и которому оторвало ногу. Он умер спустя четверть часа. Лишь только наши войска выдвинулись вперед, как мы увидели на нашем правом фланге Орлова-Денисова с его казаками. Они спустились с холма и ударили неприятеля во фланг. На нашем правом фланге и в центре победа была уже обеспечена. Иначе обстояло дело на левом фланге. Две французские колонны ударили нам во фланг. Генерал Беннигсен с большим трудом добрался туда. Французы имели стрелков в лесу, и их артиллерия обстреливала дорогу, по которой мы шли. Однако Беннигсен решился. Он получил сильную контузию в правую ногу ядром, которое убило лошадь аудитора Бестужева и вырвало ему кусок мяса из правой ноги. Вообще ядра свистели вокруг нас. Должен сознаться, что мой дядя Демидов не пришел на подмогу. Что касается меня, то я не ощущал страха смерти. Мне казалось невозможным быть убитым. Несмотря на контузию, Беннигсен прибыл на наш левый фланг и выдвинул вперед корпус графа Остермана, который находился на опушке леса. Он вынудил неприятеля отступить. С этого момента победа стала полной. Неприятель был разбит, и его преследовали по всем пунктам. В час дня мы вынуждены были по приказу фельдмаршала Кутузова, ревновавшего к нашим успехам, прекратить преследование. Мы взяли 20 орудий, 21 зарядный ящик, один почетный штандарт первого кирасирского полка, генерала по фамилии

Маржет, многих офицеров и 1700 солдат. Число убитых невозможно точно определить: все поле было ими покрыто. Кирасирский полк был захвачен в плен. Генерал-лейтенант Дери[211] был среди мертвых. Неаполитанский король — его близкий друг и товарищ по оружию — попросил отдать ему его сердце. Лагерь неприятеля попал в руки казаков, которые его разграбили. Мюрата постигла та же участь: у него отняли все серебро. Слава этого дня принадлежит генералу Беннигсену, который составил диспозицию наступления и руководил им в течение всего дня. Мы разбили и захватили корпус Неаполитанского короля. Мюрат совсем не ожидал нападения, так как мы взяли его артиллеристов, когда они еще спали. В четыре часа дня мы возвратились в нашу Главную квартиру в Леташовке. Аудитор чувствовал себя очень плохо, мы ему уступили нашу квартиру и поселились у моего дяди Демидова в огромном доме, расположенном в полутора верстах от Леташовки, именуемом Леташево и принадлежавшем князю Волконскому. Никогда я не был так счастлив, как после выигранной битвы. Первый раз в жизни я находился в таком состоянии. Огромный бокал королевского пунша помог восстановить мои силы. Александр Безобразов[212] пропал без вести. Полагают, что он был убит в атаке, которую наши казаки произвели против французских кирасиров. Это приведет его бедную мать в отчаяние: он был ее единственным сыном.

7. Утром мы отправились к генералу Беннигсену. Он был в постели и сильно страдал от ран. Там мы узнали, что наши аванпосты были остановлены, вместо того чтобы завершить бой. 2-й и 3-й пехотные корпуса остались на своих позициях, чтобы вести наблюдение за неприятелем. Сегодня вечером Беннигсен отправил рапорт фельдмаршалу Кутузову о вчерашнем сражении.

8. Неприятель оставил нас в покое. Он полагает, что мы имеем какой-либо замысел, тогда как фельдмаршал просто боится сделать малейшее движение: он сидит в Тарутино, как медведь в берлоге, и не хочет оттуда выйти. Это нас всех приводит в ярость. Вот поистине благоприятный момент напасть на неприятеля, обескураженного поражением. Слухи о смерти Александра Безобразова, артиллерийского офицера, к сожалению, оправдались. Он был убит в сражении казаков с первым кирасирским полком. Его тело было обнаружено на поле боя совершенно обнаженное. Бестужев очень плох.

9. Сегодня говорят о походе, который предстоит совер-

шить генералу Дохтурову с 6-м корпусом. Он должен отправиться по Боровской дороге с 25 тысячами человек и постараться нанести удар неприятелю с этой стороны. Наш бедный аудитор Бестужев умер от ран, которые мы считали малоопасными. Гангрена поразила его после сражения. Его место было в Главной квартире. Мы ему говорили об этом, он не хотел нас слушать и заплатил жизнью за свое безрассудство. Генерал Беннигсен встал с постели и нанес визит фельдмаршалу Кутузову. Он отдал приказ всем быть готовыми к выступлению в течение двух дней. Возможно, что одноглазый старик причинил ему еще какие-либо неприятности. Наш главный штаб также в открытой войне с главным штабом фельдмаршала. Можно ли надеяться победить неприятеля, пока происходит междоусобная война! Сплетни князя Голицына много способствуют поддержанию разногласий между старыми генералами.

10. 6-й корпус под командованием генерала Дохтурова отправился в вышеупомянутый поход. Он пошел по дороге на Малоярославец. Получен рапорт от полковника Давыдова, который сделался партизаном. Он уведомляет, что взял 450 пленных, одетых в мундиры гусарского полка, и 40 зарядных ящиков; 350 неприятелей остались на поле боя. Никто не может удостовериться в этом. Остается верить ему на слово.

11. Полагают, что французы очистили Москву. Эта новость требует подтверждения. Невозможно поверить всем глупостям, которые говорят в Главной квартире. Я узнал от князя Сергея Голицына, что мне за сражение при Тарутино будет дан орден святой Анны 3-й степени вместо Владимира 4-й степени, к которому я был представлен. Это меня приводит в ярость. Я хорошо знаю, что князь Сергей — зачинщик всех гадостей, которые только можно сделать. Я на него не в претензии. Главная квартира должна быть перемещена из Леташовки в Спасское на Протве.

12. В 6 часов утра мы покинули Леташовку, где находились в течение 10 дней, и направились в Спасское. Со стороны Малоярославца была слышна канонада. Это заставило генерала Беннигсена вскочить на лошадь и отправиться на место сражения. Неприятель брал город несколько раз, и каждый раз его выбивала бригада генерала Талызина[213]. Вице-король Итальянский[214] командовал итальянцами, которые завладели городом. Генерал Раевский[215] со своим корпусом образовывал центр и с

помощью генерала Дохтурова, командовавшего левым флангом, сражался с четырех часов утра с непостижимым упорством. Неприятелю не удалось захватить Старую Калужскую дорогу. Он имел слабое утешение в том, что остался хозяином Малоярославца. К концу дня наши потери составили четыре тысячи человек. Генерал Дохтуров был легко ранен в ногу. Потери неприятеля были бы гораздо более значительными, если бы у нас было больше артиллерии. Французские генералы Дельзон[216] и Фонтенель были убиты. У генерала Беннигсена, находившегося в окрестностях города, была ранена лошадь. Его адъютант поручик Корсаков получил пулю в правое плечо. У Панкратьева и Клетте были ранены лошади. В мою шинель попали две пули. Ночь положила конец сражению. Мы отправились спать на бивики у деревни Марьино, куда поместили раненых пленных. Они издавали страшные стоны, которые нам не давали сомкнуть глаза всю ночь.

13. Утром мы получили известие от атамана Платова. Он встретился с кавалерией неприятеля на Боровской дороге, атаковал ее и разбил. Восемь пушек осталось на поле боя. Польский генерал Тышкевич[217] взят в плен, генерал Лефевр[218] был убит. Наша Главная квартира перенесена в Афанасьево. Пушечная стрельба была слышна весь день. Французы нас преследовали без всякого плана. Мы направляемся на Калугу. Более чем вероятно, что вся неприятельская армия отступает.

14. Мы пока еще отступаем до деревни Гончаровой, которая находится на главной Калужской дороге. Так как Главная квартира слишком многочисленна, чтобы ее разместить в этом местечке, генерал Беннигсен остановился в Горках, в трех верстах от фельдмаршала. Мы остановились неподалеку от него.

15. Главная квартира остается в Гончаровой. Мы провели день в Горках. Армия совершила фланговый марш к Полотняному заводу. Ничего нового. Нас накормили довольно хорошо, хотя и той же пищей, которую едят во всей армии. Наше продовольствие поступает из Калуги.

16. Мы покинули Горки в 2 часа и разместили Главную квартиру в Полотняном заводе. Полковник Кудашев вернулся из похода, в который он был послан с 2 тысячами человек, и привел 400 пленных.

17. Армия направилась к Адамовскому по Медынской дороге. Слух об уходе неприятеля из Москвы подтвердился. Говорят, что русские под командой барона Винценгеро-

де вошли туда, но что сам этот генерал попал в плен вместе со своим адъютантом Львом Нарышкиным[219].

18. Мы отправились в путь ранним утром и остановились на ночлег в Медыни. Армия продолжила свой марш к Кременскому, где разместилась Главная квартира фельдмаршала Кутузова. Нужно признать, что этот одноглазый старик удачлив. Неприятель обратился в бегство, не будучи разбитым. Не составляет особого труда убивать и брать в плен бегущих.

19. Из Медыни мы отправились в Спасск-на-Шане. Переход составил 35 верст. Мы постарались попасть на Гжатскую дорогу, чтобы идти за неприятелем при его отступлении. Генерал Сен-При[220] установил сообщение с Москвой.

20. Главная квартира перенесена из Спасска в Селенки на большой Гжатской дороге. Мы с генералом Беннигсеном находимся в двух верстах от имения графа Орлова-Денисова Татейково. Неприятель бежит со всех ног, его трудно догнать. Атаман Платов со своими казаками взял 20 пушек и два знамени. Более чем вероятно, что неприятель их побросал, особенно пушки.

21. Фельдмаршал Кутузов переехал со своей Главной квартирой из Селенки в Дуброво. Наш добрый генерал разместился в четырех верстах от нее. Мы очень весело провели время, несмотря на плохое жилище. По крайней мере у нас есть кров, защищающий от переменчивой погоды. Французы не могут получить и этого, так как все деревни, которые им встречаются на пути, сожжены.

22. Мы выступили в путь, чтобы отправиться в Быково, в 5 верстах от Вязьмы. Оттуда был слышен гром пушек. Этого было достаточно, чтобы генерал Беннигсен отправился туда. Платов и Милорадович сражались у стен города. Они одержали победу по всем статьям. Мы взяли в плен генерала Пеллетье[221], начальника польской артиллерии. Этот сумасшедший Вильсон[222] непременно желал отправиться на ночлег в Вязьму, хотя город не был еще полностью занят; к счастью, генерал Беннигсен не захотел этого сделать и вернулся в Митьково, чтобы там провести ночь. Его адъютанты Корсаков и князь Александр Голицын затеяли спор, который имел продолжение. Они основательно подрались. Все мы на стороне Голицына.

23. Из Митьково генерал Беннигсен отправился в Быково к фельдмаршалу и после часовой беседы поехал в Песочню, расположенную в четырех верстах от Главной

квартиры. Нет ничего нового. Все эти дни неприятель поспешно отступает.

24. По требованию фельдмаршала его Главная квартира была перенесена из Быково в Красное. Мы отправились в Песочню ранним утром. Переход был очень небольшим. Кутузов вынуждает нас двигаться черепашьим шагом.

25. Главная квартира фельдмаршала в Гаврикове, а наша — в маленькой деревне под названием Сниная. Мы получили сегодня известия из первого корпуса генерала Витгенштейна. Он разбил неприятеля и взял у него 10 пушек и 12 знамен.

26. Главная квартира в Белом Холме. Мы в Суханово, в полутора верстах. Генерал Беннигсен сегодня получил за Бородинскую битву орденскую ленту св. Владимира, а за сражение при Тарутино — орден св. Андрея с алмазами и 100 000 рублей. Это лучше, чем можно было бы ожидать.

27. Вместо того, чтобы отправиться в Главную квартиру, которая находится в Ельне, мы провели день в Богодилове, имении, принадлежащем полковнику Болховскому[223]. Он нас принял так хорошо, как только было возможно, и осыпал любезностями генерала. Он один из тех, кто убил императора Павла I. В настоящее время он служит в ополчении.

28. Мы очень приятно провели весь день в Богодилове. Кутузов остается в Ельне. Наш авангард взял четыре пушки и 800 пленных. Взять их не составляло труда: нужно было только стараться их подбирать.

29. Главная квартира в Балтутине, на главной дороге из Ельни в Смоленск. Платов одержал крупную победу над французами. Других рапортов пока не получено. Известно наверное, что генералы Самсон[224] и Пеллетье попали в плен, взято 18 пушек и много пленных.

30. Из Балтутино Главная квартира перенесена в Лабково по дороге в Рославль. Мы продолжаем фланговый марш, а неприятель продолжает бежать со всех ног. Мы с Беннигсеном в двух верстах от Лабково.

31. Армия провела весь день в Лабково, чтобы передохнуть, поскольку люди очень устали. Мне кажется, что фельдмаршал нуждается в отдыхе и императору следовало бы уволить его в отпуск. Все идет хорошо. Платов взял 25 пушек и 800 пленных, а Витгенштейн — шесть тысяч. Мы одни остаемся в полном бездействии. Это невыносимо. Беннигсен возмущен ленью Кутузова.

Ноябрь.

1. Главная квартира перенесена из Лабково в Щелканово. Мы с Беннигсеном в двух верстах в деревне под названием Долгие Нивы. Во время перехода мы прошли через Клемятино, где неприятель имел большой хлебный магазин, который был взят нашими казаками так же, как и сорок повозок с амуницией.

2. Мы отправились вместе с армией в Журово. Наша Главная квартира в четырех верстах от Ляхово. Погода очень холодная. Наша одежда слишком легкая, чтобы защитить от холода. Было бы смешно увидеть нас в этих нелепых костюмах в столице. Сегодня ничего нового.

3. День прошел в Журово. Граф Остерман-Толстой в результате боя взял в плен генералов Альмейда[225] и Бюрта[226]. Они в крайне бедственном положении. Можно взять пленных столько, сколько захочешь. Они не оказывают ни малейшего сопротивления.

4. Главная квартира перемещена в Шилово, в 7 верстах от города Красного. В течение всего дня авангард под командованием Милорадовича вел бой. Неприятеля преследовали по пятам. Мы не приняли участия в бою.

5. В десять часов утра мы отправились на поле боя. Корпус маршала Даву сражался с нашей армией. В тот момент, когда мы прибыли, полк стрелков Молодой гвардии Наполеона растянулся по местности. Никто из них не дрогнул. Наша кавалерия осуществила несколько атак, но особенно отличилась артиллерия. Она уничтожала целые колонны. Последствием этого дня было взятие тридцати пушек, 5 штандартов, свыше тысячи пленных. Почти три тысячи остались на поле битвы. Остаток корпуса Даву вместе с ним самим спасся бегством. Его маршальский жезл попал в наши руки. Мы с генералом Беннигсеном были в этом адском огне.

6. Из Шилова отправились в Доброе, в двух верстах от Красного. Платов прислал рапорт из Смоленска. Он обнаружил 152 пушки, которые неприятель там оставил. Корпус маршала Нея[227] уничтожен. Семь тысяч человек сложили оружие. Остатки рассеялись по лесу. Полагают, что маршал Ней застрелился. Это известие требует подтверждения. Я не верю ничему. Ней не тот человек, который приходит в замешательство от подобных вещей. Взятые нами пленные в плачевном состоянии. Они почти все умирают от холода и истощения, радуются при виде издохшей лошади, бросаются на нее с остервенением и пожирают совершенно сырое мясо. Привычка видеть их

ежедневно и в таком количестве — причина того, что они не вызывают в нас ни малейшей жалости. Мы смотрим на эти сцены ужасов с большим равнодушием. Утром мы прошли мимо одного из этих несчастных, который лежал совершенно голым в лесу и не подавал почти никаких признаков жизни. Князь Александр Голицын приказал одному из драгун его застрелить, как он сказал, жалея его, чтобы он не мучился еще несколько часов.

7. Армия провела день в окрестностях Доброго. Генерал Милорадович во главе авангарда продолжает уничтожать остаток корпуса маршала Нея. Беннигсен вновь говорит о своем отъезде в Петербург. Возможно, он сейчас у старого фельдмаршала. Это меня совсем не устраивает.

8. Главная квартира переведена в местечко Романово, находящееся в Могилевской губернии. Генерал Беннигсен, почувствовав себя плохо во время перехода, вынужден остановиться в деревне в двух верстах от Романова, чтобы там переночевать.

9. Почувствовав себя немного лучше, Беннигсен отправился в Романово, чтобы провести там день. Главная квартира размещена в Ланнинке по дороге в Копыс. Неприятель оставил еще 56 пушек в Орше. Генерал Ермолов их уже захватил. Если так пойдет, более чем вероятно, что французы потеряют всю свою артиллерию.

10. Утром мы отправились в Главную квартиру в Ланнинке. Армия провела день в окрестностях этого местечка. Кажется, между фельдмаршалом Кутузовым и генералом Беннигсеном состоялось перемирие. Последний больше не говорит о своем отъезде в Петербург.

11. Главная квартира перенесена в Морозово со стороны Копыса. Мы отправились в имение господина Рибопьера[228], в двух верстах от Морозово. У неприятеля много хлопот. У нас все в полном порядке. Мы нашли фураж для своих лошадей.

12. Наконец, мы прибыли в город, который не был сожжен неприятелем. В Копысе не видно следов прохождения армии. Город остался нетронутым. Оршу постигла другая участь: три четверти города превращены в пепел. Копыс стоит на Днепре. Мы получили там хорошие квартиры и в восторге от того, что нам предстоит остаться на завтрашний день.

13. Главная квартира в течение всего дня находилась в Копысе. Мосты через Днепр еще не наведены. Наш авангард в 40 верстах. Сегодня отслужили молебен, чтобы

возблагодарить бога за все победы, которые мы одержали с 6 октября до настоящего времени.

14. Главная квартира переведена из Копыса в Старо-селье. Мосты, которые были наведены через Днепр, забиты повозками и войсками до такой степени, что невозможно пройти. Генерал Беннигсен решил отправиться в Шклов, мы его сопровождаем. Это живописное местечко, расположенное на Днепре. Оно принадлежит Чернаевичу. Хозяин дома нас встретил очень приветливо и угостил хорошим обедом. Ночь мы провели там же. Сегодня великий князь Константин прибыл к армии. Он сразу же объявил, что все должны быть одеты по форме.

15. Ранним утром мы покинули Шклов и прибыли в Староселье, где получили хороший обед. Мы продолжили путь до Круглого, где находится Главная квартира. Пришли туда очень поздно.

16. Генерал Беннигсен получил сегодня приказ фельдмаршала Кутузова, который ему предписывает отправиться в Калугу для поправления своего здоровья. Этот громовой удар мы давно уже ожидали. Большинство из нас решило следовать за ним в его ссылку. Армия пошла дальше, мы провели день в Круглом. После полудня между адъютантами генерала князем Александром Голицыным и Корсаковым состоялся поединок на пистолетах. Мы были секундантами. Дистанция составила двенадцать шагов. Голицын стрелял первым и промахнулся, Корсаков — тоже. Так как у нас не было больше пуль, мы послали за ними в город. Наступила ночь, и Корсаков решил просить прощения. Два соперника примирились. Убийство не состоялось. Мне сегодня исполнилось двадцать лет.

17. Генерал Беннигсен вместо того, чтобы последовать приказу фельдмаршала Кутузова, который ему предписывал отправиться в Калугу, поехал в Петербург. Из многочисленной свиты, которую он имел при себе, он оставил только обоих князей Голицыных, графа Армфельда и меня. Остальные отправились искать новых начальников. Думаю, что они не найдут равного ему. Ланской отправлен курьером к императору. Мой дядя Демидов покидает нас через несколько дней, чтобы ехать в столицу, где он должен лечиться от болезни. Из Круглого мы отправились в Староселье. Нет ничего более унылого, чем воротиться с дороги.

18. Мы сделали переход до Орши. Этот город почти целиком превращен французами в пепел. Осталось только несколько домов, которые в крайне плохом состоянии. Мы

провели ночь у генерала Арсеньева[229], который был послан навести порядок в этом городе.

19. Из Орши отправляемся в Бабиновичи, городок в Могилевской губернии, очень маленький. Кухня генерала всегда к нашим услугам, и поэтому мы всюду находим готовый обед. Мы предусмотрительно запаслись завтраком в дорогу. Князь Александр Голицын променял лавровый венок на миртовый. Ему улыбнулось счастье в Бабиновичах, мы не хотим последовать его примеру до самой столицы, где надеемся найти что-либо лучшее, чем в провинциальном городке.

20. Весь день без происшествий. Путешествуем довольно приятно. Чрезвычайно холодно. Я немного жалею, что покинул армию, ибо, совершив всю кампанию, находясь под свистом пуль и ядер, я не получил даже Владимирский крест, тогда как мои товарищи получили многие награды. Но я сделал свой выбор, и это меня утешает. Мы остановились на ночлег в Крынках, имении, принадлежащем генералу Гурко.

21. Вот, наконец, Витебск — большой и красивый город на Двине, который дал свое имя губернии и является ее центром. Он также был занят неприятелем, который ему совсем не причинил вреда и даже окружил его деревянным ограждением от внезапного нападения. Это нам не помешало выгнать французов оттуда. Там мы нашли много знакомых, в том числе старого генерала Аклечеева[230]. Он командует бригадой Олонецких крестьян, с которой он отправился в корпус графа Витгенштейна. Это старинный друг нашей семьи, и я был рад его видеть.

22. Генерал Беннигсен приглашен на обед к витебскому губернатору господину Лехерту, мы отправились в трактир и пообедали довольно хорошо. Оставшуюся часть дня провели за бильярдом. Несколько месяцев мы были лишены этого удовольствия.

23. Генерал отправился обедать к пресловутому Чорбе[231], который был генералом на русской службе. Оставшись в Витебске во время пребывания французов, он был обвинен в сотрудничестве с ними, но сумел найти оправдание и доказать, что он был вынужден пойти на службу, будучи оставлен неприятелем в неприкосновенности как заложник.

24. Мы провели весь день в Витебске, ничего не делая. Нет ничего скучнее, чем так проводить время. Обед у генерала Беннигсена. Его адъютант, который в то же время — его зять, капитан Андрекович, вернулся из Петер-

бурга, куда был послан как курьер, раньше, чем Ланской. Он привез нашему генералу орденскую звезду св. Андрея Первозванного с алмазами, которая была ему пожалована за сражение под Тарутином. Наш начальник был вознагражден, а мы ничего не получили. Это несправедливо. Утром князь Волконский, мой бывший начальник, прибыл в Витебск. Он убеждает меня не опаздывать с возвращением к нему. Я должен это обдумать.

25. Так как наш генерал был приглашен к старому бригадиру, мы провели большую часть дня в трактире с Рихтером; полковником лейб-гвардии егерского полка[232], который находился в Петербурге по болезни и в настоящее время возвращался в армию. Это очаровательный малый, храбрый как Баярд и в совершенстве знающий военное ремесло. При Бородине он спас егерский батальон, который покинул Макаров[233], оказавшийся в состоянии столь сильного опьянения, какое непростительно для начальника. Рихтер угостил нас великолепным обедом и напоил очень хорошим вином, но не до состояния Макарова.

26. Генерал Чорба пригласил нас к себе на обед. После Петербурга мы ни разу так хорошо не обедали, что делает честь этому дому. Многие пленные французские офицеры обедали вместе с нами. Безоружный неприятель — просто человек.

27. Наш генерал дал обед тем лицам, у которых он побывал в гостях. Это справедливо. Два французских полковника имели честь быть приглашенными к столу. Они вели приятный разговор. Они совсем не хвастуны и не отрицают ошибок своего императора, который стал виновником их несчастья. Так как Ланской не прибыл с письменным ответом его величества на письмо, которое ему написал наш генерал, последний решился самостоятельно продолжать свой путь к столице. Мы должны отправиться завтра утром.

28. В час пополудни покинули Витебск после восьмидневного пребывания там. Мы путешествуем на почтовых, хотя сегодня сделали только сорок верст и остановились на ночлег в Сураже, городке в Витебской губернии, где нам предоставили совершенно пустые помещения. С большим трудом мы отыскали подобие столов и стульев. Ночь прошла спокойно.

29. Покинув Сураж ранним утром, к обеду приехали в Усвят — имение, принадлежащее Дмитрию Зубову[234], где нас разместили в очень красивом господском доме. Хозяин проживает постоянно в столице. После отдыха продол-

жили свой путь к Великим Лукам. Я с удовольствием вновь побывал в этом городе, несмотря на скуку, которую испытывал летом во время шестидневного пребывания в нем.

30. Мы пообедали в удобное время в Великих Луках и продолжили путешествие до Порховки, расположенной в 60 верстах от города; провели там ночь в отвратительной крестьянской избе. Был собачий холод. Жители живут в страшной нищете. Дети не давали нам заснуть всю ночь.

Декабрь.

1. Мы проделали сегодня сто двадцать пять верст и прибыли в Порхов — красивый городок Псковской губернии на Шелони. Расположились в немецкой гостинице, единственной в этом городе. Она достаточно прилична, там даже нашлось хорошее вино — вещь редкая в провинции. Генерал квартировал у богатого купца. Самое неприятное, что это было далеко от нашей гостиницы. А так как было холодно, мы туда ходили только один раз в день.

2. Провели день в Порхове. Генерал сильно нездоров, его состояние внушает нам опасение. Андрекович, его адъютант, должен завтра отправиться в Петербург, чтобы получить решительный ответ. Городничий нас пригласил провести вечер у него. Составилась партия в бостон. Мы потешались над его манерами. В полночь возвратились домой.

3. Наконец, фельдъегерь принес письмо от императора, которое ожидалось так долго и с таким большим нетерпением. Вот оно почти дословно:

«Я получил, генерал, два Ваших письма. Я очень рассержен тем, что произошло между Вами и фельдмаршалом. Так как я сам предпочитаю в ближайшее время отправиться к армии, я прошу Вас остановиться в пути, чтобы я смог переговорить с Вами о том, что я считаю необходимым сделать в отношении Вас. Остаюсь к Вам благосклонным».

Это письмо было написано собственной рукой императора. Оно доставило удовольствие генералу Беннигсену, не знаю почему. Было ясно, что он не желал ему разрешить приехать в столицу. Андрекович был послан в Петербург, чтобы найти супругу генерала. Он был должен сопровождать ее в Порхов. Это составит нам приятное общество, так как, говорят, госпожа чрезвычайно любезна. Во всяком случае, женщина не может не украсить общество, и особенно полька во цвете лет.

4. Провели весь день, не узнав ничего нового. Говорят, что мы будем сосланы в глубь Сибири. Утром отправились повидать генерала. Остаток дня занимались у себя.

5. Сегодня генеральша Беннигсен прибыла в Порхов. Утром мы отправились представиться ей. Генерал разрешил мне поехать в Петербург повидать родителей. Граф Армфельд получил такое же разрешение. Когда я собирался отправиться в путь, князь Александр Голицын сообщил мне известие, которое привело меня в отчаяние, тем более что я его совсем не ожидал. Мне сообщили о смерти моего брата Сергея, который скончался после шести дней страданий. Он умер 26 ноября. Мои родители, сказал он, безутешны. Какая судьба! Вот уже второй брат, которого я потерял меньше, чем за год. Мы отправились в путь сразу же и ехали ночью в тридцатиградусный мороз.

6. В трех станциях от Петербурга у нас не хватило денег, чтобы заплатить за лошадей. Мы повстречали Андрековича, который их мне одолжил. В час пополудни я вошел в отчий дом. Мои родители были очень рады меня видеть. Их радость была перемешана с горечью утраты моего брата. Он умер 15 лет, одиннадцати месяцев и нескольких дней, в цветущем возрасте. Я, который подвергался всем опасностям, тысячам смертей, спал на грубой постели и под открытым небом,— я остался жив, а мой брат, сильный и крепкий, погиб в результате нелепого случая. Он проглотил кусок стекла, который ему разрезал внутренности. Пообедав дома, я отправился повидать дядю Демидова, который прибыл несколько дней тому назад. Он до сих пор болен. К его приезду в Петербург ему разрешили носить военную форму. Это справедливо. Много раз он был под пулями. Вот ему вознаграждение.

7. Утром я пошел представиться князю Волконскому, который сегодня вернулся из Главной квартиры. Он меня вновь пригласил как можно скорее присоединиться к нему. Я не спешу воспользоваться его любезным приглашением. Провел весь день в визитах, повидал своих армейских товарищей Ланского и Клетте.

8. Ранним утром отправился в Невскую лавру, чтобы поклониться могилам братьев. После этого пошел к Ланскому, который уезжает в Порхов, к генералу Беннигсену. Нанеся визиты господину Резимонту и князю Зубову, возвратился домой, чтобы провести оставшуюся часть дня

со своими родителями. Бюллетень из армии сообщает о взятии 150 пушек, семи генералов и более двух тысяч пленных, захваченных под Вильно. Не могу не удержаться, чтобы не сказать об этом бюллетене, подписанном фельд-маршалом Кутузовым. Цифру нужно всегда поделить на три, и оставшееся число будет еще не совсем верным.

9. Я зашел ненадолго к тетке Львовой[235]. Нет предела ее глупости. Десятилетнее дитя часто показывает больше ума, чем она. Затем у меня был мой старый товарищ Михаил Орлов, ныне флигель-адъютант. Он получил за кампанию Георгиевский крест и два чина. Он уже капитан. Вечер у барона Розена.

10. Все утро прошло в визитах, очень скучных. Я был счастлив поскорее уйти. Оставшуюся часть дня провел дома. Сегодня получена прокламация фельдмаршала Кутузова-Смоленского к войскам. Так как они вошли на территорию неприятеля, он их призывает не грабить местное население и относиться к нему хорошо. Этот документ — образец красноречия[236]. Я не могу постичь, кто его автор. Подозрения падают на Фукса, бывшего начальника канцелярии князя Кутузова[237].

11. Мне предстоит сделать еще несколько вещей. Надеюсь, что дело идет к концу. Это становится не только скучно, но и просто невыносимо, особенно из-за жестоких морозов. Пообедав дома, я отправился к 7 часам к Марии Денисовне Демидовой[238]. Это очаровательная женщина. Она любезна, как прежде. Я не знаю почему, но я люблю ее как сестру и хотел бы провести свою жизнь вместе с ней. Ее муж — прекрасный человек. Их дети также очень красивы.

12. Получен бюллетень из армии. Семь тысяч неприятельских воинов сложили оружие, не доходя до Ковно, две пушки и четыре генерала взяты в этой оказии. Из 500 тысяч человек, которые наводнили нашу древнюю столицу, не найдется, и сотни, которые вернутся к своему родному очагу. Единственно, о чем можно сожалеть в настоящее время, так это о том, что их мошенник-император ускользнул. Его пленение положило бы конец войне, тогда как в настоящее время театр военных действий перенесен в Германию.

13. Сегодня годовщина рождения моего несчастного брата, и мы всем семейством отправились на его могилу, отслужили молебен. Ему исполнилось бы 16 лет. Холод был ужасный. Я возблагодарил господа бога за то, что я в Петербурге, а не в армии. Говорят, что там свирепствует

лихорадка. Я убежден, что я бы там изнемог и умер. Я должен успокаивать родителей, которые и так уже несчастны в своих детях. Это мне не может помешать вернуться на поле чести по первому зову.

14. Утром отправился повидать князя Голицына. Сергей решил отправиться в Главную квартиру, чтобы присоединиться к князю Беннигсену в Порхове. Обед у госпожи Ададуровой. Получено известие из Вильно. Император пожаловал орден св. Георгия первой степени Кутузову, Витгенштейн и Чичагов[239] получили орден св. Андрея Первозванного.

15. Позанимавшись у себя дома и сделав несколько визитов, я отправился обедать к дяде Демидову. У него собралось все наше военное общество. Мы с удовольствием встретились, вспоминая, как вместе проводили дни в армии. Надо сказать правду: война — прекрасная штука, когда с нее вернешься. Вечером дома.

16. Я провел утро у себя, занявшись чтением одного из шести своих любимых романов — «Викфильдский священник». Часы пролетели незаметно. Я должен следовать воспитанию, которое получил, и привычке работать. Вечером с удовольствием пошел в русскую баню. Возвратившись домой, лег спать.

17. Отправился в Невскую лавру на молебен в память умерших моих братьев Никиты и Сергея. Приклонский прибыл из Твери с известием о смерти принца Георгия Ольденбургского, мужа великой княгини Екатерины. Жестокая лихорадка унесла его после десяти дней страданий.

18. Георгий Феншау пришел ко мне, и мы вместе отправились к нашей старинной знакомой мадам Прохлиц; я там был в роли наблюдателя. Вечером толстый Приклонский увел меня к упомянутому выше Демидову. Мне невозможно было там оставаться и вести разговоры. Я должен был против своей воли пригласить девушку. Ее звали Мария. В три часа мы отправились ужинать домой. Нам выразили неудовольствие. Я сделал вид, что этого не замечаю. Это самое лучшее, что можно было сделать. В полночь все разошлись.

19. Я провел все утро у себя за чтением «Тома Джонса» Филдинга[240]. Он тоже принадлежит к числу моих любимых романов. Мороз был столь сильным, что я решил не выходить весь день. Термометр Реомюра показывает 30 градусов. Если к этому еще добавить страшный северный ветер, то можно не удивляться большому количеству мертвых ворон в нашем дворе. Нет ничего нового.

20. Чтобы не разучиться ездить верхом, мы отправились вместе с графом Армфельдом, моим товарищем по путешествию, в манеж графа Потоцкого, где оставались больше часа. Затем зашел к Сазонову, который прибыл сюда на некоторое время; он не замедлил нагнать князя Волконского. Часть вечера — у господина Резимонта, другая — у себя, написал письмо Щербинину. Михаил Орлов, отправляющийся завтра в армию, передаст мое письмо. Что касается меня, то моя участь еще не решена. Генерал Беннигсен еще в Порхове, и я не знаю, кого из двух мне надо держаться — его или князя Волконского. Я надеюсь, что неизвестность не будет длиться долго. Полагаю, что Беннигсен не будет командующим, и поэтому я должен буду его покинуть.

21. Большую часть утра провел у себя за чтением «Дон Кихота». Он также из числа моих любимых романов. Обед дома. Вечер у госпожи Ададуровой. Лучше этой женщины нет ничего на свете. Я ее очень люблю.

22. Погода настолько плохая, что все утро я не мог никуда пойти. Занимался у себя чтением и написал несколько писем. Вечер у старика Демидова. Сначала курил, затем составилась партия в вист. Из-за очаровательной Марии Денисовны невозможно соскучиться в этом доме. Видеть ее для меня всегда удовольствие.

23. Я нанес утром много визитов, но никого не застал дома. Это меня совсем не огорчило. Получили новости из армии. Маленький городок Мемель, расположенный на нашей границе, был взят маркизом Паулуччи, генерал-лейтенантом и генерал-адъютантом. Значительный гарнизон в количестве тысячи семисот человек захвачен в плен. Говорят, что пруссаки находятся в полном согласии с нами. Этим не надо пренебрегать, особенно при настоящих обстоятельствах.

24. Нанеся визит Голицыну, я решил прогуляться пешком. Погода этому немного благоприятствует, так как морозы ослабли. Вечер у госпожи Путятиной. Она хорошо принимает свой круг гостей, а ее муж — еще лучше. У них постоянно большой съезд. Дай бог, чтобы это продлилось как можно дольше. Здесь всегда до тридцати персон.

25. Отправился к обедне в Казанский собор, куда торжественно внесли много знамен всех наций и всех цветов, привезенных из армии. Весь собор был ими увешан, не хватало даже места. Вечер у госпожи Ададуровой.

26. Я разделил свое утро между чтением, прогулкой

верхом вместе с Армфельдом и пешком по бульварам. Обед у старика Демидова. Большую часть вечера провел у себя, за чтением истории Имре Текея, короля венгерского[241].

27. Отправился в первый раз на Английские горки. Раньше военным вход туда был воспрещен. После последней кампании господа с берегов Темзы нам предоставили эту привилегию в вознаграждение нашей доблести. Погода благоприятствовала прогулке. Значительную часть вечера провел у старика Демидова. Как обычно, составилась партия в вист. Его невестка — единственное, что не позволило мне умереть от скуки. Не будь ее, я никогда не пошел бы в этот дом. Она олицетворение красоты, ангел в обличье женщины.

28. Провел утро в визитах, после чего отправился обедать к своему дяде Демидову. У него я, как у себя, пока нет моей тетки. Ему довольно редко удается остаться с нами наедине. Она всегда занята кем-то, в настоящее время пришла очередь кавалергарда. Часть вечера провел у госпожи Ададуровой, остальное время — у себя.

29. Утром отправился к Демидову и Армфельду. Я предполагаю в будущую субботу уехать в Порхов, чтобы узнать решение генерала Беннигсена на мой счет; я не желаю оставаться в полном бездействии в то время, как мои братья по оружию находятся на поле чести. Чувствую огромное желание, более того — необходимость к ним присоединиться. Головная боль, последствия путешествия на телеге, задержала меня дома в течение всего вечера. В мои годы это несносно.

30. Головная боль меня задержала на квартире в течение всего утра. Чтобы несколько рассеять дурное расположение духа, я занялся чтением «Орлеанской девственницы» Вольтера. Это меня несколько отвлекло, и в конечном итоге я смог нанести несколько визитов.

31. Не найдя князя во дворце, отправился искать его на малом параде. Обед у княгини Зубовой-матери. Ели очень мало. Вечером большой праздник у Нарышкина[242], начали танцевать, пока звон цимбалов не провозгласил наступление Нового года. Все общество отправилось в театральный зал. Давали балет, похожий на комедию, озаглавленный «Лотерейный билет». Он продолжался до половины второго. На террасе был устроен великолепный фейерверк. В это время были уже убраны декорации и накрыт ужин. Весь праздник был великолепным и достойным обер-камергера. Я вернулся домой после четырех часов утра.

Д. М. ВОЛКОНСКИЙ

Дмитрий Михайлович Волконский (1769—1835) — выходец из старинного княжеского рода, игравшего заметную роль в государственной, военной и общественной жизни России XVIII—XIX вв. Имея в виду этот род, самый, пожалуй, знаменитый и чтимый нами, его отпрыск — Л. Н. Толстой — писал, что это одна «из тех русских фамилий, которую всякий знает и всякий произносит с некоторым уважением и удовольствием, ежели говорит о лице, носящем эту фамилию, как о лице, близком или знакомом»*.

С детских лет Д. М. Волконский был записан в столичные гвардейские полки, боевое крещение получил в войне со Швецией 1788—1790 гг., отличился в Итальянском походе А. С. Суворова и в боевых действиях эскадры Ф. Ф. Ушакова в Средиземноморье, в 1790-е гг. совершил блестящую военную карьеру, пройдя путь от поручика до генерал-лейтенанта (1800). По воцарении Александра I Д. М. Волконский, как сказано в его формуляре, «находился в разных командировках по особенным препоручениям государя императора», затем командовал войсками на Кавказе, будучи одновременно правителем Грузии по гражданской части, в 1805 г. занимал пост дежурного генерала при штабе русской заграничной армии, в 1806—1807 гг. возглавлял крупные боевые соединения в турецкой кампании и в войне с Францией, после чего вышел по болезни в отставку, но в конце 1812 г. вернулся в армию, в 1813 г. командовал корпусом и руководил осадой Данцига. Боевая служба Д. М. Волконского была отмечена многими русскими и иностранными наградами, в том числе и орденом Георгия 4-й и 3-й степени**.

По завершении наполеоновских войн он окончательно

---

* Т о л с т о й Л. Н. Полн. собр. соч.: В 90 т.— Т. 17.— С. 19.
** ЦГАДА, ф. 1366, оп. 1, д. 177.

покидает военную службу, в феврале 1816 г. назначается в один из московских департаментов сената и, поселившись в Москве (с летними выездами в Ярославское имение), всецело посвящает свое время домашним делам, воспитанию детей и выполнению сенаторских обязанностей.

Между тем фигура Д. М. Волконского — крупного военачальника, боевого сподвижника А. В. Суворова и М. И. Кутузова — оказалась впоследствии в тени. Его изображение не было помещено в Военной галерее Зимнего дворца, хотя по своему участию в заграничных походах он имел неоспоримое право на эту честь. Во всяком случае, в составлявшихся Главным штабом и утверждавшихся А. А. Аракчеевым и Александром I списках генералов — героев кампаний 1812—1814 гг., чьи портреты писал для галереи английский художник Д. Доу, Д. М. Волконский не значился. О его боевой деятельности почти не упоминалось в военно-исторических трудах, биографические сведения о нем не попадали в энциклопедические словари XIX—XX вв., и постепенно имя заслуженного генерала стерлось из памяти современников и потомков. Оно так бы и оставалось затянутым патиной времени, если бы не его обширный дневник.

Д. М. Волконский вел его регулярно с 1800 по 1834 г., почти каждый день занося сюда впечатления от виденного, слышанного, прочитанного, от встреч со множеством самых разных людей. Иногда это краткие, в одну-две фразы, отметки, иногда же — в зависимости от «ранга» фиксируемых событий — они более пространны, особенно если дневник откладывался на несколько дней и по их истечении автор «наверстывал» упущенное в форме связного повествования о происшедшем за это время. Здесь же его размышления на житейские, религиозные, исторические и всякие иные темы. Так сложился монументальный, состоявший из 42 тетрадей, свод поденных записей. В русской мемуаристике XVIII—XIX вв. можно назвать не столь уж много опытов синхронного отображения эпохи, сравнимых с этим дневником по своей длительности, непрерывности и богатству фактических данных. В нем рассыпаны блестки ценнейших сведений, порою неожиданных и нигде более не закрепленных, о внутренней жизни русского общества, войнах, скрытых сторонах правительственной политики и придворного быта на протяжении целой трети века.

Но всего ярче выразилась в дневнике личность автора с его вкусами, привычками, пристрастиями, с несколько мизантропическим складом характера — по словам его троюродного брата С. Г. Волконского, «князь Дмитрий Михайлович, человек не без достоинств, но мнительный в жизни и видевший все в черном оттенке»*. Дневник доносит до нас отголоски живой разговорной речи Д. М. Волконского, несколько архаичной уже для начала XIX в., с типичными неправильностями правописания, не вполне устоявшегося и далеко не совершенного в передаче, например, собственных имен (наименование Ф. Ф. Винценгероде — Венцельроде, П. Х. Витгенштейна — Вильиенштейном и т. д.).

Д. М. Волконский не сосредоточен на душевных, интимных переживаниях — его поденные отметки цепко схватывают внешний поток событий независимо от их значения в судьбе автора и в ходе исторической жизни, где частный, повседневный быт, имущественные дела, сведения об урожаях, цены на хлеб, непременные наблюдения над погодой, заботы о здоровье, свадьбы, светские визиты, карточные игры и т. д. причудливо перемежаются событиями государственными — национально-русского и европейского масштаба. В этой нерасчлененности авторского взгляда, эпически размеренном ритме повествования с его наивно-простодушной интонацией, моралистическими сентенциями и повторяющимися от записи к записи фразеологическими оборотами явственно ощутимы черты летописного стиля, рецидивы которого были еще весьма живучи в мемуарной литературе, да и в культуре в целом, второй половины XVIII— начала XIX в.

Со страниц дневника Д. М. Волконский предстает человеком разностороннего образования, живо интересовавшимся политикой, литературой, искусством, много размышлявшим над путями исторического развития России, не пропускавшим книжных новинок в области философии, естественнонаучных знаний, военного дела, религии, всемирной истории. В круг его чтения входила и потаенная политическая литература. Так, 25 ноября 1827 г. он записывает: «Читал я старинное и запрещенное еще при Екатерине II сочинение Радищева, где весьма много рассуждений о вольности и разные безндравственные правила под предлогом замечаний его, по станциям ехавши в Петербург. Сей Радищев был в числе сильных мартинистов с Новиковым и протчими, которых обнаружил

---

* Записки С. Г. Волконского (декабриста).— 2-е изд.— Спб., 1902.— С. 37.

князь Прозоровской, бывши в Москве главнокомандующим; на сочинении сем странная надпись, взятая из Телемахиды: Чудище обло, озорно, огромно, стозевно и лаяй». Свидетельство это поистине бесценно — ведь отклики на строжайше запрещенную в России XIX в. книгу А. Н. Радищева даже в сокровенных воспоминаниях, дневниках, переписке современников встречаются буквально единицами.

Но оно же хорошо передает и сам строй воззрений Д. М. Волконского. Дожив до середины 1830-х гг., по своему культурному облику, нравственным устоям, по самому типу мышления он в немалой мере оставался человеком XVIII в., приверженцем традиций екатерининского царствования, с которым его связывали глубоко личные переживания и семейные предания. «Мать моя,— вспоминал он на склоне лет,—<...> была любимою фрейлиною» императрицы, «была и при восшествии ее на престол свидетельницею всех достопамятных происшествий тогдашней революцыи» (т. е. дворцового переворота 1762 г.), «великие дела ее на пользу отечества пребудут навсегда незабвенны и память ее священна всем служившим в благополучный и знаменитый век ее» (записи 16 августа и 1 сентября 1832 г.). Оставаясь на почве патриархально-дворянского миросозерцания, болезненно воспринимая разорение господствующего сословия, дух торгового предпринимательства, Д. М. Волконский решительно не приемлет новых веяний, неумолимо проникающих во все сферы общественного быта, и ностальгия по прошлому сочетается у него с самыми мрачными предчувствиями относительно будущего. «Весьма приметен некоторый упадок общей ндравственности,— пишет он в особых «замечаниях» к дневнику 1832 г.,— не токмо во всех состояниях (паче всех дворян), но упадок и самого Просвещения, похоже на начало *варварства* <...> вера иссякает <...> нет истинного величия и пламенной любви к славе отечества, монументов и памятников вековых не делают, но более старинные здания огромные переделываются на фабрики и трактиры, а ежели строют, то с видами прибыли <...> дворянство, теряя достоинство свое, пускается в фабриканты и торговцы, имея в виду один интерес <...> общего же мнения нет, кроме порицания всего законного, старость не почтена, заслуги не уважены <...>».

Рачительный хозяин, владелец сотен крепостных душ, Д. М. Волконский не был, вместе с тем, чужд сочувствия к страдающим от помещичьего произвола крестьянам, неприязненно относился к крайностям самодержавного деспотизма, осуждал палочную муштру в русской армии и военные поселения, а свой государственный идеал полагал в монархическом правлении, ограниченном твердыми законами и аристократическими гарантиями. Когда, например, А. А. Аракчеев пренебрег как-то мнением московских сенаторов, Д. М. Волконский с еле сдерживаемым гневом замечает: «Сие служит доказательством, сколь нынешние чиновники забываются, не уважают Сенат и не исполняют постановлений древних» (запись за 24 сентября 1823 г.).

Во второй половине 1820-х — начале 1830-х гг. он чувствует себя обойденным вниманием правительства, уязвлен непризнанием своей «беспорочной службы» на военном и государственном поприще, порицает новоявленных временщиков, возобладавшие повсюду чинопочитание и бюрократическую регламентацию, а когда Николай I приезжает в Москву, избегает под разными предлогами появляться на торжественных приемах.

Таковы некоторые черты облика Д. М. Волконского, весьма существенные для понимания публикуемого ниже его дневника.

Не менее важно при этом иметь в виду и чрезвычайно разветвленную сеть родственно-дружеских отношений Д. М. Волконского, по своему происхождению связанного с самыми влиятельными дворянскими фамилиями. Так, со стороны матери он приходился правнуком одного из «птенцов гнезда Петрова» — П. П. Шафирова и был в родстве с Долгоруковыми, Трубецкими, Хованскими, Салтыковыми, Петрово-Солововыми, Пассеками. Среди многочисленной его родни по отцовской линии следуют быть отмеченными родители декабриста С. Г. Волконского — оренбургский генерал-губернатор Г. С. Волконский, его жена А. Н. Волконская (дочь фельдмаршала Н. В. Репнина) и их зять П. М. Волконский — крупнейший деятель военного управления в России, один из самых приближенных к Александру I сановников его царствования (в дневнике — «князь Петр», «князь Петр Михайлович»). Но, пожалуй, наиболее тесные отношения связывали Д. М. Волконского с родным братом отца, генерал-аншефом Николаем Сергеевичем Волконским — дедом Л. Н. Толстого. Их близость отмечена в проникновенной записи за 15 июня 1833 г.: «Заезжал я в Андроньев монастырь, отыскал я там место и камень, где похоронен дядя мой и благодетель, с юных лет моих любил он меня и способствовал к образованию моему; перевел меня из Преображенского полка, из младших сержантов, в Измайловский полк старшим, так что по милостивому старанию его через год я был произведен по старшинству прямо в подпоручики <...>. Он был мне вторым отцом до конца жизни ево». Судя по дневнику, где Н. С. Волконский упоминается едва ли не на каждой странице, он принимал живейшее участие в устройстве личных и служебных дел племянника, «отставшего» от дяди всего на один генеральский чин. Д. М. Волконский постоянно гостит в Ясной Поляне, а в частые наезды ее владельца в Москву бывает с ним в домах столичной знати, в обществе видных военных и государственных лиц, в том числе и представителей их собственного рода. Примечательна в этом отношении запись за 14 марта 1817 г.: «Обедал я у Ник. Сергеевича вместе с князем Никитою и князем Сергеем Григорьевичем Волконскими» — драгоценное указание на неизвестный ранее факт общения деда Л. Н. Толстого с будущим декабристом С. Г. Волконским (его двоюродным племянником), судьба которого, как мы знаем, так сильно занимала писателя и с которым сам он встретится лишь 43 года спустя. Д. М. Волконский дружен с его матерью Марией Николаевной, ее мужем Н. И. Толстым, вникает в их семейные дела, 21 июня 1823 г. отмечает, например: «Графиня Мария Николаевна Толстая родила сына Николая» — старшего и любимого брата Льва Николаевича, но горько сетует на то, что после смерти Н. С. Волконского «она ото всех родных отца своего отстала» (запись за 9 мая 1822 г.).

Женившись в начале 1811 г. на дочери бывшего обер-прокурора синода, знаменитого собирателя памятников древнерусской письменности и издателя «Слова о полку Игореве» графа Алексея Ивановича Мусина-Пушкина, Д. М. Волконский сблизился с членами его семьи — сыновьями Александром и Иваном, участниками Отечественной войны и заграничных походов, женой Екатериной Алексеевной (в дневнике «матушка графиня») и другими их родственниками: Енгалычевыми, Карабановыми, Гагариными, Нарышкиными и т. д.

Войдя в семью А. И. Мусина-Пушкина, Д. М. Волконский оказался прикосновенным и к высшему слою московской учено-литературной интеллигенции. Под «Рядной записью» о его бракосочетании с Натальей Алексеевной Мусиной-Пушкиной стоят подписи не только видных генералов, сенаторов, действительных тайных и статских советников — Г. А. Хомутова, Ф. Н. Голицына, М. Д. Ци-

цианова, П. И. Кутайсова, А. В. Сухово-Кобылина, но и И. В. Лопухина — видного масона, ближайшего сподвижника Н. И. Новикова, автора известных мемуаров, археографа Н. Н. Бантыш-Каменского, наконец, Н. М. Карамзина, П. А. Вяземского, В. Л. Пушкина*.

Д. М. Волконский постоянно бывает в Остафьево — родовом имении П. А. Вяземского (с ним он вскоре и породнится — после того, как сестра жены, упоминаемая в дневнике Екатерина Алексеевна Мусина-Пушкина, выйдет замуж за В. П. Оболенского, двоюродного дядю П. А. Вяземского). С глубочайшим интересом слушает он здесь красноречивые рассказы Н. М. Карамзина о «тиранствах» Ивана Грозного, описанных через несколько лет в IX томе «Истории государства Российского».

Близость перед войной к консервативным кругам столичного дворянства, выступавшего против преобразовательных планов М. М. Сперанского, позволяет видеть в Д. М. Волконском потенциального единомышленника Н. М. Карамзина — автора «Записки о древней и новой России», что объясняет его тяготение к тверскому салону великой княгини Екатерины Павловны — средоточию аристократической оппозиции официальному правительственному курсу. Во всяком случае еще в 1810 г. он специально едет в Тверь и в числе других представителей московской знати приглашается на званый обед к великой княгине (записи 18—24 марта 1810 г.).

С В. Л. Пушкиным и его семьей (А. Л. Пушкиной, С. Л. Пушкиным, М. М. Сонцовым — мужем Е. Л. Пушкиной) Д. М. Волконского связывали вообще очень прочные отношения. В июне 1812 г. он одним из первых читает и переписывает недавно сочиненную сатирически-фривольную поэму В. Л. Пушкина «Опасный сосед», долгое время расходившуюся в списках и впервые напечатанную в России только в 1917 г. В январе 1825 г. Д. М. Волконский навещает В. Л. Пушкина и присутствует «при распечатывании духовной покойной его сестры Анны Львовны, которую и я подписывал», а в записи за 26 августа 1830 г. о кончине старого поэта тепло отзывается о нем как о «давнем приятеле». Невольно сжимается сердце, когда в той же записи, где отмечен уход из жизни дяди А. С. Пушкина, мы находим скорбный отклик Д. М. Волконского и на смерть матери Л. Н. Толстого: «По письмам из Москвы уведомился я, что двоюродная моя сестра, Мария Нико-

---

* ЦГАДА, ф. 1366, оп. 1, д. 45, л. 1—2.

лаевна графиня Толстая, скончалась сего месяца 4-го числа в сельце ее Ясной Поляне, оставив пятерых малолетних детей: упокой Господи душу ее». А месяц спустя снова возвращается к этой горестной для него теме: «Был у меня Николай Ильич Толстой, рассказывал, что жена ево умерла от сильной нервической горячки, оставя пять человек детей, из коих старшему сыну 7 лет, а меньшая дочь шести месяцев; она же скончалась на 41-м году жизни своей» (запись 24 сентября 1830 г.).

В 1820 г. Д. М. Волконский видится и с самим А. С. Пушкиным, о чем доселе не было известно в пушкиноведческой литературе. В мае этого года, по завершении сенаторской ревизии Таганрогского градоначальства, Д. М. Волконский попадает на Кавказские Минеральные Воды и проводит здесь все лето. 5 июня он пишет в дневнике, что «приехал к водам Ник. Ник. Раевской со всем семейством» — его старинный боевой товарищ, с которым он теперь, переезжая с места на место, часто проводит время в совместных обедах, беседах, карточных играх и т. д. Перебравшись в Железноводск, Д. М. Волконский 3 июля записывает: «Переехал к нам Раевской с двумя дочерьми, из них старшая Елена, а самые старшие две фрейлины, и обе с матерью в Крыму берут морские ванны и очень болезненны». И вот, наконец, колоритнейшая запись за 27 июля: «Здесь на водах сын Серг. Львовича Пушкина, он за вольнодумство и ругательные стихи выслан из Петербурга в Екатеринославль, а взят сюда Раевским; он имеет большое дарование писать стихи». Сохранилось мемуарное свидетельство о том, что А. С. Пушкин вместе с П. Я. Чаадаевым встречался с Д. М. Волконским и в начале 1830-х гг. в доме московского знакомца поэта, члена Комиссии строений и сенатора А. А. Арсеньева*.

Представление о связях Д. М. Волконского с литературно-ученым миром было бы неполным, если бы мы не упомянули о его знакомстве с И. А. Крыловым («известной писатель басен», как отзывается он о нем — запись 24 января 1827 г.), Н. И. Гнедичем, издателем «Отечественных записок» П. П. Свиньиным, поэтом И. И. Дмитриевым, с М. П. Погодиным, Н. П. Румянцевым, А. Н. Олениным («говорил я много с Олениным о Российской истории, он много в старине упражнялся» — запись 15 декабря 1809 г.). Довольно близко знаком Д. М. Волконский с

* Арсеньев И. А. Слово живое о неживых: (Из моих воспоминаний)//Исторический вестник.— 1887.— № 1.— С. 79—80.

успешно выступающим после весны на поприще военной историографии и мемуаристики А. И. Михайловским-Данилевским, в 1812—1813 гг. сотрудником кутузовского штаба (запись 6 марта 1819 г.).

Посещает Д. М. Волконский и известные литературные вечера поэтессы и музыкантши З. А. Волконской (жены его троюродного брата Никиты): «Виделся я <...> с княгинею Зенаидою Александровною Волконскою, а она умная и приятная барыня, но предана, кажется, иностранству и излишне свободомыслию», хотя «талант ее в музыке и пении необыкновенной» (запись 17 декабря 1824 г.). Вполне вероятно, что, бывая у З. А. Волконской в последующие —1826 и 1827— годы, он и здесь мог повстречаться с А. С. Пушкиным. Что касается связей Д. М. Волконского со столичным родовитым дворянством, надо учесть и его близкие, видимо, отношения с П. Б. Огаревым (запись 16 сентября 1822 г.) — отцом Н. П. Огарева и с Александром Алексеевичем Яковлевым (запись 14 октября 1819 г.) — с братом последнего, Иваном Алексеевичем, отцом А. И. Герцена, Д. М. Волконский еще в 1780-х — начале 1790-х гг. служил в Измайловском полку.

Нельзя, наконец, не сказать о Д. М. Волконском и в связи с декабрьской катастрофой 1825 г., глубоко поразившей многие близкие ему дворянские семьи. Не говоря уже о С. Г. Волконском, в судьбе которого он не мог не принять участия, среди декабристов были двоюродный брат жены Д. М. Волконского — М. М. Нарышкин, член Союза благоденствия и Северного общества, приговоренный к сибирской каторге, и братья его жены, Е. П. Коновницыной, дочери прославленного генерала 1812 г.,— Петр, член Северного общества, разжалованный в солдаты, и Иван, прикосновенный к подготовке восстания на Сенатской площади. К их участи он тоже далеко не безразличен. Так, будучи в начале 1827 г. в Петербурге, Д. М. Волконский отмечает в дневнике, что ездил «к графине Коновницыной (вдове генерала.— *А. Т.*); она и дочь ее Нарышкина очень жалки, а нещастного мужа Нарышкиной на сих днях повезли из крепости, сковав ноги» (запись 11 февраля 1827 г.). Когда же несколько недель спустя умирает мать декабриста — В. А. Нарышкина, Д. М. Волконский откликается на это исполненными глубокой печали словами: «Вся жизнь ее была нещастна, особливо убита была она горестию нещастным поступком сына Михайла, которой сослан в числе протчих; вся семья в нем наиболее полагала надежду свою» (запись 1 марта 1827 г.).

События конца 1825—1826 гг. затронули семью Д. М. Волконского и более непосредственно. В числе привлеченных к следствию оказался родной брат его жены — капитан гвардейского Измайловского полка, член Северного общества В. А. Мусин-Пушкин. После полугодового пребывания в Петропавловской крепости он был выписан в армейский полк с установлением полицейского надзора, а в феврале 1829 г. переведен на службу в Грузию. Отправившись туда, он явился спутником А. С. Пушкина в его поездке на Кавказ — их совместное путешествие от Новочеркасска до Тифлиса запечатлено в Кавказском дневнике поэта и в «Путешествии в Арзерум». Д. М. Волконский многократно отзывается в дневнике на перипетии жизненного пути своего шурина — его женитьбу на Э. К. Шернваль, отъезд на Кавказ, хлопоты об облегчении участи, освобождение в 1834 г. из-под надзора, «огорчительные» известия о чинимых ему притеснениях — записи этого рода особенно многозначительны: «Получен указ, чтобы никто из бывших в заговоре и посланных для выслуги в Грузию не были в Тифлисе, а при полках — в селениях, что и ему объявлено, и следовало ехать около 500 верст, в самое нездоровое место, то он убеждает просить за нево государя, опасаясь даже безвремянной смерти; прискорбно знать, что, и прослужа войну, еще в их сумневаются <...> вот разительный пример, сколь трудно приобрести опять доверенность правительства, потеряв ево явным проступком» (запись за декабрь 1829 г.).

—————

После смерти Д. М. Волконского его дневник в течение 65 лет оставался достоянием семейного архива наследников. Впервые о существовании дневника стало известно в печати только в 1900 г., когда сын декабриста С. Г. Волконского М. С. Волконский отметил, что «кн. Дмитрий Михайлович оставил записки; объемистая рукопись находится во владении его внучки, княгини Елизаветы Михайловны Куракиной»*. В следующем году он повторил это же почти буквально в одном из примечаний к «Запискам» своего отца**. Но в конце 1917 г. Б. Л. Модзалевский сообщал уже, что дневник находится «ныне в распоряжении редактора журнала «Голос минувшего» —

—————

* В о л к о н с к а я Е. Г. Род князей Волконских.— Спб., 1900.— С. 718.
** Записки С. Г. Волконского (декабриста).— С. 38.

С. П. Мельгунова»*. Факт нахождения у него дневника удостоверил за год до того и сам С. П. Мельгунов, напечатавший в своем журнале статью о блокаде Данцига в 1813 г. с пространными цитатами из дневника, но вопрос о том, от кого его получил, обошел полным молчанием**.

С тех пор дневник Д. М. Волконского исчез с научного горизонта и вновь всплыл на поверхность лишь в середине 1920-х гг., когда эмигрировавший из России С. П. Мельгунов начал публиковать в издававшемся в Праге и Берлине сборнике «На чужой стороне» фрагменты из дневника за разные годы***.

Из всего этого естественно напрашивалось предположение, что рукопись дневника, вывезенная С. П. Мельгуновым, оказалась за границей. Тем более что ничего не знали тогда о местонахождении дневника и специалисты по биографии и творчеству Л. Н. Толстого, особенно, казалось бы, заинтересованные в его сведениях, но ссылавшиеся в своих работах на мельгуновские публикации****. В целом эти публикации мало что добавили к его известности в России 1920-х гг. ввиду практической недоступности здесь сборника «На чужой стороне», и дневник вновь — теперь уже более чем на четверть века — выпал из поля зрения историков.

Однако С. П. Мельгунов располагал отнюдь не оригиналом дневника. Он сам писал, что нашел его «в собрании Андрея Александровича Титова, известного собирателя исторических документов» и в свое время снял с него неполную копию — с нее-то и печатал отрывки из дневника за границей*****.

Отсюда следовал важный вывод: автограф дневника Д. М. Волконского оставался в России, будучи приобретен у его потомков в первые годы нынешнего столетия ярославским археографом, краеведом и коллекционером А. А. Титовым (1844—1911) — владельцем замечательного собрания рукописей исторического и литературного содержания. Еще при жизни он передал его в Императорскую Публичную библиотеку, но дневника Д. М. Волконского

---

    * Архив декабриста С. Г. Волконского.— Пг., 1918.— С. 134.
    ** М е л ь г у н о в С. П. Русские под Данцигом: Из дневников Д. М. Волконского//Голос Минувшего.— 1916.— № 5 и 6.— С. 287.
    *** Т. VI.— 1924.— С. 100, 156; Т. VII.— 1924.— С. 300; Т. VIII.— 1924.— С. 294; Т. Х.— 1925.— С. 33—36.
    **** См., например: Т о л с т о й С. Л. Мать и дед Л. Н. Толстого.— М., 1928.— С. 49.
    ***** На чужой стороне.— Т. Х.— 1925.— С. 29.

здесь тогда не значилось — только в 1950 г. он поступил, наконец, в ОР ГПБ*. Но это была лишь часть обширного комплекса рукописи дневника. В 1957 г. в печати появилось сообщение** о том, что другая его часть, осевшая в начале века в редакции «Голоса Минувшего», поступила впоследствии в составе фонда В. И. Семевского — соредактора С. П. Мельгунова по журналу — в Архив АН СССР***, несколько же отколовшихся от этой части тетрадей, как выяснилось совсем недавно, попали после войны в ЦГАЛИ****.

Таким образом, ныне дневник Д. М. Волконского рассредоточен в трех архивохранилищах, но дошел он до нас далеко не в полном виде: из 42 тетрадей (каждая из них аккуратно пронумерована автором) сохранилось 28, где же находятся остальные 14 — неизвестно, возможно, они утрачены, хотя вероятность их обнаружения в каком-либо архиве тоже исключать не следует. А среди них были тетради с интереснейшими записями за целые месяцы и даже годы (отсутствует, например, тетрадь за октябрь 1825 — декабрь 1826 г., несомненно, обильно насыщенная откликами на восстание декабристов).

Мы впервые публикуем здесь текст дневника Д. М. Волконского, обнимающий собой Отечественную войну и заграничные походы,— с мая 1812 г. по февраль 1814 г. (кроме не дошедших до нас записей за конец февраля по август 1813 г. и за март 1814 г.), с сохранением — что надо подчеркнуть — всех индивидуальных особенностей правописания и стиля автора. Ранее за этот период печатались С. П. Мельгуновым лишь разрозненные обрывки дневника за июль — октябрь 1812 г. и за 1813 г. с искаженной передачей текста*****. Записи за май — декабрь 1812 г. были напечатаны нами в связи со 175-летней годовщиной Отечественной войны******.

Предлагаемый вниманию читателя дневник — источник в своем роде редкостный.

---

* ОР ГПБ, ф. 775 (Собрание А. А. Титова), № 4860. См.: Краткий отчет о новых поступлениях. 1950—1951 гг. Государственная Публичная библиотека им. М. Е. Салтыкова-Щедрина.— Л., 1953.— С. 17.

** В о л к о в С. И. Дневник Д. М. Волконского (1812—1834 гг.)//Исторический архив.— 1957.— № 3.— С. 235—236.

*** Архив АН СССР, ф. 646, оп. 1, д. 346, 348—350.

**** ЦГАЛИ, ф. 1337 (Коллекция дневников и мемуаров), оп. 2, д. 9.

***** На чужой стороне.— Т. V.— 1925.

****** Знамя.— 1987.— № 8.— С. 135—153.

Участники московских событий 1812 г. и военных действий у стен столицы оставили немало воспоминаний, написанных в большинстве своем спустя годы и десятилетия и, естественно, осложненных позднейшими преданиями, иногда чисто легендарного свойства, историографической традицией, изъянами памяти авторов. Современные же событиям записи дневникового типа сохранились в считанном числе, да и те фиксируют лишь по нескольку дней или даже недель. Одним из немногих источников такого рода являются, например, отрывочные заметки А. Я. Булгакова — сотрудника ростопчинской канцелярии и, кстати, доброго знакомца Д. М. Волконского — за 30 августа — 7 сентября 1812 г.* и его же нерегулярные записи за предшествовавшие войне месяцы**.

Сказанным оттеняется значимость публикуемого дневника, писанного в гуще событий «для самого себя», не предназначенного для постороннего чтения и оттого достоверно и точно воскрешающего самое атмосферу жизни Москвы на всем протяжении Отечественной войны. Мирное течение жизни богатого, просвещенного и хлебосольного барина — типичнейшей фигуры «допожарной» Москвы — пронизано тревожным ожиданием войны с Наполеоном, а затем — и приближения его армии к древней столице, угроза которого становится для автора явственной уже в середине июля 1812 г. Д. М. Волконский трезво, непредвзято смотрит на происходящее, воспринимает наполеоновское нашествие как национальное бедствие со всеми его тяжкими последствиями и трагическими коллизиями. В дневнике запечатлелись отклики разных слоев населения на отступление русской армии, переливы народной молвы и общественных умонастроений, поражающие воображение слухи о Смоленском и Бородинском сражениях, рассказы очевидцев об ужасах вражеской оккупации, состояние наполненных столичными беженцами окрестных губерний — Д. М. Волконский проезжал через них, направляясь в Ярославское имение, «горестное зрелище сожжения и ограбления» Москвы — при его возвращении туда в ноябре 1812 г.

Исключительный интерес представляют живые подробности оставления ее армией 2 сентября, записи о поездке 31 августа и 1 сентября в штаб М. И. Кутузова, о беседах с глазу на глаз с ним, с М. Б. Барклаем-де-Толли и Л. Л.

---

* Русский архив.— 1866.— Ст. 700—703.
** Там же.— 1867.— Ст. 1361—1374.

Беннигсеном, об обстановке после оставления столицы в Главной квартире — Д. М. Волконский отступал с ней до Подольска, о роли Ф. В. Ростопчина в поджогах Москвы и кровавой гибели купеческого сына М. Н. Верещагина. Любопытно, что Кутузов, избегавший обычно посвящать в свои планы даже ближайших помощников, при встречах в 1812 г. с Д. М. Волконским делится с ним своими военными соображениями, а рано утром 1 сентября (еще до совета в Филях) сообщает ему, что «неприятель многочисленнее нас и что не могли держать пространную позицыю и потому отступают все войска на Поклонную гору к Филям». Это, между прочим, как и другие «кутузовские» записи в дневнике, проливает свет на особо доверительный, можно сказать, «домашний» характер отношения полководца к Д. М. Волконскому — не случайно тот писал позднее в дневнике (3 июня 1834 г.), что дочь «князя Михайлы Ларивоновича Кутузова, Прасковия Михайловна <...> мне знакома с ребячества». Их связывали к тому же и родственные отношения, по тем временам не столь уж далекие: другая дочь Кутузова — Анна Михайловна, была замужем за генерал-майором Н. З. Хитрово, брат которого А. З. Хитрово, постоянно поминаемый в дневнике среди самых близких его автору лиц, был женат на одной из сестер Мусиных-Пушкиных.

Дневник переносит нас и в совсем непохожую на 1812 г. военно-политическую обстановку похода за освобождение Германии. Главное здесь — замечательные по подробности и откровенности записи о блокаде союзными войсками Данцига, немалую роль в которой сыграли русские ополченческие формирования. Д. М. Волконский же был не только одним из руководителей многомесячных боев за эту крепость, но и предводителем сражавшегося в них Тульского ополчения. Известные до сих пор мемуарные источники — воспоминания офицеров Петербургского ополчения декабриста В. И. Штейнгеля и литератора и театрального деятеля Р. М. Зотова*— освещают осаду Данцига с точки зрения рядовых ее участников. Дневник Д. М. Волконского раскрывает этот важный эпизод войны 1813 г. в новом свете — с позиций командования, вводя нас в сам процесс выработки осад-

---

* Ш т е й н г е л ь В. И. Записки касательно составления и самого похода Санктпетербургского ополчения против врагов отечества в 1812 и 1813 годах.— Спб.; М., 1814—1815; З о т о в Р. М. Рассказы о походах 1812-го и 1813-го годов прапорщика Санктпетербургского ополчения.— Спб., 1836.

ных операций, в сложную подоплеку взаимоотношений русских военачальников с прусским генералитетом и в их конфликт с Александром I, не признавшим первоначальных условий капитуляции с французским гарнизоном Данцига.

Но, конечно же, особенно ценен для нас дневник Д. М. Волконского проступающей на его страницах «толстовской» темой, и прежде всего в плане освещения новыми данными биографии ближайших предков писателя из многочисленной семьи Волконских, в первую очередь его матери и деда.

Личность Н. С. Волконского, которого Л. Н. Толстой называл «умным, гордым и даровитым человеком»*, властно приковывала к себе его внимание на протяжении всей жизни. По свидетельству сына писателя, С. Л. Толстого, Лев Николаевич «дорожил памятью о своем деде и, по-видимому, считал себя похожим на него. В молодости ему даже хотелось подражать деду, но он подавлял в себе это желание»**. И уже одно то, что Н. С. Волконский является одним из главных персонажей публикуемого дневника, придает ему в этом отношении особую значимость. Теперь, в частности, становится вполне очевидным, что обрисованный выше круг аристократических, военных, правительственных, литературно-ученых связей Д. М. Волконского был, вместе с тем, той культурно-исторической средой, в которой в 1800—1810-х гг. вращался и дед Л. Н. Толстого, а ведь о его житейских и общественных отношениях мы знали до сих пор крайне мало.

Из дневника также выясняется, что во время Отечественной войны его автор состоял с Н. С. Волконским в переписке: «писал я в Ясную кн. Николаю Сергеевичу и послал ему разговор мещанина Чихарина о французах» (запись 7 июля) — т. е. первую из серии печально знаменитых ростопчинских афиш. Или — запись 17 сентября из Тульской губернии: «писал я обо всем кн. Николаю Сергеевичу в местечко Зубриловку» (куда Н. С. Волконский выехал из Ясной Поляны); «обо всем» — это значит и сдаче Москвы и последующем отступлении русской армии.

С. П. Мельгунов предполагал даже, что эти письма, скорее всего утраченные, были более содержательны, нежели соответствующие записи дневника Д. М. Волкон-

* Толстой Л. Н. Указ. соч.— Т. 34.— С. 351.
** Толстой С. Л. Указ. соч.— С. 9.

ского*. Так это или нет, сказать трудно, ибо его бумаги в остатках архива Н. С. Волконского не сохранились, но сам факт переписки Д. М. Волконского с дедом Л. Н. Толстого на злободневные тогда военно-политические темы весьма примечателен.

Вчитываясь в дневниковые записи Д. М. Волконского за 1812 г., все время ловишь себя на мысли, что непосредственно соприкасаешься с исторической почвой толстовского романа, что они-то и составили его реальную фактуру, что именно отсюда писатель черпал живой материал для ряда сцен и характеров своих героев — будь то настроения столичного дворянства летом 1812 г., военный совет в Филях, картины спешной эвакуации жителей и оставления Москвы, саркастические оценки административного произвола и пропагандистского рвения Ф. В. Ростопчина и т. д. Само дыхание эпохи, плотно пронизывающее собой записи Д. М. Волконского, само безбоязненное ощущение им правды событий 1812 г. кажется как бы перенесенным из дневника на страницы «Войны и мира». Запечатленные же в этих записях обстоятельства жизни матери и деда Л. Н. Толстого в 1812 г. особенно поражают своим созвучием с некоторыми ситуациями и сюжетными линиями романа — с тем, что относится к образам княжны Марьи и старика Болконского. Только два примера на этот счет.

6 сентября Д. М. Волконский, как он пишет, «решился объясниться с князем Кутузовым, пришел к нему и объявил, что я намерен ехать к дяде в Тульскую деревню Ясную Поляну». На следующий день он туда и направляется. Но по приезде, 10 сентября, узнает, что «дядя с дочерью поехали тому два дни в Тамбовскую деревню княжны Голицыной, начавшиеся беспорядки и волнение в народе его понудили», здесь же он и сам убеждается в том, «сколь народ готов уже к волнению, полагая, что все уходят от неприятеля». Лишь из этой записи мы впервые узнаем, что Н. С. Волконский вынужден был спешно покинуть Ясную Поляну из-за угрозы крестьянских волнений, вызванных приближением наполеоновских войск,— документальные источники хранят об этом молчание. Стало быть, описанный с замечательной художественной силой бунт в Богучарове был не просто угадан Л. Н. Толстым в социальных коллизиях эпохи, а подсказан реальными событиями, происходившими в 1812 г. в его родовом имении.

_____
* На чужой стороне.— Т. V.— 1924.— С. 180.

К записи за 20 сентября об отъезде из Ясной Поляны, где он пробыл десять дней, Д. М. Волконский дает подстрочное примечание: «Нашел я любопытное описание рукой княжны Марьи Николаевны о ее отце и ево характере» (сперва это описание Д. М. Волконский приобщил даже к тетради дневника за 1812 г., но потом оно было утеряно) — явный намек на крутой нрав старика Н. С. Волконского и его тяжелые отношения с дочерью, нашедший психологически глубокое воплощение на многих страницах толстовского романа.

В том и другом случае только сведения, закрепленные в дневнике Д. М. Волконского, могли послужить для Л. Н. Толстого первоисточником.

Парадокс, однако, заключается в том, что, как было уже ясно из сказанного, дневник этот, до начала нынешнего века хранившийся под спудом у наследников автора, не был известен Л. Н. Толстому во время писания «Войны и мира». Более того, он, видимо, смутно представлял себе и облик Д. М. Волконского. Во всяком случае, его имя отсутствует в Алфавитном указателе Справочного тома к Полному собранию сочинений писателя в 90 томах, а из этого можно заключить, что Д. М. Волконский ни разу не упоминается в каких-либо текстах, вышедших из-под пера Л. Н. Толстого*. Не находим мы Д. М. Волконского и в Генеалогических таблицах рода Толстого, где ветвь Волконских, к которой принадлежал автор дневника, вовсе не значится**.

Но если отмеченные выше (и множество подобных им) реалии эпохи 1812 г., отраженные в дневнике Д. М. Волконского и столь точно воссозданные в «Войне и мире», Л. Н. Толстой не мог заимствовать из самого дневника, то, следовательно, знал о них из семейной мемуарной традиции, роль которой в творческом генезисе «Войны и мира», как мы видим теперь, недооценивалась. А традиция эта, вероятнее всего, восходила к собственным рассказам Д. М. Волконского и к тому, что писатель слышал от других представителей своего рода, в том числе и персонажей дневника.

В 1904 г. в замечаниях на рукопись своей биографии, составленной П. И. Бирюковым, Л. Н. Толстой писал: «Милую старушку, двоюродную сестру моей матери я знал.

_____
* Указатели к Полному собранию сочинений Л. Н. Толстого.— М., 1964.
** Т о л с т о й Л. Н. Указ. соч.— Т. 46.— С. 479.

Познакомился я с ней, когда в пятидесятых годах жил в Москве», она,— продолжает Л. Н. Толстой,— «рассказывала мне про старину, мою мать, деда и четыре коронации, на которых присутствовала». Речь идет о Варваре Александровне Волконской, подолгу жившей у своего дяди в Ясной Поляне. В толстоведческой литературе справедливо принято мнение о том, что именно ее рассказы послужили материалом для характеристики в «Войне и мире» семьи Болконского*. Но ведь ее имя как ближайшей родственницы Д. М. Волконского, непременной участнице его семейных дел и свидетельнице событий 1812 г. не раз встречается в публикуемом дневнике (записи за 3, 21, 30 июля, 13 октября, 12 ноября).

Думается, что круг возможных информаторов Л. Н. Толстого из семьи Волконских был несколько шире. Так, в дневнике (записи 21 и 27 июля) мы находим имя брата Варвары Александровны, «князя Юрья» — Д. М. Волконский определяет его ополченцем в Нижний Новгород при посредстве графа П. А. Толстого и Н. Н. Муравьева (основателя московской школы колонновожатых, отца декабристов А. Н. и М. Н. Муравьевых). Ю. А. Волконский также встречался с Л. Н. Толстым в годы, предшествовавшие писанию романа**, и мог сообщить ему немало интересного о его деде и матери в пору Отечественной войны. В дневнике (правда, уже за последующие годы) фигурирует и другой брат «милой старушки» — Михаил Александрович Волконский, служивший в Московской Оружейной палате. Он был женат на М. Н. Геннисьен, сестра которой — подруга и компаньонка матери писателя — явилась прототипом образа мадемуазель Бурьен в толстовском романе. И с этим своим двоюродным дядей, конечно помнившим быт семьи Волконских в начале XIX в., Л. Н. Толстой был хорошо знаком и даже писал о нем в «Воспоминаниях»***.

Словом, дневник Д. М. Волконского восстанавливает отчасти исторический фон «Войны и мира» и уточняет не проясненные прежде источники осведомленности великого писателя в эпохе 1812 г.

---

* Толстой Л. Н. Указ. соч.— Т. 34.— С. 395; Толстой С. Л. Указ. соч.— С. 10.
** Толстой Л. Н. Указ. соч.— Т. 75.— С. 141.
*** Там же.— Т. 34.— С. 352.

ДНЕВНИК. 1812—1814 гг.

Время было прекрасное, формирующаяся здесь дивизия Дмит. Петровича Неверовскова[1] выступила отсюда.

3-го получил я от графа Алексея Ивановича Мусина-Пушкина[2] последние 4500 р., из коих 3 т. дал графине Катерине Алексеевне[3] до 15-го, ей объявил Александр Алексеевич[4] свои долги, и она взялась за него платить, не сказывая графу. Он же собирается на Кавказ, а протчие в Петербург, а мы поедем в Валуево.

4-го узнали мы о помолвке Д. А. Нащокиной[5] за Бахметьева вдовца.

5-го писал я к Хитрову[6] и послал письмо через него Павл. Алекс. Строганову о заплате мне по векселю[7]. Подписал я прошение в Московской уездной суд, по Лазарева опеки, о земле, представя документ и копию духовной.

7-го совершено верющее письмо г-ну Молоткову от моего имя, по делу в Калуге о земле, отнятой у Волконских госпожею Дурасовою. Письмо от 17-го апреля за № 337-м. Был у меня с вотчин бывшой крестьянин наш и отпущенной на волю матушкою — Гаврила Никифорович Посников, обещал приискать мне имение купить. Он же сказывал мне, что в Юрганове есть мужик Иван Егорович, хорошей мельник и способной управлять моею мельницею.

16-го поехал на Кавказ А. А. Пушкин с Каменским[8].

17-го скончалась Наст. Петровна Волынская[9]. В доме начали у меня смазывать накаты. Дороговизна же возникла до того, что сено по 2 р. пуд, поденщики по 1 р. 10 коп. в день.

23-го матушка графиня с двумя дочерми поехала в Петербург, а оттуда полагает проехать в Либаву к водам для Кат. Алекс.[10] Я с нею писал к Беренс, к Фелькерзаму, помещику Штензее, к доктору Беренсу в Ригу и к купцам митавским Рапп о моей аренде, дабы ко мне переслали или там ей отдали. Узнали мы, что воен. Риской губ. князь Дмитр. Ив. Лобанов[11] дурно отставлен за позволение выйтить 14 кораблей с хлебом в Данцыг, что весьма по нынешним обстоятельствам с французами неполезно нам. Ежечасно с ними ждут войны и миру с турками, говорят, границею по реку Прут. Получил я от матушке граф. Катерины Алексеевны 1000 р., кои она у меня брала.

26-го дал я взаймы 500 р. брату Соловому[12] — отдал ему мой вексель в 12 000 р. Орловым по опеки, их подписал же 17-го сроком до 1 ноября, прежние мои векселя в ту же сумму Чесменской[13] мне прислал назад. Я, сидя с женою[14] у Карамзина, много от него слышал о Российской истории, а паче о царе Иване Васильевиче Грозном. Тиранствы его превышают понятие и всякое терпение. Быв на престоле с 7-ми лет, уважал он начальников своих и до 30-ти лет был добр, а потом ежечасно стал жесточее и, наконец, до того, что архиепископа одного, зашив в медвежью кожу, затравил собаками. Брал жен и детей к себе для любострастия своево и своей развратной дружины. С ними забавлялся созжением, разорением и разграблением имений своих вельмож, убивал до смерти без причины господ, мучил их пытками, мстил и вырезывал из живых части тела, наконец, рассердясь по доносу на новогородцов, пришел со своими любимцами и войском и, стоя несколько дней под городом, по 5000 человек вызывал на мост, убивал и бросал с мосту их и свершал над ними ужастные казни, но народ 15 лет терпел такое страдальническое состояние.

Фельдмаршал Гудович[15] получил портрет и уволен от командования Москвою, сохраняя заседания в Совете, на его же место неизвестно кто.

27-го подписал я по прозбе Анны Васильевны Соловой[16] духовную девицы Челищевой, которая отдает все свое имение сестре своей. Сия духовная положена в Воспитательной дом в Опекунской совет. Слух есть, что Кутузов отзывается от командования Турецкою армиею и будет командовать Москвою, а о мире ничево неизвестно. 30-го отправились уже в Валуево мамзель Ромо, а 31-го наша брычка отправлена. Время едва начало исправляться, дожди были два дни.

26-го крестил я с Варварою Алексеевною[16а] у Гаврилы Смайлова дочь Марью. Жена несколько время уже чувствует действия беременности, а у Миши[17] верхние зубы начинают приготовляться, но еще не показываются, а ожидаем скоро.

Июнь

2-го жена приехала в Валуево, а я 3-го был у Гудовича, простился с ним и был у Растопчина[18], которой переименован генералом и на место Гудовича в Москву начальником. Обедал я в Реутове, у Хомутова[19], сия деревня очень сыра, и потому много обработанной воды, примечательна раковая беседка с колоннами. Потом переехал и я в Валуево.

9-го был я в городе и сей день князь Ник. Серг.[20], выздоровя от подагры, поехал в Ясную Поляну. Получено известие о мире с турками, границею — река Прут. Кутузов отозван из Молдавской армии, а поручено все и флот Чичагову, он и мир заключил. Теперь ожидают объявления войны с французами. Всех отставных офицеров приглашают в службу в новоформирующиеся 12-ть полков. С Англиею сближение весьма приметно. В доме печи продолжают класть. Я дал тестю в займы 2 т. р.

10-го была ярмонка в Валуеве и большое стечение народу для Духова дни. Князь Петр Алексеевич Волконской[21] удивил всех, бегал нагой по аллее под дождем. Я продолжал пить кавказские воды по 2 бут. в день.

14-го были мы у Карамзина в деревне князя Вяземскова, а 16-го были в Царицыне у Валуева[22]. Обещал мне там садовник Николай Ильин кустарников и дерев для саду.

17-го был я в городе, осматривал строение, велел исправлять крышку, которую худо покрыли. Велено собрать миллион денег в Москве для армии, во ожидании военных действий. Башилова Варвара Яковлевна прислала мне 2000 р. и просила заказать ей карету в Петербурге.

19-го поехал я с абатом[23] обедать в Голубино к Герарду, там нашли тестя и жену, и с ними возвратился я в Валуево. Нашел я, что Андреяшка ушибся. Лошади испугались и его разбили. Вчерась гром и буря были так сильны, что в Валуеве крышку сорвало с галереи, такие же бури несколько дней сряду продолжаются.

24-го приехал я в Москву, узнал к нещастию, что французы взошли 13-го в наши границы, перейдя Немен в Ковне.

25-го обедал я у тестя, и тут Александр Вас. Ульяников и Федор Михайл. Желябовской (здешний прокурор) уговорили меня в бостон, я для них играл целую ночь и ночевал у Пушкина на канапе, а они играли в банк всю ночь и до 7 часов утра, Желябовский в бостон проигрывал до 800 р., но отыгрался банком.

26-го обедали мы у Анны Львовны Пушкиной[24], а после обеда граф Алекс. Ив. Пушкин поехал в Иловну, а я зашел к Вас. Льв. Пушкину[25] и взял у нево списать стихи его «Опасный сосед». Ночевал на Самотеке у Волконских, где нечистота ужасная. Клопы и блохи меня заели.

27-го был я поутру у графа Фед. Вас. Растопчина, видал там князя Дмит. Ив. Лобанова, много говорили мы о вступлении французов в наши границы, перейдя Немен. Я предложил себя Растопчину на служение, буде могу быть полезен куда. Он, любя меня, весьма охотно взялся и даже предлагал сам формировать здесь полки. Был у меня с книгою из Гражданской палаты секретарь, я расписался и взял верющее письмо, мною данное Федору Турчанинову для хождения и взятия апеляцыи по земле Лазаревича.

28-го был у меня стеклянного заводу бывший управляющий у Бибикова купец Егор Ермалаевич Горбунов. Я с ним рассуждал о намерении моем завести стеклянной завод в имении графа А. Ив. Пушкина в Ярославле. После обеда поехал я обратно в Валуево к жене. Заезжал к Нарышкиным[26]. Дожди и громы пресильные продолжались, а притом и жары несносные. Для убитой руки моей я употреблял крапиву, коею сек плечо. Видался я с Петром Адамовичем Беренсом, дал ему 1000 р. денег и поручил заказать дорожную четверомесную карету для Варвары Яковлевны Башиловой каретнику Ditenpгecs, присматривать же за работою будет Дитерихс, зять матери Гогелевой.

29-го писал я чрез Петербург Ивану Николаевичу Эссену 1-му об моих арендах, прося ево постараться доставить ко мне мои доходы, ибо по известиям назначен он на место Лобанова в Ригу воен. губер.

Июль

2-го, приехав в Москву, получил я с почты из Митавы за последнюю половину 1811 г. 3000 р., получил я также письмо от Фелькерзама об отправлении ко мне денег и о получении им моего письма также и от братьев Rapp.

3-го просил я Беренса изготовить к ним ответы и просить скорее прислать вторую половину моей аренды за сей год. Беренс выдал мне проценты до генваря и возобновил вексель в 5000 р. Видился я с княжной Варварой Александ.[27], обедал с ними у Плаховой, откуда они поехали обратно в деревню Клинскую. Управителя их Григорья Турчанинова отправил я в Калужскую деревню село Баксево за оброком. Дал на проезд 150 р. и ему же велел внести за имение их времянного сбору 275 р. за полгода, также и за наше имение с женою 75 р. Приходил ко мне архитектор, живущей в Запасном дворце, Павел Николаевич Петров от Валуева, я с ним советовался, чтоб сделать в зале кронштейны вместо куполу; начинают у нас щикатурить во флигеле, в доме печи склали и полы настилают везде, кроме паркетов. Крышку переправляют и крыльцы делают. Писал я Баркову, просил прислать ковров, диванов и луковиц цветных, также тополей кавказских. В Москве много говорят о ретираде нашей армии, даже до Двины, куда уже французы подошли, по известию, к местечку Дисна. Агличане с флотом своим и со швецкими и десантными войсками уже в Бальтике, поставили телеграф в Риге, дабы, судя по движению неприятеля, сделать высадку войск.

4-го приехал я обратно в Валуево, обедал у Рахманова Алексея Степ.[28] Променял лошадь Соболя с Яковлевым на темно-гнедую.

7-го писал в Ясную князю Ник. Серг. и послал ему разговор мещанина Чихирина о французах[29]. Армия наша отступила до реки Двины, и никаких действий важных не слышно. 7-го приехали к нам Карабановы[30] и привезли сестру их княжну Марью Ивановну Гагарину[31], просили нас сделать свадьбу, я им советовал обвенчаться в Валуеве через неделю. Жених князь Иван Александрович и брат ево Николай Енгалычевы[32] также приезжали и просили нас быть у них отцом посаженным, а жену — материею. Мы одни ему родня. Спрашивали у здешнего свящельника, как выправить позволение из консистории, о чем будет хлопотать жених.

8-го приехал абат Цурик жить в Валуево. Живущая англичанка Roma самова беспокойного ндраву, и поминутные жалобы и ссоры.

9-го я поехал в Москву посмотреть наше строение и переговорить о свадьбе с женихом и Карабановыми, чтобы успеть приготовить что нужно будет. По приезде в Москву ездил я с женихом к архирею Августину[33], которой по многим разговорам и прозбам заупрямился, даже по поповской гордости обиделся, что Амвросий в Петербурге нашел возможность венчаться, хотя как он племянник родной, как и Гагарина племянница Пушкиным. О сем сватовстве справлялись у секретаря духовной консистории и узнали, что по кормчей книге позволяется.

10-го обедал я у Карабановых и дал ему взаймы 2000 р. Был у меня Беренс и принес письмы Фелькерзаму и Раппу, также и ево дяде Беренсу в Ригу. Я уведомлял их, что 3-го числа получил я по почте от Фелькерзама из Митавы 3000 р. за первую половину года мою аренду, и просил переслать за вторую половину.

11-го поутру от полиции принесли указ городу Москве о предстоящей опасности и о скорейшем вооружении всякого звания людей[34]. Сие известие всех поразило и произвело даже в народе самые неприятные толки. Вместе с сим узнали, что и государь едит сюда из армии. Все же сии известия привез сюда ген.-атьютант князь Трубецкой[35]. Я тотчас поехал к Растопчину, узнал, что государь будет к вечеру в Кремлевской дворец, но что наши армии ничево не потеряли и баталии не было; не менее все встревожено в городе. Вечер весь до 9 час. множество нас и народу дожидались государя, но, узнав, что он будет только на другой день, все разъехались, он приехал в ночь, а 12-го поутру я поехал во дворец. Государь был у молебну в Соборе. Народу стечение ужасное, кричали «Ура» и теснились смотреть ево. Приехали с ним Аракчеев, Балашов, Шишков[36], Комаровской и Волконской, князь Петр. Я с ним говорил наедине; начальные меры, кажется, были неудобны, растянуты войски и далеко ретировались, неприятель пробрался к Орше и приближился к Смоленску, но с малою частию, и отступил, но силы ево превосходны и, кажется, явно намерен итти на Москву. Многие уже испугались, приехали из деревень, а из армии множество обозов воротились, порох даже из Смоленска привезли сюда. Жена, беспокоясь обо мне, приехала из Валуева и осталась со мною.

13-го брат Соловой был у меня и по разговору с ним Балашова уведомил, что я назначаюсь государем на службу. Приехал за мною князь Петр, и я был у Гресеровой[37] с женою. Повидавшись с ним там, обедали у Валуевых, а вечеру поехали в Валуево, успокоить там всех. Ожидают решения Комитету о формировании, людей, сказывают, Салтыков[38] и Гагарин[39] дают по целому полку.

15-го в Слободском дворце дворяне и купечество собрались. Приехал Растопчин и с ним штац-секретарь Шишков, прочли указ о необходимости вооружения, о превосходстве сил неприятеля разнодержавными войсками[40]. Тут же согласились дать по 10-ти человек со ста душ. Сей ужасной набор начнут скоро только в здешней губернии, а купцы, говорят, дают 35 миллионов.

16-го в Благородном собрании был выбор кандидатов в главные начальники ополчения, дворяне, разделясь по уездам, выбирали Гудовичу 229 голосов, Кутузову

248, Растопчину 219, Татищеву[41] 50, Маркову[42] 18, Апраксину[43] 15. Граф Мамонов [44] не токмо формирует полк, но и целым имением жертвует. Демидов также дает полк, и все набирают офицеров. Народ весь в волнении, старается узнать о сем наборе. Формировать полки хотят пешие и конные, принимать людей без меры и старее положенного, одежда в смуром кафтане по колено, кушак кожаной, ширавары, слабцан, а шапочка суконная и на ней спереди под козырьком крест и вензель государя. Открываются большие недостатки в оружии, в офицерах способных, и скорость время едва ли допустют успех в порядочном формировании полки. Тут же в собрание приехал государь и, изъяснив еще притчины, утвердил сие положение. Прочли штат сих полков и разъехались.

17-го был я поутру во дворце, представился великому князю, пришел повидаться с князем Петр Мих., к нему приехала жена из Петербурга[45], я ей написал письмо к велик. княгине Екатерине Павловне, коим благодарит оне ее за пособие, сделанное ей дорогою. Слышно, что принц Ольденбургской собирает дворянство в Нове-городе для ополчения и в протчих губерниях. Вечеру я поехал обратно в подмосковную, сказавшись Растопчину, что я отлучусь на два дни, он уверил меня, что я, конечно, буду употреблен.

20-го узнали мы, что в Москве получено известие о важной победе над французской армиею, но обстоятельно о сем не знаем; сказывают, что после молебствия государь поехал в Петербург. После обеда я собрался с женою ехать в Москву узнать обо всем обстоятельно.

21-го был я у Растопчина и говорил с ним о себе. Он обещал напомнить, уверив меня, что государь сам хотел меня употребить. Между тем многие из нас в неведении, где и как употребят. Ожидают государя обратно в Москву и скоро. Говорил я с графом Петр. Алекс. Толстым[46] и с Муравьевым[47] о князе Юрье[48], которого они берут с собою в Нижней, принимается же прапорщиком, я ему велел сделать мундир общей армейской и ево послал к сестре в деревню. Обедали мы у Соловова, были у Волковой[49] и Архарова[50], везде крайне тревожатся.

22-го обедали мы у Грессеровой. Вечеру была свадьба князя Ивана Александровича Енгалычева с княжной Марьей Ивановной Гагариной. Мы с женою были отцы посаженные.

23-го обедали мы у князя Сергия Ив. Гагарина[51]. Везде

,говорят о победе, но не уверены, потому что сказывал о сем проезжающий курьер: будто Остерман с Тучковым разбили самово Наполеона. Убито 17 т. да взято в плен 13 т., хотя и неверно, но все вообще радуются.

24-го обедал я в Клубе и много говорил с Бланкина-гелем[52]. Он сказывал мне о некоем Полеве[53]. Человек бедной, но умной, писал о средствах противустать замыслам Наполеона. По мнению ево, завоевания его беспредельны, дажи и Турцыя подпадет под ево иго, и тогда мы окружены им будем. Поутру мы ездили с Соловой на моление К утолению печали, вечеру были У всех скорбящих и уже в подмосковную приехали поздно. Тут начался набор в Московское ополчение 10-го человека. Крестьяне жалко унылы, я их старался ободрять. У Мишиньки проходить начала корь. Поручил я управление Калужской деревни Баксево, что у меня в опеке, Александру Васильевичу Зыкову и о сем к нему писал, также и к Григорью, управителю Волконских, чтоб скорее собранные деньги там привозил.

27-го приехал я один в Москву. Ожидали государя, но никто наверное не знает. Ожидают подтверждение победы, о коей сказали, будто убито до 17 т. и плену 13 т. Сказывают, неприятель уже в Витебске, но повсюду наши имеют поверхность. Уверяют, что даже знатные части сдаются от недостатку провианту. Разменял я серебро целковое по 4 р. 13 к. Начал я обмундировать князя Юрья Алекс. Волконскова, чтоб отпустить к Толстому.

28-го объявлена только победа г-фа Вильиенштейна над маршалом Удино близ Себежа. Также говорят, что неприятель начал отступать к Минску, что и вероятно, потому что Тормасов с армиею у него в тылу идет к Вильне разбить тамошний Сейм и сбор людей. То же, сказывают, сделал граф Ламберт[54], взойдя в Варшаву. Сии известия несколько ободрили в Москве, а многие уже уехали, а все протчие тоже располагались, даже ситуацыи снимают еще вокруг Москвы укреплять.

30-го начался набор людей в ополчение, и я послал княжне Варваре Александровне 400 р. на обмундировку. Князь Сергий[55] приехал принять службу. Я писал в Калугу к управителю Григорью, чтоб· привозил денег. Там для корпуса Милорадовича дворянством дано по пуду муки и четверику овса с души, мука же там по 1 р. 60 к. пуд. Везде и всем поборы делаются самые разорительные теперь.

30-го вечеру приехал я обратно в Валуево к жене, был

на сходке крестьян при выборе людей на ополчение, жалкие сцены видел. Отдача обходится, говорят, свыше 60 р., мужики же здесь очень бедны. Писал я к Соловову о недостатке стекол в доме. Писал с Приклонским[56] к г-фу Пушкину, будучи в Медведкове у батюшки[57].

Август

2-го повезли отсюда людей десятого на службу, плач и стенание жон и детей было ужасное. Я читал уже несколько дней очень хорошее толкование закону католицкого Doctrine Chrétienne en forme de lecture de Piété par Ms. L'abbé l'Hamond[58].

6-го был я у Растопчина, и он хотел предложить меня в здешнее ополчение. Вчерась писал я в Петербург князю Петру Мих. о себе, предложил себя на службу государю. Велел шить платья для людей в ополчение для г-фа Пушкина и просил о пособиях в приеме их. По известиям неприятель в Витебске укрепился. Вильиенштейн, разбив Удино, пошел на Макдоналя, которой ретируется, и тем, сказывают, очищена Курляндия и около Риги.

7-го приехал я обратно в Валуево, обедал у Соловова. Ополчение в Москве еще никакого образования не имеет, а ожидают, что в сентябре 3 дивизии князя Лобанова сформируются, естли до того времени мы останемся в том же положении.

11-го узнал я, что Смоленск взят, тотчас послал в Москву Порошкова, с ним уже подробно описывают, что точно наши были атакованы и Смоленск сожгли и потеряли. Главная наша квартера в Дорогобуже, и уже Барклай издал прокламацыю жителям губерний Псковской, Смоленской и Калужской защищаться грудью, что мародеры французы и наши злонамеренные ворвались в сии губернии[59].

12-го я и жена отправились в Москву, дабы уложить и приготовить что нужно к отъезду жены в Иловну, естли необходимо будет нужно.

14-го Варинька и весь дом переехали в Москву из подмосковной. Я велел купить телеги, велел взять 20 крестьянских лошадей и укладывать всё серебро и лутчие вещи. Таким образом изготовил всех к отправлению в Иловну.

19-го было объявлено, чтобы желающие покупали оружие, а наши войска отступили уже по сю сторону Вязмы. Кутузов уже приехал и принял команду. Все винят Барклая и отчаяваются. Бывал я у Маркова, он взял к себе князя Сергия Александровича Волконского. Из Москвы множество выезжают и все в страхе, что все домы будут жечь. Единую надежду все полагают на распоряжения Кутузова и храбрость войск. Ожидают сюда государя, и я тогда о себе узнаю решение. У меня в доме все мастеровые ушли, а свои работают мост и вставляют рамы и наружные двери.

20-го прислали нам Каменские[60] сказать, что им велено отправлять из Москвы архиву иностранных дел. Публика радуется и полагает большую надежду на князя Кутузова, уверяясь, что он будет действовать наступательно.

21-го были мы с женою у батюшки в Медведкове, и я его уговорил завтра переехать в город. Заехали к Высоцким[61] и потом был в Клубе, там утверждают, что Главная квартера армии уже 30-ть верст по сю сторону Гжатска и что неприятель продвинулся вперет. Получил я из Георгиевска письмо от Мих. Мих. Веревкина[62] с приложением отношения от него в Московское дворянское собрание по манифесту 6-го июля, сим предлагает он собрать на Кавказе сто человек конных на службу отечества, с ним же вместе и Петр Алекс. Барков, то и просит меня представить сию бумагу ево.

22-го был я у графа Растопчина и говорил с ним о предложении Веревкина, на сие сказал он мне, что поздно, однако же велел при письме прислать по сему все бумаги, что по ним доложит. Велел я изготовить обоз и укладывать, дабы завтре отправляться всем. Публика вообще очень беспокойна нащот армии. Отправлены казенные сокровища, Оружейная и Грановитая палаты, банки, архив иностр. дел, и множество выезжают. Правительство, успокаивая народ, объявило, что сделан шар, которой полетит, на нем до 50-ти человек людей, и с него будут поражать неприятеля, а малым шаром делали уже и пробу.

23-го поехал обоз на 7-ми подводах, а после обеда отправилась и жена с сестрою и протчими. Поехали на Углич, в Иловну.

24-го писал я обо всем графу Алексею Ивановичу, дабы прислали обратно лошадей за вторым обозом.

25-го послал я при письме моем все бумаги, присланные ко мне от Веревкина с Кавказу о готовности его со ста человеками конных выступить на защиту отечества, и просил графа Ф. В. Растопчина испросить на то высочайшее повеление. Никакова достоверного слуху об успехах армии нашей не было еще, и здесь все между страху и надежды.

26-го день имянин моей княгини. Я обедал у батюшки. Соловая Кат. Алекс.[63] поехала, и множество выезжали из городу.

27-го узнали мы, что 26-го наша армия была атакована в центре и на левом фланге. Жестокое было дело, батареи наши все были взяты почти, но отбиты с потерею ужасною. Неприятеля, полагают, убито до 40 т., у нас убито до 20 т., а раненых множество, коих всех сюда привозят. Генералов наших много убито и ранено. Багратион сюда привезен, Воронцов, и многие даже обозы присылают из армии. Вечеру Кузма Григорьев с лошадьми прислан сюда от графа из Иловны.

28-го я укладывал их вещи, запечатал и отправил их 29-го после обеда.

30-го узнали мы, что наши отступили и Главная наша квартера отсюда около 30-ти верст. Неприятель взял Можайск, и, говорят, Тормасов разбит, а Чичагова полагают только у Житомира. Я велел укласть картины и бронзы, дабы отправить в Иловну, а сам собираюсь с князем Николаем Александровичем Енгалычевым ехать к князю Кутузову в армию, о чем писал жене и Пушкину. Послал я Веревкину копию письма графа Растопчина, коим уведомляет он меня, что послал ево письмо и все бумаги к министру полиции для докладу государю о позволении выступить с Кавказу на службу со ста конными людьми.

31-го узнали мы, что уже Кутузов в 10-ти верстах. Вечеру я туда поехал, нашел, что на заставе армейская команда и везде по всему полю рассеяны солдаты и зажжены огни. Я доехал в 10 часов вечера до Главной квартеры, всего 10 верст по Можайской дороге, переночевал в коляске, а поутру в 5 часов видил Кутузова. Он сказал

Сентябрь

мне, что употребит меня и напишет государю принять меня в службу, ему обо мне и князь Лобанов говорил. Я, переговоря с ним о делах армии, был у Барклая-де-Толия. С ним также говорил об армии. Кутузов откровенно сказал, что неприятель многочисленнее нас и что не могли держать пространную позицыю и потому отступают все войска на Поклонную гору к Филям. Я, оттуда возвращаясь, уже все полками ехал и с артиллериею, брата Соловова еще застал, но был уже готов ехать, а батюшка уехал в Ивановское Прозоровской княгини, писать же к нему в Богороцк. В Москве столько шатающихся солдат, что и здоровые даже кабаки разбивают. Растопчин афишкою клич кликнул, но никто не бывал на Поклонную гору для защиты Москвы[64]. В армии офицеров очень мало, о чем и Барклай мне говорил, и очень беспорядочно войска идут, что я мог приметить утром 1-го сентября, ехав от Кутузова. Лавров Ник. Ив.[65] присылал ко мне за овсом, и вина ему я послал. Вечеру приехал я в армию на Фили, узнал, что князь Кутузов приглашал некоторых генералов на совещание, что делать, ибо на Поклонной горе драться нельзя, а неприятель послал в обход на Москву. Барклай предложил первой, чтобы отступить всей армии по Резанской дороге через Москву. Остерман неожиданно был того же мнения противу Бенигсена и многих. Я о сем решении оставить Москву узнал у Бенигсена, где находился принц Виртемберской[66] и Олденбурской. Все они были поражены сею поспешностию оставить Москву, не предупредя никого. Даже в арсенале ружей более 40 т. раздавали народу, от коева без сумнения французы отберут. Армии всей велено в ночь проходить Москву и итти по Резанской дороге, что и исполнено к общему нещастию, не дав под Москвою ни единого сражения, что обещали жителям. Итак, 2-го город без полицыи, наполнен мародерами, кои все начали грабить, разбили все кабаки и лавки, перепились пьяные, народ в отчаянии защищает себя, и повсюду начались грабительства от своих.

В таком ужасном волнении 2-го числа поутру поехал я узнать, подлинно ли армии отступили. Подъехал к Арбату, нашел, что войски уже все прошли, а драгунская команда унимает разграбление погребов и лавок. Я взял у начальника 2-х ундер-офицеров и 6-ть драгун, с ними поехал домой на Самотеку. Едучи, нашел везде грабежи, кои старался прекращать, и успел выгнать многих мародеров, потом велел уложиться своим повозкам и $2^1/_2$ часа пополудни, при стрельбе и стечении буйственного народа и отсталых солдат едва мог с прикрытием драгун выехать и проехать. Везде уже стреляли по улицам и грабили всех. Люди наши также перепились. В таком ужасном положении едва успел я выехать из городу за заставу. Тут уже кучами столпился народ и повозок тьма заставили всю дорогу, ибо все жители кто мог уезжал. В таком беспорядке, слыша выстрелы неприятеля и зная, что они взошли в город, мы едва продвигались, и только в глубокую ночь приехал я в

Главную квартеру, 15-ть верст по Резанскому тракту. Я забыл часы и послал, вскоре выехав, драгуна, но он уже не воротился, может быть в полону. Остановился я жить с графом Ираклием Иван. Марковым, с коим уже и оставался. Тут мы дневали.

3-е числа поутру и почти весь день было довольно покойно, дорога же вся была заставлена едущими из Москвы. Авангардом командовал Милорадович и оставался не далее 5-ти верст от Москвы. Проходя город, его уже могли отрезать со всеми войсками, ибо неприятель взошел за Москвой-рекою по Калужской дороге и в Пресненскую заставу. Милорадович имел переговоры с Себастианием[67], они условились позволить всем выезжать от застав до 7 часов утра 3-го числа, и в тот час поставили цепь верстах в 3-х от города и захватили всех, кои тут случились.

4-го армия пошла далее отступать, устроя пантоны на Боровском перевозе, откуда верстах в 4-х остановилась в дер. Кулакове, и мы тут же стояли в квартерах. Около полуден началось сражение с авангардом нашим, которой отступил туда, где мы ночевали. Тут принуждены были сжечь барки, кои были нагружены комиссариацкими вещами, они замелели, множество пороха и свинцу потопили, а вещи сожгли. Тут потеряно, конечно, более 10-ти миллионов, потому что на всю армию холст, сукно и протчее было заготовлено. Потеря Москвы неищетна. Пушек много осталось, ружей, сабель и всего в арсенале. Даже Растопчин не успел вывести многое и обозу своего не имеет, ниже рубашки своей. Многие армейские лишились обозов своих. С самой ретирады нашей начался пожар в Москве, и пылающие колонны огненные даже видны от нас. Ужасное сие позорище ежечасно перед нашими глазами, а паче страшно видеть ночью. Выходящие из Москвы говорят, что повсюду пожары, грабят домы, ломают погреба, пьют, не щадят церквей и образов, словом, всевозможные делаются насилия с женщинами, забирают силою людей на службу и убивают. Горестнее всего слышать, что свои мародеры и казаки вокруг армии грабят и убивают людей — у Платова отнята вся команда, и даже подозревают и войско их в сношениях с неприятелем. Армия крайне беспорядочна во всех частях, и не токмо ослаблено повиновение во всех, но даже и дух храбрости приметно ослаб с потерею Москвы. Не менее Бенигсен делает планы стратегических движений.

5-го выступили мы с армиею двумя колоннами за

Подольск на Тульскую дорогу, оставя авангард. Переход делали проселками и лесами, конечно, до 50-ти верст. Вторая колонна отстала далеко, так, что, естли бы неприятель захотел или знал, мог отрезать армию. Мы едва в ночь прибыли к Подольску на кватеры в деревню Кутузово от Москвы 34 версты, где войска и заняли позицыю. Намерение главнокомандующего отрезать часть неприятеля и все его сношения с Польшею и соединиться с Чичаговым и Тормасовым.

6-го числа мы тут оставались за Подольском, откуда почти все жители выехали и ушли. Писал я для г-фа Ираклия Ив. Маркова журнал со дня его призвания к командованию ополчением. От него команда взята по полкам, а он никуда не употреблен, даже и в совет не был приглашен, когда решалась судьба Москвы. Я решился объясниться с князем Кутузовым, пришел к нему и объявил, что я намерен ехать к дяде в тульскую деревню Ясную Поляну, а что естли я могу быть полезен на службу, то чтоб обо мне представили государю. Естли я буду принят в службу, то чтоб за мной прислали в Тулу, о чем просил я г-фа Маркова. Главнокомандующий сказал, что хочет мне дать корпус и напишет обо мне, велел самому мне переговорить с Фуксом, которой давно мне знаком, служа вместе в Италии. Тогда же заготовил представление обо мне и хотели отправить 8-го числа[68], а я отобедал у Платова и пополудни в 3 часа 7-го числа отправился с князем Енгалычевым к Туле. Ехал я в дрожках, а екипажи послал вперет, их не нагнал. Дозжик пресильной шел и сырость большая, то я остановился ночевать, а 8-го поутру нагнал повоски все и поехал далее. Слышно было, что армия наша перешла на Калужскую дорогу, куда и неприятель потянулся из Москвы, дабы не отрезали ему зад. Дорогою всюду встречал я раненых и мародеров, во всем видно расстройство армии нашей, которая даже и довольствуется фуражированием, а под предлогом того грабят селения наши, а паче казаки, в них даже и народ сумневается. Думаю, что они французов наводят. 8-го проехал я Серпухов, из него гошпитали все выбираются в Орел, а вагенбурги за армиею идут.

9-го в ночь приехал я в Тулу и ночевал, оттуда многие уезжают, чем народ недоволен. Ополчение только что начинает выступать.

10-го поутру оставил я письмо к Александре А. Пушкину, чтоб в проезд с Кавказу заехал ко мне в Ясную Поляну, а я поехал один в дрожках к дяде. Заехал на дороге в кабак узнать, тут ли дядя, нашел пьяного ундер-офицера, которой доказал мне грубостию, сколь народ готов уже к волнению, полагая, что все уходят от неприятеля. Приехав в деревню, узнал я, что дядя и с дочерью поехали тому два дни в Тамбовскую деревню княгини Голицыной[69], начавшиеся беспорядки и волнение в народе его понудили. Вскоре повоски мои приехали, и я остался чуть отдохнуть и подождать решения о себе — примут ли в службу или поеду к жене. Время было сухое, и дни стояли хорошие. По дороге в Орел множество проезжало, больные из Серпухова туда перевезены. Я желал знать обстоятельства, проехал 13-го в Тулу, был у губернатора Ник. Ив. Богданова[70], у нево же написал письмо к Маркову в армию и приложил письма к жене, прося ево переслать в Ярославль. В Туле узнал, что наша армия стоит на Калужской дороге, в Красном, что неприятель вывел из Москвы почти все войски противу армии и что готовится дать баталию, что наши разъезды кавалериские на Смоленской дороге перехватили курьеров из Парижа и в Париж. Однако в Туле мало знают настоящего об армии. Обедал я у князя Щербатова[71], что командует милициею, им и Резанскому ополчению велено содержать кордоны по Оке, от Серпухова вправо. Тут виделся я с Похвосневым[72]. Приводили ко мне аптекарского ученика гезеля, которой ушол недавно из Москвы от французов. Рассказывает ужасы о их грабежах, зажигают же более свои, даже поутру 2-го числа, когда отворили тюрьмы, наш народ, взяв Верещагина[73], привезали за ноги и так головою по мостовой влачили до Тверской и противу дому главнокомандующего убили тирански. Потом и пошло пьянство и грабежи. Наполеон в три дома въезжал, но всегда зажигали. Тогда он рассердился и не велел тушить. Потом он жил в Кремле с гвардиею ево. Армия, взойдя, разсеялась по городу, и никто не мог появиться на улице, чтобы не ограбили до рубашки, и заставляли наших ломать строения и вытаскивать вещи и переносить к ним в лагерь за город. Множество побито и по улицам лежат, но и их убивал народ — раненых и больных, иных, говорят, выслали, а многие сгорели. Пожары везде, даже каменные стены разгаралась ужастно. Сей гезель сказывал, что нигде укрыться не мог и едва ушол лесом на Царицыно и в Тулу. Судя по сему, мой дом сгорел и разграблен, а о Гавриле не знаю, жив ли он. Гнев божий на всех нас, за грехи наши. Церкви, сказывал, все ограблены, образа вынуты, и ими котлы накрывают злодеи.

17-го писал я обо всем князю Никол. Сергеевичу в местечко Зубриловку княгини В. В. Голицыной чрез Тамбов и Кирсанов, писал также и к брату Соловому, в ответ на ево письмо, и послал чрез губернатора Богданова; он поехал в степную деревню Резанскую Оранебургского уезду. Я решился, естли не случится чево, пробыть здесь до 20-го и естли не получу, что принимаюсь в службу, то поеду в Резань, Володимер и далее в Иловну к жене; 15-го писал я к Пушкину и к жене и послал через Дмитр. Гавр. Посникова. Я всегда посылал в Тулу узнавать о известиях из армии, но ничево не писали, а уведомляют, будто французы взошли в Коломну, что невероятно, потому что все силы неприятельские обращены к нашей армии на Калужскую дорогу, но 20-го я поехал из Ясной Поляны* с князем Ник. Александ. Енгалычевым в Тулу, где и остановились у Василья Ивановича Похвоснева.

21-го, день моих имянин, был я в Туле у обедни, потом, позавтракав у Похвоснева, поехал в Резань, ночевал в Похвоснева деревне Белоколодце в 50-ти верст от Тулы по дороге на Михайлов. Тут близко живет князь Дмитр. Петр. Волконской[74]. Встретился с Петр. Алекс. Исленьевым[75].

В Резань приехал я 23-го вечеру, ужинал у Марьи Петровны Доктуровой[76], она живет тут вместе с Кресеровой, они и вообще недовольны губернатором Ив. Яковлевичем Бухариным[77], что он неприветлив и не делает никому пособия.

24-го писал я письмо к Соловому с раненбурским предводителем Ладыгиным. Был у меня Мих. Дмитр. Лихарев[78], правящий тут должность губернского предводителя. Здесь ожидают обратно из армии князя Петр. Мих. Волконского. Впрочем, ничего обстоятельново об армии не знают. Тут видил я Куликовскова. Мужу кормилицы дал я билет от себя для свободного проезду до Ярославля. Здесь в городе есть собор, построенной еще при Олеге. Время еще продолжалось хорошее и сухое.

25-го был я у губернатора, он служил при мне на Кавказе, видился я тут с Грибовским[79].

26-го писал я в армию чрез фельдъегеря и, пообедавши, поехал из Резани. Время продолжалось сухое и прекраст-

---

* Нашел я любопытное описание рукою княжны Марьи Николавны о ее отце и ево характере (*Примеч. автора*).

ное; такова давно не запомнят, ехал я на Касимов. Тут много татар, и есть селения русские, названные по татарски Ерахтур, Куструс и проч. Есть и в Касимове мечети, татары чисто и зажиточно живут, смирны очень, в Касимове гошпиталь, но в большом беспорядке, а перевозы раненых даже бесчеловечны, без пособий и надзору. Ночевал я у Ив. Ив. Демидова в ево деревне, где и сенатор князь Багратион[80] с женою живет. Тут видел я Лунина[81]. Никто ничего себе утешительного не ожидает, повсюду народ рассеян и дворяне по селениям проживают в жалком положении. Я, однако же, при сих смутных обстоятельствах благодаря бога доехал благополучно до Владимира 3-го числа октября, погода же продолжалась удивительно ясная и теплая; тут жили Валуевы, и я к ним пошел, от них узнал, что и батюшка тут, принужден был выехать из Ивановскова по приближению французов. Я ево нашел отчаянно больново. Подагра поднялась в желудок от дороги и волнения души, он безнадежен, увидился со мною

Октябрь
с большим чувством, но уже говорил худо; противу ево квартеры жил граф Растопчин.

4-го числа поутру прислали за мною, я нашол, что батюшка приобщается святых тайн, и с большою верою исполнил сей священный долг. Я при сем был. Зашол я к г-фу Растопчину, которой сказал мне, что получил рескрипт от государя, чтоб мне быть при Московском ополчении. Я много с ним говорил о нещастном отступлении армии из Москвы. Читал он мне весьма колкое ево письмо князю Кутузову об грабительствах, чинимых армиею по селениям и прч. Видимо, они злодействуют взаимно и вредят. Обедал я у Валуева, которой приметно опустился от горести потери Москвы. Тут в городе московской губернатор Обресков, вся полицыя и чиновники все из Москвы. Я был с Валуевым у губернатора. Авдей Николаевич Супонев сосед мне по деревни Углицкой, жена его Марья Петр., бывшая Неклюдова, я с ним ознакомился и для батюшке остался еще и 5-го числа был у князя Мих. Петр. Волконскова[82], которой сказывал мне, что его человек пришол из Москвы и сказывал, что мой дом цел и в нем живут французы и чуть делаются разводы. Пронесся приятной слух, будто неприятель вышел из Москвы и Москва занята нашими, но достоверного известия о сем никто не имеет. Сколько я ни желал узнать о князе Андрее Сергеевиче[83] и всей семьи Волконских, но никто не мог мне дать знать о сем. Во Владимире платил я за квартеру 5 р. в день, овес по 80 к., а сено по 70 к. пуд, за людей по 50 к. в день за пищу. Слышно, что у неприятеля в работе Лопухин Степ. Абрамович[84], Приклонской и Волконской князь Петр Алексеевич и еще некоторые ими захвачены в Москве, а Булгаков[85] чудестно отделался от французов, встретясь с их колонною на Устре у Стретинке. Растопчин всегда мне говорил худо о Кутузове, а живет здесь, по-видимому, под предлогом здоровия. Сказывают, что французы поспешно отовсюду потянулись в Москву. Полагают, было сражение по Петербургской дороге у Венцельроде. Еще подтверждают, что дом мой цел, в нем живут колодники и арестанты. Батюшке нет лутче, даже забывается и худо говорит, а подагра в желутке, по словам доктора, и надежды мало. Видился я с Беренсом и 6-го оставил ему бумагу, коею поручил свой дом и Волконских ему, когда французы выступят из Москвы. Поехал поутру к батюшке, нашол его без памяти, но, кажется, меня узнал и уже едва мог выговаривать. Прочли при мне ему отходную, и в исходе одиннатцати часов утра он скончался на 69-м году от рождения. И так привел меня бог приехать сюда во Владимер, чтобы быть свидетелем ево кончины, а 7-го отпевали и похоронили тело на кладбище при церкви святого Володимера, противу самого алтаря, за надгробным камнем, тут бывшим. Был на похоронах князь Мих. Петр. Волконской, Валуев, Сабуров с братом и Моложенинов. Вечеру я получил от Растопчина копию с указу к нему от 27 августа о употреблении меня при Московской силе на службу[86]. Барклай-де-Толли приехал из армии во Владимер и, говорят, проездом. Я, окончя печальную церемонию, собрался ехать в Иловну. Покойного батюшке камердинер вольной Иван пожелал ко мне служить, то я обещал ему в год 150 р., платье и пищу. На днях неприятель приближался к Покрову, но вдруг, брося все, побежали все к Москве. Слышно, что идущий к ним сикурс разбит и что они в крайности, даже их генералы едят ворон, что мне сказывал вышедшей из Москвы. Армия наша стоит на том же месте, у Нарышкиной в деревне по Калужской дороге, и много послано отрядов к Смоленской дороге, в том числе Платов, чтоб не допускать ничево к неприятелю. Французы, говорят, предлагали даже трактовать о мире за Неменем, но на сие не согласились.

8-го поутру собрался я ехать, купил у Федора Ив. батюшкины дрожки за 260 р., получил от нево образа, взял с собою повара, кучера и девку, коих оставил у себя, и, простясь с ними, поехал я из Володимера во втором часу по полудни на Абращиху, Ростов и Углич.

11-го в Ростове был я в монастыре и служили молебен чудотворцу Димитрию.

13-го приехал я в Углич, остановился у Ив. Ст. Змеева, тут же нашел я и Волконских княжну Варвару Александровну с сестрою и братом, с ними и князь Андрей Сергеевич. Они уехали по приближении французов к Дмитрову. Тут узнали мы, что неприятель оставил Москву, отправя по Смоленской дороге все транспорты с ограбленными вещами, а войска пошли противу нашей армии по Калужской дороге 6-го числа с Мюратом, но ево Бенигсен побил, то и сам Наполеон поспешно оставил Москву и пошел к нему на помощь, а уже 11-го числа подорвал Кремль, в коем от сего ужасного злодейства, сказывают, остался только Ив. Великой, один из соборов и Сенат. Протчее все погибло. О сем происшествии узнали скоро чрез летучую почту.

14-го, позавтрикавши у Волконских, поехал я в Андреевское, а людей отправил вперед туда. Приехал в сумерки на подставных и тут ночевал у прикащика моево в избе. Видился с соседом моим Глебовым, а 15-го посмотрел перевезеной дом и, размерив место для саду, велел сажать деревья. Сам с товарищем моим Енгалычевым поехал в дрожках в Иловну, заезжал завтрикать к Глебову и приехал к обеду в Иловну, нашел благодаря бога здорову жену и сына и всех. О выступлении неприятеля из Москвы уже и тут было достоверно известно. Узнал я тут, что князь Петр Мих. Волконской проездом из армии оставил ко мне письмо в Туле, дабы я ехал в армию к Кутузову и что мне назначен был корпус, но я, не получая ничего и не знав о сем, доехал сюда, и потому 16-го писал к князю Петр. Мих. в Петербург чрез Хитрова, дабы узнать, буду ли я принят в службу или оставаться мне здесь.

19-го узнали мы, что по совершенном выступлении неприятеля из Москвы отправляется туда граф Растопчин и вся полицыя и потому послан отсюда Артемий Уисусник, и я послал Максима лакея узнать о доме и с ним писал к обоим полицемейстерам, прося их вспомоществования. Вечеру узнали мы о новом поражении неприятеля при Новоярославце, что подает надежду, что освободится Россия от злодея и что могут они погибнуть. Мы жили в Иловне довольно тесно, и жена уже была очень тяжела, то и начали мы помышлять о ее родах.

22-го прикащик мой поехал в Ярославль и повез Макарку отдать в ополчение за пьянство. Во время моево выезду из Москвы я делал план дому в Андреевском и приценялся к лесу, от 5 до 6 вершков, а длины от 15-ти до 20-ти аршин сосновой и еловой с воды просили 200 р. сотню.

27-го писал я к Хитрову и просил искупить покупки для дому в Петербурге. Об армиях никаких важных известий нет, французы продолжают уходить по Калужской и Смоленской дорогам. Из дому Пушкина приехал Петр, сказывал, что дом наш цел оставлен французами. Стала здесь река Молога.

30-го приехал с Кавказу граф Александр Алекс. Пушкин и сказывал, что француз-неприятель далеко ушол от нашей армии и, кажется, усилился новыми войсками. Мы поместились в старом доме, а дети Хитровой перешли в другой. Мы частые имели известия по летучей почте о потерях французской армии при ее бегстве из Москвы.

Ноябрь

5-е число. Получил я письмо от Алексея Захарьевича Хитрова в ответ на мое, что кн. Петр. Мих. Волконскова нет в Петербурге. Он отправлен по комиссии, то и письмо мое к нему отправлено. Хитров был у Горчакова и узнал от нево, что я принят в службу и велено мне ехать в армию Кутузова; вслед за сим привез ко мне нарочной из Мологи конверт от управляющего военным министерством князя Горчакова, что по представлению князя Кутузова приказом в 20-й день октября принят я паки в службу по армии[87]. Горчаков пишит ко мне от 29 октября за № 875-м, сим известием жена огорчилась, а я тот же день после обеда поехал в Андреевское учредить там хозяйство. Приехав, тотчас отправил в Углич купить повоску, писал также к Змиевой Марье Вас. уговорить бабушку приехать к жене в Иловну к ее родинам. Змеевой послал я свой портрет по ее прозбе.

6-го обедал у меня Глебов Ник. Ник., и я, посоветуя с ним, зделал положение людям и протчему по хозяйству нашему. Из квартирующего в селениях тут вагенбургу 1-ой армии был у меня Тептярского полка квартермистр, также и Черниговского полка. Решился я строить понемногу дом и флигель в деревне, сам зделал расположение, нанял мастера плотника в год за 495 р., купил лес сотну за 180 р. и двести по 300 р. Обратно приехал я в Иловну 8-го, а 10-го, день рождения жены, отслужа молебен, вечеру поехал я в ночь с Александром Алексеевичем в Углич, позавтрикал у Глебова и к вечеру приехал к Змиевым в

Углич. Александра Алекс. 12-го числа был у начальника ярославского ополчения Дедюлина[88], которой принял ево в ополчение с тем, чтоб отправить ево в армию. Того же дня писал я князь А. Ив. Горчакову по опеки Волконских и княжне Варваре Александровне, писал по их делам.

13-го числа, переночевав у Змиевых, поехал в Москву, а в Угличе заезжал к Дедюлину, от нево поехал, но принужден был ночевать на дороге, снегу не было ничево, но к щастию в ночь напало немного, и так мы доехали в ночь к Троицы Сергию, тут нашел я Гаврилу с моими лошадми; я заехал в монастырь, приложился к святым мощам. Тут в церкве стояло тело скончавшегося митрополита Платона[89]. Оттуда на здаточных же доехал я до Москвы в вечерни.

15-го числа. Горестное зрелище созжения и ограбления началось еще за Москвою, большая часть Москвы созжена. Я въехал к себе на двор, которой благодаря бога несозжен, но в нем разграблено имущество, множество нашел я живущих и едва мог очистить себе покой во флигиле. Пушкин остановился у абата Церига. Утвердительно сказывают, что нарочно оставлены были люди зажигать. Видно, Растопчин сии меры принял заранее, полагая, что будут драться в улицах.

16-го поутру был у меня управитель Соловова, сказывал, что у нево остался один дом, протчее сгорело, а вещи более своеми разграблены, в том числе и моех много, 9-ть ящиков с мраморами и бронзою; был я у Растопчина, показывал он мне указ государев к нему о пособии жителям, зделавшим потери домов и имений. Был я у Карабановых, но их не застал, а обедал у аббата, был у оберполицемеместера Ивашкина[90], просил изследовать о разграблении моих вещей.

17-го был я у Соловова в разграбленном ево доме, узнал мой коралевой образ, потом ездил в танц-клуб, смотрел свезеные туда разные вещи. Послал просить Ивашкина выдать зеркало, кострюли, вазу и шандалы. Отдали мне мои часы, но разбитые, за них я дал 100 р. и отдал чинить абату. Был у Карабанова, обедал у Растопчина, тут читал о разобитии корпуса Нея и что Наполеон ушол с приближенными. В Москве осталось от 10 т. и более домов до 2300, народу, полагают, на конец оставалось не более 10 т. при французах. Полицыя пришла 3 дни после казаков, и продолжают грабить.

18-го был у меня аббат, уверял будто сам Растопчин отдал Верещагина народу на казнь. Взял я подорожную, написал все бумаги по дому и письма, оставил Гавриле на строение и поправление дому 500 р. да на довольствие 150 р.; зделал и послал ращет Хитрову А. З. о должных ему деньгах.

19-го пообедавши дома и конча дела мои, поехал в путь в третьем часу пополудни по Тульской дороге. Дорогою очень мало снегу, и я, измуча лошадей, едва доехал в ночь до Подольска, где и ночевал. Отпустил своих лошадей и поехал на почтовых. С Серьпухова поехал я на Калугу, но и тут я мучился, снегу мало.

21-го в ночь приехал я в Калугу.

22-го был у меня Ив. Григ. Мицкой[91], окружной начальник, я у нево обедал и распоряжался, как ехать в армию, потому что к Смоленску лошадей почтовых нет. Хотел я покупать лошадей, но 23-го приехал Алекс. Пушкин и сказал, что их деревня в 5-ти верстах от Мещовска, то и решился я ехать туда и там взять крестьянских 5-ть лошадей до армии. Из Калуги взял я лейб-казака Сазонова из выздоровивших команды Либавского полка майора Сверчкова. Написал письмо к жене и вечеру поехал.

23-го в ночь я доехал до города Мещовска, где и пробыл 24-е число. Александра Пушкин поехал в свою деревню, оттуда в 7-ми верстах и вечеру прислал лошадей мне 5-ть, на коих я и поехал 25-го. Исправя, что нужно, Пушкин поехал вперет, а повоска ево со мною. Я ехал прямою дорогою на город Рославль. Морозы были пресильные, по всей дороге встречал я обозы с провиантом для армии, но дороговизна продовольствия такова, что не стоил и провиант, которой везут даже из Пензы. Встретил я пленных французов и разных с ними народов, оне в гибельном положении, их ставят на биваках без одежды и даже почти без пищи, то их множество по дороге умирает, даже говорят, в отчаянии они людей умирающих едят. Жалкое сие зрелище имел я проездом в ночь, они сидели при огнях, мороз же был свеже 20-ти градусов, без содрогания сего видить неможно. По всей дороге видно, что народ разоряется войною, свои даже их разоряют, и крестьянин не знает, что будет есть зиму.

27-го зделалась пресильная метель, Пушкина повоска отстала, и я днем терял дорогу и с трудом едва доехал чрез рвы и пропасти до помещика Булычева Михайла Никитича близ села Оселья, 25 верст от Рославля. Они меня приняли к себе, угостили, и я ночевал, ибо метель была ужастная всю ночь, а 28-го поутру поехал в Рославль и далее. Морозы продолжались сильные. Повсюду видны следы прохождения и грабительства французов. Общее мнение, что все дворяне и шляхта всеми силами помогали им, но народ и жиды, чувствуя разорение, желают быть поданными России. Слышно, что Наполеон с одною гвардиею своею и малыми остатками разбитых корпусов уходит, стараясь соединиться с Магдональдом[92], которой идет от Митавы.

Декабрь

1-го обедал я в Шилове, сие местечко одело 6000 армии французской, тут я видел Аргамакова[93], а люди мои все перепились, а Андреян потерял тут ложки-то.

2-го переночевал я в Круглом графа Воронцова и оттуда послал назад в Шилов Сазонова отыскивать ложки, стоял я тут у богатого жида и известного нашего шпиона Ханан Хрон.

3-го привезли ложки из Шилова в местечко Бобр, которой много сожжен французами. Я тут стоял у попа польского. С ним много говорил о жидах. Они, будучи разбиты императором Титом в Ерусалиме, были порезаны до 300 т., и тогда Австрия вздумала купить их у римлян, полагая за один сребреник 300 жидов, они-то и размножились в Австрии и потому более говорят по-немецки, потом разошлись по Европе и более в Польше. После обеда поехал я из Бобра на Борисов, куда и приехал ночевать у Светчина[94].

4-е, он рекомендовал мне из московского ополчения подпорутчика Дмитрия Потаповича Шелигова[95], он учился в Московском университете, я ево взял с собою для употребления по канцелярии, с ним уже я и выехал из Борисова. Тут сказывали мне, что Чичагов пропустил случай истребить остатки французской армии, а Вильиенштейн хотя и пришел, но поздно, при всем том неприятель потерял множество и вся дорога усеяна телами, многие даже шатаются по лесам.

В ночь на 5-е приехал я в Минск и едва мог найтить кватеру у майора Александ. гусарского полка Андрея Федоровича Розена, я у нево ночевал, а поутру узнал, что и Александр Алексеевич Пушкин здесь остановился за лошадми.

6-го после обеда поехал я из Минска в Вильну, где остановилась главная квартера армии.

7-е число ночевал я дорогою с Коронелием Мешиковым и Александрою Пушкиным.

8-е ночевал я у Дохтурова, которой стоял с корпусом в квартерах на дороге.

На 9-е ночевал я в стороне от дороги, потому что по дороге везде неприятель разорил и от Минска до Вильны множество замерзших французов. Даже в корчмах и пустых избах множество тел, сверх того многие из сих нещастных шатаются полунагие и без пропитания, ожидая верной смерти своей. Повсюду оставлены пушки, ящики и повоски. Неприятель бежал, оставляя все вещи. Чрез Немен перешел он, полагают, не более 30 т., и то изнуренные и почти замерзшие люди, но и там преследуемы нашими козаками и частию армии Чичагова, которой пропустил случай совершенно истребить остаток французских войск. 9-го вечеру приехал я в Вильну, был у дежурного генерала Коновницына, ночевал у Маркова, а 10-го был у фельдмаршала князя Кутузова. Он меня очень милостиво принял, и я у нево обедал. Вечеру получил себе квартеру и переехал, просил я Коновницына, чтоб Александру Пушкина оставили при армии, видился я с Остерманом и со всеми генералами, тут же нашел я и Ив. Алексеев. Пушкина[96].

10-го вечеру приехал государь, и город был илюминован, цесарцы еще оставались в наших границах, принц Шварценберг был в Слониме с 40 т., противу нево послан Дохтуров, по-видимому он отретируется, и наши войска пойдут за границу в Варшаву и на Вислу. Сего все ожидают, по приезде государь пожаловал князю Кутузову 1-го класу Георгия.

11-го поутру были мы во дворце и государь благодарил вообще всех генералов за их службу, потом был у разводу. Получил я письмо от жены, что она, благодаря бога, родила благополучно сына Алексея[97] ноября 16-го, даже и бабушка не успела приехать.

12-го рождение его величества, мы были у обедни, а вечеру был бал у фельдмаршала и илюменацыя. Получил я от Хитрова еполеты и шитье на мундир. Писал я к жене чрез Строганова и чрез Воейкова. Послали войска отрезать Магдональда, но он, говорят, уже из Курляндии выступил, с ним и прусаки. Узнали мы, что графиня Орлова-Чесменская прислала Милорадовичу при письме саблю покойного отца ея, жалованную ему. Слышно, что цесарцы ретируются к Варшавскому герцогству, и в Вене общее мнение в пользу нашу. Я по сие время не имею писем от жены, чем крайне безпокоен.

14-го был я у светлейшаго, он сказывал, что пушек взя-

155

то 850 и что желает он из добычи поставить в Казанской собор четырех евангелистов серебряных по 10-ти пуд каждой.

16-го послал я 500 р. при письме к Алексею Григорьевичу Щербатову[98] чрез Григ. Никол. Рахманова[99], что главным интендантом, для братьев Волконских, кн. Андрея и кн. Дмитрия.

17-го Александр Алексеевич Пушкин поехал в Тильзит к Кутузову[100] в отряд.

18-го обедал я у светлейшаго. Он сказывал, что у нас в плену 51 генерал. Послал я письмо к жене чрез князя Петра Мих. Погода зделалась очень теплая и везде мокрота по улицам. Шелегов занемог горячкою с 16-го. При рапорте представил я Маркову рескрипт к Растопчину и от нево ко мне, чтоб меня употребить по ополчению.

21-го получил я от дежурного генерала, что высочайше пожалован мне в команду корпус бывшей генерал-лейтенанта Эссена 3-го, которому и назначено итти в Брест-Литовской.

22-го я откланялся государю.

23-го писал я к жене, чтобы прислала ко мне обоз, и маршрут послал.

24-го поутру отправился я из Вильны в Брест на Гродно, со мною поехал и князь Сергий Александ. и нагнал меня дорогою.

27-го проехал я поутру Гродно. Войски уже шли за границы, а государь, слышно, поехал на Мерич. Магдональд, слышно, окружен, и прусаки, кои были с ним, обратились на нево же, и он в блокаде с французами, коих до 8000 чел. Все единогласно жалуются на грабительства и несправедливость французов, которыя даже и в Польше грабили и ругались церквами. Из Гродны отправил я в Брест юнкера для занятия мне там квартеры, а сам 28-го приехал в Белойсток, тут я ночевал и 29-го, пообедавши, поехал далее. Везде останавливался я по госпоцким домам, а от Высоколитовска разорены все селения цесарцами и саксонцами, также и нашими, кои тут сражались с ними.

31-го вечеру приехал я в Брест-Литовской, Эссен поутру уехал, а корпус принял от генерал-майора Енгельгарда[101]. Войски пришли только 27-го, а уже от Сакена получено повеление выступить в поход. Я вечеру отдал приказ о прибытии моем к корпусу и вступлении в командование оным. И так вместе с новым годом я с корпусом, прося божией помощи.

1813-го года.
Генварь

Поутру был у разводу, потом у обедни, обедал у Энгельгарда.

2-е, смотрел лазарет, которой в самом жалком положении, а вечеру получено повеление выступить корпусу к Драгочину, на прямую варшавскую дорогу, туда 4-го выступил авангард корпуса в команде генерал-майора Мелисино[102], чрез Пещань, Бислу и Борчиловку к Соколову, а пехота 5-го выступила чрез Протулин, Константинов и Сарнали к Драгочину. Я взял карету у Немцевича да фуру у Судгофа[103], а верховую лошадь дал мне Энгельгард, таким образом, до прибытия моего обозу меня снабдили необходимым для походу. Я послал 3-го курьера к Сакену[104] в Цехановец с рапортами о выступлении корпуса, а сам следовал с пехотою.

7-го, по сведениям от жидов, узнали мы, что была неприятельская команда в Сельцах, то я и велел Мелисине открыть неприятеля, а сам 8-го дневал в местечке Сорноки, а 9-го поехал в авангард в Соколово, но вечеру приехал ко мне Венансон[105], обер-квартерместер от генерал-лейтенанта Фабиана Вильгельмовича Сакена, чтоб авангарду быть в местечке Морде, а 10-го вечеру корпусу велено, чтоб 11-го итти, а 12-го быть в Сельце, авангард же от местечка Монободы влево и во всей военной осторожности. По-видимому цесарцы начали отступать, ибо оне занимали от Брок к Пултуску, а Ренье с 6000 французов и 5000 саксонцев от Колужина до Окунева, но, кажется, отступят. Я еще не получал писем от жены, и весьма грустно. Имел я при себе дежурного майора Дмитр. Ив. Бибикова по канцелярии[106].

12-го прибыл я в Сельцы, Мелисино дал мне обед. И члены гороцкого управления и кагал были у меня. Я назначил реквизицыю провианту и фуражу с окружных селений. Ренье по сведениям начинает отступать, цесарская же позицыя всио по Бугу к Пултуску и соединяются с Ренье в Сироцке. Французами и саксонцами командует главно Мюрат.

13-го я обрадован получением письма от жены от 26-го декабря, и сей же день я к ней писал с шефом украинского полка полковником Второвым, он поехал формироваться в Орел. Александра Алексеевич Пушкин писал ко мне из Лин, где глав. квартера армии, что наши перешли Вислу, взяли Мариенбург, Ельдинг, Диршау и Мариенверден. Пишит он, что был с сим прислан и пожалован маиором.

Время было очень дурное и метель. Взял я к себе в должность адъютанта штабс-капитана Сибирского драгунского полка Ник. Титоча Тулубеева по рекомендацыи Мелисино. Писал я к жене и послал при письме к князю Петру Мих., а он начальником генерального штабу при князе Кутузове.

18-го послал я Тулубеева к светлейшему с рапортами, представил в маиоры князя Сергея Алекс. Волконскова, писал письмо к жене и с ним же отправил к Петру Мих. По известиям цесарцы отступают за Варшаву, Ренье все противу нас, а в авангарде саксонской генерал Лекок[107].

18-го в ночь получил я приказ выступить в поход корпусу, а 19-го итти до местечка Калушина, а 20-го далее к Варшавской дороге. Войски, получа поздно приказы, поздно и выступили, а здесь в городе назначен был 19-го редут и многия из деревень приехали. Я дал инструкцыю главному смотрителю здешняго магазейна. Послал я вперед Ив. Матв. Фрейганга для занятия квартер, узнал известие из Варшавы, будто цесарцы объявили войну французам, не менее оне с нами переговаривают и условливаются в днях отступления их.

22-го пришли мы уже ночью близ Окунева. Я стоял в селении Сизия, а войски очень были утеснены. Тут объявил нам Фабьян Вильгельмович Сакен, что принц Шварценберг с ним входит в переговоры о Варшаве, и потому до разрешения от светлейшаго мы остановились тут. Мелисино слишком близко подошел к Варшаве, и я велел отступить, потому что еще цесарцы не совсем отретировались. 20-го, будучи у Сакена, писал я с курьером по части артиллерийской к жене и письмо к Хитрову.

24-го были у меня жиды из Варшавы и просили залогов. По известиям, цесарцы распродают там магазейны с солью, пушки и порох затопляют и денег много вывезли. В ночь получил я от Сакена, чтоб, оставя тягости, переходить Вислу при селении Жаран, правея Варшавы, оставя козаков и калмык держать цепь противу Праги, а нам, вероятно, на биваках, и послать кавалерию наблюдать за неприятелем в крепости Модлине. Перешли мы с корпусом Вислу в восьмом часу вечера.

25-го числа, получа на походе прикас занять квартеры поблизости Вислы, я остановился в монастыре в Бислани, взойдя, нашол целой гошпиталь пленных наших, кои в монастыре содержатся и лечатся до 300. Я стоял с корпусом на биваках, даже без соломы люди. Мы были в команде

Милорадовича, и уже много войск пришло к Варшаве и ее окружили, но мы были ближния. По генеральной же диспозицыи назначено было переходить Вислу 24-го пятью колоннами: 1-я — Милорадовича и авангардная, в коей были и мы, ей переходить между Варшавы и Новодвора, 2-я Дохтурова, переходить при Вышгороде, 3-я Тормасова, при коей государь и светлейшей, переходить чрез Плоцк на Гомбин, 4-я армия Чичагова при Добжине, 5-я корпус Винценгероде при Бресте. Часть французов, саксонцев и поляк пошла в крепость Модлин, а из Варшавы выступили. Цесарцы же еще есть, но с нами очень дружны. Маршал Ренье уехал. Погода была теплая, и даже дорога уже дурна санная.

26-го приехал Милорадович и начал раскомандировывать корпус Сакена к Маркову[108], к Блони и к Булатову[109] в Пиесечно для преследования за цесарцами и Ренье, также к Паскевичу при Модлинской крепости. Сакен писал ему представление довольно грубое, что он не может исполнить ево повеления, будучи отделенным корпусом, а что Модлин столь неважная крепость, что ево атъютант ее проскакал насквозь. Милорадович строго предписал исполнить и представил ево рапорт.

27-го я был у Милорадовича с генералами и шефами.

28-го получил я повеление занять квартеры близ Блони впереди, куда корпус 29-го и выступил, а я обедал в Варшаве в Виленском трактире, куда прислал за мною Милорадович, по приезде объявил он мне, что по представлению от него рапорту Сакена велено ему здать корпус генерал-лейтенанту графу Палену[110], а мне с корпусом иттить к соединению с Марковым к Калишу, где будут два корпуса пехотныя у Милорадовича. Расписание войск и маршрут получил я только 30-го поутру. Князь Жевахов[111] прислал мне колясочку и поднесенныя ему в Люблине деньги 17-ть мешков серебра, всево до 5 т. серебра, кои до разрешения оставил я под часами.

30-го поздно пришла пехота в город Блони, от Варшавы 4-ре мили. Тут стоял я в доме у супрефекта Шмульской, которому отдал я карету Немцевичеву до востребования мною или им. Тут в Блони явился у меня князь Александр Федорович Щербатов с кавалериею, ахтырской и харковской гусарския, 2 уланския и 2 конноартиллерийския роты да казаки. Я велел итти двумя колоннами, но время было самое худое и сырое, реки уже худы, а мы шли форсированными маршами, дабы скорее соединиться с Марковым и застать Ренье у города Калиша.

31-го разменял мне князь Ник. Григ. Щербатов[112] 2 т. ассигнацый по 8 червонных на сто и того 160 червонных. Он выпросился у Милорадовича и со мною соединяется. Везде снег ужа растаел и совсем весенняя погода. Люди шли часто по колено в воде.

Февраль

1-го проходил я с корпусом чрез имение княгини Радзивиловой, что наша стаццама, я был у нее в местечке Неборове со всем моим штатом и генералами, она давала завтрикать, потом водила по ранжереям, у ней удивительныя померанцевыя деревья, коих более 150-ти по обеим сторонам ужасной толщины, также всякия растения. Оттуда мы поехали в ея карете с конвоем до ея же деревни Аркадия, где великолепно отделаны покои и собрание мрамора и реткостей. Я старался всемерно сохранить ея имение и оказывать ей всякую благосклонность в проходе войск наших. Ночевали мы в городе Ловице, княжение францускаго маршала Давуста, подаренное ему Наполеоном, сие имение принадлежало прежде примасу. Тут узнали мы, что государь и главная квартера из Плоцка вышли к Гостинину, отколь пойдут войски вероятно на Позен. Впереди нас прошел Дохтуров, но думаю к Позену — также и Сен-Приест.

2-го ночевал я в местечке Пионтек, куда приехал курьер от Милорадовича заготовить квартеры ему и лошадей, я ево послал в г. Ленчиц, куда и я с корпусом пойду завтре, узнав же, что в Ленчице Дохтуров, я обошел ево до селения Бартковицы, а войски дневали в стороне.

4-го приехал Милорадович и я с ним обедал. Он поехал к Маркову, которой был уже в Добре. Вечеру узнал я, что неприятель зжег мост в Униеве, то и пошел я с корпусом на местечко Варту.

5-го поутру отправил я князя Сергия в глав. квартеру к генерал-интенданту Васил. Сергее. Ланскому[113] за жалованием, послал также с ним письмо к жене чрез князя Петр. Мих. Вечеру получено повеление, чтоб вся кавалерия пришла 7-го в г. Калиш, поход я имел по самой дурной дороге и в ростопаль.

6-го пришли мы в город Варту на реке того же прозвания, чуть заранее я занял мост и, починив, переправился. В ночи получил я приказание итти к городу Калешу и там уже соединится с Марковым, а кавалерия делится на два же корпуса, Корфа и Васильчикова[114], а вся в команде Уварова, отряд же авангарду составляется Сен-

Приесту за Калишем. Сражение, которое было с Ренье за Калишем, слышно, войсками Венцегенроде, причем, говорят, отбиты пушки и два баталиона здалися сами без бою.

7-го я хотел дневать в Варте, но выступить принужден в 11-ть часов, за мною идет Дохтуров и с ним два корпуса князя Горчакова и Капцевича[115]. Дорога непроходима почти, грязь ужасная, и полки только поутру 8-го собрались, а обозы все отстали.

9-го полки проходили Калиш с музыкою мимо Милорадовича. Я ночевал в селе Бржец, а в ночь получено повеление остановиться, слышно, что пруской король присоединяет к нам 140 т., а о цесарцах еще не знают, чем решатся. Вечеру князь Сергей приехал из главной армии, но жалования мне не привез.

12-го назначены нам кантонир-квартеры, мне в местечке Борск, а полки — вокруг, Милорадович — в местечке Ерошеве, Сен-Приест с авангардом в местечке Дольциге, а Марков в местечке Ксензе, слышно также, что ожидают государя в Калиш к главной квартере. Дорога была премерская, обозы едва могли итти, грязь ужасная, целыя брички и пустыя утопали и принуждены бросать. 12-го послал я Тулубеева в Брест-Литовск за моим обозом и дал ему 2000 руб. ассигнацыями там променять, с ним писал письмо к Немцевичу и послал расписку о карете ево, чтоб он ее взял из Блони. Обедал я в местечке Ярошине у богатого помещика, которой сказывал, что Наполеон, слышно, очень болен и зделал завещание, иные же полагают, что уже и умер.

13-го близ местечка Блони коляска моя загрязла так, что я принужден выехать верхом и то с трудом, а обозы более суток после полков пришли. Погода зделалась прекрастная, дни красныя, и деревья пустили почку, местами зеленеть начала трава и мелкой скот пускают в поле. Ранняя сия весна здесь необычайно.

16-го ездил я к Милорадовичу в местечко Ярошево, а 17-го послал я князя Сергия в главную квартеру в Калиш за жалованием, а дежурного моево маиора Бибикова за письмами на почту, дал письмо к жене, к графу А. Ив. Пушкину и адресовал Хитрову, а ево просил прислать мне чепрак. Послал к жене письмо к Митавскому вице-губернатору и к Фелькерзаму об аренде, чтобы по ращету он прислал деньги к жене и просил князя Петра Мих. переслать с фельдъегерем. Сегодня выпал снег и покрыл землю. Мы еще не получали ничево в магазейн от супрефекта Кротошинского.

161

Герцог объявил мне свой план, чтобы послать со стороны наводнения штурмом взойти в Данцыг и овладеть воротами, сделав сильную атаку на Цыганненберг и к Оливским воротам. Пишит герцог реляцыи и письмо к государю, меня представляет к Георгию 3-й ст. и посылает с сим атьютанта своего Бетхера[116], которой и поехал 2-го с ночи. Адмирал Грейх[117] по сие время еще не предпринимал аттаки на вестроплат и на редуты. Погода очень испортилась, и совсем сырое и осеннее время начинается, даже был мороз малинькой, а у нас начали выгружать пушки и снаряды, а в подводах, коих надо более $^2/_\text{т}$, остановка и даже продовольствия не на чем привозить. Войски разбиты по всем местам.

3-го писал я к Курлянскому губернатору Федору Федоровичу Сиверсу[118] и послал к нему письмо обо мне герцога, просил я ево быть моим посредником по делу моему с Фелькерзамом в неплатеже мне арендного дохода. Просил ево, чтобы принял все деньги, разочтясь, и теперь и впредь пересылал к жене чрз Хитрова, и к нему же послал я письмо переслать к Хитрову, писал к жене, графу А. И. Пушкину, Соловову, просил ево заплатить Чесменскому по моему векселю и отдать проценты за год. Поутру представлял я герцогу корпус тульских чиновников, как благодарили ево за лестной приказ об них за сражение, они меня очень благодарили. Миллера[119] послал герцог смотреть за выгрузкою снарядов и хочет ево отдалить от ополчения. Грейх хотел атаковать вестроплат, но ветр усилился и помешал, о сем он меня предупреждал. Редуты при Лонфурте вооружили пушками 24-х фунтовыми, и в ночь положено брать Шельмюль. У меня усилились гимороиды, и боль в пояснице сильная. Я всякой день ужинаю с герцогом, и долго рассуждаем об осаде крепости.

4-го поутру рано флот начал канонаду на вестроплат, герцог поехал смотреть, а я писал письмо к князю Петру Мих., описывал ему сражения 17-го и 21-го и послал записку о гарнизоне Данцыга, полученную чрз шпиона, писал также чрз нево и к жене. Флот наш атаковал вестроплат и редуты, но ничево сделать не мог. Много потеряли людей, взорвало одну лодку и пропали все снаряды, а пользы не сделали никакой. Недостаток в подводах до того, что продовольствия люди не имеют. Герцог беспорядком своим спутал всех, а прусаки только что обманывают.

5-го ездил я с Ададуровым[120] в Мигау для празднества с пальбою для Тезоименинства императрицы Елизаветы Алексеевны. В ночь взяли Шельмюль и Ашебуд, начали тут тотчас строить батареи и удачно очень взорвали трехмачтовое судно, стоявшее на Висле при Шельмюле, а неприятель делал покушение на графа Донау и занял опять редут, из коева ево выбили поутру. Я чувствовал гимороиды и не выезжал. Новоднение очень распространилось даже за Воцлав, и многие селения сожгли.

9-го герцог переехал и я с ним из Енмау в Палангeн, где и жил я на хорошей дачи, вообще в Оливе и Палангене домы и сады хорошие и жители зажиточны и торговые люди. Осадные пушки уже поставлены на новые батареи близь Лонфура, из коих довольно часто палят, особливо ночью, даже окны дрожат и гром ужасной. Подполковник Ключарев поехал в Главную армию за жалованием на ополчения, я с ним писал к князю Петру Мих. и к жене.

11-го получил я рескрипт от государя, коим по представлению моему пожалован в подполковники Тульского ополчения майор Кулебакин[121] и утвержден полк. командиром 2-го пехотного полка. Ездил я осматривать новые батареи в Шельмюле и траншею.

13-го сбита неприятельская батарея при Данцыгской алее и прервало сношение их по сю сторону Вислы. Канонада ежедневно продолжается, и наши выстрелы уже хватают в Данцыг. У нас много убивают артиллеристов и разбивают батареи как у них, так и у нас. У герцога был обет в коронацию 15-го числа, а он опять болен лихорадкою и не встает с постели.

16-го вечеру написал я письмо к жене и послал с нарочным, которова отправили в Петербург за деньгами к министру финансов. Представил я о службе моей и находящихся при мне, когда я был с корпусом в авангарде и за дело 3-го мая при Бауцене.

17-го числа ездил я осматривать лазарет в Оливе и вечер был у герцога, я с ним ужинал при ево кровати, он еще не вставал с постели, около 9-ти часов вечера приехал из Главной армии посыланной атъютант ево Бетхер и привез от государя рескрипт к герцогу и награждение за дела 17-го и 21-го августа. К удивлению всех герцогу прислали 2-го Георгия, а он лежал в постели. Мне прислали 3-го Георгия, прускому инженерному подполковнику Пулету[122] 3-го Владимира, Турчанинова[123] и Трескина[124] в генерал-майоры, и нескольким другим. Герцог очень обрадовался, но мудрено, естли примит орден. На меня он тот же час надел Георгия, и я, поговоря с ним, пошел домой, объявил своим и, поблагодаря Бога, надел я на себя орден 3-го Георгия, оставя прежний мой крест. Рескрипт государя к герцогу и награждения пожалованы 9-го числа, о чем и объявляет князь Петр. Мих. Волконской офицыяльно. И так я получил 3-го Георгия того же 17-го, когда имел сражение и командовал войсками. Бетхер уверяет, что французы окружены и терпят большой недостаток, а при том и побиты были в Гитербоне и Нолендорфе, где взят был их генер. Вандам[125] и много пушек.

18-го поутру я ходил благодарить герцога, и он еще в постеле, я у нево и обедал. Жеребцов[126] объявил мне, что герцогу хочется, чтобы избрали ево начальником всех ополчений и чтоб о сем ево просили письмами, я о сем предлагал начальникам словесно. Барклай объявляет высочайшую волю от 2-го сентября расформировать Егерской полк и уровнять им прочие полки Тульского ополчения, потом неспособных распустить в домы, а потерпевших от жребия войны отпустить в отпуск, артиллерийскую же роту или уничтожить, или прикомандировать к армейской роте и по мере убыли людей и лошадей уничтожить. Миллера уволить, буде не пожелает служить у меня.

20-го после обеда пришло приятное известие, что генерал Блюхер[127] разбил сильно французов, взял в плен Маршала и $^{13}/_{т}$, 50-т пушек; полагают, что Наполеон ретируется и пробивается, и будто он предлагал мир на основании Люневельского, оставляя за собою Италию и Голандию, но не согласились, а требовали, чтобы он оставил себе только одну Францыю. По перехваченным письмам французы очень расстроены и терпят во всем недостаток. Герцог прислал ко мне вечеру с атьютантом Бетхером присланной от прускаго короля мне орден Красного Орла 1-ой степени, а генерал-майору Кулебакину 2-го класа. Я нашил звезду и пошел благодарить герцога. Прежде никогда генерал-лейтенантам не давали менее Черного Орла. Вечеру были у герцога дамы. Капитанская жена, племянница Шишкина[128], которую я знал в Москве, она там играла на театре у Апраксина. Она пела, и так мы провели вечер у герцога, и он был одет,— кажется, прошла лихорадка. Начали делать осмотры на правом фланге для предприятия штурма на крепость, но наводнение очень сильно и мешает. Вечеру была у меня всенощная, а 21-го, в день моего ангела, был я зван обедать к князю Львову, заезжал к Светчину[129], нашел ему в безнадежном состоянии, видно прорыв жилы сделался при скачках, из него множество вышло крови, даже с печенью, и когда мучения утихли, то он потерял память, начал петь песни руские твердым голосом и даже не мешаясь в словах. Меня вспоминал и бредил сражением. Жена ево и все окружающие в горестном положении. Неприятель не смел ничево предпринимать, кроме ночной канонады на наших рабочих. Предполагаемая аттака на крепость штурмом остановилась по случаю наводнения и потому, что Ора не вся взята, и те места не очищены, чрез кои полагал герцог проходить, о чем Соснин, поехав, ему объявил, и потому герцог уже решается прежде сделать експедицыю и занять всю Ору и сделать траншею, а потом атаку, что кажется очень опасно.

22-го приехал Боровской майор[130] с деньгами из Главной армии и сказал, что князь Сергий Александрович Волконской лехко ранен и поехал из полку. Сказывал также, что французы очень расстроены и окружены близ Дрездена и уже терпят голод.

24-го был я на бале у герцога, у нево часто по вечерам дамы и танцуют. Гедеонова поет (племянница Шишкина). Герцог говорил со мною о прошении к государю, дабы назначить ево главноначальствующим пяти ополчений, и я уже написал письмо.

25-го, поутру, объявил мне Голубков, что в ночь полковник Мих. Михайл. Светчин умер. Я после обеда был у ево жены в селении Мигау, она очень жалка. Начал я переформировку Тульского ополчения, уничтожа Егерской полк, а конно-артиллерийскую роту оставить только до окончания осады Данцыга. Генерал-майору Миллеру позволено отправиться домой, естли пожелает.

26-го написал я письмо к жене чрез Ададурова, не получая очень долгое время. Вечеру был я у герцога, где были дамы. Тут видил я приезжего инженер-полковника Монфреди, которого я видил при Бауцене, сказывали, что швецкой король умер и швецкой наследной принц Бернордот, может быть, должен будет ехать в Швецыю.

27-го числа были похороны Светчина с церемониею, я ездил в Оливу в монастырь, был у бискупа их принца Гогенцолерна, он молодой еще человек и родня прускому королю, потом был при отпевании, ево похоронили в самой церкви по правую руку, сняв пол, целое ополчение желело сего достойного человека.

28-го была сделана експедицыя на Ору и ближайшее предместие, двумя колоннами, а я ездил в Лонфурт и Пициендорф на батарею, ужинал у Беклемишева[131] в Мигау, откуда смотрел всю канонаду, наши зажгли в Данцыге и продолжали всю ночь бомбандировать город. Послал я представление о назначении в 3-й полк начальником Аксакова[132]. Повез в ночь старшей Бетхер все представления о награждениях за сражения 17-го, 21-го и морское дело. Я в ночь воротился, а герцог поутру 29-го приехал, експедицыя была очень неудачна, и не токмо Шотгейзер не взяли, но много потеряли. Полковник Богаевской 3-го Егерского полка убит, многие ранены, и потеря велика до 1000, а более прусаки, кои были в колонне графа Донна[133], сделали в ночь батареи и траншеи на высоте, а Ору сожгли. Герцог не знает многова, ему не сказывают ни что происходит, ни сколько потери, а он сам очень далеко ездит от дела или сидит на месте.

30-го вечер был у герцога на бале, написал еще письмо к жене чрез Ададурова, а в ночь канонада продолжалась с наших батарей.

1-го были похороны полковника Богаевскова, я и герцог были в Оливе в монастыре. Сей Богаевской один сын был у отца и видно любим был офицерами всеми. Вечеру неприятель атаковал Шотгейзер и наши траншеи там, но был отбит. Вечеру был я у герцога с князем Львовым, которой у меня уже и ночевал.

Октябрь

2-го нещастная Светчина ездила в Оливу на гроб мужа ее и заезжала ко мне. Я ее уговаривал беречь себя, ибо она от горести не ест ничево и не принимает никаких лекарств. Написал я письмо к государю, коим просят ополчения герцога себе в главноначальствующие, сего ему очень хочется.

3-го послал я Терскова[134] развести по начальникам ополчений, чтобы они подписали сию бумагу. Вечеру был я на бале у герцога. 3-го отдал герцог по войскам приказ, коим он меня благодарит за исправное и деятельное командование по его болезни, от коей, чувствуя облегчение, предписывает относится по прежнему прямо к нему, а мне поручает и просит, быть инспектором всей пехоты. Генерал-майора Вельяминова хочет он употребить в должности дежурного генерала. Сей Вельяминов[135] был ранен и еще не совсем излечился, 4-го был у меня поутру. Около 12 часов пополудни началась сильная канонада с батарей. Беспорядочное командование герцога и множество запутанности по войскам затрудняли токмо меня во всех частях, и потому я очень доволен, что избавился хлопот сего командования и развязался с ними без неприятности.

5-го герцог отдал в приказе, что генерал-майор Вельяминов должен быть у нево дежурным генералом. Зовут ево Иван Александрович. Вечеру был я на бале у герцога, дам нескольких опрокинули в коляске, ушибли и вывалили в грязь. Мы много говорили об осаде, положено вести аттаку на Бишовсберг, то есть от Оры на правый фланг Данцыга потому, что гора сия выше, а Гогельсберг на левой стороне за Цыганиенбергом и ниже, укрепления же сильныя и мины, полагают, на обеих горах. Беспорядок в продовольствии до того увеличивается недостатком подвод и худобою лошадей, что опасно, чтобы люди и лошади не терпели скоро голоду. Герцог запутал всех своим беспорядочным командованием.

6-го поутру князь Львов последний подписал и прислал ко мне прошение государю от 5-ти ополчений, коим просят о назначении герцога главноначальствующим сих ополчений. Я ездил на правой фланг за шенфельд смотреть новую батарею нашу близь Шотенгейзера, с нее опускали конгревские ракеты, но ни одна не долетала, бомбардировали город, но не зажгли нигде. Хотели же зажечь магазейны, ветер был пресильной. Обедал я у Ададурова в Санпагине, оттуда заезжал к Светчиной и приехал домой вечеру, и было очень темно.

7-го поутру был я у герцога, представил к нему приехавшего из Главной армии полковника Афросимова[136], потом был у герцога род совету, как начать осаду и брать ли Юденбергские редуты штурмом или апрошами. Вечеру получил я письмо от жены, но еще от августа. Канонада была сильная, так что окна треслись все и Данцыг зажгли в разных местах. 7-го поутру подал я герцогу прошение к государю, подписанное всеми пятью начальниками ополчений, чем он был безмерно обрадован.

8-го был я вечеру у герцога, были дамы, и мы играли в разные игры. Пожар в Данцыге продолжался, уверяют, что сгорело несколько магазейнов и много побито народа. Генерал-майор Вельяминов назначен начальником Главного штабу, видно, что герцог почувствовал или сказали ему невозможность быть ему дежурным генералом.

9-го числа поутру узнал я о большом производстве генералов 15-го сентября. 64 генерал-майора и 12 в генерал-лейтенанты пожаловано. Вечеру, около 8 часов, пришли ко мне все полковые начальники Тульскаго ополчения и просили у меня позволения поднести мне шпагу от лица всего благороднаго общества, служащаго в ополчении, я за честь их благодарил и принял с чувством признательности сей знак их благорасположения ко мне. Они, не довольствуясь сим, даже хотят писать к предводителю их Тульскому, пригласить и тамошнее дворянство участвовать с нами и благодарить меня за командование. Таковая честь весьма для меня лестна, я приемлю сие Божиею Милостию, ибо он преподал мне способы им быть полезну и ими любиму.

10-го числа ушол к нам целой пикет Данцыгского гарнизона, 20-ть человек с барабанщиком, офицера же они не могли уговорить, и ево убили.

11-го послал я Светчиной открытой лист за подписанием герцога, также и офицеру, которого отправлял с нею, ему я дал пашпорт. После обеда ушли к нам два офицера из Данцыгского гарнизона, из немцов, сказывают, что неприятель доходит до крайности.

12-го получено известие из Главной армии, что была генеральная атака со всех сторон на неприятеля и что он разбит и ретируется, подробности же еще не известны. Светчина Анна Андреевна отправилась в Россию.

14-го был я на бале у герцога, и подтверждается слух о разбитии французской армии.

16-го поехал в Петербург адьютант герцога Теплов[137], с коим я писал к жене. Осада наша идет очень медленно, и 1-я параллель еще не сделана, положено ей быть против Бишовсберга на правом фланге. Посылал герцог парлемантера к Раппу[138], но он ево не принял и в нево стреляли, хотели известить ево о разбитии армии французской при Лейпцихе. Я переехал на новую кватеру в Штрис близь Ланфурта, где и ночевал.

18-го числа отрядной командир майор Жиркевич рапортовал меня, что к форвасеру пришло двухмачтовое судно, хотя еще несколько судов нашего флота и были при Данцыге, со всем тем неприятель получал пособие. День был прекрасной, и я смотрел долго в подзорную трубку, но не ожидал, чтоб то было неприятельское судно. Всего страннее то, что сие судно было нанято и послано из Пилау к нам с овсом, и шкипор, поровняясь с Данцыгом, поворотил к неприятелю. Уверяют, что будто судно нечаянно зашло и ничево не было, кроме соли и масла.

20-го герцог препоручил мне изыскать, кто виновен в пропуске судна, я требовал от Ив. Александровича Вельяминова прислать начальника судов. Он отвечает, что было 5-ть судов под командою капитана 2-го ранга Тулубеева[139]. В ночь наши брали шанцы и предместие и уже заняли, но неприятель на рассвете опять выбил, много потеряли людей, и 21-го снова брали те же шанцы и уже удержали. Я ездил в Мигау, нашел там герцога и с ним пробыл долго ночью у огня. Перестрелка еще продолжалась во всю ночь и сильная канонада. Тульского ополчения почти все люди в работе, а остальные до 500 пошли в резерв, к полковнику Пейкеру[140]. Сказывают, что Наполеон разбит совершенно и ретируется к Рейну, ево преследуют и взяли маршала Нея, названного князем Москвы. За сию победу, говорят, пожаловано два фельдмаршала Бениксон и Барклай-де-Толли.

23-го генерал-майор Трескин взял шанцы при Цыганненберге, а 24-го вечеру приехал я к герцогу. Он встревожен очень, получа Дедюлина рапорт, коим извещает, что двоя драгун донесли ему, будто Янельна отряд на Нерунге весь взят неприятелем, которой будто высадил много пехоты с моря им в тыл. Я сему не верил и старался успокаивать герцога, но он решился посылать туда войски, но вскоре привели дезертировавшаго французского офицера, которой уверял, что ничево важного у них не происходило, что гарнизон в самом худом положении и что сгорели у них магазейны, и Рапп встревожен, а гарнизон весь не более 8 т. и уже желают сдаться, потом получен рапорт от полковника Энельна и вскоре показались ево ракеты и он начал действовать с Нерунга, но потом узнали, что действительно неприятель в лодках подъехал с тылу на Нерунге и сжег несколько домов и встревожил много.

25-го послан был парлемантер с письмом, которова после многих затруднений приняли, взяли от нево письмо и 26-го прислал Рапп ответ, в котором очень учтиво отвечает и пишит, что успехи оружия зависят от щастия и переменчивы, просит уведомления и, по-видимому, есть наклонность сдать город Данцыг. Ужинал я у герцога и видил приехавшего из Главной армии Бетхера, которой сказывал, что французы совершенно разбиты, Наполеон уехал в Париж, что там бунты начинаются, а наши все в радости и празднуют победы, что поляки уже от французов отходят, у нас Бениксон и Барклай-де-Толли пожалованы только графами, а не фельдмаршалами, хотя о сем и за верное нас уверяли.

28-го ездил я на правой фланг в Воненберг, обедал у Левиза Федора Федоровича[141] и с ним ездил на гору, прозываемую Козансберг, с которой видны наши траншеи противу Бишовсберга и противу форт Кафореми и Леклер по флангам тоже. Еще редуты их не взяты, Иуденшанец и прочее и наши паралели не вооружены. Переписка же с Раппом у герцога продолжается, пустая, и он очень учтиво ему отказывает сдать крепость. В военном журнале за сентябрь я читал с большим удовольствием похвалу Тульскому ополчению за сражение 17-го и 21 августа здесь при Данцыге.

29-го вечеру был я у герцога, он читал мне свое письмо к Раппу, коим предлагает сдачу, и пишет, будто взят Корсер, которое от нево было послано в Визмор с депешами; также будто государь приказывает ево и офицеров всех послать в Пензенскую и Оренбургскую губернию, а людей в Томск, естли при сдаче у нево будет менее 25 дней продовольствия. Весьма странное ево письмо и даже явно лживое кажется, не решит Раппа сдать Данцыг. Желательно знать, что будут отвечать ему.

30-го ужинал я у герцога, он вечеру получил ответ от генерала Раппа, коим сознает, что судно отправил, но что по депешам ничево верного не узнает, что до сдачи Данцыга еще не время, а когда должно, тогда он предложение сделает. Теперь же желает отправить курьера к Наполеону, и естли о сем нужно условится, то он пришлет генерала в Лонфурт о сем переговорить, уверяет при том, что Данцыгской гарнизон никакова постыдного предложения о сдаче не примет. Между тем они выбрали самых твердых и отчаянных людей и составили команду до 300 человек, назвали их les invulnerable или infernale, на них шапки, похожие на наших, и с ними бросаются каждую ночь, были на Нерунге, около Калибии, и по слухам собираются в Оливу герцога захватить, однако же их везде отбивают.

31-го писал я письмо к жене, к графу Пушкину, князю Николаю Сергеевичу и брату Соловову и послал чрез Василья Вас. Ададурова. Герцог писал к Раппу и предлагал ему прислать генерала для переговору, как уже и он просил под предлогом будто для отправления курьера к Наполеону.

Ноябрь

1-го числа в 4 часа пополудни было положено, чтобы французский генерал приехал в Лонфурт, но ево ждали и он не бывал, а 2-го в то же время приехал генерал Гюделе и полковник Ришемон[142], переговаривали с Вельяминовым, но герцог, сидя в другой комнате, не утерпел и сам взошел и с ними говорил, предлагал решительно о сдаче города. Я у герцога ужинал, и долго говорили. Траншею вооружают и 4-го начнут бомбандирование. В ночь на 5-е число неприятель аттаковал нашу батарею в Лонфуре и с лестницами бросились, имея в резерве колонну, но Бог помог, отбили и на батареи нескольких закололи, которые успели вскочить. Канонада с траншей началась и беспрестанно у нас везде продолжается. По известиям наша армия уже во Франкфорте и 120 т. союзных войск пошли за Рейн и взошли во Францию, также и англичане с гишпанцами.

6-го и 7-го в ночь наши тревожили неприятеля из Лонфурта и подходили к их батареям, но нашли их во всей осторожности.

8-го получил я письмо от жены от 11-го октября, последнее, и к ней писал.

9-го писал я к губернатору Сиверсу в Митаве о моей аренде. Паралель наша действует, но мало, везде анфалирована с левого флангу и много теряет людей. Переговоры несколько дней уже прекратились, а слышно, что Рапп ломает стволы ружей в арсенале, говорят также, будто подводит мины и хочет взорвать часть Данцыгских укреплений и вестерминд. Канонада жестокая продолжается из 5-и пудовых мортир, а ядер даже свист слышен от меня, так близко батареи.

11-го подал я герцогу рапорт за подписанием всех полковых и баталионных начальников Тульского ополчения, коим просят высочайшаго позволения поднести мне шпагу, алмазами украшенную с приличною надписью. Рапорт сей к герцогу от 8-го за № 131-м он принял с большим участием и хотел с курьером представить. Таковое доказательство любви и признательности дворянства для меня весьма лестно; я благодарю Бога за сие, поелику всякой дар и всякое благое нисходит от его милосердия.

12-го поутру приехал генерал от инфантерии Фенш[143] из резервной армии от князя Лобанова, которого он не старее, то ево сюда прислали к герцогу. Я был у нево после обеда, но он ничево важного не знает о военных обстоятельствах.

13-го поутру были присланы от Раппа генерал Hudelet и полковник Richemon, с ними герцог долго говорил в Лонфуре и предлагал сдать крепость 12-го декабря, с позволением им вывести 600 человек вооруженных и 2 пушки, протчим возвратиться и не служить всю войну, требовал залогу вестерминт и вестроплат, но они предлагали сдаться 1-го генваря и дать цыганненбергския редуты, пока продолжается перемирие. Для нас же нужно иметь вестроплат, дабы датчане не могли прислать к ним продовольствие. Уведомились мы, что Штетин сдался военнопленными.

15-го опять приехали комисары из Данцыга, и я был тут же с герцогом, Вельяминов, Бороздин[144], полковник Монфреди и Пулет, и долго толковали о сдаче крепости, и уже вечеру, пообедавши в Лонфуре, разъехались.

16-го ездили к ним наши комисары сии четыре и возвратились уже после ужина к герцогу. Мы с Феншем были у нево и их ожидали, но ничево решительного не сделали, они сильно противятся в капитуляции поместить, что из уважения к государю нашему сдаются к его рождению к 12-му декабря и еще многие делают затруднения в словах быть пленными, и потому герцог, просмотря их предложения, посылает к ним завтре опять для переговоров. Он предлагал меня послать к государю с сдачею Данцыга и спрашивал, желаю ли я. 16-го поутру, после молебна герцог раздавал ленты солдатам для Георгиевских знаков, Тульскому моему ополчению дано 36 знаков.

17-го опять ездили наши комисары в Данцыг и возвратились к ужину, я был у герцога, привезли от Раппа подписанную капитуляцыю ево полномочными, а наши переменили некоторые слова, главные же пункты остались прежние. Герцог был очень доволен и 18-го поутру подписал сам капитуляцыю и послал к Раппу, он также скрепил и прислал. Поутру наши войски заняли Форвасер и вестроплат, кругшанец и цыганненбергския редуты, с несколькими пушками. Известие о сдаче Данцыга всех чрезвычайно обрадовало, а особенно бедных жителей. Я писал письмо с Салтыковым[145], он поехал в Петербург, с ним послал и 3 полукуска полотна Хитровой, заплатил 25 червонцов. Долго был я у герцога, говорил с ним о сдаче Данцыга, он предлагал мне оставаться начальником в Данцыге, я полагал, что он оставит Фенша. Пристойно не мог я от сего отказаться, место отличное и весьма выгодное. Тут узнал я, что жители жаловались на герцога, что он бомбардирует город и сожигает, о сем ево спрашивали от государя, начинщик сего и сочинял сию просьбу аглинской полковник.

19-го вечеру отправил я Голубкова в Тулу, с ним писал к жене и ко многим. Полковые начальники послали письмо к губернскому предводителю В. Ив. Похвосневу и уведомили ево, что дворянство Тульского ополчения подносят мне шпагу и предлагают им принять участие. Писал я также в армию князю Петр. Михайловичу, туда послан Бетхер меньшой с известием о сдаче Данцыга. С ним же посланы и представления прежние и просьба Тульского ополчения о позволении поднести мне шпагу. Писал также герцог и за прежние дела мне представил 2-го Владимира, а теперь за покорение Данцыга Александровские ордена просил мне, Левизу и Бороздину, ево же и пошлет с ключами, потому что я отказался.

20-го была пальба в Данцыге, для коронацыи Наполеона, о чем нас уведомили. Был также бал у герцога, меня звали, но я не был. Здесь наши ассигнацыи променивают по 27-ми таллеров на 100, а в Кенисберге более гораздо.

24-го прислан был курьер от государя к герцогу, и с ним предписывают, чтобы в случае капитуляцыи не позволять Данцыгскому горнизону иного договора, как пленными в Россию, но герцог писал, что капитуляцыя уже заключена и сего переменить нельзя.

26-го в день Георгия был у герцога молебен, и я был, все нижние чины, как получили знаки военного ордена; у меня обедали моего Тульского ополчения. Герцог мне тут читал свой ответ касательно капитуляцыи в ответ, чтобы не соглашаться инако, как взять весь Данцыгский гарнизон военнопленными и чтобы отослать в Россию. С сим послан и генерал-майор Турчанинов для объяснения недостатков для осады и всех притчин. Я представил атъютанта моего прапорщика князя Павла Борисовича Голицына[146] перевести лейб-гвардии в Преображенский полк.

23-го поссорились у меня живущие майор Боровской и атъютант мой Рыдзевской и даже в моей квартере подрались на саблях и поранили друг друга, за сие я послал Рыдзевского под арест на гобвахту, а Боровской еще лечился, и по выздоровлении накажу.

28-го поутру приезжал к герцогу Рапп, видно имел нужду с ним переговорить о сдаче Данцыга подробнее и условиться, каким образом выступать из крепости. По известиям еще портикулярным Голандия уже отложилась от Францыи и формирует свои войска, а французов выгнала.

29-го ездил я в предместие Ору, которая вся созжена нами и французами, так что ни единого дома целого не осталось. Объезжал я все передовые посты с генерал-лейтенантом Левизом и старался узнать, не продают ли в Данцыге продовольствия и потому призывал я к себе генерал-майора Черныша[147], обедал я у Ададурова в Вонеберге; снегу напало довольно и было около 10 град. морозу. Вечеру был у меня Андрей Семенович Фенш.

30-го для праздника Андрея Первозванного поутру был

молебен у герцога, и потом мы все ходили смотреть баварские войска, которыя вышли из Данцыга, их до 300 человек, люди хороши и довольно свежи, но видно, мало учены. Они отошли от союза с французами и перешли к нам. Вечеру был у герцога бал, нетерпеливо ожидали мы ответу, доволен ли будет государь капитуляцыею и кому куда итти.

Декабрь
1-го выпущены из Данцыга Саксонцы и Виртенберцы, коих до 400 человек. Они все очень хорошо одеты и вооружены. Наши же напротив, терпят во всем недостаток, а паче ополчения. Ко мне прислали из виленской комиссии часть сапогов, портупей, сумм и подкладочного холста, а самонужнейшего сукны и рубахи не присланы, и люди полунагие, жалки видеть, а снег выпал и морозы начинаются.

2-го поутру герцог прислал за мною, я, приехав к нему, нашел, что он собрал совет, на коем были генералы Фенш, я, Бороздин, Левиз, Ададуров, Вельяминов, Манфреди, полковники Тульман и Соснин. Герцог предложил нам полученное им вторичное повеление государя, что естли бы и сделанно капитуляцыя с тем, чтоб отпустить Данцыгской гарнизон во Францыю, то прервать и непременно принудить их итти военнопленными в Россию. Мы рассуждали о сем и положили мнение, описав зимнее время, невозможность продолжать осадные работы, затруднение отвозить осадную артиллерию, недостаток войск и наготу ополчений и протчие притчины, решились ожидать ответу на сие и не прежде рушить капитуляцыю, как по выходе горнизона из крепости, естли настоятельно сие приказано будет. Мы сим занимались целой день, и уже я приехал в втором часу пополуночи.

4-го ужинал я у герцога и видел тут приехавшого из Главной армии генерал-майора квартирмейстерской части графа Местера. Он сказывал, что в Франкфурте очень весело и многолюдно и войски стоят на квартерах.

6-го был я поутру у герцога, для Николина дни был молебен, потом завтрикал я у имянинника Тульского ополчения у Аксакова, а вечеру поехал на бал к герцогу, приехав же, узнал я, что атъютант ево Бетхер, посыланной к государю, возвратился. С ним государь пишет, что не может он ратифировать капитуляцыи, потому что позволено французам возвратиться во Францыю, а теперь все немецкие владения уже к нам присоединились, то не должно давать способы усиливать и формировать войски Наполеону и чтобы рушить капитуляцыю и требовать все немецкие войска выпустить; естли Рапп не согласится, то оставить за собою укрепления к морю. Герцог очень был сим встревожен, показывал мне письмо государево и решился завтре созвать опять совет о сем предложить. Однако же был бал и мы все танцевали. Бетхер сказывал, что Главная армия двинулась и пошла в Швейцарию, а в Франкфорте останется только Блюхер и Бенигсен с корпусом. Говорят так же, что и князь Лобанов из Варшавы пошел к Одеру с армиею.

7-го поутру герцог созвал совет военной, мы были все те же, и еще был с нами пруской инженер-полковник Пулет, написали мнение в подтверждение прежнего и решились по настоятельному повелению государя прервать капитуляцыю, но сколь можно познее, дабы взять уж Венсельмюнд и Голм и, узнав о числе продовольствия в магазейнах, около 20-го числа объявить Раппу. Хотя и вероятно, что мы потеряли много и, может быть, он взорвет укрепления, но делать нечево. Герцог хотел тот час послать мнение совету к государю, прискорбно для всех, а паче народу возобновление действий. Герцогу же обиднее всех, что ево условие не исполнят.

9-го герцог и Фенш крестили у генерал-майора Каховского[148] дочь, и мы все у нево обедали. Многие уже по почте писали из Берлина, что капитуляцыя о Данцыге не разрешена и потому опасно, чтобы Рапп не узнал и не начал действия. Герцог объявил мне, чтобы принять 12-го ключи крепости, что по обстоятельствам неприятно, зная, что капитуляцыя рушится. Опять показалась оттепель, и зима почти сошла, и погода сделалась сырая.

10-го ужинал я у герцога, и он объявил нам, что уже решился прервать капитуляцыю, не брав 12-го ключи Данцыга и возвратить Раппу все взятые нами укрепления, кроме вестроплата, и требовать от нево все немецкие войска. Читал нам приготовленное письмо ево к Раппу, а нас звал завтре к себе обедать, дабы еще посоветоваться о сем. Поутру 10-го вывезли до 150-ти увечных французов из Данцыга, Esɭopé, но между ими много здоровых и, говорят, много денег.

11-го я обедал у герцога, подписали, чтобы вестроплат не отдавать. Письмо же к Раппу герцог решился послать завтре поутру.

12-го для рождения государя был молебен и парад. Посыланный с письмом к Раппу Гедеонов[149] воротился.

Он обещал отвечать, вечеру прислал письмо, в коем жестоко протестует на несдержание капитуляцыи и подтверждает, что он, со своей стороны, исполнит по ней и выйдет 1-го числа их штиля из Данцыга. На сие герцог писал к Раппу и отослал назат письмо ево, в коем непристойно относится нащет государя, утверждая, что капитуляцыя не может быть прервана, а не удержана обманом и что Францыя и Наполеон за то отомстит. За ужином получен рапорт, что крепость Вексельмюнд оставлена французами, форт Наполеон и Гольм по капитуляцыи, но герцог не велел ничево занимать, а требовать хочет и писал Раппу, чтобы он сам решился и подписал, что сдается военнопленным в Россию. Странное сие положение должно решиться, Рапп старается удерживать капитуляцыю, а герцог прервать, дабы себя не подвергнуть нареканию. Не менее наши войска везде во всей острожности и в готовности.

13-го герцог еще писал Раппу и предлагал прислать генерала, дабы с ним объяснится. Не менее французы ничево не занимают и даже часовые, воткнув штык в землю, стоят.

14-го послан был к Раппу Монфреди с письмом, и, наконец, обещали 15-го прислать генерала для переговору. Я был нездоров несколько и не выезжал, хотя герцог и приглашал меня к себе на переговоры с французским генералом. Но я узнал от Фенша, что много было шуму, но ничем не кончено. От нас ездили еще вечеру к Раппу Бороздин и Вельяминов. Странность нашева положения тем неприятнее, что даже люди терпят голод, а лошади от бескормицы умирают — подвод нет, а продовольствие получать далеко из Дершавы, до 50-ти верст, а распоряжения никакова не сделано.

16-го решительно было объявлено Раппу, что естли не подпишит капитуляцыи, то лишатся все собственности и отправят в Сибирь, а при том и военные действия начнут. Посему, наконец, они согласились подписать. Тем более, что они истребили снаряды, переломали ружья и не в силах уже защищатся. У них несогласие ужасно, даже до того, что в сумашедшой Конт. Шанбрюн взошел к ним в совет, разругал их, предлагал драться и пройти в Польшу, наконец от них уехал и взошел к герцогу, снял с себя крест Legion d'honneur и предлагал служить у нас.

Итак, 17-го подписал Рапп капитуляцыю другую и 18-го заняли вороты, взяты ключи и немецкие войска начали выступать. Герцог послал с донесением государю Бетхера, я с ним писал князю Петру Мих. Рапп обедал у герцога.

19-го герцог отправил с ключами Данцыга комергера Жеребцова, я с ним писал. Велено занимать квартеры в Данцыге, и я послал. Пруской король пишит герцогу, что государь уступил ему Данцыг и что он назначает губернатором генерала Масенбаха[150], а комендантом графа Донау, но до получения о сем от государя герцог назначает меня, а комендантом И. М. Рахманова[151]. Я ужинал у герцога и много говорили о параде вступления и церемонии на 21-е число, когда французы выступят из крепости и положат оружие, а 20-го поляки все выступили без церемонии. В приказе от герцога назначена церемония на завтрешнее выступление французов и я назначен губернатором Данцыга. Вечеру, будучи у герцога, видил я приехавшего из Кенисберга графа Сиверса, он получил уведомление, что молодая императрица выехала из Петербурга и едит чрез Кенисберг к водам. Многия полагают, что для свадьбы Пруского короля с Екатериной Павловной и увидиться с материю своею. Герцог мне поручил учредить войски при выступлении завтре из Данцыга и ими командовать.

21-го я учредил войски близь гласису Гагельбергских укреплений, а в 10 часов французы начали выступать, им отдали всю военную почесть, и они положили оружие на гласисе, сие место прозывается гробница Россиян, потому что Миних[152] был тут отбит от города и много тут похоронено людей. Потом вступили мы церемонияльно в крепость Данцых, при перьвых воротах встретил герцога сенат или магистрат. Говорили речь, и потом за Генторовыми воротами девушки говорили речь и поднесли ему венки. При магистрате поднесли ему знамя городовое и весь народ восклицал государя нашева и показывали радость. Повсюду окны были полны народа и улицы. Когда же войски все прошли, были мы у молебна нашево при пушечной пальбе, потом были в их церкви, где более похоже на театр и немало благоговения не приметно, и приехали на квартеру герцога около 6-ти часов. Обед был большой. За обедом мальчик говорил речь и венок поднес. Вечеру город был освещен и был театр Титово милосердие с прологом на случай нашева вступления. Я чрезмерно и устал и озяб, быв в одном мундире и верьхом долгое время. Наша осада и тем замечательна, что со времян Петра Великого русские не делали формальной осады. Часть города превращена в пепел, но в других улицах неприметно.

22-го я начал хлопотать о устранении порядку караулов

и собирать бродящих французов и больных. Странно, что пруской полковник граф Донау подписывается комендантом Данцыга и уже мешается в некоторые распоряжения, по незнанию мною немецкого языка очень неприятно командовать в Данцыге.

23-го ездил я по городу и в лазарет. Жалосное положение сих людей, даже есть нечево им, и множество по квартерам и шатающихся, коих велено собирать, словом, хлопот и беспокойства множество. Узнал я чрез Дмитр. Ив. Бибикова, что по деньгам князя Жевахова был ему запрос и он рапортовал, что взял контрибуцыю с Люблина и мне отдал. Сие известие крайне меня огорчило при выступлении французов при Раппе. Еще было 9 генералов, более тысячи офицеров и до 8 т. нижних чинов, знамен только четыре, а у поляков три орла. Французские же полки чуть были все не полные. 23-го вечеру приехал пруской генерал-лейтенант Масенбах и 24-го был у герцога, которой ево нехорошо принял и выговаривал за то, что граф Донау вмешивается в должность коменданта. Здесь Масенбах рассердился и начал писать ему разные придирки, находя неисправности и разорения от солдат в укреплениях. Я продолжал хлопотать и учреждал что возможно.

25-го для рождества Христова был большой порад и молебен у герцога. После обеда отдал я визит генералу Масенбаху и много с ним говорил, дабы помирить ево с герцогом, но он, кажется, расположен писать к королю, полагая, что ево не допускают до должности здешнего губернатора.

27-го ездил я смотреть мундирные магазейны и хлебопекарню, которая очень удобна. Потом был в Гаглесбергских укреплениях. Герцог послал в Главную армию своево атъютанта Петерсона[153] с знаменами и орлами взятыми, также писал с ним и о поступках пруских Масенбаха и Донау, как вмешиваются в распоряжения по Данцыгу.

28-го был большой бал от городу, я ездил с герцогом, но прусаков не было ни одного, они явно доказывают нам свои неудовольствия.

29-го мороз довольно сильной и снегу много напало. Я целой день пробыл у герцога и много с ним говорил о делах осады. Писал я много писем.

30-го был большой бал у герцога, и он уже собирался ехать в Мориенвердер встретить молодую императрицу. Приглашал меня с собою ехать. Герцог расписал все войски на две линии. 1-ю отдал Феншу, а 2-ую мне, войски же получили приказание итти в квартеры, но в продовольствии нуждаются очень. Роздано всем нашим и пруским войскам много амуницыи, найденной во Французских магазейнах.

1814-го года
Генварь

Призвав бога в помощь, начали мы год без всякого веселия обыкновенного. Я ужинал у герцога, а в городе был маскарад, но мы не были.

2-го поутру, позавтракав, мы поехали и ночевали в Диршове.

3-го приехали в Мориенвердер. Тут приехал для встречи императрицы пруской генерал и несколько камергеров.

4-го я ходил смотреть приготовленной дом и где будет жить княгиня А. М. Прозоровская[154]. Вечеру был бал, а 5 вечеру, в 8-м часов приехала императрица[155], с нею Нарышкин А. Львович и Голицын[156], принцесса Амалия[157], княгиня Прозоровская и Валуева[158], еще фрейлина, но оставалась еще назади. Провожал из Кенисберга пруской генерал Застрам, наш граф Сиверс и несколько камергеров. Сделаны были триумфальные ворота и всевозможная почесть. Город был освещен, 24 девицы встретили императрицу, усыпали цветами дорогу и говорили ей речь. Мы были представлены герцогом — Бороздин, Кулебакин, Греков и я. Вечеру был я у княгини Прозоровской и много с нею говорил и с Валуевою о жене и Мишиньке, они его видали в Петербурге.

6-го числа поутру в 7 часов императрица поехала далее, поговоря со всеми нами. После обеда и мы с герцогом поехали, он ночевал в Меве, а я проехал прямо в Диршову.

7-го поутру распорядил отправление амуницыи Тульскому ополчению в квартеры их к городку Беренду и отправился. Приехал же в Данцыг в 4 часа пополудни. По слухам здесь полагают, что уже трактуют о мире, а из армии известий никаких не было. Ужинал я у герцога. Пруской генерал Масенбах не токмо не прислал рапортов о караулов, но даже и по городам отказывали пропуски за нашим подписанием. Мы все сложились и сделали подписку на содержание неимущих пропитания, кои по улицам здесь умирали.

9-го умер пруской полковник граф Донау, оттого, что ошибкою дали ему выпить примочку. Слухи о мире продолжаются и что наши уже заняли Лион и уже близко Парижа наши партизаны. Получил я несколько писем от жены и писал по почте и с офицером Тульского ополчения Вершининым[159].

11-го был у герцога бал.

12-го было собрание Масонской ложи здесь, в коей был герцог и Фенш и другие из масонов. Афрасимова герцог хотел арестовать, но я остановил. Он просил меня об отпуске ево в отставку, и в огорчении своем как сумашедшей, будучи сам виноват, что по упрямству не захотел исполнить приказания провожать пленных французов в Россию.

13-го для тезоименинства императрицы Елисаветы Алексеевны был большой парад и 101 выстрел с Гаглесбергских укреплений.

14-го герцог получил из Петербурга от князя Горчакова, что ополчения распустятся, а Левизов корпус приформируется рекрутами. Вечеру был я с герцогом в театре, давали Jean d'Arc, а поутру 15-го были похороны графа Донау и я был на церемонии. Вечеру были в театре, давали комедию мужа, притворившего себя дураком, и потом исправил развратную жену — для морали хорошая пиеса. Получено партикулярное известие 16-го, что пруской генерал Блюхер имел сражение около Метца, что генерал Иорк[160] ранен и что ретировались в левой фланге к армии.

18-го был у герцога бал и я отдал письма Николеву и Феншу к жене в Петербург, они оба поехали 19-го поутру.

20-го приехал Жеребцов, посыланной к государю с ключами Данцыга. Сказывал, что был милостиво принят. Герцогу даны деревни в Белорусии и шпага с лаврами и надписью «За Данцыг». Ополчения отпускаются по домам, и надеется, что все представления герцога выйдут. Бетхер же пожалован полковником и уже едит. Жеребцов сказывал мне, что я получил позволение принять шпагу от ополчения и благоволение за Шотенгейзер, что и нам будут рескрипты, благодаря дворянство, служившее в ополчениях, при распущении их по домам, о чем уже он говорил с Аракчеевым.

20-го давали бал офицеры Воронежского полка у Левиза на квартире, где я был. Рассказывал мне Монфреди, что небольшая саксонская крепосца Кенигштейн на кремнистом утесе, где даже есть селение и всевозможные удобности защититься от всякой армии, и никогда взята быть не может. Там хранятся все сокровища королевские. Примечательна сия крепость, посреди Европы одна непокорима. Поехав уже на бал, воротили герцога, потому что

Бетхер приехал от государя. С ним подтвердили то же, но письменно и сверх того, что Данцыг приказано отдать прусакам, чему многия будут очень недовольны. Уверяют также, что сближаемся к миру с Францыею. Герцог получил повеление отдать Данцыг прусакам, кроме оружия и трофеев, а ему позволено ехать на время в Петербург.

22-го предписал он мне сдать крепость прусакам, по приказам я видел, что мне, Бороздину и многим объявлено только благоволение, а за другие дела и совсем ничево не дано многим.

23-го прусаки заняли караулы во всей крепости, и начали им сдавать всю артиллерию. Едва они вступили на все укрепления, как сделался пожар в пороховом магазейне, но успели потушить, инако и город бы пострадал. Писал я к князю Репнину[161] в Дрезден и приложил реестр всей заказанной мною там посуды и просил ево понудить на фабрике поскорея сделать и отправить в Петербург. Написал я герцогу представление о медалях для ополчения по примеру милицыи 1807-го года, а князю Петру Мих. в напамятование государю о награждениях за осаду и все дела чиновникам. Герцог дал мне 8-мь медалей пруских для Тульского ополчения, из них одну дал я уряднику Симову.

25-го был у герцога последней бал, и он уже собирается ехать в Петербург. Слухи есть, что наши уже около Парижа и что скоро туда войдут.

28-го был у герцога молебен, потом, позавтрикав, он поехал в Петербург, оставя всю команду Андрею Семеновичу Феншу. Мы с ним простились и проводили за город. Обедали у Федора Федоровича Левиза.

29-го обедали у Бороздина, а 30-го у Миллера. Слухи продолжались о приближении наших к Парижу, а Наполеон отступил к Орлеану, но решительного известия нет о нашей армии.

31-го послан Фенш в Главную армию, я с ним писал к Селявину о шпаге.

Февраль

1-го обедал я у Фенша и ездил смотреть лутшую янтарную нитку, за которую просят 60-т червонных.

3-го обедал я у Левиза и тут согласился сделать пикник и катание за городом, чтобы встретить масленицу 7-го числа. 1-го я засвидетельствовал в дежурстве два верющие письма заложить мои углицкие деревни и на получение

Мальтийской командории. 3-го купил я 60 локтей волосеной материи для мебелей, заплатил 36 серебром, щитая рубль в 55 Диток.

6-го получено сведение, что поблизости Парижа Наполеон разбит сильно.

7-го прусаки поставили в Данцыге свои правительства, и был у них парад. Мы были приглашены в ратушу, где читали постановление чиновникам. После параду съехались мы у Левиза. Я с Гедеоновой и Шишкиной, и потом все в санях поехали на пикник в нейфорвасер. Бороздин не захотел быть с нами, а желал дать празник во вторник на 1-ой неделе великаго поста, но я и многие наши не согласились и дали празник 7-го, хотя метель была очень сильная, и дам было мало, но Масенбах и прусаки были многие, танцовали и был фееерверк.

8-го был званой обед у Масенбаха, но я не поехал, потом театр с прологом и пели стихи в честь прускаго короля даже в портерах, хотя вообще здесь жители недовольны, что их отдали прусакам. 8-го поехал генерал-майор Монфреди в Петербург, я с ним писал и послал волосеную материю.

11-го был довольно сильной мороз, около 20 градусов. По известиям главная квартера трех государей в Troyes близь Парижа, и уже неприятель потерял до 200 орудий и 28 т. пленных, наши идут на Париж и преследуют бегущих.

14-го был я на концерте у генерала Бороздина.

15-го вечеру приехал посыланной от герцога атъютант Петерсон, но к удивлению всех ничево не привез из армии.

16-го был я вечер у Фенша, где была музыка и пела Гедеонова.

17-го приехал курьер и привез высочайшие повеления всем командующим ополчениям о распущении ополчений по домам.

От 22-го генваря из Франции Виндевр; Фенш утвержден командующим здесь войск. Под ним корпусным генерал-лейтенант Бороздин, а дивизионным Левиз, а мне, Кулебакину и Вельяминову велено отправиться в Варшаву к резервной армии в команду князя Лобанова для употребления на службу. Я написал письмо о сем к жене, а 18-го тот же курьер атъютант князя Репнина отправился к герцогу в Петербург, и я с ним писал еще о сем к жене, что к прискорбию моему не могу с нею увидиться скоро.

19-го Фенш прислал ко мне предписание об отправлении моем в Варшаву и чтобы я сдал Тульское ополчение полковнику Бобрищеву-Пушкину Сергею Павловичу[162], он и сам приехал. Я купил сукна послать жене для людей 4-е половинки по $1^1/_2$ таллера, полагая таллер в 90 копеек серебром.

20-го был я вечеру у Яковлева[163], а 21-го у Бестужева, приготовлял бумаги и собирался ехать, а ополчения остались на тех же квартерах, до выступления в поход. Все они очень обрадованы, что возвращаются по домам. Пришло известие, что около Fonténébleau все союзные войски соединились и готовятся к решительной баталии. Говорят также, что будто турки начали действия против цесарцов и что часть резервной армии идет в Молдавию.

23-го приехал Фенш из Петербурга, привез мне от жены письмы и ее портрет очень похожей, прислала она деньги Глебову, Кожиным[164], Малышкину и Ахматову, всего 3900 р., кои я отдал Глебову для доставления всем. Сего же дня приехал фельдгерь с повелением от государя Феншу, перевести обе дивизии, 6-ю и 25-ю, формироваться в герцогство Варшавское и быть им в команде князя Лобанова, а о герцоге и об нем ничево не сказано. Он у меня был и очень затрудняется, что делать. Вечеру отправился курьер князя Горчакова в Петербург, я с ним писал к жене и послал графине Пушкиной сукна целую половину, заплатил $141^3/_4$ р. ассигнацыями, всего 27 локтей, полагая с небольшим $^3/_4$ ея в локте. Фельдгерь сказывал мне, от князя Лобанова, что он приглашает меня скорее к нему приезжать в Варшаву.

24-го сказывал мне Кулебакин, будто меня назначили начальником Главного штабу в резервную армию князя Лобанова. Я купил разных левантинов мериносовых платков и янтарных ниток, из коих за одну заплатил 300 р., и все вещи послал 25-го к жене с фельдгерем. Потом еще купил казимиру лент и чулок послать с Эмме[165]. Начали говорить, будто наши потеряли много около Парижа и ретируются, а что турки будто уже начали действия противу цесарцов и наши войски пойдут в Молдавию. Сию зиму снега необыкновенные, и здесь еще зима продолжается сверх ожидания всех. Прусаки до того сделались дерзки и явно ненависны к нашим, что вседневные истории делаются в городе, даже берут собственных людей под караул, не дав знать никому.

26-го был я вечер у Фенша, был маленькой концерт. Он объявил мне, что ему предложено остатся на службе в армии князя Лобанова. Рекруцкия партии начали приходить сюда, но очень много убылых, более пятой части людей оставлены от Риги сюда. Начали мне ставить на сани все екипажи, снега же превеликие и дороги дурны.

Последние покупки я все сделал для жены и всево посылаю к ней на 2530 1/2 р. ассигнаций. По замечанию чувствовал я начало подагры в большом пальце правой ноги, что и продолжалось более месяца. Купил я себе два янтарных чубука, заплатил 200 р. ассигнаций и еще заказал.

27-го приготовил я все мои посылки к жене для отправления с Алексеем Федоровичем Эмме.

28-го приехали Сергей Павлович Бобрищев-Пушкин и Дмитрий Семенович Владычин[166]. Пушкин начал от меня принимать все дела по ополчению. Я им отдал последний прощальный приказ мой. 25-го числа, купив разных вейновых водок по 1 1/2 таллера полуштоф, а хлебные по 1-му таллеру по ассигнацыи таллер 3 р. 60 копеек, я взял 48 полуштофов, половину послал в Андреевское с Александрою. Ежедневно были метели и снега пресильные, дивизии здешние, 6-я и 25-я, готовились к выступлению. Вечеру 28-го была у меня всенощная.

В. В. ВЯЗЕМСКИЙ

Князь Василий Васильевич Вяземский родился в 1775 г. Он происходил из Рюриковичей, но принадлежал к одной из таких ветвей рода Вяземских, которая к княжескому титулу не добавила ни богатства, ни связей при дворе, ни сколько-нибудь видного положения. Отец Василия Васильевича дослужился только до чина надворного советника (7-й класс по Табели о рангах) и оставил детям две деревеньки с 75-ю душами крепостных. Рано осиротевший и отданный на попечение старшей сестры и ее мужа, Вяземский в 11 лет был записан в лейб-гвардии Преображенский полк сержантом, а с 15 лет началась его служба. Естественный для молодого дворянина из небогатой семьи в XVIII—XIX вв. путь военной карьеры совпал с личными наклонностями Вяземского, который писал о себе так: «С самых малых лет чувствовал я чрезвычайную страсть к военной службе. В детских летах всякой ребенок чувствует некоторую как бы склонность: он беспрестанно играет ружьем, барабаном, палочками,— но сие происходит от игрушек, а входя в лета страсть его уже обнаруживается, у иных — к торговле, у иных — к художеству. Но я, вступивши в службу, счел себя совершенно благополучным...»*

В 1792 г. 17-летний Вяземский в качестве ординарца, а затем и одного из адъютантов А. В. Суворова совершает свои первые походы, привыкая к тяготам кочевой жизни, которую ему суждено было отныне вести до конца дней. «В декабре 1792 года открыл мне путь к щастью Герой Суворов,— вспоминал Вяземский.—<Он> был тогда генерал-аншефом, и подполковник Преображенского полка потребовал ему 2-х ординарцев. Спросили охотников — явилось их мало, ибо разглашено по гвардии было о странности жизни сего Героя, а особливо, когда надобно было оставить роскошную столицу и ехать в степи. Назначенные двое заболели, потом другие двое, не вынеся трудов,

---

* ОР ГБЛ, ф. 178, № 9848, л. 3.

просились опять в полк. Тогда бедный дворянин Страхов и я искали быть ординарцами. Нас приняли»*.

Находясь при Суворове, Вяземский получил боевое крещение в Польском походе 1794 г., участвовал в штурме и взятии Варшавы. Указом Екатерины II он «за отличность противу мятежников польских», как было сказано в рескрипте, был повышен в звании на два чина против обычного производства, став премьер-майором (звание это приблизительно соответствует нынешнему подполковнику; правда, в соответствии с принятыми правилами, повышение на два чина связывалось также с переходом из привилегированного гвардейского полка в армию, являясь своеобразной компенсацией).

Служба в армии вначале пошла вполне успешно. К 1803 г. Вяземский уже командует 13-м егерским полком; в этом же году 28-летний полковник получает генерал-майорский чин. Вместе со своим полком он отправляется в 1804 г. морем из Одессы в Ионическую республику, на остров Корфу, где в то время концентрируются значительные русские силы. Здесь, командуя авангардом войск Третьей антифранцузской коалиции, Вяземский совершает поход в Неаполитанское королевство. Это была бескровная операция, больше напоминающая увеселительную прогулку по прекрасной Италии; однако, после прибытия в воды Адриатики эскадры адмирала Д. Н. Сенявина, события приобретают иной оборот. Вяземский некоторое время исполнял обязанности главнокомандующего всеми приданными эскадре сухопутными силами и принимал участие во всех крупных сражениях, ключевым из которых явилась битва под Новой Рагузой (современный Дубровник в Югославии), когда русские егеря, соединенные с отрядами черногорских добровольцев, наголову разбили превосходящие силы французского генерала Лористона.

Однако военные успехи русского оружия не были закреплены, ибо после Аустерлицкого поражения Александр I, согласно условиям Тильзитского мира, вынужден был отказаться от всех блестящих побед в Адриатике. Эскадра Сенявина ушла морем, а сухопутные войска, в том числе и полк Вяземского, были эвакуированы с Адриатического побережья и из Ионической республики. Вновь находясь в составе авангарда, Вяземский пересек с юга на север весь Апеннинский полуостров, для того чтобы присоединиться со своим полком к Молдавской

* ОР ГБЛ, ф. 178, № 9848, л. 3 об.

армии и принять участие в русско-турецкой войне. Во время этого похода 1 декабря 1807 г. в итальянском городе Падуе Вяземскому довелось видеть Бонапарта и удостоиться 10-минутного разговора с императором Франции.

В марте 1812 г., в связи с концентрацией в Варшавском герцогстве крупных соединений французских и австрийских войск, часть Молдавской армии, в том числе и егерский полк Вяземского, были переброшены на Волынь. Здесь из этих частей была сформирована 3-я Западная армия под командованием А. П. Тормасова. Вяземский находился в ее составе, когда пришло известие о заключении мира с Оттоманской Портой. Здесь же, близ западных границ России и, по странному стечению обстоятельств, в тех же местах, где он когда-то, находясь рядом с Суворовым, принял участие в своих первых сражениях, Вяземский встретил начало Отечественной войны. В сентябре 1812 г. 3-я Западная армия объединилась с прибывшей для ее подкрепления с юга Дунайской армией, и общее командование принял адмирал П. В. Чичагов. Бои шли преимущественно с союзными Франции австрийскими войсками; когда же «Великая армия» Наполеона двинулась из Москвы к западным границам, преследуемая армией Кутузова, части 3-й Западной армии отрезали ей пути к отступлению. Русскими был взят Минск; после этого последним важным стратегическим пунктом на пути отступавшей французской армии перед рекой Березиной оставался город Борисов. К городу рвались с трех сторон французские части, союзные им польские легионы под командованием генерала Домбровского и авангард армии Чичагова. Борисов несколько раз переходил из рук в руки; сражение за город было последней крупной битвой Отечественной войны 1812 г. на территории России. Прозвучавшие впоследствии обвинения в адрес адмирала Чичагова, что он из-за своей нераспорядительности и нерешительности позволил большой части французской армии переправиться через Березину и уйти от преследования, ни в коей мере не могут умалить героизма русских войск при штурме Борисова. Вновь командуя авангардом, Вяземский был тяжело ранен. Около месяца провел он в лазарете. Спасти его жизнь не удалось, и 5 декабря 1812 г. Вяземский умер от полученных ранений.

Таков краткий очерк жизни 37-летнего генерала, участника нескольких войн, которые вела Россия на изломе XVIII и в начале XIX в. Однако по причинам, которые остаются до конца невыясненными, генерал-майор Вязем-ский — личность в русской военной истории почти совершенно неизвестная. Если в записках участников похода эскадры Д. Н. Сенявина (В. Б. Броневского, Г. М. Мельникова, П. П. Свиньина*) или же участников и историков русско-турецкой войны (таких, как генерала А. Ф. Ланжерона, А. И. Михайловского-Данилевского, А. Н. Петрова**) упоминания о Вяземском и его 13-м егерском полке еще встречаются, то в литературе о войне 1812 г. имя этого генерала можно найти лишь в сводных списках генералов 3-й Западной армии и в расписаниях войск — более о нем ни слова ни у современников событий, ни у позднейших историков.

Не попал портрет Вяземского и в «Военную галерею 1812 года». Напомним, что галерея была задумана как собрание портретов в с е х генералов, участвовавших в военных действиях в кампаниях 1812—1814 гг. Однако из-за несовершенной организации в списках, которые составлялись Генеральным штабом, были пропущены около 70 боевых генералов (большинство из них, подобно Вяземскому, воевали в армии Тормасова-Чичагова или же в ополченских частях). В середине прошлого века военный историк А. В. Висковатов составил перечень этих генералов. Числится там под № 28 и генерал Вяземский, о котором сказано «особенно отличился при штурме Борисовских укреплений», однако инициалы его не указаны. Недостаток, а вернее — почти полное отсутствие каких-либо конкретных сведений о В. В. Вяземском в справочной литературе послужило, по-видимому, причиной ошибки В. М. Глинки и А. В. Помарнацкого, которые, опубликовав список Висковатова в приложении к книге «Военная галерея Зимнего дворца», отождествили Вяземского с другим генерал-майором — Михаилом Серге-

---

* Б р о н е в с к и й В. Б. Записки морского офицера в продолжение кампании на Средиземном море под начальством вице-адмирала Д. Н. Сенявина от 1805 по 1810 гг.— Ч. 1—4.— Спб., 1836; М е л ь н и к о в Г. М. Дневные морские записки, веденные на корабле «Уриил» во время плавания в Средиземном море с эскадрою под начальством адмирала Сенявина.— Ч. 1—3.— Спб., 1872; С в и н ь и н П. П. Воспоминания на флоте.— Ч. 1—4.— Спб., 1818—1819.
** Русская старина.— 1908.— № 4.— С. 233; М и х а й л о в с к и й-Д а н и л е в с к и й А. И. Полн. собр. соч.— Т. 3: Описание Турецкой войны с 1806 по 1812 год.— Спб., 1849; П е т р о в А. Н. Война России с Турцией 1806—1812 гг.— Спб., 1887.

евичем Вяземским (1770—1848), хотя тот участия в Борисовском деле не принимал*.

Поэтому главным источником для воссоздания основных вех биографии В. В. Вяземского послужил его собственный «Журнал» — многотомный дневник, который велся князем с 1803 до ноября 1812 г.**, а также его формулярный список, позволивший уточнить датировку некоторых событий***.

«Журнал» Вяземского — это шесть переплетенных в кожу тетрадей общим объемом около 880 листов; пять тетрадей форматом в лист писчей бумаги, одна — в пол-листа. Записи сделаны черными чернилами на голубоватой или белой бумаге с водяными знаками, позволяющими датировать ее первым десятилетием XIX в.

Начав свой «Журнал» перед тем, как отправиться вместе с полком на остров Корфу, Вяземский предварил его несколькими страницами мемуарного характера, где в сжатом виде описал свою прежнюю жизнь, начало службы в Преображенском полку, Польский поход. В дальнейшем «Журнал» сопутствовал князю во всех его переездах и переходах. Записи часто делались в походной обстановке, кое-где на внутренней стороне переплета заметны следы от бывшей там когда-то плесени, некоторые страницы подпорчены водой, но в целом сохранился «Журнал» хорошо.

Очень скоро «Журнал», начатый как личный дневник, приобрел черты военно-походного журнала, т. е. документа, который Вяземский мог бы использовать и для своих служебных и командирских надобностей. На его страницах, наряду с зарисованными Вяземским экзотическими растениями, животными, изображениями развалин античных крепостей, появляются выполненные рукой писаря карты боевых действий и передвижений 13-го егерского полка; так же рукой писаря в «Журнал» вносятся копии приказов по армии, диспозиции войск и другой официальный материал.

Содержание «Журнала» весьма разнообразно. Записи Вяземского во многих случаях по-новому освещают известные из истории эпизоды, а иногда являются единственным источником информации о событиях, представляющих исторический интерес. В первую очередь это относится к

_____

* Г л и н к а В. М., Помарнацкий А. В. Военная галерея Зимнего дворца.— Л., 1981.— С. 233.
** ОР ГБЛ, ф. 178, № 9848—9853.
*** ЦГВИА СССР, ф. 489, оп. 1, д. 1707, л. 61.

описаниям сражений, участником которых был Вяземский. Важен «Журнал» и как источник для изучения мировоззрения того слоя русского общества, к которому принадлежал Вяземский. Читая его рассуждения о политических событиях, о Екатерине II и Павле I, об отношении к князю двора и лично Александра I, об Аракчееве, об иностранных монархиях и республиках, жизнь которых он наблюдает, вспоминаешь, что по своему возрасту, по своему кругу общения князь принадлежал к прототипам героев эпопеи «Война и мир». Таким образом, «Журналом» своеобразно корректируется наше восприятие эпохи сквозь призму знаменитого романа. Ведь до сих пор характеры, психология, внутренний мир, круг общественных и личных интересов людей, живших в то противоречивое, переходное время (образно названное Н. Я. Эйдельманом «гранью веков»), а также конкретные реалии войны 1812 года мы невольно соотносим с мироощущением героев грандиозного творения Толстого или же с описанными им батальными и мирными сценами.

Военные сюжеты — далеко не единственная тема, затронутая Вяземским в дневнике. На страницах «Журнала» отразились увлечения князя театром и оперой. Литературные интересы выразились в упоминании о чтении книг Гельвеция и Руссо. О культурном уровне Вяземского свидетельствует свободное владение французским и итальянским языками, знание латыни. В описании островов Ионического моря, впервые увиденных берегов Греции и Турции автор «Журнала» демонстрирует недурное знание древней истории и мифологии. Описано посещение Вяземским с группой офицеров монастыря Монте-Кассино, где им показали хранившуюся в особой комнате в специальной нише одну из мадонн кисти Рафаэля. Вяземский о своем впечатлении сказал так: «Встаньте, встаньте, все писатели с того света, встаньте! Вот вам пук перьев, опишите эту картину. Вы не беретесь? Ну, так мне ли же ее описывать». Рассказано на страницах «Журнала» и об осмотре развалин Помпеи, восхождении на Везувий и многом другом. Содержание «Журнала» и дополняющей его переписки Вяземского с женой (хранится в ОПИ ГИМ) было освещено в нашей статье в «Археографическом ежегоднике за 1981 год»*.

Можно остановиться на некоторых чертах психологиче-

---

* Шумихин С. В. Дневник (1803—1812) и письма генерал-майора В. В. Вяземского//Археографический ежегодник за 1981 год.— М., 1982.— С. 270—283.

ского портрета Вяземского, в чем-то очень характерных для того полного противоречий, переломного времени, когда он жил. С одной стороны — перед нами хорошо образованный человек, проявляющий в духе Вольтера и Монтескье известную широту взглядов. Например, католические священники и монахи именуются в «Журнале» не иначе, как тунеядцами, о коренных обитателях Корфу Вяземский пишет: «Чернь честна и благородна, дворяне без чести и характера, но обманывают наружным блеском и богачеством <...> правление замешано всегда в интригах и весьма угнетает народ». Князь задумывается о безнравственности войн вообще — рассуждения его по этому поводу достаточно необычны для боевого генерала. По-видимому, Вяземского любили солдаты и недолюбливало начальство — немало строк в дневнике Вяземский посвящает своему «гонению двором», резкой критике Александра I и других, менее высокопоставленных персон. С другой стороны, перед нами — почти «хрестоматийный» помещик конца XVIII — начала XIX в. Он может, например, находясь за тысячи километров от своих деревенек, решать, кого из крепостных пора женить, а кого следует отдать в рекруты. Вот примеры отправляемых старосте подмосковной деревни Кудаево распоряжений, по-военному названных «приказами»: «Вдовы умершей Аграфены сына Пимона предписываю женить на дочери Андреяна Иванова, девке Аксинье. Если не ближняя родня и поп будет венчать, то безоговорочно отдать, а если в родне и поп венчать не будет, тогда отослать девку в Климово за другого крестьянина, за кого там староста отдаст <...> Крестьянина Луку Иванова отдать в Москву на полгода в смирительный дом, а не исправится и там, то я найду места. Сына Василия Михайлова за чужой лесок высечь больно при всем мире, а с его отца взыскать 25 рублей за несмотрение за сыном и отдать сверх положенного тому, кто пойдет в рекруты, а если еще раз хоть щепку чужую возьмет, то отдать, не спрашивая меня, в солдаты <...>»

Изучая дневник Вяземского, можно высказать некоторые предположения по поводу того, отчего после смерти генерала постигло столь долгое официальное забвение. Возможно, что поводом к «гонениям» на Вяземского послужило крайне неудачное командование им колонной егерей при штурме турецкой крепости Браилов в ночь с 19 на 20 апреля 1809 г. Недостаточно подготовленный штурм окончился полной неудачей. Колонна, которой командовал Вяземский, сбилась с пути в темноте, попала в осадный ров и подверглась уничтожающему обстрелу со стороны осажденных турок. В полку Вяземского было потеряно убитыми и ранеными чуть ли не две трети — около 900 солдат и офицеров, и лишь сам Вяземский остался невредимым — по счастливой случайности он один из всего офицерского состава полка не был даже ранен. Всего же потери русской армии во время этой несчастной бойни составили более 2000 человек. В столицу полетели рапорты бездарного главнокомандующего А. А. Прозоровского, который должен был нести полную ответственность за неудачный штурм, но, «желая оправдать себя, клеветал на войска и обвинял подчиненных»*. Для расследования действий Вяземского и других начальников колонн была назначена специальная комиссия, которая не установила за ними какой-либо вины. Однако, зная злопамятность Александра I и опираясь на некоторые намеки в «Журнале», можно предположить, что эта военная неудача перечеркнула прошлые боевые заслуги Вяземского и темным пятном легла даже на его посмертную репутацию. Однако все это остается только предположениями, ибо формулярный список Вяземского, каких-либо официально зафиксированных следов опалы или наложенных на князя взысканий не сохранил.

Публикуемая часть «Журнала» относится к событиям Отечественной войны и занимает примерно половину последней тетради**. К сожалению, записи, которые делал Вяземский в 1812 г.— наиболее отрывочная и сухо-конспективная часть дневника. Записи эти по подробности описаний и живости изложения несравнимы, скажем, со страницами, посвященными жизни Вяземского в Неаполе. Но и в таком виде «Журнал» Вяземского остается ценным источником по истории Отечественной войны.

Исторически сложилось так, что боевые действия 3-й Западной армии изучены менее подробно, чем 1-й Западной (которой командовал Барклай-де-Толли, затем Кутузов) или 2-й Западной (под командованием П. И. Багратиона). В то же время 3-я Западная армия, ведя фланговые бои, оттянула на себя до 115 тысяч неприятельских войск и существенно влияла на общий ход войны. После того как 15 (27) июля 1812 г. у Кобрина был разбит

    * М. И. Кутузов: Сборник документов.— Т. 3.— М., 1952.— С. 182—185.
    ** ОР ГБЛ, ф. 178, № 9853, л. 90 об.— 118 об.

саксонский корпус под командованием Ж. Ренье (Вяземский описал это сражение в «Журнале»), основные действия развернулись против австрийского корпуса К. Шварценберга. Вяземский, очевидец и участник боевых действий, рассказывает в своем дневнике о бесконечном маневрировании войск по лесам и болотам западных областей; в то же время крупные прямые столкновения воюющих сторон были относительно редки. Марши изматывали русскую армию (как, вероятно, и противника) едва ли не больше, чем бои, стычки и атаки; в «Журнале» упоминаются и павшие лошади, и солдаты, умершие (!) на марше от усталости. То обстоятельство, что польское население областей, где проходили военные действия 3-й армии, преимущественно было настроено враждебно по отношению к царскому правительству, видя в Наполеоне своего освободителя, наложило на эти действия своеобразный отпечаток, который Вяземский не мог не заметить и по мере сил передал на страницах своего дневника.

Любопытные отклики Вяземского на действия Главного штаба и Кутузова (в частности, на тактику отступления и оставление Москвы французам), попытки политических и исторических прогнозов о судьбах России. Обращает на себя внимание оценка влияния Аракчеева на события 1812 г. и непосредственно на Александра I (оценка, разумеется, отрицательная, ибо в ненависти к временщику все слои общества были на редкость единодушны).

Как известно, ряд проблем и частных вопросов в истории Отечественной войны (вроде пожара Москвы) остаются еще недостаточно изученными либо запутанными. Можно сказать, что последняя крупная битва 1812 г. на территории России — штурм и взятие Борисова также исследована историками еще недостаточно. Известно, что командующий авангардом армии Чичагова генерал К. О. Ламберт был при штурме ранен; в авангарде находился и отряд Вяземского, однако свидетельств о том, что он принял командование, не осталось, хотя это надлежало сделать именно ему (может быть, был ранен тут же или даже раньше, чем Ламберт?). Борисов в конце концов был взят отрядом под командованием корпусного командира генерала графа А. Ф. Ланжерона. Последняя запись в «Журнале» рукой Вяземского сделана 8 ноября 1812 г.; ниже выставлено число «9», но записать что-нибудь под этим числом Вяземский уже не успел. С 22 ноября он находился в городе Минске в госпитале*; с начала декабря 1812 г. бумаги 13-го егерского полка подписывал новый командир генерал-майор Н. Н. Избаша**. Заведующий Отделом рукописей Государственной библиотеки СССР им. В. И. Ленина Г. П. Георгиевский в своей заметке о поступившем в Отдел «Журнале» указывал, что умер Вяземский 5 декабря 1812 г., однако, принимая эту дату как весьма близкую известным фактам, определить, чем же руководствовался Георгиевский, нам не удалось***.

«Журнал» Вяземского сохранялся после смерти автора в его семье. В нем имеются записи вдовы Вяземского Екатерины Григорьевны (урожденной Зенич), некролог друга Вяземского, генерал-лейтенанта И. В. Сабанеева (ум. 1829). Позднейшие карандашные пометки свидетельствуют о чтении «Журнала» одним из сыновей Вяземского — Василием.

В 1936 г. некто В. А. Мантейфель предложил Государственному литературному музею приобрести у него все шесть тетрадей «Журнала». Однако Гослитмузей от приобретения дневников Вяземского отказался, поскольку, как говорилось в протоколе оценочной комиссии, «...содержание записок очень сухо и касается, главным образом, военных событий». Спустя три года Мантейфель продал «Журнал» Отделу рукописей Государственной библиотеки СССР им. В. И. Ленина. В упомянутой заметке Г. П. Георгиевского под названием «Ценный документ военной истории» говорилось: «Лицо, через которое поступили в Отдел дневники, засвидетельствовало, что еще в прошлом столетии они были подарены его матери обедневшим помещиком кн. Василием Васильевичем Вяземским».

В. В. Вяземский — очевидно, тот самый сын Вяземского, который оставил свои пометы на полях и чистом листе дневника. Что касается Мантейфеля, то и на его счет можно высказать некоторые предположения.

Мантейфели — фамилия в русской военной истории небезызвестная. Генерал Иван Васильевич Мантейфель (1772—1813) был сослуживцем и знакомым Вяземского по Молдавской и 3-й Западной армии. О нем несколько

* См. формулярный список Вяземского — ЦГВИА СССР, ф. 489, оп. 1, д. 1707, л. 61.
** Там же.
*** Записки Отдела рукописей ГБЛ.— Вып. 6.— М., 1940.— С. 91.

раз упоминается в письмах Вяземского жене, хранящихся в ОПИ ГИМ*. Более того, одна из деревень, принадлежащих Мантейфелю, и деревенька Вяземского в Серпуховском уезде Московской губернии находились по соседству, в нескольких верстах друг от друга**. Так что не исключено, что «Журнал» Вяземского перешел в семью потомков его боевого товарища.

В помещенном ниже отрывке из «Журнала» Вяземского находятся два плана, выполненные карандашом и чернилами, по-видимому, опытной писарской рукой. При публикации эти планы, один из которых изображает расположение войск 3-й армии на 22 июня 1812 г., а второй — лагерь русских войск при Луцке, не воспроизводятся; их наличие отмечено в примечаниях.

«ЖУРНАЛ» 1812 г.

Июнь

1. Моя брегада по новому росписанию составлена из Козловского, Витебского пехотных полков и 13-го егерского.

2. Я получил орден Анны первой степени.

8 числа смотрел главнокомандующий мой полк и был доволен. Ни слова солдату перед войною, ни «здраствуй» офицеру перед тем, что он должен иттить пеш, терпеть нужду и несть голову. Э, Тормасов, ты, как видно, мирной главнокомандующий.

9-го. Мы извещены, что 1-я Западная армия збирается и что войски и гвардия, бывшие в окрестностях Вилны, пошли в Троки, а 2-я Западная перенесла свою квартиру в Волковыске.

10-го. Мы имели верное известие о заключении с турками мира. О! Как это хорошо в теперешний час. Австрийцы дали 30 т. Наполеону вспомогательного войска и объявили Галицийскою линию неутральною. Многие это хвалят. Что же тут доброго? Что богатая земля под рукой и будет снабжать припасами нашего неприятеля и под видом укомплектования тех 30 т. снабжать его войсками и оружием, а мы почитаем таковой неутралитет и не тронем запасного неприятелского магазейна? Странная политика.

---

* ОПИ ГИМ, ф. 257.
** Нистрем К. Указатель селений и жителей уездов Московской губернии.— М., 1852.— С. 269, 708.

На юг приехали адмиралы наши командовать сухопутными войсками. Один флот завезли в Англию, другой продали, третий гноят, а сухим путем собрались воевать[1]. Новые планы, прожекты. Тра-ла-ла-ла-ла, тра-ла-ла-ла-фан, тра-ла-ла-три-три-три-бр-бр-бр-бом!!! Чудаки, право, чудаки! Естли здесь хорошо, естли здесь удачно — не нужно таких планов, само по себе пойдет ретироваться. Диверсия, скажете, да какая же туда диверсия, где у него ближе запас войск, а от наших часть отнимается — ну, естли здесь худо? Что ж, эти прожекты оставить войски, как корабли? Тра-ла-ла-ла-ла-три-три-три-лилили-пуф!

11. Покуда что дворы делают, а я хорошо поживаю.— Здесь частые и проливные дожди.

12-го. Встал рано и объехал приятный Мизочь.

14-го. Получил повеление выступить в поход с 13-м и 14-м полками.

15-го. Выступил. Переход был до Княжнина. Выступил в 5 часов пополудни, прибыл в 9 вечера.

16-го. Выступил из Княжнина в 2 часа ночи; прибыл в Дубно в 10 часов утра. Вечеру, в 10 часов, выступил из Дубно.

17-го. В половине 9-го часа утра прибыл в деревню Надчицы, откуда выступил в 9 часов вечера.

18. В 8 часов утра прибыли в Заборопь. В деревне Чепно переходили реку Стыр по мосту, очень ненадежному, но есть и получше. В 12, в полночь, выступили.

19-го. В половине 6-го часа прибыли в Торчин, а в 12 полдни в Киселин, где и расположились кантонировать.

20-го. Прошел чрез Киселин Владимерской драгунской полк.

21-го. Я получил повеление за болезнию генерал-майора Назимова командовать 15-й пехотною дивизиею[2].

22-го. Прибыл для командования дивизиею в Торчин. В полночь пошли сей дивизии 14-й егерской полк к Владимеру в авангард под команду графа де Ламберта, а Куринской пехотной и лехкой 29-я рота артиллерии перешли из Блудова в Забороль.

Дивизия расположена: Витебской пехотной и Козловской полки, батарейная 15-я рота и лехкая 28-я в Торчине, Куринской пехотной в Забороле, с ним же и 29-я лехкая рота; 13-й в Киселине.

Корпус Маркова расположен:

Александровской гусарской в Порецке.

Татарской уланской в Локачи.

Евпаторийской казачий в Азютечи.

Тверской драгунской в Владимере
Стародубовской драг. в Вербе.
Арзамасской драг. в Свинарине.
Житомирской драг. в Копачеве.
13-й егерской в Киселине.

14 егерской ⎫
10 егер.   ⎬ во Владимере.

38. егер. в Рожище.

Козловской пехотной ⎫
Витебской пехот.   ⎬ в Торчине[3].

Куринской пех. в Забороле.

Ряжской пех.   ⎫
Апшеронской пех. ⎬ в Луцке.

Нашебурской пех. ⎫
Якутской пех.   ⎬ в Родомысске.

Мы, как видно, ожидаем неприятеля на себя. Неприятельские войски в небольшом числе стоят при Замосци.

Продоволствие наше идет хорошо. Поляки наши ожидают тучи и грому. Политика кончена: Наполеон вступил в границы, и война объявлена.

Все сии дни жарки, и лето дает себя знать. Хлеб будет хорош, естли война, бич божий, позволит успеть его собрать.

Деревня Надчицы не имеет и 50 дворов, лежит на болшой дороге из Дубно в Луцк, в сторону оной дороги две версты, при лесе, сенокос есть.

Деревня Забороль и деревня Омельянин, в обеих до 80-ти дворов, лежат на версту в сторону по болшой дороге из Луцка во Владимер в 4-х верстах от Луцка, обе деревни лежат на косогорах. В Омельянине стоит еще и зеленеет липа, на коей Петр Великой вырезал свое имя и Екатерина, супруга его, тоже: липа зеленеет, а те, кто под нею были, уже не существуют. Петр в сей деревне ползовался свежим воздухом и опочил. Помещик — охотник строитца, но за множеством прожектов и недостатком денег по сих пор еще ничего не построил. Жена его занимается садом и имеет много вкуса. Она разводит прекрасной садик, в ней много романического, и, кажется, она согласна сыграть роман всякой час. Впротчем, г-н Чернявской и его жена весма добры, ласковы, учтивы, гостеприимны. Она недурна собой.

Киселин — местечко, имеющее до 100 дворов, Владимерского повета, лежит на болоте.

28-го. Моя Катя с милым Алексеем поехала в Могилев горевать[4].

В Бржесте перешел неприятель.

1-го. О точном числе неприятеля еще неизвестно. Наши 1-я и 2 Западные армии идут от Вилны к Динабургу и известия никакова. По занятии французами Вилны, Гродны, Ковны и Бржеста курьиры должны делать болшой круг, переежая к нам в армию.

Помещики все бегут, всякой день проходит множество экипажей и фур.— Это, правду сказать, наводит уныние, и каково же хозяину? Оставить дом, все хозяйство, посееной хлеб под присмотр наших или неприятелских войск. Но, со всем тем, беспокойные головы, поляки, возятся каждой день под караулом по подозрению. Они все-таки хотят разбирать, судить и разделить Александра с Наполеоном.

В армии нашей все удивляются и не могут отгадать маневра и мето́ды, которую принял государь — начать войну отступлением, впустить неприятеля в край. Все это загадка.

Я, проводив Катю, возвратился в свою пустую хату. Грусно, да чем же переменить? Перестал бы служить, естли б не было так худо матери-России.

5-го. В полдень я получил повеление выступить с дивизиею в поход и в 1 час выступил Козловской и Витебской пехотные полки, 1/2 роты батарейной. В местечке Киселине присоединился ко мне 13 егерской.— В 10 часов вечера пришли на ночлег в селение Маковичи.

3-я Западная наша армия збирается при Ковеле в намерении отвлечь неприятеля, наступающего на 2-ю Западную армию.

6-го. Полки выступили в 7 часов утра и прибыли в Ковель в 9 часов вечера. Расположились биваком при деревне Вербки.

7-го. Прибыл главнокомандующий к армии. Того же дни присоединился к дивизии Колыванской полк.

9. Присоединился к дивизии Куринской полк. Армия наша разделена следующим образом:

А. Отряд генерал-маиора де Ламберта, из двух полков егерей, одного драгунского, одного гусарского следует по течению Буга к Бржесту.— В. Отряд генерал-маиора князя Щербатова следует чрез Ратно к Бржесту. Оба сии отряды должны атаковать неприятеля в Бржесте.— С. Отряд генерал-маиора Милисино в Любашове, дабы неприятель из Пинска не зашел к нам в тыл.— D. Авангард из 13-го егерского полка, одного гусарского, одного казачьего, etc, etc под командою генерал-маиора Чаплица[5] следует перед главным корпусом армии.— Е. Главной корпус армии, под командою графа Каменского[6] и под ним ген.-лейт. Маркова состоит из батарейных рот трех: 9-й, 15-й, 34-й, лехких рот 4-х, конной артиллерии 1 роты № 13, из полков:

Ряжского
Апшеронского
Нашебурского
Якутского
} Пехотных, под командою генерал-маиора Удома[7].

Козловского
Витебского
Куринского
Колыванского
} Пехотных, под командою моею.

38-й егерской
Четыре баталиона сводных гренадерских
} Арьерград под командою генерал-маиора князя Хованского[8].

F. Корпус генерал-лейтенанта Сакена остался на своем месте.

Неприятель противу нас находитца в Брежсте, Кобрине, Пинске. О числе его точно неизвестно.

10-й. Главный корпус армии выступил из Ковеля в 2 часа пополудни и прибыл к местечку Несухоеже в 10 часов утра. Дорога была весма пещана.— Корпус расположен в две линии, в тылу имея речку Турия и местечко, на правом и на левом фланге лес. Здесь неудобно иметь дело с неприятелем. На сих днях отряд Ламберта переправился через Буг, разогнал кучку вооруженных мужиков.

Австрийские гусары сорвали пикет в отряде Милисино.

Земля терпит, но неприятель еще и контрибуции берет.

У нас в армии начались распры. Каменский поссорился с Тормасовым. Изрядное начало!!

Погода жаркая.

Маковичи до ста дворов, Ковельского уезда, лежит на ровнине. В ней два помещика. Один скуп и вечно пьян.

Ковель — выгоревшее местечко. Лежит на ровнине и в болоте.

Деревня Вербки в двух верстах от Ковеля. Кроме милой экономши ничего доброго.

Несухоежи — скверное местечко.

Лагерь был оддален от воды, места для сражения совсем нет.

11-го. В 10 часов вечера главной корпус армии выступил. Дорога хотя и пещаная, но просторная.

12-го. Около 9 часов утра корпус расположился при деревне Селимче. Биваки были в куче, в 7 или 8 линий, воды недоставало. Места для сражения нет и для двух баталионов.

13-го. В 4 часа утра корпус выступил до Ратно. Здесь лагерное место доволно изрядно.

Того ж числа в ночь корпус пошел и шел до Сумары.

14-го. Корпус пошел до Дивина, биваковал в улицах и того ж числа выступил в 3 часа пополудни до деревни Хобовичи.

15-го. В 7 часов утра корпус выступил к Кобрину. В 8 часов подошел к Кобрину наш авангард и нашел неприятеля в Кобрине и круг местечка расположенного, коего было до 5000 и 8 пушек. Войски сии были саксонцы, под командою генерала Клингеля. Генерал-маиор Чаплиц, командовавший нашим авангардом, напал на неприятельскую кавалерию, врубился в оную. Часть оной бежала в местечко, а часть малая в лес; а 13-му егерскому полку приказал атаковать пехоту саксонскую. Сей полк храбро сражался более двух часов. В нем было до 900 человек и две пушки. Саксонцы имели против сего полка более 3000 и 8 пушек. Около девяти часов показался по Дивинской дороге наш корпус, по Бржестской — отряд де Ламберта, и тогда 13-й полк секурсирован Ряжским полком. Но 13-й взял уже 8 пушек, командующего генерала, до 20 штаб и обер-офицеров и до 1000 рядовых.— В то же время я с дивизиею обошел местечко справа, де Ламберт слева, а остальные войски стали пред местечком. Сим кончилась победа около 12-ти часов полдня. У неприятеля взято 8 пушек, 4 знамя, генерал 1, штаб и обер-офицеров 53, рядовых 2500, множество лошадей и оружия. Убитыми неприятель потерял до 1300 человек. С нашей стороны убито два офицера, до 10 раненых; <рядовых> до 100 убитых и до ста раненых. Полк мой отличил себя, но я не имел щастия участвовать в победе сей. Такое мое щастье.

16. Армия наша стояла при Кобрине.

Я с дивизиею составляю правой фланг армии. Неприятелская армия противу нас под командою генерала Ренье, збирается при Антополе. Сия неприятелская армия прикрывает правой фланг Наполеоновой армии.

Здесь ужасно дороги скверны и тесны, беда ретироваться, тем лучше.

Лагерь наш весма на выгодном месте. Пусть неприятель покажется со своими французскими маневрами.

Здесь чистота. Кавалерия наша ободрена, пехота тоже, артиллерии до 130 орудий.

Зачем саксонцы не ретировались, к чему оборонялись в местечке, где все строение деревянное, что он хотел зделать славного? Глупо!! Глуписсимо! Ретировавшись к лесу, нанес бы болшей вред нашему авангарду и хорошо бы отретировался. Мы не могли его преследовать, у нас пехота до того была утомлена, что у меня в дивизии 6 человек умерли от усталости и более 300 разбросано было на дороге.

Наши транспорты приотстали. Магазейнов впереди нет.

Солдаты имеют много мяса, досталось и водки. В овсе терпим нужду.

Неприятель уже учредил здесь свое правление, наши войски здесь терпели с весны, а неприятельские нашли все. Вот плоды нашей доброты!

Земля опустошается, все здесь стонет.

Погода хорошая.

Какая ужасная картина, когда я обходил местечко. Всё в пламени, жены, девушки в одних рубашках, дети, все бегут и ищут спасения; сражение в пожаре, быстрое движение войск, раскиданные неприятелем обозы, ревущей и бегущей скот по полю, пыль затмила солнце, ужас повсюду. Другой раз я вижу сражение на сем же поле и в сем же местечке[9].

25. По приказу главнокомандующего назначен я командовать пехотой в авангарде под командою генерал-маиора Чаплица, в коем пехоты было Колыванской и 13 егерской полки.

Армия оставлена наша в Городце. Авангард Чаплица был по дороге к Хомску, а под командою графа Ламберта по дороге к Пружанам. Резерв нашей армии оставался в окрестностях Луцка под командою генерала Сакена. Особой отряд в команде генерал-маиора Милисино был на Пинской дороге к Хомску.

Армия наша оставалась в Городце для снабжения себя провиантом. Снабжали себя посредством чрезвычайной фуражировки — то есть без всяких раскладок, а что кто где нашел, то и берет. Сверх того выгоняли мужиков жать, молотить и молоть, и таким образом армия снабдила себя на 10 дней.— Водкою и мясом продоволствованы войски также контрибуционно, лошадей продоволствовали также чрезвычайною фуражировкою, но овса не могли достать, и потому кавалерия приходила в изнурение.

Земля стонет. Зимою будут люди мереть с голоду, естли неприятель сюда взойдет.

Поляка ни одного к нам приверженного, но многие напротив.

Всё оставляет свои домы, всё бежит. Армия наша просит сражения!!

Погода всё дождливая.

Городец — местечко, лежащее на канале, имеет до 150 домов, Кобринского повета. Канал имеет быть Городца вправо. При селении Нехородовичи — один брод, в самом местечке брод и ниже местечка брод против деревни Калень.

26-го. Авангард генерал-маиора Чаплица, к коему я прибыл, состоял из Колыванского пехотного, 13 егерского, Павлоградского гусарского полков, 3-х эскадронов Владимирского драгунского, 4-х эскадронов Лубенского гусарского полка, 1-го эскадрона Таганрогского драгунского и 1-го полка казаков. В 3 часа оный выступил и шел из деревни Став в деревню Сигневичи. Неприятельская армия, саксонские войски, шли к Пружанам, а австрийские из Слонима в Картузки Березы. Наш авангард под командою графа Ламберта шел к Пружанам, отряд князя Хованского шел к Малку. Армия наша шла в Тараканы.

В 11 часов утра мы прибыли в Сигневичи. В 12 началась перестрелка лехкой кавалерии, продолжалась с час; позицию от Сигневич до Малко, которую нам велено удерживать, могла бы только удерживать армия, ибо на 12 верст — чистое место и множество обходных дорог.

Мы расположились при деревне Сигневичи, раскидав свои посты кавалерии влево до селения Ревятич. Неприятель находился в лагере при Березе Картузке в 12 верстах от нас, в доволно крепкой позиции.

В 6 часов пополудни опять началась перестрелка. Дождь проливной во всю ночь.

Сигневичи — деревня, лежащая при болотистом ручье, имеет до 100 домов, от оной идет дорога к Картузке и в Ревятичи.

27. Неприятель на всех пунктах умножался, и генерал Шварценберг прибыл к соединению с саксонцами, под командою Ренье находящимися. Все силы неприятеля стягиваются к Пружанам.— Армия наша отошла к Кобрину, граф Ламберт ретируется к Пружанам, почему и присоединился к Чаплицу с отрядом князь Хованского, которой и стал в четырех верстах от Сигневич по дороге к Тараканам, пройдя длинную плотину от сей дороги

идущую. В 11 часов утра наша кавалерия имела силную перестрелку.— Чаплиц получил повеление главнокомандующего отступить от Сигневич в Антополь, и в то же время неприятель вышел атаковать нас. Кавалерия наша была с левого фланга эшелонами и до правого в линии впереди Сигневич, в полуторе версте. Колыванской полк с 4-мя пушками стоял при самой деревне Сигневичи. 13-го егерского три роты занимали кладбищу, которая прикрывала дорогу, одна рота прикрывала с правой стороны ту же дорогу, ведущую на наш правой фланг и на Греблю, две роты заняли дома для защищения дороги из Ревятич, две роты построились близ Гребли. Неприятельская кавалерия опрокинула нашу кавалерию и гнала в Сигневичи, в самую деревню, но была встречена силным огнем наших егерей, прикрывающих Ревятическую дорогу, и во фланг взята стрелками Колыванского полка, от чего обратилась в бегство. Лубенские гусары и казаки сели на плечи и прогнали оную, а, между тем, драгуны наши ретировались чрез Сигневичи и Греблю.— Неприятель, усиля свою кавалерию, пошел в атаку вторично на наш левый фланг, но, будучи встречен огнем из 4-х орудий Колыванского полку, отступил, а, между тем, отступили наши Лубенские гусары и казаки. Неприятелская пехота подходила, кавалерия уже нас не смела атаковать, и в то время отступил Павлоградской гусарской полк и потом Колыванской.— Егери вступили в перестрелку и отступили с огнем, разломав на Гребле мост. Колыванской полк потерял одного, 13-й егер. 25, да в кавалерии до 50 человек.— Мы пошли к Тараканам в претемную ночь с болшим дождем. Авангард был утомлен, а особливо кавалерия.— Проливной дождь совсем испортил дорогу.

28-го. В 7 часов мы прибыли в Тараканы, армия наша пошла в Городечно противу неприятеля, в 4 часа пополудни мы выступили из Таракан и, по испортившейся совсем дороге, прибыли около 8 часов вечера в Антополь. Обозы оставались назади. 500 рабочих мало успевали улучшить дорогу.

Все обыватели бегут и спасаются с имуществом их в лес.

Дождь проливной продолжается.

Тараканы имеет до 150 домов, окружено болотами и лежит на открытом месте. Оно принадлежит аббатству, имеет хорошей костел.

Местечко Антополь имеет до 200 домов, более жидовских. Лежит на песчаной равнине. В сем местечке девичей пансион. Родители разобрали девушек, и осталось только 12. В нем была моя квартира. Все малютки, одна только 16-летняя прекрасна Высоцкая, другая 14 — совершенная красота Скульская.

Здесь авангард наш состоял: Павлоградской гусарской полк, 4 эскадрона Лубенского гусарского, три эскадрона Владимирского, один Таганрогского, два Стародубенских драгунских, полк казаков, рота конной артиллерии, 16 орудий лехкой артиллерии, Колыванской и Якутской пехотные полки, 13-й и 38-й егерские полки, 4 баталиона сводных гренадер.

29-го. Сей корпус Чаплица оставался в Антополе, занимались отправлением наших обозов и перевозом магазейна. 149 четвертей мы не могли перевезть и оддали жителям.

Люди наши были доволны и мясом и водкою. Я перевез девичей пансион в деревню, удалив его от пламени и грабителства. Как прекрасные меня благодарили!

30-го. Корпус наш (Чаплица) отошел в Городец, чтобы лучше взять позицию, куда прибыли мы в 9 часов утра.— Неприятельская армия собралась в Пружанах, 40 т. австрийцов под командою Шварценберга и 15 т. саксонцев под командою Ренье со 140 орудиями артиллерии. Армия наша пошла к Городечне. Генерал-майор Удом пошел от нашего корпуса в деревню Стрыхов на дороге от Кобрина к Городечно. Мне поручены были передовые посты. Я, объезжая передовые посты рано очень, заехал в деревню, где были мои пансионерки. Все вскочили, в одних рубашонках, с открытыми грудионками, цаловали мне плечи. Полная грудь Высоцкой прелщала меня, и я, шутя, начал ее цаловать и, опустя мой взор к земле перпендикулярно, видел всю Высоцкую. Какое надобно было терпенье! Боже, это моя Катя в 16 лет.— Прости, Катинька, сравнение, ей-богу, хорошо: та же белизна, та же твердость, та же прелестность и даже...— прости, Катя. Проклятый Шталь[10] прискакал во всю прыть сказать, что отряд неприятеля около деревни. Прости, ангел Высоцкая! Ух, и теперь еще не опомнился от прелестей ее.

31-го. Армия наша была атакована неприятельскою армиею около 2-го часа пополудни и сражалась до самой ночи. 200 орудий с лишком гремело; темнота развела их. Неприятельская армия отступила на свою позицию. С нашей стороны убито и ранено до 1200, с неприятельской до 4 т. По всем сведениям, неприятель имеет до 30 т. под ружьем, а мы до 16 т.

Чаплица отряд, в коем и я находился, пришел в 9 часов в Кобрин, оставя в Городце один драгунской эскадрон и Колыванской полк. В 12 часов ночью выступили из Кобрина. Сражение при Городечне можно назвать славным, а похвалить русских: 30 и 16— великая разница.

Император лишь желал, чтоб мы зделали диверсию, отвлекли Шварценбергову армию и саксонцев от болшой армии. Мы выполнили сие, отвлекли их. Но каково-то теперь нам разделаться: надобно потерять или болшую часть армии или Подолию, а потерявши болшую часть армии, оддашь и всю Подолию.

Август

1-го. В 4 часа утра отряд Чаплица остановился для прикрытия марша армии при деревне.

Я получил в команду 13-й и 38-й егерские полки, 1 баталион Якутского полка и Павлоградской гусарской полк, и поручено было мне защищать с левой стороны, а князю Хованскому, покуда придет отряд графа Ламберта, с правой стороны.— Армия наша должна была отступить, ибо неприятель мог послать особой корпус пресечь нашу операционною линию; посему в 4 часа пошел к Кобрину корпус Каменского, за ним вслед корпус Маркова. В то же время показалась неприятельская кавалерия. Жаркая перестрелка началась, но за ним прошел и корпус Маркова. Тогда и отряд Ламберта вступил в жаркою перестрелку, а неприятель открыл канонаду из своей конной артиллерии. В 7 часов горячо наступала его конница и отряды Чаплица и графа Ламберта прикрывали ретираду с беспрерывною жаркою перестрелкою и атаками нашей кавалерии, и таким образом неприятель и мы маневрировали до деревни Страхова.

Граф Ламберт, не желая потерять много людей в продолжительной перестрелке, приказал пехоте отходить поспешнее. Прикрывали ретираду двумя дорогами: графа Ламберта отряд левее и Чаплица по болшой дороге. Посему кавалерия графа Ламберта оддалилась влево, а пехота отошла далеко, и тогда неприятель вблизи атаковал кавалерию Чаплица, обратил и врубился в оную; тут конфузия, всё бежит, всё друг друга топчет, но, по случаю, 38-й егерской полк оттянул от пехоты, выстроился и произвел огонь по неприятелю, обратил оного в бегство, и тогда наши гусары, в свою очередь, посидели у неприятеля на плечах. Я выстроил 13-й и 10 егерск. полки при деревне Лехте, сделал несколько выстрелов из пушек по неприятельской кавалерии, и дело пошло прежним чередом. Кавалерия прошла деревню, остановилась в версте от деревни, потом я прошел 4-мя колоннами, и тем дошли до Кобрина. Здесь пехота отряда Чаплица и отряда Ламберта сбилась вместе, десять разных двусмысленных приказаний, то от того, то от другого,— как главнокомандующего уже известили, что неприятель обходит Кобрин.— Армия наша стояла верстах в 3-х от Кобрина по Дивинской дороге. Генерал-майор Сиверс[11] приехал и сказал, чтоб всякой полк бегом присоединился к армии; всё бросилось и побежало, кавалерия вплавь, пехота топчет друг друга, и конфузия страшная. Едва могли мы в местечко привесть полки в порядок, неприятель открыл по нас канонаду, и тем проводили нас от Кобрина. Армия уже была в марше по Дивинской дороге. Совершенно испортившаяся дорога, едва проходимые болота, топкие плотины, дождь, самая темная ночь, множество обозов, и никакого порядку в марше, благодаря темноте!! В сию ночь мы потеряли до 500 отставших и разбредшихся.

Граф Ламберт весма поспешно отступил, не употребляя пехоты как должно, и оттого привел на плечах неприятеля к армии. Главной наш штаб не подумал в свое время отправить обозы, болных, раненых, не был деятелен, и оттого весь хаос.— Не думали о починке дорог, и оттого после последовала потеря некоторой части обоза. Кавалерия не получала несколко дней овса, будучи в беспрестанных трудах. Также худое распоряжение.

Как я измучился. 46 часов не ел, не пил и с лошади не сходил. Забудешь и о красоточке Высоцкой.— Кобрин опять в пламени, и бедные жители опять в стенании.

2-го. Мне поручена в командование 15-я дивизия. Около 9 часов граф Ламберт пришел к армии, расположенной близ деревни Шматы. У него оставлены 10 и 14 егерские полки и вся его кавалерия.

Армия пошла в Дивин, куда и прибыла чрезвычайными болотами в 8 часов вечера, а некоторые полки в 10 часов вечера.

Неприятель пошел из Кобрина по Бржестской дороге, отправя часть к Пинску и обсервационной корпус за нами вслед под командою генерала Бианки[12]. Дождь проливной! — Сегодняшний день стоил 100 человек неприятелю.

3-го. В 6 часов вечера граф Ламберт атакован, опять отступили до самой армии.— В ночь корпус Каменского и обозы пошли к Самаре. Корпус Маркова остался в подкрепление графа Ламберта.

Велено облехчить повозки, бросить часть муки и часть сухарей и некоторые обозы в болото.

4-го. Я с 5-ю полками стал за Дивин. На Ламберта начали наступать. Он имел у себя четыре егерские полка, да в подкрепление полк пехоты и всю его кавалерию. Пополудни Марков с 5-ю полками, мною командуемыми, пошел в Самару. Неприятель отступил от Ламберта. Сей день нам стоил до 150 человек.

Армия наша отошла в Ратно и состояла из одного Каменского корпуса.

5-го. С полками Ряжским, Куринским, Витебским, Козловским я пошел из Самары. Отойдя 4 версты, не мог следовать далее. Обозы наши остановились, плотины испорчены, и я остановился в лесу, в колоннах, отправя рабочих к Гребле.

6-го. Я стоял на том же месте. Граф Ламберт прибыл в Самару.

7-го. В арьергарде при Самаре оставлены 10-й и 38-й егерские полки под командою генерал-майора Удома. Я с полками прибыл в Ратну, и корпусы Маркова и Каменского соединились. У меня в команде были Ряжской казачий, Витебской, Куринской, 13-й и 14-й егерские полки.

8-го. Армия оставалась в Ратно. По сю сторону Ратны сделано укрепление.

9-го. Князь Хованской остался с 8-ю баталионами в Ратно, занимая дорогу Мокринскую и из Кобрина ведущие; генерал-майор Милисино остается в Любашеве, генерал-майор Чаплиц с отрядом кавалерии и с 28 егерским в Выжве, граф Ламберт с отрядом своей кавалерии и с 10-м полком в Турпине, корпус Каменского в Несухоежи, корпус Маркова перешел до Песечко. Я командовал 13-м и 14-м полком.

10-го. В команду мою поступили Нашебурской и Ряжской полки и 1 баталион Апшеронского.— Корпус перешел до селения Мизов.

11-го. Корпус прибыл в Ковель. Генерал Каменской сказался болным и увезен для излечения в Киев. Оба корпуса поступили в команду у князя Хованского. Была перестрелка.

12-го. В команду мою поступили полки Нашебурской, Колыванской пехотные, 1 баталион Апшеронски и 13-й егерский. Ряжской полк пошел к Лонбричу.

Мы ожидаем Молдавской армии, следовательно, надобно маневрировать и избегать сражения до соединения с оною, ибо слабы. Естли встретить неприятеля и ретироваться — опять потеря людей и, все-таки, потеря земли; естли отступать — мы потеряем землю до Дубно и неприятель найдет себе выгодное продовольствие.— Естли мы разбиты, то и Молдавская армия наша одна не устоит, особливо приходя частями,— частями будет разбита. Итак, цель наша — маневрировать до соединения с Молдавскою армиею. Вот задача, остается ее умно решить.

Неприятелская армия видит наше намерение. Генерал Ренье с саксонцами в Шацке. Шварценберг сзади его в неболшой переход. Один корпус пошел занять Пинск, часть набрана полячишков, хорохорятся на Буге против Устилуга; генерал Бианко с обсервационным корпусом теснит князя Хованского.

Генерал-майор Чаплиц в перестрелке. Итак, неприятель идет прямо на нас.

Резервы наши далеки.

Вечером была перестрелка у генерал-маиора Чаплица. Не худо, естли б была у нас под боком крепость. Надобно нам, кажется, за Стыр.

13-го. Отправлен весь вагенбург. Отряд графа Ламберта пошел к Турпину. Неприятель занял Любомлю и Шацк, вытеснил из Крымны отряд Чаплица. Граф Ламберт близ Любомли, а Чаплиц при Выжве имели жаркие схватки.

14-го. Чаплиц имел сражение доволно жаркое, коему послано подкрепление: Колыванской и Витебской полки. Генерал-майор Бернандос[13] оставлен в Несухоежи с Владимерским пехотным, Таганрогским драгунским и казачьими полками. Вся остальная пехота и кавалерия 1-го корпуса прибыла в Ковель около 4 часов пополудни. Брошено много в воду провианта. У меня оставались в команде Нашебурской полк, 13-й егерской и 1 батальон Апшеронского.— Корпусы разделены на отряды: 1-й, графа Ламберта: Александрийской гусарской, Татарской уланской, казачий Власова[14], башкиры, калмыки, 10-й егерской полк. 2-й, Чаплица: Павлоградской гусарской, один баталион Лубенского гусарского, 28 егерской, Витебской и Колыванской пехотные. 3-й, Бернандоса, как выше сказано; 4-й, Милисино: 1 баталион Лубенского гусар. полка, четыре баталиона сводных гренадерских, 32-й егерской полк. 5-й, князя Хованского: 4 сводных гренадерских баталиона, батарейная рота № 34. 6-й, князя Щербатова: Тамбовской и Днепровской пехотные, батарейная рота

№ 18. 7-й, Назимова: Козловской, Куринской пехотные, батарейная рота № 15. 8-й, Удома: Нашебурской, Якутской, 1 баталион Апшеронского, 38-й егерской, батарейная рота № 9.—9-й отряд мой: Тверской драгунской, конная рота артиллерии маиора Арнолда[15] и 13-й егерской полк.

Отряд Чаплица к вечеру отступил до Шекны.

15-го. Отряд Бернандоса выступил из Несухоежи и пошел в Колки. Отряд Чаплица в 9 часов прибыл в Ковель. 5, 6, 7, 8 и 9-й отряды в 3 часа пополуночи выступили и шли до Голобы.

16-го. 5, 6, 7, 8, 9 отряды выступили в 2 часа ночью из Рожищ. В 11 часов прибыли в лагерь к Луцку. Чаплицу велено притти в Рожищи.

В Ковеле созжены все мосты.

Парк наш прибыл в Луцк.

Из Луцка начали вывозить провиант.

18-го. Неприятель показался в Рожище. Полковник Кноринг[16] пошел в Берестечко. Чаплиц с отрядом противу Рожищ.— Генералу Хрущову[17] в Владимер послан в сикурс Якутской полк.

22-го. В корпусном лагере при Луцке состоят: Тверской и Владимерской драгунской, Мячина казачий, Нашебурской, 1 баталион Апшеронского полка, Куринской, Витебской, Тамбовской, Костромской, Днепровской, Владимирской пехотные полки, 13-й, 14-й, 38-й егерские.

Отряд графа Ламберта состоит из Александринского гусарского полка, Власова казачьего, 10 егерского, Ряжского и Козловского пехотных. Сей отряд расположен на Стыре при Торговице. Отряд Хрущова, расположенный при Михайловке на Стыре, состоит из Арзамасского драгунского и Якутского пехотного полка.

Отряд Кноринга, расположенный при Берестечке на Стыре, состоит из Татарского уланского, башкир и Евпаторийского татарского.

Отряд Чаплица, расположенный от Рожищ до Жидичина, состоит из Павлоградского гусарского, 1 баталиона Лубенского гусарского, Таганрогского драгунского, Колыванского пехотного, 28-го егерского.

Отряд Милисино, расположенный при Колке, состоит из 4-х баталионов сводных гренадер, 1 баталиона Лубенского гусарского полка.

Мы ожидаем в сикурс корпус Воинова из Молдавии[18], но он подвигается медленно.

Неприятельский сикурс присоединился к нему в 10 т., из

новонабранных полков и запасных эскадронов кавалерии.

На Стыре всюду позжены мосты.

Военная позиция наша хороша доволно, но правой фланг по притчине длинного лесу от самых Рожищ и много выходящих из него дорог требует болшого внимания и занятия сего леса болшим отрядом.

Никогда не разливались летом и даже весною реки, как они теперь в сем краю разлиты[19].

24-го. Поехал я по приказанию главнокомандующего для отыскания людей послать шпиона в неприятельскую армию.

Вечеру прибыл в местечко Торговицу, в отряд графа Ламберта.

Торговица имеет до 200 домов, лежит на реке Стыре, в 20 верстах от Луцка, на высоком берегу. Оно принадлежит госпоже Стройновой, умной женщине, но которая взялась за ремесло, за которое вешают.

25-го. Выехал и на вечер приехал в Берестечки. Имеет до 400 домов, лежит на берегу Стыру, на полуострове; Дубенского повета, приятное местоположение. Принадлежит графине Платен.

26. Я приехал в Радзивилов. Он после пожару весь выстраивается наново.

27-го. Прибыл я в Почаев. Монастырь Почаева славится во всей Полше, лежит на высокой горе, управляется провинциалом. Сей монастырь униятской, в нем чудотворный образ богоматери, богоматерь чудесна! Воевала с турками. Жаль, что при этом местоположении нет воды. Из Почаева приехал я в Дубно и оттуда в лагерь.

30-го. Мы по сю пору еще не знаем, где неприятельские корпусы расположены и какое их намерение,— мало денег, нет верных шпионов. Обыватели преданы им, жиды боятся виселницы.

Корпус генерал-лейт. Воинова, идущий к нам в сикурс из Молдавской армии, сегодня прибыл в Дубно.

Кавалерия наша поправилась, артиллерийские лошади тоже, а люди изнуряются. Мясо отпущается толко два раза в неделю. Водки мало, холодно.

Мы все-таки бережем эту землю, хотя явно обнаружилась преданность их Наполеону, бережем даже и тогда, когда уже армия Наполеона в Вязме, оставляем ей серебро, частные богатствы, лошадей, скот и, одним словом, хорошее состояние, исключая жатвы нынешнего года.

Теперь уже сердце дрожит о состоянии матери России. Интриги в армиях — не мудрено: наполнены иностранцами, командуемы выскочками. При дворе кто помощник государя? Граф Аракчеев. Где вел он войну? Какою победою прославился? Какие привязал к себе войски? Какой народ любит его? Чем он доказал благодарность свою отечеству? И он-то есть в сию критическую минуту ближним к государю. Вся армия, весь народ обвиняют отступление наших армий от Вилны до Смоленска. Или вся армия, весь народ — дураки, или тот, по чьему приказу сделано сие отступление.

Я живу в моем шалаше более уединенно. Грусть и грусть о милом отечестве.

Теперь хорошо мое положение будет. 10-й взят в рекруты с моего имения, кормить остальных должен я, денег ни копейки, долгу много, детей содержать нечем, служба ненадежна.

Погода стоит хороша, утры и целые дни холодноваты, под шубой спишь.

Всякою минуту мне приходит на мысль будущая картина любезной отчизны. Громкое ее название всё уже исчезнет, число обитателей ее убавится, может быть, до 9 миллионов, границы ее будут пространны и слабы. Надобно зделать новое образование управления. Какой запутанности, каким переменам все это подвержено будет. — Религия ослаблена просвящением. Чем мы удержим нашу буйною и голодною чернь? — О! Бедное мое отечество, думал ли я, что это последний том твоей истории. — К чему полезны теперь завоеванные тобою моря, ты можешь смотреть на них, но не ползоваться. — Нет, монарх, лучше бы ты обратил более на воинов своих твое внимание, нежели на купечество и просвящение, — погиб силный враг — тогда примись за комерцию, просвящение. — Теперь, конечно, надобно будет удвоить подати, но чем, где взять? — Фабрики наши упадут, заводы лошадиные и скотоводство поддержат южной край, а северной, не имея комерции — что будет из него? — Артисты чрезвычайно умножились, хлебопашцы уменшены. Дворянство слишком расплодилось, с берега моря ни шагу, а купечество многочисленно. — Граждане познали роскошь, чернь не верит чудотворным, духовенство распутно, ученые привыкли мешатся в придворные интриги, привыкли брать болшое жалованье, — истинных патриотов мало, а кто и оказался, так поздно; просвящение распространено и на лакея, а захочет ли просвященной служить, не имея сам слуг? Множество училищей, но мало хорошего, настоящего, ндравственного училища. Сии как бутто для того, чтоб в них выучивались читать на чужих языках всю развратность и все то, что разрушает общею связь.— Столицы привыкли к роскоши, привыкли ко всему иностранному, введены в них сибаритские обычаи, порокам даны другие названия, и они уже не есть пороки: игрок назван нужным в обществе, лжец — приятным в собрании, пьяница — настоящим англичанином, курва — светскою и любезною женщиною. Характер русских теперь составлен из характеров всех наций: из француской лживости, гишпанской гордости, италианской распутности, греческой ехидности, иудейской интересности,— а старой характер русской называется мизантропиею, нелюдимостью и даже свинством.

Пусть мущины обратятся к своим должностям, наши женщины им соревнуют и будут знать должности: матери, хозяйки, жены,— лишь толко изгони проклятую методу жене мешатся в дела мужа и любовницу велможи называть курвою тайного канцлера, а не Аксиньею Антоновной, Марьею Ивановной, etc, etc.— Нет, подумаешь, что сие самое нещастье России может возвратить русским прежнюю твердость духа, прежнюю ндравственность. Изгнание иностранцев — и Россия еще будет или теперешнею Англиею или российской государь превзойдет теперешнего Наполеона.

> Не словом доказать, то должно б вашей кровью,
> Священно слово то ль из ваших бросьте слов —
> Или отечество быть может у рабов?

Сентябрь

2-го. Прибыла к Дубно вторая колонна Молдавской армии. Первым корпусом сей армии командует генерал-лейтенант Воинов. Вторым — генерал-лейтенант Эссен 3-й.

Главная квартира австрийских войск в Голобы, саксонских — в Киселине, конфедератов — в Владимере.

Сего числа окончен с нашей стороны живой мост чрез Стыр противу левого фланга лагеря версты 3 выше Луцка.

Кавалерия наша поправилась, и армия оддохнула. Погода опять хороша.

4-го. Сегодня 10 лет минуло, как родился мой Иван. Какая перемена! Я жил мирно в Овидиополе с милою соучастницею, всё нам улыбалось, отечество было покойно, служба утешительна, царствование еще не тягостно. Россия гордо смотрела на возвращение Наполеона из Египта, щитая его обыкновенным удальцом. Славились Суворова победами в Италии, не могли и предполагать замыслов Наполеона. Естли бы тогда кто сказал, что

Наполеон будет в Смоленске,— посадили бы на стул и пустили кровь,— а в 10 лет, что теперь скажем? Что будем делать?

Прошлого года в сей же день я расстался с моею Катею, оставил ее в Бучео, а сам пошел в Обелешти. Всё гораздо лучше было, я шел с надеждою победить, прогнать турок и возвратица на покой, наслаждатся плодами трудов. Теперь друг души моей далеко, дети еще далше, имение раззорено. Победа сомнителна, в проспекте — зимняя канпания. И за всё это что? Еще неудоволствие за неудоволствием от подлецов.

6-го. Третья колонна армии Чичагова также прибыла. Сия армия располагается между Берестечком и Луцком на Стыре.

Вчера была слышна вправо канонада, но неизвестно, где оная происходила.

7-го. В 2 часа показались за Стыром пред Луцка две неприятелские колонны, эскадронов 20 кавалерии и баталиона 2 пехоты с 4-мя орудиями. Намерение неприятеля — или рекогносцирование, или занять сию для них выгодную позицию. Около 3-х часов началась шармицель. Неприятелская 1-я колонна пришла по Торчинской дороге, а другая от дороги, что из Полоннии. Около 4 часов обе колонны соединились в левой стороне сей позиции к лесу, зделали несколко выстрелов из пушек и с сумерками отошли по дороге из Полоннии.

С нашей стороны убито и ранено 5 или 6 человек и с их тоже, да взято в плен два.

Мы не могли им противопуставить более 4-х эскадронов, и то дурной кавалерии, а потому, что кавалерия наша разбросана в шести пунктах на расстоянии 80 верст. Вот невыгодность оборонителной войны.

9-го. Граф Ламберт с частью своей кавалерии перешел Стыр, в несколких верстах встретил неболшую неприятелскую партию, окружил ее, схватил, переодел своих людей в неприятелские мундиры, сею уловкою обманул неприятелские пикеты, ударил на рассвете на спящий детиштамент неприятелской кавалерии, состоящий из 900, рассеял его. Много убито и ранено, более 200 взято в плен: штаб-офицер 1, офицеров 8 и все три штандарта полку принца Орели[20].

Не было бы сего, естли б командующий детиштаментом не думал того, что он за рекой.

10-го. Марков хотел последовать Ламберту, но не удалось. Возвратился ни с чем.

Молдавской армии две колонны перешли Стыр.

11-го. Неприятель расположен на позициях между Владимера, Торчина, Киселина, Голоб. Аванпосты его на виду нашем.

Генерал-маиор Чаплиц со своим отрядом пришел на рассвете в наш лагерь и остановился на правом фланге.

У нас на Стыре четыре моста: в Берестечке, близ Березнони, при Торговице и при Луцке.

Теперь армия наша возмет позиции между Владимером и Рожищами паралелно неприятелю. Естли неприятель зделает нападение на правой фланг — весь от Рожищ, — тогда претерпит армия, покудова ее подкрепит Чичагова армия. На центр наш он напасть не может. Естли вздумал бы напасть на левый Чичагова фланг, оный отступит один марш и неприятель будет обойден. Мы его можем атаковать во всех пунктах. То-то надобно знать, где его сколко.

Продоволствие наше еще идет хорошо.

Погода стоит хороша, утры холодны.

Отряд генерал-маиора Чаплица, составляющий правой фланг армии, состоящий из Павлоградского и Лубенского гусарского полков, из Серпуховского и Арзамасского драгунских полков, Барабанщикова казачьего, 13-го и 28-го егерских и Колыванского пехотного полка, конной роты артиллерии и 8-ми лехких орудий, — перешел Стыр при деревне Гнидове и стал при оной.

Авангард 3-й Западной армии под командою генерал-майора графа Ламберта перешел Стыр при Хроники и остановился в Забороле. Авангард сей состоит из Александринского гусарского, Татарского уланского, двух казачьих, двух драгунских, 8-ми баталионов пехоты, конной роты артиллерии и полевых полковых пушек.

Кор д'арме 3-й армии под командою генерал-майора Маркова перешел Стыр и остановился при Гнидове. Оный состоит из двух драгунских полков, двух казачьих, 6 баталионов егерей, 12-ти баталионов пехоты, двух батарейных, одной конноартиллерийской рот и полевых орудий, что при полках.

Армия Чичагова — 1-я колонна перешла Стыр в Хроники и пошла в Блудов, 2-я колонна из Берестечка пошла в Горохов.

12-го. Неприятель занимал Сырники, Переспу, Голобы, где была и главная квартира Шварценберга, Свидники, Торчин, Владимер. В Торчине была главная квартира Ренье, а в Владимире — Касинского.

Отряд Чаплица прибыл в 5 ч. утра; пришел в 12 часов

в село Сырники, откуда казаки согнали передовой пост неприятельской.

Граф Ламберт прибыл в Торчин.

Кор д'арме 3-й армии также перешел в Торчин.

Неприятель отовсюду начал ретироваться.

Наша армия, 3-я, состоит из 25 т. сражающимися и 160 пушек. Армия Чичагова состоит вся из 40 т. сражающихся и 170 пушек. Обе армии составляют 65 т. (исключая корпусов Эртеля [21] в Пинске и Сакена, сзади армии) и 330 орудий артиллерии.

Армия неприятельская состоит из 30 т. австрийцев, 26 т. саксонцев и 12 т. поляков, а всего 62 т. и до 200 орудий.

Земли здесь совершенно раззорены, немцы показывают себя грабителями, край совсем опустошен. По болшой дороге кой-где — жилой дом.

Французы в Москве! Вот до чего дошла Россия! Вот плоды отступления, плоды невежества, водворения иностранцев, плоды просвящения, плоды, Аракчеевым, Клейнмихелем[22], etc, etc насажденные, распутством двора вырощенные. Боже! За что же? Наказание столь любящей тебя нации!

В армии глухой ропот: на правление все негодуют за ретирады от Вилны до Смоленска.

13-го. Неприятель отступил, оставил Рожище, Переспу.

14-го. Армия Чичагова: колонна Булатова следовала из Владимеру до Корытницы. Кор д'арме из Павлович в Озютичи.—3-я армия: авангард в Туличово, кор д'арме до Киселина, отряд Чаплица — передовые до Ковеля, я с своим полком и тремя эскадронами до Свидники, остальные — до Переспы.

При холодной погоде — камин и стакан чаю. Забыл все горе.

15-го. Армия Чичагова: корпус Булатова из Корытницы до Ставки, кор д'арме в местечке Бобль, авангард в Мокрицы и занимает переправу чрез реку Турию при Ягодно и Торичинах.— 3-я армия из Киселина в Туличово, кор д'арме Ламберт<а> — до Турпина, занимая постами до Колодезно.— Отряд Чаплица, часть Жевахова — до Колодезна, с перестрелкою с неприятелем, где взято в плен 10 неприятельских чинов и 27 мородеров.— Моя часть до Любитева. Выступила в половине 8-го часа поутру, прибыла в 11 утра с отрядом. Чаплиц прибыл в 5 часов вечера в Любитев.

Погода была хороша.

Я остановился у пожилой вдовы, волочился за нею

целой вечер и тем смешил приятелей, забавлял вдову и убивал скучной осенний вечер.

16-го. Отряд Чаплица, передовые его, вытеснили неприятеля из Ковеля. — Я с моею и князя Жевахова частью прибыл в Ковель. — Неприятель пошел по трем дорогам в Несухоежи, Выжву и Мациав. В Несухоежи отправил я партию и эскадрон драгун по дороге к Выжве до Мощаней; князя Жевахова с 5-ю эскадронами, двумя ротами и двумя пушками — по дороге в Мациав; к Мощане отправил партию и три эскадрона.

Граф Ламберт перешел в Турчине Турию и пошел к Новосполкам, откуда неприятель ретировался к Любомли. 3-й армии кор д'арме в Турпине. — Армия Чичагова шла на Любомль по берегу Буга.

Сырники. Деревня имеет до 30 дворов. Лежит при ручье Став. Окружена лесом; в 10-ти верстах от Луцка, между Стыром и Ставом.

Свидники — деревня до 20 дворов, окружена лесом. Здесь почтовая станция.

Голобы. Деревня имеет до 100 дворов. Лежит на равнине в 22 верстах от Ковеля. Принадлежит графине Вилге. Она старуха, дочь ее, графиня Стецкая, умная женщина. Дом господской с хорошим садом.

17-го. Отряд Чаплица из Ковеля выступил в 9 часов утра и прибыл в Мациав в 5 часов вечера. Передовые его до Городно, где имели перестрелку, подкрепя графа Ламберта.

Граф Ламберт имел жаркую перестрелку при Городно. Кор д'арме до Мошева; часть армии Чичаговой имеет дело при Любомли.

Неприятель ретируется многими дорогами к Влодиве.

18-го. Отряд Чаплица в Подгородно. Кор д'арме в Мышове, Ламберт в Городне. Армия Чичагова между Любомлей и Бугом.

Неприятель везде жжет мосты и портит дороги.

Армия Чичагова имеет в предмете отрезать его от Влодивы.

Наш отряд со времени выступления из Луцка имеет 75 пленных.

Мациав. До 150 домов, лежит на равнине между Ковелем и Любомлью. Принадлежит графу Менчинскому, дом коего хорошо выстроен, болшой, с изрядным садиком. Менчинский, по подозрителному поведению его, взят в Киев. Жена его и дочери поехали с неприятелем.

19-го. Отряд Чаплица выступил из Подгородно в 3

часа и в 9 прибыл в Головно. Чичагова армии колонна Эссена имела лехкое сражение. Поляки и саксонцы перешли чрез Буг к Влодиве.— Австрийские войски ретируются и стягиваются к Бржесту. Он жжет мосты и везде портит переправы.

20-го. Отряд Чаплица выступил в 9 часов из Головно, шел на Нужду, в Крымно, куда прибыл в 4 часа пополудни. Неприятель открыт в Краскиволи. Авангард под командою графа Ламберта идет форсированным маршем в Бржесту. Цель Чаплица и Ламберта не дать соединится генералу Мору[23], идущему от Сокола. Главной корпус армии идет к Влодиве.— Армии Чичаговой корпус Воинова следовал по одной с нами дороге.

Армии маневрируют в болотах и в лесах. Здесь-то нужно соображение.

Наша армия имеет уже 700 пленных и мородеров, взятых у австрийцев.

Австрийцы ретируются на Кобрин и Бржест, а мы обратились все влево к Влодиве. Это уже пахнет невежеством, притом движение наше чрезвычайно медленно, а сверх того стояли месяц на месте и не имели времени приготовить транспортов провиантских. На всё притчины, на всё есть доказателства! Да дела-то идут плохо.

21-го. Отряд Чаплица выступил из Крымны и следовал до Краскиволи, где австрийцы сожгли мост, и сие нас задержало, и в 9 часов мы прибыли в Тул.— Корпус Воинова пошел в Ратно.

Погода прекрасная, но что в этой погоде, когда не примечаешь ее за хлопотами.

22-го. Отряд Чаплица выступил в 5 часов утра и чрез Мокряны пришел в Рудно в 7 часов вечера.— Полковник Сталь ударил на два эскадрона неприятелских гусар, рассеял их, положил много на месте и взял в плен двух офицеров, двух трубачей и 47 рядовых.

Граф Ламберт пришел между Бржестом и Рудно.

Крымно — деревня, регулярно выстроенная, имеет до 140 дворов.

23-го. Отряд Чаплица перешел в Радоновичи.

Неприятель в Булкове на речке Мухавце сожег мост.

24-го. Я с полками своим, Колыванским и Лубенским гусарским пришел в Булков в 9 часов утра. Осталная часть отряда Чаплица прибыла в 6 часов вечера.

Сего ж числа корпус Маркова и главная квартира прибыли в Рудно.

Мост был мною исправлен.

Погода была прекрасная и совершенно весенняя.

Деревня Радоновичи имеет до 100 дворов, принадлежит помещику Медаревичу.

25-го. Отряд простоял в Булках.

26-го. Неприятелская армия примыкает правым флангом к Бресту, а левым к деревне Черни.

Отряд Чаплица перешел в 7 часов утра чрез Мухавец и стал в колоннах при Щербине. В 9 часов отряд графа Ламберта от Щербина пошел на деревню Братилов и вступил в дело с авангардом неприятеля. — 28-й егерской послан для занятия леса вступить в дело; я с полком стал на его месте. На вечер корпус Маркова и главная квартира прибыла в Булков, отряд Чаплица оставался на месте, отряд Ламберта на ночь остался несколько его впереди. — Корпус графа Ланжерона[24] остановился за Мухавцом, на виду Бреста, а корпус Эссена на виду неприятеля по болшой Брестской дороге.

Неприятель укрепил свой правой фланг. Мы в сей день взяли до 200 пленных и много убили неприятеля; с нашей стороны потери убитыми и ранеными до 120.

27-го. Всё оставалось в том же положении.

28-го. Сделано росписание нашей армии к атаке неприятеля. — Корпус графа Ламберта, в которой и я поступил, составлен из гусарских Александринского и Белорусского, Татарского уланского, трех козачьих, 10-го, 13-го и 38-го егерского, Якутского, Козловского и Апшеронского, Колыванского, Ряжского пехотных, одной роты конной, одной батарейной и лехкой, при полках находящейся, артиллерии. Я получил в отряд Колыванской, Ряжской и 10-й полк, да пол-роты батарейной. Сей корпус к полуночи собрался и остановился при деревне Косичи.

Корпус Маркова остановился правее сей деревни.

Корпусы Эссена и Ланжерона также остановились на своих местах.

Сего числа отказал главнокомандующий от команды генерал-лейтенанту Маркову.

Вся военная публика была обрадована сею переменою.

29-го. Корпус Ламберта должен был мимо деревни Черни обойти левой фланг неприятеля, корпусы Маркова и Ланжерона — атаковать его фронт и корпус Эссена — укрепленный его правой фланг.

В резерве корпус был под командою генерал-лейтенанта Сабанеева[25]. — Корпус Ламберта пошел в 4 часа; прочие корпусы двинулись к атаке.

Неприятель с полуночи ретировался за реку Лену.

В 9 часов корпус Ламберта показался на вид к неприятелю, который и зажег мост чрез реку, как и все мосты по сей реке были зазжены вдруг. Корпус Ламберта был встречен пушечными выстрелами, с нашей стороны им ответствовано, потом стрелки наши занялись с их стрелками. В нашем корпусе ранен ядром генерал-маиор Удом, 2 егеря и один егерь убит. Около 11-ти часов прибыл корпус бывшей Маркова к берегу Лены, версты две левее нашего. Тогда началась доволно болшая канонада и ружейной огонь в корпусе Эссена.

В 1 <час> прибыл на тот же пункт, где и наш корпус находился, от Кобрина отряд Булатова.

Тогда корпус Маркова пошел к Чернивчицы, куда и прибыл после сумерек.

30-го. Генерал-лейтенант Сакен получил в команду корпус бывшей Маркова.

Октябрь

1-го. Я с отрядом перешел чрез Лену.— Отряд Кноринга пошел в Высоколитовск. Отряд Ланского[26] стал в Турне, отряд Паденского[27] остался при Черновчицы.

Корпус Сакена прибыл к Черновчицам.

Корпус Воинова пошел к Пружанам.

2-го. Корпус Сакена пошел в Глубоко.

3-го. По известиям, неприятель ретируется к Белостоку.

Наша главная квартира в селе Адамкове.

Как же нам побеждать? Дватцать дней, как мы тронулись с места, перешли верст 220, и уже хлеба нет шестой день. Естли б не картофель обывателская, умирай хоть с голоду; да при том же кричат о порядке, устройстве, бранятся о наказании шефов и награждают провиантских чиновников. Сколко забот было о провиантских транспортах! Сколко притеснений обывателям? — и те транспорты не поспевают за армией, идущей по 10 верст в сутки. Неприятель запас свои магазейны. Теперь взята мера продоволствия с обывателей без всякого порядка и установления, а это от того, что поздно принимать меры, прежде всё обнадеживая.— Тогда назначили продоволствие с земли, когда 6 дней ни сухаря в полках.

Водка уже продается по 40 коп. серебром кварта; в состоянии ли солдат пить, отщитают денги по 5 руб. за ведро, да где ее взять, купить-то? Но щитают, что денги взяты и солдат уже напился.

Фураж также берется, где кто и кто сколко нашел — тот и прав. Хорошее учреждение, как-то назад? Правда, что кавалерия наша в хорошем состоянии от этих безпорядков, но надолго ли?

Земля совершенно раззорена.

Что-то бедная Россия терпит? что-то в ней делается? Секретные курьиры не предвещают хорошего.

Армия уже привыкла слышать «Французы в Москве», и рассуждают о сем, как о всяком чуде после трех дней, холодно. Теперь у наших надежда на мороз, на снега, на безкормие, а все-таки на правительство никакой надежды.

Армия занята крестами, звездами и благодарит правителство, сколь оно милостиво. За несколко шагов опять раздумываются и говорят, что эти награждения не имеют цены. Ох! Смешны русские!!

Я занимался продоволствием и ползовался покоем, покудова можно.

Погода было вчерась испортилась, но нонче опять весенняя.

Сего дня 14 лет, как я щастлив, как женат. Как летит время! как оно летит...

6-го. Неприятель ретировался к Варшаве, генерал Мор к Гродно. Часть нашей армии в Варшавском княжестве, и болшою частью собралася около Белой. По неверным сведениям адмирал предложил Эссену иттить и, естли найдет по силе, атаковать неприятеля. Эссен лишь подошел к неприятелю, был от него атакован, целый день продолжалось дело. Эссен отступил с боем 7 верст. — С нашей стороны потеряно одно батарейное орудие, 318 убитыми, ранеными и без вести пропавшими. Неприятель потерял до 900, ибо мы были гораздо превосходнее в артиллерии. Генерал-майору Булатову велено сикурсировать Эссена, но он пошел другою дорогою, и оттого не помог Эссену.

Посему послано повеление в Пружаны корпусу Сакена воротиться к Бресту, наш корпус Ламберта выступил в 5 часов вечера (отряды мой и Паденского) и прибыл в 10 часов вечера в Брест. — Корпус Ланжерона пошел из Бреста и расположился при Залесьи. Корпус Сабанеева перешел Буг и стал при Тераеполе.

Итак, скоро месяц, как наша армия в движении противу армии, которая многочисленнее нас. Что ж мы зделали? Потеряли пушку — они же с трофеем; разбросаны корпусы, отряды, нет по сих пор решителного намерения, что хочет адмирал с этой армиею делать. Взять ли Варшаву? — Раззорить ли княжество? — Разбить ли Шварценберга? Помочь ли своей болшой армии? Отрезать ли все пути наполеоновской армии, к тылу ведущие?

Естли хочет брать Варшаву, пусть разчислит, есть ли у него снаряды, осадная артиллерия, инженерное депо, время на апроши к ней и ползу, какая от того выйдет болшой нашей армии. Взятие Варшавы избавит ли Москву? — Раззорить княжество хорошо и скоро, но Шварценберг и Ренье еще целы,— надобно же с ними что-нибудь делать!! — Разбить Шварценберга нелзя уже: он в двух переходах от силной Праги, однако же решимость и быстрота, может быть, и зделали бы удачу.— Помочь своей болшой армии — так надобно укрепится по Турии, оставить 30 т. в укрепленных лагерях. Здесь уже будет в болотах и раззоренных местах Шварценбергу маневрировать трудно, и мы, разбив Виктора[28] при Бобруйске, нападем на тыл наполеоновой армии.

7-го. Неприятелская армия ретировалась из Белой к Лощицы.

В 4 часа корпуса Ламберта отряды — мой и Паденского, выступили из Бреста, вступили в Варшавское княжество и остановились при деревне Вулки. В 9 часов вечера пришел корпуса Ламберта отряд Ланского в Вулки же.

Двор к нам прислал графа Чернышева. Хотел удивить нас сей ближний к государю. Полетел делать экспедиции, и какие партизанские! — хочет быть Платовым. Собрал везде контрибуции, отправил их прямо в руки к неприятелю. Казаки взяты, офицер взят, и контрибуции взяты. Премудро!

Сегодня был проливной дождь целой день.

8-го. Корпус графа Ламберта, отряды мой, Паденского и Ланского выступили в 9 часов утра и в 4 часа вечера прибыли к местечку Биала.

Отряд Кноринга, состоящий из его полка и 38-го егерского, находится в Высоколитовске.— 10-й егерской полк в Братулине.

Корпусы Ланжерона и Эссена, отряд Булатова опять тронулись вперед.

9-го. Биала — местечко изрядное, имеющее до 250 дворов и монастырь милосердных сестер. Дом князя Радзивила готической архитектуры, огромное строение с башнями. Над входом в первую залу нижнего этажа над дверьми положена кость рыбья, длиною сажени три и коей уже более ста лет, как она лежит.

10-го. Наши войски доволствуются от земли. Варшавское княжество оттерпливается за то, что саксонцы и австрийцы делали нашим жителям; скот, лошади — все забирается, домы раззоряются, хлеб и все запасы истребляются. Обыватели стонут, воин буянит, цари проклинаемы.

11-го. Я с отрядом моим в 2 часа пополудни выступил из Биалой и прибыл в 7 часов вечера в Рогозницу по дороге к Мижиричи.

Неприятель в 12 т. был расположен в Радзине и Борки. К оному прибыл сикурс, составленной из пленных гишпанцев, части французов — в 5 т.

Здесь забрано нами более 3 т. гишпанских овец.

Я послан для сикурсирования в нужном случае Ланского. — В ночь получил повеление, естли неприятель будет приближаться к Ланскому, мне отступить заблаговременно.

12-го. В 2 часа пополудни получил я повеление возвратиться в Биалу.

Корпусы Эссена и Ланжерона остановились в Залесье. а Булатова отошел в Вулки.

С 12-го на 13-е число отряды мой и генерал-майора Паденского выступили <из> Биалой, а отряд Ланского из Мижирич.

13-го. В 6 часов поутру прибыли отряды в Залесье. Корпусы Эссена и Ланжерона пошли к Бресту. В 6 часов вечера присоединился к ним отряд Ланского.

14-го. В 6 часов утра весь корпус графа Ламберта выступил из Залесья и около 2 часов пополудни прибыл к Тераснолю.

Вся армия наша собралась около Бржеста Литовского. Оная расписана:

корпус Сакена остается при Бржесте для действия противу австрийцев и саксонцев. Сей корпус щитается в 26 т.

Корпусы Эссена и Воинова, как и авангард под командою графа Ламберта, назначены итти к Вилне и далее, в тыл наполеоновой армии.

15-го. В 9 часов я с полками 13-м егерским, Козловским и Колыванским выступил из Бржеста и в 5 часов вечера, чрез Плоски и Ветошки прибыл в Елизарев Став для присоединения в корпус Эссена.

Корпус Эссена по случившейся перемене составился из 8-й дивизии, Тверского драгунского, Белорусского гусарского полков, Олонецкого пехотного и оставлен в Елизаровом Ставе.

Корпус Сабанеева составлен из Павлоградского гусарского, Кинбурнского драгунского, из 5-ти полков

15-й дивизии, 12-го егерского и 7-го егерского полков.

16-го. В 7 часов утра сей корпус следовал до Пружан, а полки 15-й дивизии остались в Чихочи.

17-го. Корпус оставался на том же месте.

18-го. Погода была самая дождливая и ненастная.

19-го. В Пружанах зделаны неболшие заготовки провианта.

20-го. Резервной корпус и 15-я дивизия следовали до деревни Хвойники.

Войски начали ставить по стодолам[29]

21-го. Корпус шел до Картузы Бериозы и был расположен по деревням в окрестностях оной. Подвижного провиантского магазейна еще нет, и мы уже терпим недостаток в провианте. Лошади доволствуются фуражем от земли. 21-го корпус оставался на том же месте. Я стоял покойно в хорошо убранном и теплом доме.

22-го. По ложным известиям, что неприятель находится в Хомске, корпус оставался на месте.

23-го. Резервной корпус пошел до Косова. 15-я дивизия, не доходя до оного, остановилась в ближней деревне.

Косов — неболшое, грязное местечко.

24-го. Резервной корпус и 15-я дивизия шли до местечка Девяткович.

25-го. Корпусы Воинова, резервной и 15-я дивизия соединились в окрестностях Слонима и Журавице.

26-го. По известиям о неприятеле все собрались и стали на бивак при Слониме.

27-го. В полудни, перед вечером, авангард пошел вперед, корпус Воинова на Новогрудок, а резервной корпус и 15-я дивизия — до местечка Полонки. Выступили около 4 часов пополудни, а в Полонку прибыли 28-го в 8 часов утра.

Сего ж числа выступили и следовали до Столович.

28-го. Войски дневали в окрестностях Столович. Здесь были передовые посты неприятелские от Несвижа.

Получено известие, что Шварценберг с австрийцами и Ренье с саксонцами прибыли к Волковицку. Надобно думать, что и Мор присоединится к ним. Генерал Дембровский[30] также имеет до 10 т. французов, смешенными с поляками, да Ренье получил сикурс 13 т. французов.

Итак, щитая Шварценберга в 30 т.

Ренье.....в 33 т.

Дембровского в 10.

Мы имеем противу нас .....73 т.

Цель их — не допустить нас в тыл Наполеона и перерезать ему операционною линию, отрезать ему все подвозы — что, я думаю, нам и не удастся, ибо и они уже силны, как и мы почти.— Мы себя щитаем под командою Чичагова в 80 т. и 400 пушек.

Что, естли бы эдакая армия Суворову?

Здесь земля мало потерпела и почти не раззорена.

Жители здешние смотрят уже на нас как на иностранцов и неприятелей. В три месяца они уже забыли, что они подданные России.

Что, естли бы теперь австрийцы объявили теперь войну Наполеону? Тогда бы сии упадшие австрийцы даровали бы мир и щастие целой Европы.

Армия начинает быть недоволна адмиралом.

30-го. Мы шли до Снова.

31-го. Корпусы шли до Несвижа.

Ноябрь

1-го. Корпусы дневали в Несвиже и окрестностях. Корпус Воинова был в Мире.

Неприятелские войски были в Новосвержене.

2-го. Граф Ламберт прогнал неприятеля из Новосвержена. Наши корпусы шли до Кайданова. В Кайданове граф Ламберт атаковал неприятеля, разбил его, взял до 1500 в плен и две пушки.

Чего дожидался начальник неприятелских войск, зная, что идет целая армия к нему?

Мы продоволствуемся от земли и кой-как.

3-го. Марш был до Гречени. Администрация наша безтолкова, но и француская не лучше нашей.

4-го. Марш был до Минска.

5-го. В Минске была дневка.

6-го. Я с полками Витебским и 13-м егерским поступил в авангард под команду графа Ламберта. Авангард сей составлен из полков:

Александринского гусарского;

Житомирского,
Стародубенского,   } драгунских;
Арзамасского

трех казачьих полков;

7-го,
13-го,   } егерских
14-го,
38-го

и Витебского пехотного, батарейной роты № 34, конных артиллерийских рот № 11 и 12.

224

Авангард шел до Смолевич. Здесь все предано огню, повсюду пустота, кучи мертвых от болезни французов находим на дорогах; болные их оставлены по деревням брошеными, без пищи, без одежды, без призрения. Каждая изба полна болными, и между ими наполовину умерших уже несколко дней.

В Минске у меня были милые хозяйки — вдова и девушка, обе молоды, а мне ли быть скучну с женщинами.

8-го. Марш авангарда был до местечка Жодин. Здесь получили мы известие от захваченного офицера, что Дембровский спешит к Борисову. Граф Ламберт хотел его предупредить.

9.[31]

И. П. ЛИПРАНДИ

Биография Ивана Петровича Липранди (1790—1880) сложна и необычна. В молодости его имя было овеяно романтическим ореолом дуэлянта, бреттёра, неудержимого храбреца, не лишенного авантюристической жилки. Пройдя долгий, полный противоречий и таинственных эпизодов, неустанных умственных трудов и неожиданных поворотов жизненный путь, он прослыл своей близостью к южным декабристам и ссыльному А. С. Пушкину (позднее запечатлевшему, кстати, некоторые его черты в образе Сильвио в «Выстреле») и вместе с тем — уже в николаевское время — верным слугой самодержавия, сыгравшим зловещую роль в деле петрашевцев и в преследовании раскольников. Куда менее известно отмеченное боевыми подвигами и наградами участие И. П. Липранди в войнах первой трети XIX в. и его богатейшее мемуарно-историческое наследие.

Отец И. П. Липранди был выходцем из старого испанского рода, еще в XVII в. обосновавшегося в Италии, и в 1785 г. переселился в Россию, где у него от брака с баронессой Кусовой родился сын Иван. В 1807 г. он вступает в свиту его императорского величества по квартирмейстерской части, в 1808—1809 гг. участвует в войне со Швецией и за взятие Торнео производится в поручики. Войну 1812 г. И. П. Липранди встретил в 6-м пехотном корпусе Д. С. Дохтурова, занимая в нем с 5 августа и до конца кампании должность обер-квартирмейстера. Отличившись в сражениях при Смоленске, Бородине, Тарутине, Малоярославце, в октябре 1812 г. он получает штабс-капитанский чин, в походах 1813—1814 гг. состоит обер-квартирмейстером корпуса Ф. Ф. Винценгероде и незадолго до падения Парижа производится в подполковники, а в 1815—1818 гг. служит во Франции в русском оккупационном корпусе М. С. Воронцова. По возвращении в Россию блистательная карьера И. П. Липранди вдруг обрывается — за дуэль, окончившуюся гибелью противника, его переводят в рядовой армейский полк, расквартированный в отдаленной Бессарабии.

Здесь И. П. Липранди и завязывает дружеские отношения с А. С. Пушкиным, который в 1822 г. отзывался о нем так: «Он мне добрый приятель и (верная порука за честь и ум) не любим нашим правительством и в свою очередь не любит его»*. Сближается тут И. П. Липранди с М. Ф. Орловым, В. Ф. Раевским, К. А. Охотниковым и другими южными декабристами и, окунувшись в напряженную атмосферу их идейной жизни, становится фактически участником Кишиневской ячейки тайного общества. Среди его знакомцев в те годы такие видные декабристские деятели, как С. И. Муравьев-Апостол и С. Г. Волконский. По воспоминаниям последнего, «при открытии в 20-х годах восстания в Италии» И. П. Липранди намеревался даже «стать в ряды волонтеров итальянской армии и по поводу неприятностей за это <...> принужден был выйти в отставку и выказывал себя верным своим убеждениям и прогрессу и званию члена Тайного общества»**. Арестованный в середине января 1826 г. по делу декабристов, он месяц спустя освобождается с оправдательным аттестатом, но привлечение к следствию резко изменило судьбу И. П. Липранди, навсегда покончившего с политическим вольномыслием и перешедшего на позиции правительственного лагеря.

Уже в декабре 1826 г. И. П. Липранди — полковник, возвратившись на юг, он разворачивает активную разведывательную деятельность в европейских владениях Оттоманской империи, сражается в русско-турецкой войне 1828—1829 гг., в 1832 г. в генерал-майорском чине уходит в отставку, но в 1840 г. поступает на службу, теперь уже гражданскую — чиновником особых поручений при министре внутренних дел Л. А. Перовском. Тут он и организует тайный сыск над кружком петрашевцев, засылает к ним провокатора. Полицейское рвение И. П. Липранди, соперничавшего с III отделением, получает широкую огласку в обществе и вызывает недовольство влиятельных сфер, а его имя обретает скандальную репутацию — и не в последнюю очередь благодаря разобла-

---

* Пушкин А. С. Полн. собр. соч.: В 16 т.— Т. XIII.— С. 34.
** Записки С. Г. Волконского (декабриста).— Спб., 1902.— С. 316.

чениям несколько лет спустя Вольной печатью А. И. Герцена.

История эта имела для И. П. Липранди роковые последствия и вынудила его на многолетние, но безуспешные оправдания. В начале 1850-х гг. он увольняется со службы и уже до конца своих дней попадает в глубокую опалу*.

Отрешенный от государственных дел, И. П. Липранди ищет применения своим силам как историк, публицист, военный писатель. Одновременно с фундаментальным изучением Восточного вопроса он сосредоточивается на истории войн начала века, и прежде всего, конечно, войн эпохи 1812 г. С середины века, по мере того, как уходят из жизни их ветераны, И. П. Липранди выступает как бы живым воплощением мемуарно-исторической традиции 1812 г., ее хранителем и пропагандистом: внимательно следит за всем, что выходит на эту тему в России и за границей, публикует пространные историко-критические разборы трудов об Отечественной войне (главным образом А. И. Михайловского-Данилевского и М. И. Богдановича), с тончайшим знанием дела вскрывая их ошибки, умолчания, разноречия, издает наиболее полную тогда библиографию литературы о войнах 1812—1814 гг., составляет коллекцию всех напечатанных когда-либо статей об Отечественной войне, предполагая переиздать их в виде серии сборников. Всем этим И. П. Липранди, как верно заметил Е. В. Тарле, проявил себя замечательным знатоком эпохи 1812 г., с мнением которого «очень считались военные специалисты»**. Так, в начале 1870-х гг., когда в «Русской старине» готовились к печати письма М. И. Кутузова за 1810—1812 гг., редакция, по указанию видного историка того времени А. Н. Попова, отправила их на просмотр И. П. Липранди, и он сопроводил кутузовские письма содержательными, строго выверенными примечаниями. Сам А. Н. Попов, работая над историческим трудом об Отечественной войне, тоже

---

* С а д и к о в П. А. И. П. Липранди в Бессарабии 1820-х годов// Пушкин: Временник Пушкинской комиссии.— Т. 6.— М.; Л., 1941; Э й д е л ь м а н Н. Я. Тайные корреспонденты «Полярной Звезды».— М., 1966.— С. 212—220; О н ж е. «Где и что Липранди?»//Пути в незнаемое.— Сб. 9.— М., 1972; И о в в а И. Ф. Декабристы в Молдавии.— Кишинев, 1975.— С. 1; «Записка о службе Д. С. С. Липранди с приложениями» — ОР ГБЛ, ф. 18, № 2584; Формулярный список — ЦГВИА, ф. 489, оп. 1, д. 7046, л. 498—499.

** Т а р л е Е. В. Соч.— Т. VII.— М., 1959.— С. 494.

пользовался советами И. П. Липранди, который консультировал историка по ряду спорных вопросов 1812 г., доставлял ему исторические документы, книги, планы сражений, собственные рукописи. Высоко ценил военно-историческую осведомленность И. П. Липранди и Л. Н. Толстой, часто обращавшийся в пору писания «Войны и мира» к его историко-критическим сочинениям,— по выходе книги в свет он посылает ее И. П. Липранди с дарственной надписью, хотя и не был знаком с ним лично. По этому поводу П. И. Бартенев пояснял: «Граф Толстой благодарит Липранди за его добросовестные труды по истории 1812 года, коими Толстой пользовался, изучая для своего романа ту эпоху»*.

Вместе с тем И. П. Липранди привлекает общественное внимание к еще жившим участникам наполеоновских войн и ведет их поименный учет, мобилизует сведения об их неразысканных дневниках и мемуарах, призывает к сбережению и публикации всякого рода записок ветеранов, побуждает их к записи воспоминаний — в тех случаях, когда они еще не были составлены.

Пишет он и свои собственные воспоминания об эпохе 1812 г., включая их, как правило (отдельными фрагментами или целостными очерками), в упомянутые выше историко-критические разборы — излюбленный жанр, в котором И. П. Липранди вообще чаще всего выступал в печати. В этих разборах мы находим интереснейшие мемуарные тексты, концентрирующиеся вокруг двух основных тем, которые в течение всей послевоенной жизни находились в центре мемуарно-исторических занятий И. П. Липранди,— Бородинское сражение и судьба Москвы в событиях 1812 г. Кроме того, его перу принадлежали и вполне самостоятельные мемуарные произведения, до сего времени не обнаруженные, а возможно, и вовсе утраченные: «Воспоминания о войне 1812 года вообще и в особенности подробное изложение действий 6-го корпуса «Дохтурова» и «Воспоминания о кампаниях 1813, 1814 и 1815 годах». Это были, вероятно, весьма объемные мемуарные повествования, охватывавшие, как видим, всю эпопею войн с Наполеоном от вторжения в Россию до его окончательного низвержения после Ватерлоо, и естественно, что они вобрали в себя громад-

---

* Эйдельман И. «Где и что Липранди?» — С. 152—153.

ный запас жизненных впечатлений И. П. Липранди — их непосредственного участника*.

Особую значимость всем этим воспоминаниям придавало то, что в своей фактической части они были основаны на его дневнике. В историко-критических трудах 1840-х 1860-х гг., приводя то или иное мемуарное свидетельство о 1812 г., И. П. Липранди непременно ссылается на конкретную дневниковую запись как его первоисточник: «Здесь я должен вкратце выписать из дневника своего этот эпизод», «я мог бы из дневника выписать частности этого периода», «я высказал то, что нашел в дневнике своем» и т. д. Надо, однако, учитывать, что сами дневниковые записи присутствуют здесь не в сколько-нибудь целостном виде, а лишь как разрозненные вкрапления, рассеянные среди множества других документально-исторических данных.

Свои дневниковые записи, которые, как сообщал И. П. Липранди, в январе 1869 г. П. И. Бартеневу, «включают в себя все впечатления дня до мельчайших и самых разных подробностей, никогда не предназначавшихся к печати», он вел непрерывно и систематично с 1807 г.— момента поступления на службу — и почти до самой смерти, т. е. всю свою сознательную жизнь, на протяжении трех четвертей века. Если учесть чрезвычайную осведомленность И. П. Липранди в событиях своего времени, к которым он был причастен, его острую наблюдательность, его умение обстоятельно и точно фиксировать увиденное, то не будет большим превеличением считать, что «громадные кипы» дневниковых тетрадей (он сам их так называл), попади они в наши руки, явились бы ценнейшим материалом для познания эпохи 1812 г. (как, впрочем, военной и политической истории России 1800—1870 гг. в целом). О том, какое богатство содержалось здесь, мы можем судить хотя бы по опубликованным еще в 1866 г. воспоминаниям И. П. Липранди о А. С. Пушкине — они всецело построены на дневнике и справедливо признаны в научной литературе одним из достовернейших источников о южной ссылке поэта и кишиневских декабристах**.

Однако сам дневник постигла судьба странная и до сих пор во многом не проясненная.

---

* Тартаковский А. Г. 1812 год и русская мемуаристика.— М., 1980.— С. 80—82, 102—104, 109—112, 237—239, 242—243, 248.
** Там же.— С. 83—86.

Хорошо понимая значение своих дневниковых записей, плотно насыщенных политически острыми и запретными с правительственной точки зрения сведениями, а быть может, полагая и вовсе небезопасным хранить их в России в единственном экземпляре, И. П. Липранди еще в 1840 г. снял с дневника копию и переправил ее за рубеж — это явствует из его письма к А. Н. Попову от 4 мая 1876 г., где сказано, что копия эта «с 1840 года под спудом за границей»*. Но за прошедшие полтора столетия каких-либо признаков ее существования отмечено не было — скорее всего, она безнадежно затеряна. Не исключено, что само решение о дублировании текста дневника и пересылке его копии за границу определенным образом связано с возвращением И. П. Липранди в том же 1840 г. на государственную службу и переездом в Петербург.

Подлинные же тетради дневника оставались у И. П. Липранди в России и безотлучно находились при нем. Он дорожил ими не только как исходным материалом для многочисленных мемуарно-исторических работ, но и как документальным свидетельством своего участия в исторической жизни эпохи. Причем, надо сказать, И. П. Липранди не держал дневник втуне и знакомил с ним тех, кто пользовался его расположением и кому он доверял,— и в годы свободолюбивой молодости, и в последние свои «консервативные» десятилетия. Например, в начале 1820-х гг. в Кишиневе он давал читать страницы дневника с описанием одной из своих давних дуэлей А. С. Пушкину**. В конце 1860-х гг. ряд тетрадей дневника за первую четверть века читал археограф Н. П. Барсуков, много общавшийся тогда с И. П. Липранди, который сам оповещал об этом П. И. Бартенева***. Как следует из цитировавшегося уже его письма А. Н. Попову от 4 мая 1876 г., при отправлении очередной партии исторических материалов об Отечественной войне он препровождал ему и «четыре тетради» дневниковых записей за 1812 г.**** — это, кстати, последнее известное нам упоминание о местонахождении дневника.

Между тем после смерти И. П. Липранди подлинник дневника исчез. Еще при жизни он делал все, чтобы при-

---

* ОПИ ГИМ, ф. 231, д. 3, л. 17.
** Из дневника и воспоминаний И. П. Липранди//Русский архив.— 1866.— Ст. 1455.
*** ЦГАЛИ, ф. 46, оп. 1, д. 561, лл. 410, 461.
**** ОПИ ГИМ. ф. 231, д. 3, л. 17.

строить свои рукописи в архивные собрания. Одни бумаги были переданы им в Чертковскую библиотеку, другие — в Общество истории и древностей российских при Московском университете, изрядная часть рукописей, среди которых были и относящиеся к 1812 г., поступила от И. П. Липранди к Н. П. Барсукову*. Но ни в одном из архивохранилищ, где находятся ныне эти собрания, каких-либо следов дневника не выявлено. Нет их и среди тех рукописей И. П. Липранди, которые уже по его кончине оказались в архиве Министерства внутренних дел и в Библиотеке Академии наук**. Знаток литературно-общественного быта XIX в. П. С. Шереметев, очевидно, со слов потомков автора, сообщал: «В семье Липранди существует предположение что дневник был уничтожен одним из его сыновей»***. Как бы то ни было, предпринимавшиеся многими историками, начиная с 20-х годов нынешнего столетия, специальные поиски дневника успехом пока не увенчались.

Теперь мы вплотную подошли к тому, чтобы оценить по достоинству публикуемый ниже документ. «Выписка из дневника 1812 года, сентября 3-го и 4-го дня» — это не что иное, как едва ли не единственный сохранившийся доныне отрывок подлинного дневника И. П. Липранди, лишь слегка измененный стилистической правкой более позднего времени. А отражает она самый драматичный, можно сказать, кульминационный момент Отечественной войны — оставление французам Москвы. В «Выписке» подробно рассказано о выходе из столицы корпуса Д. С. Дохтурова и о впечатлении от московского пожара в рядах русских войск.

До нас дошли три рукописи «Выписки»: черновой автограф и авторизованная копия — в коллекции исторических документов Военно-ученого архива**** и писарский список конца XIX — начала XX в. — в собрании известного русского коллекционера П. И. Щукина, предназначавшего его, видимо, для публикации в своем издании «Бумаги, относящиеся до Отечественной войны 1812 года»*****. Уже одно наличие этого позднейшего списка не-

* Русский архив.— 1867.— Ст. 317; 1869.— Ст. 1553.
** Эйдельман Н. Я. «Где и что Липранди?» — С. 154—158.
*** Цявловский М. А. Книга воспоминаний о Пушкине.— М., 1931.— С. 230.
**** ЦГВИА, ф. 474, д. 119.
***** ОПИ ГИМ, ф. 160, д. 313, л. 211—214.

оспоримо свидетельствует о том, что «Выписка» имела хождение среди коллекционеров, археографов, историков, любителей старины и т. д. Но пути проникновения ее в общество столь же загадочны, сколь и участь всего дневника. Можно лишь предполагать, что к распространению «Выписки» имел какое-то отношение сам И. П. Липранди; на исходе жизни стремившийся напомнить о себе современникам, оставить побольше следов былого участия в исторических событиях своего времени и охотно разрешавший снимать копии со своих историко-мемуарных и публицистических сочинений.

Принадлежность «Выписки» к составу его дневниковых тетрадей — вне всяких сомнений. На это указывает само ее достаточно определенное в этом смысле авторское название. «Выписка» явно вычленена из предшествующего дневникового текста и заканчивается на полуфразе, обрывающей его продолжение. Это же видно и из отметок о пропуске отдельных страниц, т. е. не включенного сюда по тем или иным причинам фактического материала дневника, и из предельной конкретности в передаче мельчайших деталей военно-бытовой обстановки, и из анналистического ритма повествования, хронометрированного не только по дням, но даже в часовой последовательности.

Непосредственно примыкает к «Выписке» еще одна рукопись И. П. Липранди, чудом уцелевшая в архиве историка Н. К. Шильдера,— его собственноручный карандашный набросок дневникового происхождения, варьирующий ту же тему выхода из Москвы корпуса Д. С. Дохтурова, но хронологически ограниченный лишь тем, что было в поле зрения И. П. Липранди ночью и утром 3 сентября*. Нельзя не заметить, что набросок еще более тесно связан с текстом дневника, ближе к нему, нежели сама «Выписка», в нем, в частности, есть прямые ссылки на оставшиеся за его пределами дневниковые записи от 31 августа и 2 сентября («как сказано во вчерашнем дневнике»).

При всей краткости набросок содержит в себе подробности, отсутствующие в «Выписке» и представляющие самостоятельный интерес,— живописное изображение зарева над горящей Москвой, разговоры квартирмейстерских офицеров с солдатами, «негодование» уходящей от французов «толпы» мирных жителей, упоминание об И. А. Фонвизине — будущем декабристе, совершенно

---

* ОР ГПБ, ф. 859, карт. 30, № 6.

неизвестные доселе биографические сведения об авторе — его матери и четырех братьях, похороненных в Спасо-Андрониковом монастыре.

И «Выписка» и набросок фиксируют самую начальную стадию преображения подённых записей в мемуарный рассказ и являются, вероятнее всего, дневниковыми заготовками для не дошедших до нас «Воспоминаний о войне 1812 года», где особенно обстоятельно были изложены, по словам И. П. Липранди, «действия 6-го корпуса Дохтурова».

В виду уникальности наброска, существенно дополняющего «Выписку», приводим здесь полный его текст.

Около полуночи, с час спустя после нашего отправления из лагеря, как пожар Москвы, обозначившийся накануне, днем, одним только дымом, здесь явился уже в ужасной, но величественной картине. Отъехав около 8 верст, я слез с лошади, за мною последовали и все квартирьеры, полуголодные и изнуренные, в особенности томимые сном, потому что с самого Бородинского сражения, как сказано во вчерашнем дневнике, мы могли едва ли пользоваться оным по два часа в сутки, в особенности я и мои товарищи, исправлявшие должность, подобно мне, обер-квартирмейстеров в других корпусах. Ни с чем не сравнимая картина эта невольно заставила нас остановиться, устремив глаза на зарево, отделяющееся черною полосою от города, покрытого огнем, переливающимся с одного места на другое и временами возвышаясь внезапно. Здесь сон, голод и усталость как бы никогда нас не изнуряли, мы все сделались бодры, завязался разговор общий, нас и солдат, каждый рассуждал по-своему, одни острились шутками, другие — как бы искали в столь далеком расстоянии узнать места, которые были им дороги воспоминаниями. Дорога вся была покрыта, как и накануне, в несколько рядов, обозами и экипажами, те же толпы разного звания и типа людей окружали оные, крик, шум, негодования — все это совершенно нас освежило. Некоторые подходили к нам, вступали в разговоры, отвечали на наши вопросы; так я искал узнать Андроньев монастырь, где, как сказано выше, 31 августа, похоронена моя мать с четырьмя братьями. Эти вопросы казались в то время правильными, и ответы на них удовлетворительными, но спустя несколько и то, и другое показалось глупым. Скоро подъехали ко мне капитан Брозин, обер-квартирмейстер 5 корпуса, за ним штабс-капитан фон Визин 7 корпуса и тотчас после колонновожатый Бетев, с квартирьерами кирасир. Исключая этого последнего, не слезшего с лошади и спешившего в Горки, как объяснил, уснуть, другие все остались с нами. Пробыв таким образом тут часа два — незаметно, и подкрепив себя рюмкою водки и закускою, которую нам предложил проезжавший коллежский секретарь Влад. Семенович Наназин (служивший, как говорил, при театре), мы поехали далее, беспрестанно оглядываясь и останавливаясь смотреть на беспрерывно усиливавшийся пожар. В шесть часов утра приехали мы в Горки, Бетев уже выспался, и чайник его кипел перед воротами избы, куда сведены были кирасирские лошади. Начало уже светать, картина пожара не была уже столь поразительная, и мы все, севши около дороги на бревно, приготовлялись дремать, как подъехал к нам штабс-капитан Гартинг и потребовал нас всех в поле, где уже полковник Толь ожидал нас. Принявши позицию, несколько выше д. Горок, мой корпус должен был примыкать правым флангом к рязанской дороге и распространяться перпендикулярно к оной влево, другие корпуса заняли место по обыкновенному ордер-дебаталю.

«Выписка из дневника 1812 года» проливает новый свет на знаменитый план М. И. Кутузова по проведению флангового марш-маневра, сыгравшего переломную роль в ходе Отечественной войны и даже недоброжелателями полководца оценивавшегося как высшее достижение его стратегического искусства.

По своей почти «стенографической» точности «Выписка»— источник, не имеющий аналогов в свидетельствах современников об этом историческом эпизоде 1812 г., ибо дневниковых записей о нем других очевидцев не сохранилось. Позднейшие же воспоминания таких крупных военачальников, как М. Б. Барклай-де-Толли и А. П. Ермолов, и таких осведомленных штабных офицеров, как А. И. Михайловский-Данилевский. А. А. Щербинин, Н. Н. Муравьев-Карский, весьма бегло отмечают лишь сам факт решения Кутузова повернуть армию с Рязанской дороги на Калужскую, но совершенно не касаются обстановки, при которой оно было оглашено. Из «Выписки» мы узнаем, наконец, как это реально происходило,— узнаем как бы изнутри, через восприятие участника события в самый момент его свершения. Синхронные записи И. П. Липранди восстанавливают менявшуюся с часу на час атмосферу оповещения корпусных квартирмейстеров о приказе Кутузова о предстоявшем маневре — для командного состава армии он явился, как мы видим теперь, полной неожиданностью. Но не только потому, что по принятому тогда порядку содержание таких приказов было вообще окружено особой секретностью: собиравшимся в штабе обер-квартирмейстерам диктовали «диспозицию на следующий день со всеми предосторожностями, чтобы проходящие не могли слышать, для этого нередко дом, где писали диспозиции, оцепляли даже часовыми», «когда диспозиции были написаны, сам Толь подписывал их и запечатывал печатью главнокомандующего в конверты», обер-квартирмейстер же «должен был <...> не иначе отдать пакет корпусному командиру, как в назначенный час»*. Но в данном случае все было несколько по-иному — сразу же по оставлении Москвы стало известно, что армия движется дальше по Рязанской дороге на Бронницы. Это подтверждала и первоначальная диспозиция на 5 сентября, которую начали диктовать накануне в 4 часа дня. Но затем, как свидетельствует И. П. Липранди, диктовка была прервана и только к вечеру (приказ Кутузова по армии от 6 сентября 1812 г. позволяет уточнить, что это произошло в 7 часов пополудни 4 сентября**) было вдруг объявлено о резком изменении его намерений — решении двинуть армию после переправы через Москву-реку у Боровского перевоза во фланговом направлении на Калужскую дорогу. Причем из «Выписки», пожалуй, впервые с такой отчетливостью выявляется, что это решение оказалось внезапным не только для большинства корпусных командиров, но и для наиболее доверенных помощников главнокомандующего по штабу — П. П. Коновницына и К. Ф. Толя. Судя по легко улавливаемым из рассказа И. П. Липранди их колебаниям, нервозности, растерянности во время диктовки диспозиции, и они до последнего момента не были осведомлены им об истинном маршруте движения армии 5 сентября. Между тем

_____

* Глиноецкий Н. История русского Генерального штаба.— Т. 1.— Спб., 1883.— С. 253.
** М. И. Кутузов: Сборник документов.— Т. IV.— Ч. 1.— М., 1954.— С. 242.

решение о фланговом маневре созрело у Кутузова не позднее утра 3 сентября. Уже тогда он сообщил Д. И. Лобанову-Ростовскому, что армия «переходит на Тульскую дорогу», а во второй половине дня 3 сентября, раскрывая свой замысел, писал Ф. Ф. Винценгероде: «Я намерен сделать завтра переход по Рязанской дороге, далее вторым переходом выйти на Тульскую, а оттуда на Калужскую дорогу через Подольск»*. О том же свидетельствовал и А. И. Михайловский-Данилевский, прикосновенный к секретной переписке Кутузова: «На движение <...> на Калужскую дорогу согласились 3-го сентября поутру, и я был одним из первых, который о сем узнал»**.

«Выписка» И. П. Липранди дает, таким образом, возможность живо почувствовать принятый Кутузовым способ управления войсками, его умение хранить в глубокой тайне свои стратегические соображения и — тем самым — приближает нас к пониманию некоторых свойств личности великого полководца.

«ВЫПИСКА ИЗ ДНЕВНИКА 1812 ГОДА, СЕНТЯБРЯ 3-ГО И 4-ГО ДНЯ»

Вследствие диспозиции я поспешил оставить Панки и в час по полуночи, 3 сентября, собрав квартиргеров своего корпуса, отправился из лагеря ранее прочих с целью, по прибытии на сборное место, отдохнуть. Но пожар Москвы, более и более усиливавшийся, заставил нас беспрерывно оглядываться назад, останавливаться и вступать в разговор с тою же толпою народа, которая вместе с бездною экипажей в несколько рядов тянулась, как и накануне...*** В деревне Жилина мы едва могли протесниться по дороге; в одной из крайних изб спасавшийся из Москвы служивший при Театральной Дирекции статский советник Наназин пригласил меня выпить чашку чая, я привел к нему своих офицеров, тут нашли А. И. Кусова[1] и Ф. Н. Глинку[2], они были уже несколько спокойнее, чем в Панках, когда я их встретил; за чаем мы исправно закусили, семейство Владимира Семеновича Наназина чрезвычайно занимательно, и я предложил их конвоировать до Боровского перевоза; они

---

* М. И. Кутузов: Сборник документов.— Т. IV.— Ч. 1.— С. 230—231.

** Исторический вестник.— 1890.— № 10.— С. 153.

*** Две с половиной страницы пропускаются (*Примеч. автора*).

приняли с благодарностью, ибо трудно было ему пробираться по дороге в трех экипажах, давка и в полной силе беспорядок был ужасный. Таким образом меня нагнали мои товарищи других корпусов. Они, отдохнув на месте, отправились два и три часа после меня. Один только Бетев[3], казалось, не был поражен картиною нас окружающею; он, дремя, по обыкновению, на лошади, перегнал нас всех, и мы нашли его на сборном месте пьющим уже чай. Здесь по переезде через мост слезли с лошадей и, расположившись у берега Москвы-реки, поспешили также к своим чайникам. Пожар более и более усиливался, тут опять завязался живой разговор; но начало светать, я занимался переправою Наназиных через мост, а между тем никто к нам не являлся, передовые обозы наших корпусов стали уже показываться; мы послали в деревню Кулакову, лежащую несколько влево от дороги, чтобы узнать, нет ли там Толя и не произошло ли перемены, но и там кого нам было нужно не нашли, между тем вагенмейстеры сказали нам, что им велено идти на Бронницу, лежащую далее по Рязанской дороге, и останавливаться в пяти верстах не доходя до оной; это нас всех успокоило потому, что снимало с нас ответственность размещать обозы соответственно месту, которое должен был занимать каждый из корпусов. Вскоре объявили нам тоже и несколько рот резервной артиллерии, получившей приказание идти к Броннице, куда, как говорили, направится и Главная квартира. Наконец, в 7 часов приехал штабс-капитан Гартинг[4], объявив причиною запоздания то, что они выбирали позиции, были почти в Броннице и указали места для резервной артиллерии, обоза и милиции. Последовав за Гартингом, мы нашли Толя саженях в сто по дороге,— тут он указал нам позицию, мой корпус был разорван почти пополам большою дорогою; нам приказано первую линию иметь развернутым фронтом, вторую в колоннах, артиллерию предоставлено расставить по удобству; тяжести отправить в 4 часа по полудни к Броннице. В 10-м часу начали приходить войска и занимать позицию, корпусной мой командир[5] приехал в коляске вместе с графом Марковым[6]. Указав им избу в деревне Боровской и оставив Потемкина[7] указать размещение штаба в других четырех избах, доставшихся в удел нашему корпусу, я озаботился поместить графа Панина[8], немного хворавшего, в избу, занятую для меня, и поскакал к корпусу, который уже становился на позицию, указываемую дивизионными квартирмейстерами. Я поспешил к Уфимскому полку, чтобы узнать последствия взрыва в 3-м батальоне сум с патронами; к счастью, сошло с рук, фельдмаршал велел освободить Гинбута из-под ареста — сделать замечание, поставив на вид всей армии необходимую осторожность. В час по полуночи корпус окончательно расположился и я поехал доложить о сем генералу Дохтурову. Войдя в избу, я застал его, графа Маркова, Бологовского и Талызина[9], играющими уже в крепс, по обыкновению, до обеда. Отправляясь на свою квартиру, я нашел графа Панина крепко спящим, и когда позвали обедать, то я и князь Вяземский пошли одни, предполагая, что сон для 17-ти летнего, нежного сложения Панина, измучившегося походом от Бородина так, что едва ли во все это время мы могли спать по два часа в сутки. За обедом обыкновенный разговор — Москва. К Дохтурову, которого весь штаб состоял из москвичей, съехалось еще более. Тут объявили нам, что фельдмаршал остановится на ночлег тут же в деревне, а только одни тяжести отправляются к Бронницам. Обстоятельство это было причиною, что крайняя изба, из занимаемых нами, должна была отойтить под Главную квартиру и поместившееся в оной перешли в нашу, канцелярия поместилась в анбары, клуни, сараи. К счастью, что успели собрать фураж. Отправившись, по обыкновению, в 6 часов за приказанием, нам объявили, что на другой день предполагается дневка, но чтоб на всякий случай держать квартиргеров готовыми при корпусных штабах. Возвратясь к генералу Дохтурову, я нашел его уже за утомительным бостоном. Тут Бологовской испросил у него позволение послать вперед в Рязань для закупок необходимых припасов. Вызвались Нелединский-Мелецкий[10] и Потемкин, каждый из нас дал им денег для покупки, преимущественно сапогов и чаю. Я пошел домой и проспал до утра 4 сентября. Восстановив сном совершенно свои силы, я нашел и Панина совсем оправившимся, и как он отдан был мне на руки, то я неотменно требовал, чтоб он поехал со мною к корпусу, потому что это движение еще более должно было его подкрепить, долго должно было уговаривать его и просить, наконец, он согласился, я велел приготовить лошадей, а между тем пошел к генералу Дохтурову, было 11-ть часов, он лежал в кровати, по другую сторону Марков, в таком же положении неодетый, между ними, у окна, стоял стол, и у оного сидели рядом двое Талызиных[11] и Бологовской, играли в крепс.

Вскоре вошел Виллие[12], игра прекратилась на пять минут, а потом опять продолжалась; среди разговора с беспрестанно приходящими, в числе коих был генерал-майор князь Оболенский (брат жены Дохтурова)[13], генерал Капцевич и т. д. Пробыв с полчаса, я зашел домой и, севши с Паниным на лошадей, поехали в лагерь; к двум часам возвратились обедать. Лица были обыкновенные. Разговор шел о настоящем нашем положении. Бологовской виделся с Коновницыным и говорил, что он полагает движение армии в полночь. Толки были различны: одни говорили, что мы отойдем только до Бронницы и что когда Наполеон перейдет Москву-реку у Боровского перевоза, то ударим на него со всеми силами, чтобы прижать к реке. Другие — что будем идти до Рязани, но никто решительно ничего положительного не сказал.

В 4 часа обер-квартирмейстеры были потребованы. Когда мы собрались, то по обыкновению каждый начал писать с диктовки диспозицию: диктовал полковник Хоментовский[14], но едва он продиктовал: «в 11 часов вечера сего дня армия выступает левым флангом...»,— вошел полковник Толь, спросил диспозицию, посмотрел, сколько продиктовано, взял из рук капитана Брозина перо и, сделав какую-то поправку, отдал диспозицию полковнику Хоментовскому, который и продолжал: «на Бронницу, отправив за три часа квартиргеров для принятия позиции, которым и собраться при резервной артиллерии. Тяжести»— с этим словом вошел генерал Коновницын, приказал остановить дальнейшую диктовку. За ним вошел Толь и взял из рук Хоментовского диспозицию, приказал ему отобрать от нас те, которые мы уже начали писать, а нам, не разъезжаясь, велел ожидать. Мы вышли все из сарая и легли за оным, обратив глаза на Москву, которая с каждой минутой представляла более и более живописную картину, ибо начинались сумерки и огонь с заревом более и более изображался на небосклоне. Через час нас вновь позвали, и Хоментовский начал: «В час ночи пополуночи 5 сентября 6-й и 5-й корпуса выступают левым флангом вверх по правому берегу Пахры через Жеребятово в Домодово. Колонна эта состоит под начальством генерала от инфантерии Дохтурова», далее говорилось о других корпусах, долженствовавших следовать по тому же направлению. Мне и Брозину с квартиргерами наших корпусов приказано было идти в голове, не отделяясь вперед. Приказывалось за час до выступления отправить с обоих корпусов 400 рабочих, с нужным числом фронтовых офицеров и двумя дивизионными квартирмистрами для исправления мостов и дороги, где это потребуется, упомянув, что отряд графа Орлова-Денисова будет прикрывать правый фланг, следуя параллельно армии по левому берегу р. Пахры. В продолжении диктовки этой длинной диспозиции Толь несколько раз, а Коновницын один раз входили в сарай, где мы писали, и беспрерывно что-то исправляли в диспозиции. Коновницын казался спокойным, но Толь бесновался и дерзко относился к Хоментовскому, сказав даже: «да Вы и читаете-то плохо». По окончании диспозиции, когда Толь скрепил каждому из нас, мы отправились к своим местам. Прелести Рязани, где мы думали себя переодеть, исчезли,— мы все сделались грустны, чем при оставлении Москвы. Когда я принес к корпусному командиру диспозицию, он и никто из бывших не ожидал перемены пути[15]. Бологовской тотчас подал карту, и мы увидели, что это направление на Подольск. (Что меня помирило с мыслью о Рязани. Подольск я помню в малолетстве, когда мне было только девять лет.) Тотчас было сделано распоряжение о наряде рабочих в полной амуниции из 6-го корпуса, я назначил прапорщика Дитмарса, собраны были проводники, и ровно в полночь рабочие тронулись, а через час и мы...

А. А. ЩЕРБИНИН

Александр Андреевич Щербинин (1790—1876) уже знаком читателю по «Войне и миру». Его не раз встречаем мы на страницах романа, посвященных Отечественной войне. Впервые он появляется при Бородино: «Когда с левого фланга прискакал Щербинин с донесением о занятии французами флешей и Семеновского, Кутузов, по звукам поля сражения и по лицу Щербинина угадав, что известия были нехорошие, встал, как бы разминая ноги, и, взяв под руку Щербинина, отвел его в сторону<...>» В другом эпизоде, относящемся ко времени получения Кутузовым известия о выходе Наполеона из Москвы, он также в числе главных действующих лиц.

А. А. Щербинин принадлежал к старинному дворянскому роду. Его отец Андрей Петрович воспитывался за границей, достиг по службе чина полковника, а в молодости наследовал значительное состояние (около 2000 душ). Однако, беспечно промотав его, залез в долги, попал в опеку и заставил немалочисленное свое семейство узнать нужду. Он был женат на дочери обрусевшего немца Екатерине Петровне Барц. Кроме Александра, чета Щербининых имела еще двух сыновей и дочь.

Александр, получив образование в Горном корпусе, в декабре 1810 г. был принят колонновожатым в свиту императора по квартирмейстерской части. В 1812 г. он участвует в Отечественной войне в чине прапорщика. С началом военных действий Щербинин состоит при генерал-квартирмейстере 1-й Западной армии К. Ф. Толе, а с сентября — в секретной квартирмейстерской канцелярии Главного штаба Кутузова. В кампаниях 1813—1814 гг. он служит в той же канцелярии при начальнике Главного штаба князе П. М. Волконском, по-прежнему ведя «тайную переписку по военным операциям», чему в условиях коалиции союзников немало способствовало знание Щербининым французского и немецкого языков, которыми он владел в совершенстве еще с детства.

Во время походов Щербинин оставлял «производство бумаг», садился на коня и, как свитский офицер, выбирал места для биваков, размещал войска на боевых позициях. В огне сражений он исправно исполнял обязанности адъютанта. О тяготах службы, которую нес Щербинин, мы узнаем из его письма к немецкому историку Т. Бернгарди от 22 января 1851 г., где он вспоминает осеннюю кампанию в Германии: «Когда после Дрезденской битвы часу в 7 и 8 вечера, при начале сумерек, <...> изнуренные все от усталости, готовились <...> отправиться в Главную квартиру императора, Карл Федорович (Толь.— *А. В.)* получил вдруг словесное приказание его величества ехать к Барклаю и оставаться при нем во время марша на Петерсвальде по причине опасности пути. По вызову Карла Федоровича я назначен был ему сопутствовать. <...> Мы потащились тихим шагом на усталых лошадях, которыя, погружаясь в вязкую глину по колени, едва могли вытаскивать из нее ноги. Дождь перестал, лив целые почти сутки. Наступила темная ночь. Трудно было найти направление, которого надлежало держаться. Я подъехал к огню бивака, чтобы взглянуть на карту мою; я вытащил из бокового кармана жидкую массу, в которую превратилась бумага и подклейка карты — столь мы были проникнуты от проливного дождя!

Мы поехали наудачу и после долгого пути нашли Барклая, расположившегося в уединенной маленькой хижине. Карла Федоровича ввел, я не мог заметить, лакей или адъютант, но только это лицо тотчас исчезло. Я остался один в темных сенях, коих двери в хижину были открыты. <...> После весьма краткого разговора Барклай и Толь разделили жареную курицу, предложенную первым, и ночлег в тесной хижине. В сенях, как выше я сказал, лег я, голодный и изнеможенный, на пол и, попав, как мне казалось, на мягкую перину, заснул глубоким сном <...> Проснувшись в 8-м часу другого утра, я увидел, что я лежал на куче свежего навоза <...>»*

Участник Бородинской битвы, Щербинин отличился также при Малоярославце, Красном, Люцене, Кульме, Лейпциге и взятии Парижа. В феврале 1813 г. он был произведен в подпоручики, а в августе — в поручики. В октябре новое повышение чина: Щербинин — штабс-капитан. Войну он окончил в «чине капитана и получил

_____

* ЦГВИА СССР, ф. ВУА, д. 3918, л. 149—150 об. Публикуется впервые.

все ордена, доступные обер-офицеру» и золотую шпагу «за храбрость». В августе 1814 г. Щербинин был причислен в Гвардейский генеральный штаб.

Принадлежа к просвещенному кругу квартирмейстерских офицеров, Щербинин, как уже упоминалось, входил в их тайное политическое сообщество «Рыцарство», образовавшееся в Петербурге еще в 1811 г.*. В последующие годы он состоял в масонской ложе «Железного креста», был дружен со многими будущими декабристами, в том числе с Ф. Н. Глинкой и Н. И. Тургеневым, с близкими к ним М. А. и П. А. Габбе, А. И. Михайловским-Данилевским, с Н. Д. Дурново, который писал о нем в своем дневнике: «люблю его как брата»**. Люди, хорошо знавшие Щербинина, отмечали высокие качества его души. «С Щербининым я более всех дружен. Он отличный малый и любимец всех генералов и нисколько тем не гордится,— писал сестре его сослуживец С. Г. Хомутов.— <...> Он всегда был добрый и хороший товарищ***.

Напомним также, что младший брат Щербинина — Михаил Андреевич был приятелем А. С. Пушкина и участником литературного общества «Зеленая лампа», испытывавшим влияние Союза Благоденствия. Видимо, и сам Щербинин был тоже знаком с поэтом.

В октябре 1816 г. Щербинин в чине полковника оставляет военную службу и несколько лет проводит в путешествиях по Европе. В конце 20-х гг. он состоит по выборам в должности председателя Харьковской уголовной палаты, а в следующем десятилетии занимает видные посты в придворном ведомстве. Удачно складывавшаяся карьера Щербинина при дворе была прервана самым неожиданным образом. Во время пожара Зимнего дворца в декабре 1837 г. Николай I приказал гвардейцам выносить только мебель, картины и фарфор, а «более громоздкие предметы, статуи, вделанные в стены украшения, чтобы не подвергать людей опасности, оставлять на жертву пламени»****. Однако в одном из горевших залов он нашел гвардейских егерей, которые, проявляя усердие, пытались выломать из стены огромное зеркало. Раз-

---

* См. настоящее издание, с. 17—18, 38—40.
** Там же, с. 61.
*** Из дневника свитского офицера//Русский архив.— 1869.— Ст. 267, 291.
**** Рассказы очевидцев о пожаре Зимнего дворца в 1837 году// Русский архив.— 1865.— Ст. 1192.

досадованный император разбил зеркало каблуком и в довольно грубой форме сделал распоряжавшемуся здесь Щербинину замечание. Спустя месяц, после нового переполоха во дворце, вызванного небольшим пожаром, разгневанный царь отдал приказ посадить на гауптвахту Щербинина, исполнявшего обязанности гофмейстера двора. Гордый и крайне самолюбивый, Шербинин не смог вынести этих обид и подал прошение об увольнении от службы. Внук Щербинина, историк Ю. Н. Щербачев писал, что «такой вынужденный выход в отставку, соответствовавший гражданскому самоубийству, был для него глубоко трагичен. Удар этот и наложил на него, на протяжении всей дальнейшей его жизни, печать особой замкнутости и сухости»*.

В 50-е—60-е гг. Щербинин — один из немногих оставшихся в живых ветеранов наполеоновских войн — привлекает пристальное внимание историков, обращавшихся к нему за разъяснением малоизвестных событий той героической поры. Еще в 1830-х гг. он охотно делился своими воспоминаниями с А. И. Михайловским-Данилевским, готовившим тогда фундаментальный труд о войнах 1812—1814 гг. Теперь же предоставляет ценнейшее собрание документов 1812—1813 гг., свои дневники тех лет и позднейшие записки Т. Бернгарди и М. И. Богдановичу.

Живя уединенно в родовом имении близ Харькова, Щербинин с особой теплотой вспоминает свою боевую молодость и с интересом следит за литературой, посвященной тому времени, откликается мемуарно-критическими замечаниями на «Историю Отечественной войны 1812 года» М. И. Богдановича (1860) и «Войну и мир» Л. Н. Толстого (1869), которого находит «остроумным, красноречивым автором, но не военным и не стратегиком».

Посвятив последние годы жизни приведению в порядок своих записок, Щербинин предполагал передать их в архив Генерального штаба. Но после его смерти многие бумаги оказались рассеянными. Некоторые из них, в том числе замечания на «Историю Отечественной войны 1812 года» и «Войну и мир» оставались в семейном архиве Щербинина и в начале нашего века были опубликованы Ю. Н. Щербачевым**. Другая, более значитель-

---

* Щ е р б а ч е в Ю. Н. Приятели Пушкина Михаил Андреевич Щербинин и Петр Павлович Каверин.— М., 1913.— С. 177.
** Чтения в МОИДР.— 1912.— Кн. IV.— Отд. 2.— С. 4—16.

ная часть бумаг, переданная в 1858 г. М. И. Богдановичу, в составе двух дел поступила в Военно-ученый архив Главного штаба.

Первое дело под названием «Бумаги покойного гофмейстера Щербинина о военных действиях 1812 года» содержит наряду с подлинными документами того времени «Мои записки о кампании 1812 года»*. Побудительным мотивом для составления этих интереснейших мемуаров была просьба Т. Бернгарди предоставить ему материалы для жизнеописания К. Ф. Толя. Записки Щербинина о 1812 г. получили широкую известность — дважды публиковались в начале нынешнего столетия**, а еще за 40 лет до того были использованы в трудах Т. Бернгарди и М. И. Богдановича***. По этим трудам с ними и ознакомился Л. Н. Толстой и именно из них почерпнул те подробности участия Щербинина в Отечественной войне, о которых мы уже ранее упоминали. Преображенные в художественно-историческом произведении, записки о 1812 г. теперь, на его собственных глазах, словно обрели новую жизнь. Чтение романа вызвало в памяти Щербинина картины былого, и он счел нужным дать некоторые уточнения. Особые возражения вызвала та глава, где рассказано о прибытии в погруженную в сон Главную квартиру Кутузова курьера от Д. С. Дохтурова с известием об оставлении французами Москвы: «Тут и о Щербинине — и не совсем верно. Денщика Коновницына не было в избе, когда вошел посланный Дохтурова <...> Не было надобности хлопотать о зажжении свечи, когда вошел посланный: она всегда стояла в устье печи внутри медного таза, который наполнялся массою тараканов — черных, гладких, безвредных; прусаков бурых, которые смердят и кусают, в избе не было. Она была курная или черная. Топка печи продолжалась не более часа. В это время густой слой дыма несся над головой моей и Коновницына, лежавшего близ дверей в темном углу, диагонально против меня. Должно было пережидать

---

* ЦГВИА СССР, ф. ВУА, д. 3652.
** Х а р к е в и ч В. И. 1812 год в дневниках, записках и воспоминаниях современников.— Вильна, 1900.— Вып. 1.— С. 1—53; Отечественная война 1812 года: Материалы ВУА.— Спб., 1914.— Т. XXI.— С. 211—231.
*** Denkwürdigkeiten des Kaiserlich — russisches Generals von der Infanterie Carl Friedrich Grafen von Toll von Theodor Bernhardi. B. 1—2; Leipzig, 1856—1857; Б о г д а н о в и ч М. И. История Отечественной войны 1812 года по достоверным источникам.— Спб., 1859.— Т. II; 1860.— Т. III.

дым и потом уже приниматься за работу. Дым выходил в отверстие, закрывавшееся задвижкою по окончании топки. Воздух был так чист, что я рад бы жить всегда в курной избе. Часовой, стоявший снаружи дверей избы, имел приказание впущать всякого военного. В первые две недели пребывания нашего в Леташевке я будил Коновницына при получении каждого донесения, которое он сам распечатывал. Но когда он утомился от неоднократного по ночам пробуждения, он разрешил мне распечатывать конверты и будить его только в случае важном. Во все остальные четыре недели пребывания нашего в Леташевке такого случая не было, пока не явился посланный от Дохтурова. Я распечатал привезенный конверт и, разбудив Коновницына, подал ему рапорт, с которым он поспешил к Кутузову в соседнюю избу»*.

Второе дело, поступившее в Военно-ученый архив от М. И. Богдановича, и включает в себя «Военный журнал 1813 года»**. Щербинин писал в 1851 г., что «он лежал у меня без прочтения со времени составления»***. В отличие от записок об Отечественной войне «Военный журнал» постигла уже совсем иная участь. Хотя он тоже был использован в свое время Т. Бернгарди и М. И. Богдановичем****, в дальнейшем на многие десятилетия выпал из поля зрения историков. В начале XX в. владелец родового щербининского архива Ю. Н. Щербачев считал «Военный журнал» если не утраченным, то, во всяком случае, погребенным среди массы документов Военного министерства*****.

Таким образом, впервые публикуемый в настоящем издании «Военный журнал 1813 года» фактически заново возвращен читателю.

В мемуарном наследии Щербинина, относящемся к эпохе двенадцатого года******, «Военный журнал» за-

---

* Чтения в МОИДР.— 1912.— Кн. IV.— Отд. 2.— С. 9—10.
** ЦГВИА СССР, ф. ВУА, д. 3918.
*** Х а р к е в и ч В. И. Указ. соч.— С. 53.
**** Denkwürdigkeiten des Kaiserlich-russisches Generals von der Infanterie Carl Friedrich Grafen von Toll von Theodor Bernhardi. B. III, 1857; Б о г д а н о в и ч М. И. История войны 1813 года за независимость Германии.— Спб., 1863.— Т. I—II.
***** Щ е р б а ч е в Ю. Н. Указ. соч.— С. 177.
****** Известно, что существовали также дневники Щербинина, описывающие его путешествия в Западную Европу в 1819—1821 гг. и жизнь в Петербурге при дворе за 1833—1837 гг. Из последнего дневника была опубликована обстоятельная запись Щербинина о дуэли и смерти А. С. Пушкина (Пушкин и его современники.— Спб., 1911.— Вып. 15.— С. 39—42).

нимает особое место — это его единственный дневник, сохранившийся до наших дней. Записки же о 1812 г., которые сам автор называл иногда дневником, таковым в действительности не являются.

В их автографе, датированном мартом 1851 г. после названия «Мои записки о кампании 1812 года» Щербинин указал: «Значущееся на первых 23-х страницах составлено во время самих происшествий». «Первые 23 страницы»— описание военных действий от начала кампании до прибытия Кутузова в Царево Займище. К этой части своего рассказа Щербинин сделал примечание: «Здесь оканчиваются мои записки, потому что, за исключением малого отдыха, я был беспрерывно на лошади. Следующие за сим отрывки пишу я ныне по памяти». Казалось бы, из этого можно было заключить, что первая часть записок, охватывающая «докутузовский» период,— поденные записи, которые велись в ходе кампании, все же дальнейшее — собственно мемуарный текст, составленный по воспоминаниям. Подобный вывод и сделал первый публикатор записок Щербинина военный историк В. И. Харкевич. Между тем манера повествования первой части записок, имеющая в целом ретроспективный характер, да и внешний вид самой рукописи не подтверждает такой оценки. И первая и последующая части написаны ровным почерком на одинаковой бумаге, относимой по всем признакам к 40-м — 50-м гг. прошлого столетия, без каких-либо зачеркиваний и исправлений. Вне всяких сомнений, рукопись представляет собой беловой, окончательный текст записок, обе части которых были составлены в одно время. Причем, по собственному признанию Щербинина, эти воспоминания в конце 60-х гг. он сам намеревался опубликовать*.

Из сказанного вовсе не следует, что в начальную пору кампании 1812 г. Щербинин не вел дневника: в одном из примечаний к запискам он ссылается на свои заметки, писанные в ходе военных действий «карандашом на пергаментных листках» со стершимися датами — они и послужили источником первой части мемуаров. В этом смысле и следует понимать приведенное выше указание Щербинина о составлении «первых 23-х страниц» записок «во время самих происшествий»— в отличие от другой их части, писавшейся только «по памяти». Вероятно, именно об этом дневнике писал он в апреле 1851 г. архиепископу

---

* Чтения в МОИДР.— 1912.— Кн. IV.— Отд. 2.— С. 7.

Таврическому Иннокентию, сообщая, что, готовя материалы для жизнеописания К. Ф. Толя, принялся «за журнал, который вел во время войны 1812 года, находясь при Кутузове и Коновницыне. Чтобы разобрать мелконаписанное карандашом и частию уже стертое, недостаточно было очков и должно было прибегнуть к увеличительному стеклу, продолжая занятия переписывания и дополнения до поздней ночи»* Впоследствии этот писанный на «пергаментных листках» «журнал» затерялся, и ныне его местонахождение неизвестно.

Что же из себя представляет «Военный журнал 1813 года»? Он состоит из сшитых в тетради 92 листов бумаги с водяными знаками «1812». Чуть ниже названия рукой автора в более позднее время сделана приписка: «заключающий выписки из подлинных бумаг секретной квартермистерской канцелярии и замечания мои, составленные в самые моменты происшествий. Ал. Щ.» Существенно, что в первоначальном варианте он назывался «Военный журнал 1813-го и частию 1814-го годов». Следовательно, Щербинин собирался вести дневник и во время похода во Францию. Но, как писал он Богдановичу в 1858 г. при передаче материалов своего архива, «быв обременен тогда еще более прежнего занятиями двойственными, то есть канцелярии и в качестве офицера генерального штаба при переходах армии и в сражениях, я постановлен был в невозможность продолжать частные записки свои»** О кампании 1814 г. известна только одна дневниковая запись, сделанная Щербининым в Париже: «19-е марта. Народ с восхищением принимал государя императора. 20-го марта в Большой Опере давали «Весталку»... 22-е. Вербное воскресение. Парад. Молебствие на площади Людовика XIV. 31-е. Въезд графа Артура в Париж. Вечером во Французском театре: «La partie de chasse de Henri IV»***.

Свой дневник Щербинин вел довольно аккуратно на протяжении всего 1813 г., допуская лишь небольшие перерывы. Впоследствии он предполагал составить на его основе воспоминания и об этой кампании — подобно тому, как дневниковые заметки начального периода Отечественной войны послужили источником при создании

---

* ОР ГПБ, ф. 313, т. 37, л. 47—48.
** Чтения в МОИДР.— 1912.— Кн. IV.— Отд. 2.— С. 16.
*** «Охота Генриха IV» (фр.). Щ е р б а ч е в Ю. Н. Указ. соч.— С. 175.

«Моих записок о кампании 1812 года»* , но этот замысел так и не был осуществлен.

«Военный журнал», освещающий малоизученный в нашей литературе заграничный поход 1813 г., представляет значительный исторический интерес. И не потому только, что от его участников до нас дошло сравнительно немного дневников. Все они принадлежат, как правило, рядовым офицерам, не осведомленным о скрытых пружинах военных событий и отмечавших в своих походных записках преимущественно будни боевой жизни. Дневник же Щербинина, близкого к высшим командным сферам русской, а затем и союзных армий, отразил прежде всего оперативно-стратегическую обстановку войны за освобождение Германии. В новом ракурсе раскрывается здесь положение дел в штабе союзников, разработка планов боевых действий, фигуры крупных военачальников. Малоизвестны и подробности представленных в «Военном журнале» сражений при Люцене, Бауцене, Дрездене, Кульме, Лейпцигской битвы, обстоятельства осады и капитуляции Данцига. В этом отношении записи А. Щербинина отчасти перекликаются с дневником Д. М. Волконского.

Правда, читателю могут показаться поначалу несколько сухими первые страницы дневника (за январь-март), фиксирующие лишь ход военных действий, численность и маршрут движения войск. Но это и неудивительно, если мы вспомним, что именно в первые месяцы войны, когда готовился союз с Пруссией и шли переговоры с Австрией, дела секретной квартирмейстерской канцелярии, где служил Щербинин, особенно умножились и времени и сил на ведение подробных дневниковых записей у него не оставалось. Освобождаясь только поздним вечером, он при неровном пламени свечи спешил занести в свой журнал лишь краткие новости дня. Вспомним также, что тяготы походной жизни, обилие дел по канцелярии подорвали физические силы молодого офицера и он долго и сильно «страдал лихорадкою». Но и при всей лаконичности эти первые страницы очень содержательны, ибо дают обобщающее, детальное и редкое по точности представление о развитии событий на всем театре войны 1813 г.

С последних же чисел марта записи в дневнике становятся заметно раскованнее, приобретают все более личный характер, наполняются впечатлениями от общения

---

* Харкевич В. И. Указ. соч.— С. 52.

с друзьями, от встреч русских с жителями городов и местечек Германии. Интересна в этой связи, например, сцена торжественного вступления союзных войск во Франкфурт-на-Майне, знаменательного тем, что здесь состоялось первое в действующей армии награждение участников Отечественной войны памятной медалью 1812 г. Немалое место отводится наблюдениям над промышленными занятиями, торговлей, бытом и нравами населения Силезии и Саксонии. Но и тут профессиональный взгляд опытного свитского офицера накладывает свой отпечаток на характер дневниковых записей. Наряду с описанием прелестей ландшафта и «изрядности» городских строений, Щербинин непременно отметит рельеф местности, расстояние между городами и селениями, ширину реки, наличие переправы — словом, поступает в полном согласии с мнением Наполеона: военный, попав в незнакомый город, должен не уподобляться праздным путешественникам, а тщательно изучать его на случай будущего штурма.

«ВОЕННЫЙ ЖУРНАЛ 1813 ГОДА»

Первый день сего года ознаменован переходом Главной армии чрез Неман, а войск передовых корпусов чрез Вислу. Главная армия взяла направление на Вилленберг, по прилагаемой таблице под литерою А[1]. Главная квартира 1-го числа в Лейпунах.

Палену[2] дан летучий корпус, из 3-го кавалерийского корпуса и нескольких полков пехоты состоящий, и предписано быть в сношении с Винцингеродем.

Генваря 2-го. Главная квартира в деревне Посовше. Авангард Винцингероде в Гониондзе. Давыдов соединился с Винцингероде.

Сакен в Цехановце. Отряд его под командою Лисановича[3] находится в Нуре и содержит связь с Милорадовичем[4].

Корпус князя Волконского, бывший Эссена[5], идет от Бреста-Литовского к Дрогочину.

Чичагов[6] в Вормдите. Витгенштейн, по просьбе, уволен в Кенигсберг для излечения болезни, сдав корпус Штейнгелю[7], который также рапортовался больным.

Получено известие о занятии 31-го числа декабря Мариенбурга, Мариенвердера. Эльбинг занят Платовым

1-го числа, 2-го подошел он к Данцигу. Шепелев[8] переправился чрез Ногату при Зомерау.

Чичагов остановил армию свою. Французы сожгли предместье Данцига. Платов, приближаясь к сему городу, взял при Диршау 200 человек.

3-го генваря. Чичагов в Вормдите. Платова главная квартира в Диршау.

Главная квартира фельдмаршала и государя в Краснополе.

4-го генваря. Витгенштейн доносит от 31 декабря, что по приказу Чичагова идет на Мариенбург.

Цесарцы расположены между Сироцком, Пултуском и Остроленкою. Аванпосты от Гончарова чрез Вишомир до Новогрудку. Шварценберг в Пултуске. Фрелих в Остроленке. Мор в Вишкове.

Васильчиков в Менженине. Милорадович в Гониондзе. Главная квартира — местечко Сувалки.

5-го генваря. Австрийцы содержат цепь от Остроленки до Коллы. Винцингероде и Милорадович в Гониондзе.

6-го генваря. Васильчиков извещает, что вызвано в герцогстве общее ополчение и что князь Шварценберг обещал не отдавать Варшавы.

Чичагов в Эльбинге. При преследовании от Эльбинга к Данцигу взяты: 1 генерал, 39 офицеров и 1590 рядовых, больных в Эльбинге и Мариенвердере 60 офицеров и около 1700 рядовых.

Неприятель выгнан из Камина и Земпельбурга.

Чернышев в Камине.

Mortier*[9] с остатком гвардии идет к Познани.

Главная квартира — местечко Рачки.

7-го генваря. Цесарцы отступили от Сидлова и Новогрудка. Фрелих в Остроленке. Ренье с 10 000, из коих 6000 саксонцев, в Окуневе.

Васильчиков выступил из Менженина на соединение с Милорадовичем, который сего числа в Радзилове.

Из Варшавы посылают в Моделин новоформированных войск до 3000.

Чичагов от Эльбинга выступил в Лёбау, дабы взять центральное положение между Главною армиею и корпусом Витгенштейна. Платов блокирует Данциг.

Главная квартира в местечке Лик.

8-го генваря. Васильчиков в Ломзе.

---

* Мортье (фр.).

9-го генваря. Князь Волконской в Дрогочине.

10-го генваря. Корф со 2-м кавалерийским корпусом в деревне Курпиевск. Поляки ретируются на Познань.

Чернышев в Остервике.

В Познани находятся остатки Большой армии неприятельской и все маршалы.

11-го генваря. Главная квартира — Иоганисбург.

Граф Пален, соединившись с Васильчиковым, остановился в Ломзе, дабы не препятствовать свиданию Аншттета[10] с князем Шварценбергом[11].

В Пиллаве 1200 человек гарнизону французов и несколько пруссаков.

Австрийцы очистили дорогу к Кудеку.

Васильчиков в Мястсове наблюдает австрийцев, находящихся в Остроленке.

Чичагов в Остероде; получил приказание приближиться к Торну и прикрыть бромбергские магазины, по занятии Бромберга графом Воронцовым.

12-го генваря. Платов в Лёблау. Правый его фланг в Лёблау и Банкау, левый в Оливе, центр в Ненкау и Кококскене.

Граф Штейнгель в Ковале, Иенкау, Струшине, Рукочине, Лангенау и Циплау.

В Данциге 12 тысяч под командою Раппа.

Князь Волконской в Бельцах, до 12 тысяч австрийцев занимают окрестности Станиславова и Окунева.

13-го генваря. Милорадович в Дроздове. Граф Пален в деревне Сква. По приближении наших аванпостов австрийцы сдали Празниц с магазинами.

Чичагов подвинул армию к Гурзно, Ковалеву и Кулмзее.

Король прусской[12] выехал из Берлина в Бреславль.

Дивизия Гренье[13], от 20 до 22 тысяч, в окрестностях Берлина. Крепости на Одере слабы гарнизоном.

14-го генваря. Блокадою Пиллавы командует генерал-майор Горбунцев[14].

Австрийцы оставили Остроленку, которая занята Васильчиковым.

15-го генваря. Главная квартира переехала в Вилленберг. Граф Пален в Велько-Забелье, Васильчиков в Остроленке.

16-го генваря. Милорадович в Продинце. Сакен в селе Репки. Правый фланг его, генерал-майора Булатова, в Венгрове, левый, князя Волконского, в Сельцах, центр, графа Ливена[15], в Мохобадахе.

Калюшин и Ядов заняты нашими.

17-го генваря. Чичагов в Страсбурге, Платов в Бункау. Нейштат занят отрядом Иловайского[16].

В Данциге продовольствия на 3 месяца, но жители нуждаются в оном.

Главная армия взяла направление на Плоцк по прилагаемой таблице под литерой В.

Февраля 10-го. Главная квартира — местечко Ставишин. Аракчеев препроводил высочайший рескрипт на имя князя Лобанова-Ростовского принять начальство над резервною армиею, имеющей быть расположену между Гродно, Лиды, Минска, Игумна, Слуцка, Пинска, Невеля, Люблина, Венгрова, Остроленки и Щучина.

В состав сей армии входят и кавалерийские резервы Кологривова[17]. Главная квартира назначается в Белом Стоке. Армия разделяется на 4 корпуса. Кавалерия на 2 корпуса. Из сей армии направлены уже 154 батальона к Варшаве, куда прибудут в начале апреля.

Генерал Габленц[18], после урока при Калише[19], видя себя отрезанным, направился на Ченстохов и соединился с Понятовским[20], который ждет будто бы случая капитулировать.

Февраля 12-го. Остатки корпуса Ренье расположились на левом берегу Одера в окрестностях Беутена.

Передовые войска авангарда Винцингероде в Гернштате и наблюдают Одер от Glogau до Keubus*. Отряд Пренделя[21] перешел через Одер у Steinau**.

Отряд Воронцова в Позене; нигде не открыл неприятеля.

Авангард Витгенштейна (9-го февраля) следует чрез Шнейдемюль к Ландсбергу, главный корпус туда же чрез Кониц и Камин.

Иорк[22] идет к Soldin***, Бюлов[23] к Помер-Штаргарду.

Неприятель *решительно* оставляет правый берег Одера.

Главная квартира 12-го числа прибыла в Калиш, и войска расположились по кантонир-квартирам.

Февраля 13-го. 7-го февраля находился ариергард вице-короля в Шверине. Сам он направился в Мезериц. 6-го числа находился уже во Франкфурте с 3500 кавалерии и пехоты.

---

* Глогау до Кёбуса (*нем.*).
** Штейнау (*нем.*).
*** Сольдину (*нем.*).

14-го февраля. Витгенштейн направился к Одеру тремя колоннами и прибудет туда 24-го числа.

Ратт[24], приняв 1-го февраля командование над корпусом Мусина-Пушкина[25], прибыл в Люблин.

В Сандомирском уезде собрано 6000 войск.

Писано Сакену, что составление корпуса его переменяется: предоставлено его усмотрению присоединить к себе корпус Ратта или оставить его у Люблина. С 4000 от графа Палена и с отрядом Булатова идти на Пониатовского, естьли считает возможным успех. В случае, естьли Пониатовский потянется на Краков, тогда остановится и только наблюдать его, ибо Краков вовнутри демаркационной линии австрийцев.

15-го февраля. Чернышев и Тетенборн[26] напали на ретирующегося неприятеля близ Берлина, переправившись прежде того в Целине 5-го числа и соединившись 8-го числа в Вритцене. Два отряда сии провожали неприятеля в улицы самого Берлина, и 2 часа в оном продолжался сильный бой. Власов[27] овладел при сем Шарлотенбургом и занял Потсдамскую дорогу.

16-го февраля. Милорадович составил летучий отряд под командою генерала Эмануеля[28], чтобы забрать все суда на Одере.

Опперман представил подробное описание и план Моделинской крепости. Гарнизону в ней 4500 человек, орудий 220.

Февраля 17. Отряд Давыдова находится на кантонирквартирах близ Шлихтингхейма и Фрауштата.

Винцингероде посылает партии до Neustariel и Prinkenau*. Прендель (15-го февраля) находится у Lauban**. Доносит, что Ренье направился на Торгау.

Великая княгиня с герцогом отправлены из Веймара во Франкфурт-на-Майне[29].

Доставил перехваченное подробное росписание потребного для корпуса Ренье числа порций и рационов, когда корпус его находился 15-го числа около Rothenburg***. Видно из оного, что войски сии после каждого перехода занимали позиции и становились в боевой порядок, что много затрудняло продовольствие их.

---

* Нёстарлеля и Принкенау (нем.).
** Лаубана (нем.).
*** Ротенбурга (нем.).

Винцингероде приказал между Steinau и Glogau* собрать суда в Züchen**.

Неприятель оставляет правый берег Ельбы — по донесению Пренделя от 12 февраля из Дитмансдорфа. От 14-го числа из Герлица извещает, что 3500 человек новоформированных польских депо, при приближении его к стороне Bunzlau***, направились чрез Герлиц к Саксонии, но им было сие воспрещено от саксонского правительства; почему и пошли чрез Rothenburg на Muska****.

Генерал Вреде[30] пошел на Bayreuth*****. Дивизия Гренье, оставив Берлин, послала 6000 в Штетин, а с 15000 пошла на Magdeburg******.

Отряд генерал-майора Бенкендорфа[31] 11-го февраля в Минихберге. Ариергард неприятельский в Тацдорфе разбит был козаками его. Потом пошел Бенкендорф на Шенфельд, влево от Минихберга. Шедший кавалерийский отряд из Франкфурта им истреблен. В Франкфурте оставалось еще 2000 пехоты. Движение Бенкендорфа к Минихбергу принудило остатки корпуса вице-короля повернуть на Фирхштенвальд, Кепнин и Беесков, чем облегчится занятие Берлина.

Неприятель совершенно оставляет правый берег Ельбы и переправляется при Torgau, Dresden и Wittenberg*******.

18-го февраля. Поставлен пост в Видаву для наблюдения к стороне Ченстохова. Также отправлены к Радому три козачьих полка для того же предмета.

Предпринята работа для уничтожения прагских ретраншаментов[32].

19-го февраля. Предписано Винцингероде состоять в команде прусского генерала Блюхера, который выступает 26 февраля к Дрездену со всеми войсками, в Шлезии находящимися. Посему корпус Винцингероде, имея туда же направление, имеет построить мост выше Глогау.

21-го февраля. Препровождены Барклаем прокламация наследственного принца Швеции[33] и описание Штетинской крепости.

Генерал-лейтенант Ратт принудил неприятеля заклю-

---

      * Штейнау и Глогау *(нем.)*.
    ** Зюшен *(нем.)*.
  *** Бунцлау *(нем.)*.
 **** Муска *(нем.)*.
***** Баурет *(нем.)*.
****** Магдебург *(нем.)*.
******* Торгау, Дрездене и Виттенберге *(нем.)*.

читься в Замосце. Получив повеление войти в состав корпуса Сакена, он представлял о важности поста своего близ Люблина и Замосца, который возбраняет вторжение поляков в границы наши. В уважении сего обстоятельства предписано ему остаться.

Сакену писать действовать на Ченстохов и далее в Силезию, дабы обеспечить вооружение Пруссии со стороны поляков.

Февраля 22. Авангард графа Витгенштейна под командою князя Репнина занял Берлин 20-го числа в 6-ть часов поутру. Неприятель ретируется на Требин, Иостерберг и Витенберг.

Понятовский находится между Ченстоховым и Мологошем.

Сакен собирает отряд, дабы выступить к Ченстохову.

Ратт находится в окрестностях Люблина и Замосца и блокирует сию последнюю крепость. Гарнизон Замосца полагается, по крайней мере, в 4000 пехоты и 400 улан. Провианту много.

Поляки, находящиеся близ Сандомира, в числе 6000, не опасны— войско нового формирования.

Февраля 26. Козачии полки Луковкина[34], Грекова[35] и Чернозубова[36] получили приказание следовать к Ченстохову и занять линию от устья Приделцы, чрез Севирж, Янов до Восчечова, куда опираться левым флангом. Ченстохов же обложить сколь можно теснее. Сия линия должна обеспечивать Силезию от набегов польских войск Понятовского, но только до прибытия корпуса Сакена, выступившего 25 февраля из Варшавы с 8000 корпусом и 40 орудиями.

Прусские войски 26-го числа имели выступить из Верхней Силезии, дабы, соединившись с корпусом Винцингероде, действовать на Дрезден. Генералу Блюхеру поручено командование соединенных войск сих.

Марта 2-го. Прусский министр Шаренгорст[37] извещает, что корпус Блюхера перейдет саксонскую границу 4/16 марта в направлении к Герлицу. Что король поручил графу Трауенциену[38] командование блокадного корпуса Штетина; что 4/16 марта придет к Глогау корпус генерал-майора Шулера[39].

К построению мостов и укреплений при Crossen* и выше Глогау, также к Landsberg**, где полагается

---

* Кроссене (*нем.*).
** Ландсбергу (*нем.*).

укрепление для прикрытия магазейнов, посланы прусские инженеры и пионеры.

Генерал Иорк, прибыв 5/17 марта в Берлин, может выступить не прежде 14/26-го.

Барклай получает из Грауденца, для бомбардирования Торна, нужное количество осадной артиллерии.

Сила австрийцов следующим образом определена:

	<пехота>	<кавалерия>
Auxilar Corps*	30128	— 6304
Observations Corps in Gallizien**	48729	— 8375
Neue observations Corps in Bohemen***	29410	— 5359
	108267	— 20038

Вовнутри Франции и Италии, сформированы войски, коих большая часть из конскрипции за 1813 год.

Во Франции	— 148 баталионов
« Италии	— 66 баталионов
	10 эскадронов

Всего:	214 <баталионов>
	10 эскадронов,
	составляющие около
	179 760 человек
88 кохорт — 78 644	

Итого: 258 404

В Испании французских войск 22 баталиона, 6 эскадронов, 11 бригад легкой кавалерии. Всего 163 450 и 17 200 кавалерии.

Марта 3-го. Государь император отправился в 8 часов утра в Бреславль.

Марта 6. Витгенштейн описывает вшествие в Берлин утром 27-го февраля, ознаменованный радостию и восхищением жителей. Принц Непгу[40] выехал сам навстречу за 4-ре версты от городу.

Магдебург имеет гарнизону около 20 тысяч.

Сборные места новой французской армии назначены в Брауншвейге, Hanover и Erfurth****. Направление на Magdeburg и Leipzig*****. Lauriston****** командует сей армиею, называемой L'armée d' observation de la basse Elbe*******.

---

* Вспомогательный корпус *(нем.)*.
** Обсервационный корпус в Галиции *(нем.)*.
*** Новый обсервационный корпус в Богемии *(нем.)*.
**** Гановере и Эрфурте *(нем.)*.
***** Магдебург и Лейпциг *(нем.)*.
****** Лористон *(фр.)*.
******* Обсервационная армия Нижней Эльбы *(фр.)*.

Таковой же корпус формируется в Италии, в Вероне. Командует оным Bertand[41]* (из перехваченных бумаг).

Сакен выступил из Варшавы с новосоставленным корпусом из части войск Палена и отряда Булатова к Ченстохову, куда прибудет 10-го марта.

Против австрийской линии передовых постов оставлен один козачий полк. Да на случай какой-либо атаки со стороны поляков посланы им в подкрепление несколько кавалерийских полков от графа Палена, к стороне Радома и Опочны.

В Гамбурге большое возмущение. Витгенштейн отрядил Тетенборна поддержать пламя в том крае.

Марта 10-го. Франкфурт занят графом Воронцовым. Оставив 6 баталионов гарнизону, обложил с остальною частию крепость Кюстрин.

Марта 11-го. Тетенборн 7-го числа занял Гамбург. 5000 человек, вооружает сей город и 3000 человек принц Мекленбург-Шверинский. Гамбургская газета получила первобытный вид свой. Город отправил в Лондон известие о вшествии русских войск и о свободе торговли, в удостоверении чего послан туда козак[42].

Марта 15-го. Полтавское ополчение получило повеление состоять в команде генерал-лейтенанта Ратта.

Адмирал Грейг получил команду над гребною флотилиею, состоящею из 1-го люгера, 1 кутера и 26 канонерских лодок, для блокирования Данцига со стороны моря, и имеющую туда прибыть из Пиллау. Из Риги была она доставлена в Пиллау.

Генерал Ртищев[43] рапортует из Персии, что отряд генерал-лейтенанта Котляревского[44] овладел 1-го генваря крепостью Ленкорань на берегу Каспийского моря.

21 марта. Прибыл в Калиш король прусской. 5-й и 3-й корпуса, обе кирасирские дивизии и 4-ре роты артиллерии расположены были в параде по Бреславльской дороге на высотах, командующих городом.

24 марта. Возвратился король обратно в Бреславль.

Авангард Милорадовича двинулся от Глогау в Бунцлау. Генерал Шулер прибыл с прусским корпусом для блокирования сей крепости.

26-го марта. Главная армия выступила из Калиша по

---

* Бертран (фр.).

направлению к Дрездену и главная квартира перешла в местечко Рашков. Таблица*.

Местечко Рашков. Получено известие о сдачи крепости Ченстохов на капитуляцию 25-го марта. Гарнизон сдался военнопленным и состоит из 2500 человек; фельдмаршал позволил им разойтись по домам. (Мне кажется, что сие без цели сделано; великодушие не действует на поляков, и сии 2500 опять могут навлечь существенный вред, перебравшись к Понятовскому.)

Граф Витгенштейн взял направление из Берлина на Цербст, полагая, что главные неприятельские силы обратились к Магдебургу и Брауншвейгу. Между тем как сие можно отнести только к желанию их ложным движениям отвлечь силы наши в ту сторону, собрать массу войск на правом крыле своем и быстрым движением на Дрезден отбросить нас к морю и овладеть нашею операционною линиею. Сие было поставлено на вид графу Витгенштейну, и корпусу его дано назначение (переправившись чрез Эльбу при Рослау) направиться на Лейбциг, а корпусам Блюхера и Винцингероде — к Альтенбургу.

Авангард Главной армии генерала Милорадовича в Фрейберге. И таким образом сделано начало действия на правое крыло неприятеля.

Для блокирования Магдебурга назначены отряды Бюлова, Борстеля[45] и графа Воронцова. На смену Воронцова к Кюстрину пошли три полка 24-й дивизии под командою генерал-лейтенанта Капцевича.

27-го марта утром. Главная квартира — местечко Рашков. Получено известие о истреблении корпуса генерала Морана[46] под Люнебургом, состоявшего из 3500 человек, 12 орудий. 2500 пленных, весь генеральный штаб, сам Моран, 80 офицеров, 12 орудий и 3 знамя суть свидетельства сей победы, одержанной отрядами Дернберга[47] и Чернышева.

В тот же день перешла Главная квартира в местечко Кроточин.

28-го марта. Растах. Милорадович получил повеление следовать из Бунцлау в местечко[48] Фрейберг, по дороге к Хемниц.

29-го марта. Главная квартира — местечко Милич.

При местечке Здуни переехали мы границу Пруссии. Преданность жителей Силезии к государю нашему и к

_____
* Пропуск в рукописи.

нам оказалась торжественным принятием в местечке Здуни и местечке Миличе.

День сей щитаю я приятнейшим в жизни моей. Красоты природы и весеннее солнце расстворили сердце мое к радости. Дружба доброго Д.., сопровождавшего меня в марте, содействовала к тому. Вечер провел я у Д... и Р... У господского дома, освещенного для приезду государя, гремела музыка, и мы наслаждались прекрасным вечером.

Я возвратился домой. Неудовольствия ожидали меня. Б...[49] осмелился поступить со мною грубо. Из честолюбия, может быть излишнего в таком случае, требовал я удовлетворения. Я твердо уверен был, что он примет вызов. Немалые ожидал я последствия, но я приготовился ко всему. Сколь много удивился я, когда вместо ответу, какого я ожидал от честного человека, получил я отказ. И, когда рассказал он о происшествии сем Карлу Федоровичу[50], он мог снесть выражение: «Vous êtes indigne de porter l'uniforme!»*

Я просил Карла Федоровича избавить меня от канцелярии, но получил отказ и совет забыть распрю сию. Мне это невозможно.

В тот же вечер получено известие о разбитии корпуса вице-короля италиянского, который в числе 25 000 сделал движение из Магдебурга на Берлин. Отряд Борстеля, блокировавший крепость, отступил уже 5 миль; граф Витгенштейн, собрав все силы, двинулся ему навстречу из Бельцига. 24-го числа атаковал он его, соединенно с прусскими корпусами, и принудил бежать в крепость. Неприятель, в ужасе бегства, истребил позади себя 15-ть мостов, находившихся по плотине, примыкающей к крепости, и тем запер себе путь к дальнейшим предприятиям на Берлин. Потеря его простирается до 5000. 1 пушка и 2 знамя достались нам.

Корпус Витгенштейна, после сей значительной победы, взял направление на Рослау по предположенному плану.

30-го марта. Главная квартира — местечко Трахенберг.

31-го марта. Растах.

1-го апреля. Главная квартира — местечко Винциг.

Превосходная погода и местоположение делали переходы приятными. Трава везде являет вид лета. Цветы испещряют поля. Березы и ивы зеленеют.

Жители с восторгом принимают государя. При въезде в местечки встречает его народ. Молодые девушки

---

* Вы не достойны носить мундир! *(фр.)*

бросают цветы на пути его. Везде видны надписи, сообразные надеждам и желаниям народа: «Alexander dem Ersten, dem Beschützer! Gott mit deinen waffen!! * и прочее и прочее.

Апреля 2-го. Главная квартира перешла в Штейнау. Местоположение близ Винцига возвышенное и весьма открытое, взор теряется в отдаленности.

При Штейнау Одер не весьма широк (около 300 шагов). Мост построен на 25-ти судах.

В Штейнау нашли мы короля и главную его квартиру.

Апреля 3-го. Главная квартира — местечко Люббен.

Выезжая из Штейнау видны в левой стороне горы, именуемые des Riesengebirge**, подобно сребристым облакам, возвышающимся на горизонте. Горы сии находятся от Штейнау в расстоянии 13 миль.

Апреля 4-го. Главная квартира в местечке Хайнау. Дорога ведет по прекрасной шоссе, которая в одной мили от Любен начинается. Горы видны явственнее. Дорога большою частию идет сосновым лесом, удивляющим чистотою и сбережением дерев, что только кажется в парках бы видеть можно было.

В Силезии все части хозяйства доведены до совершенства. Овцеводство есть главнейшая отрасль народной промышленности. Главные заводы находятся у графа Гаугвица[51], между Бреславлем и Бригом (Brieg) и у графа Фюрстенштейна, между Франкенштейном и Нейссе. Знатнейшие суконные фабрики в Grünberg***. В Бреславле бывают ежегодно четыре ярмонки для свозу шерсти из всей Силезии. Шерсть бывает троякая, смотря по доброте своей.

Плодороднейшая провинция Силезии — графство Глац, считает более 4000 жителей на □ **** милю. Вообще в Силезии считают от 2 до 3000 на □ милю, так что на 600 □ миль, кои она составляет, находится около 2 000 000 жителей.

Подъезжая к Гайнау, видна в отдаленности отдельная высокая гора (der Gräzberg)*****, на вершине коей две руины.

Апреля 5-го. Растах. Квартиру имели мы у семьи,

---

* Александру Первому, Избавителю! Боже, благослови его оружие!! (нем.)
** Рудные горы (нем.).
*** Грюнберге (нем.).
**** квадратную.
***** Грецберг (нем.).

из коей старшая дочь рукоделием своим доставляла пропитание родителям. Пример сей трудолюбия заставляет ее почитать.

Вид с Хайнауской башни весьма пространен.

Апреля 6-го. Главная квартира — местечко Бунцлау. Город сей больше и богаче, нежели Хайнау.

Апреля 7-го. Главная квартира фельдмаршала назначена была перейти в город Лаубан, но болезнь фельдмаршала сему воспрепятствовала.

Данилевский, Михаил Габбе[52] и я, мы одни поехали в Лаубан, где, освобожденные от докучливой работы, мы могли употребить время собственно для себя, и, следственно, весьма приятно.

Дорога из Бунцлау в Лаубан идет чрез местечко Наумбург, где граница Силезии с Саксонией. И в сем краю принимают нас с восхищением. Государя ожидала в Лаубане такая же встреча, как и в Силезии оказываема была.

Даубан, хотя удаленный от большой дороги и в углу Саксонии, есть город нарядный, как строениями, превосходящими строения Бунцлау, так и богатством жителей, большею частию купцов.

8-го апреля. Из Лаубан государь император переехал 8-го числа в местечко Рейхенбах. Дорога ведет чрез город **Герлиц.** Чем более углубляешься в Саксонию, тем приметнее для путешественника плоды промышленности и торговли, тем населенность больше, тем города лутче выстроены, обширнее и богаче.

Город Герлиц имеет суконные фабрики и довольно пространную торговлю. Король саксонский ежегодно жертвует некоторую сумму, единственно для украшения города и содержания его. Строения соответствуют сей попечительности. Предместия обширны. Домы их выстроены просто, но везде видны чистота и хозяйственность. Местоположения Герлица весьма разнообразны; выезжая из городу открываются прекраснейшие виды.

В местечке Рейхенбах обитают отставные солдаты и ремесленники. От случавшихся пожаров они все весьма обеднели, и местечко сие составляет неприятную противоположность с соседними городами.

Фельдмаршал остался еще в Бунцлау. Он послал князя П. М. Волконского в Рейхенбах известить государя о взятии Торна « »*[53] числа по второй параллели[54].

_____
* Пропуск в рукописи.

В ночь с 27-го по 28-е была заложена первая траншея. На 30-е овладели двумя важными высотами на правом фланге Бекер-Берг и заложили вторую параллель. Гарнизон положил ружье и распущен по домам. Он состоял из 2000 баварцев, между коими 100 человек французских элитов, колебавшихся долго сдаться военнопленными.

Неприятель не довольствовался покушениями на Берлин. Маршал Даву с 20 000 корпусом двинулся к Люнебургу. Наши легкие отряды принуждены были отступить.

В Кистрине щитается гарнизон 1640. Гарнизон желает сдаться, и, исключая вестфальского генерала Фрибаха, все на то согласны, даже самый комендант Форниер д'Альб[55]. Генерал Капцевич прибыл к сей крепости 2 числа апреля и сменил Воронцова.

Генерал Винцингероде извещает, что по выступлении из Дрездена хотел взять направление на Дессау, где находится граф Витгенштейн по переправе чрез Эльбу при Рослау, но, уведомленный от генерала Блюхера о предстоящей ему опасности со стороны Франконии, он обратился по дороге к Галле. Находясь таким образом между корпусами Витгенштейна и Блюхера, думает он пользоваться выгодами центральной позиции. Движение сие, очевидно, ложное, разделяет силы наши на пространстве 15-ти миль, между тем как уже получены верные известия о соединении неприятельских сил в Эрфурте, которыя иначе действовать не могут как чрез Альтенбург на левое наше крыло.

Генерал Винцингероде полагает, что со времени выступления его из Дрездена, движения его были столь мало занимательны, что не стоило и извещать о себе главнокомандующего. Не от него ли зависело делать движения, сообразные обстоятельствам,— посылать партизанов и прочее и тем дать цену известиям своим?

Генерал Блюхер был одинакого мнения с генералом Винцингеродем. Чему весьма удивляться должно, тем более, что Блюхер сообщил фельдмаршалу мнение свое о предстоящих операциях, оное согласовалось совершенно с видами фельдмаршала.

Генерал Винцингероде 1-го апреля, находясь сам в Лейбциге, подвинул 2000 человек* кавалерии к Кверфурту. Первые козаки вошли в Лейбциг 19-го марта.

---

* Далее одно слово неразборчиво.

Положение сил наших 1 апреля есть следующее: Витгенштейн в Дессау, Иорк — Кётене. Аванпосты на Саале. Винцингероде — Лейпциге, имея передовые отряды в Мерзебурге, Галле и Вейсенфельсе. Генерал Блюхер в Хемнице. Кавалерия в окрестностях Лихтенштейна. Крепость Торгау занята саксонскими войсками. Генерал Тилеман[56] ими командует. Есть надежда, что он охотно войдет в переговоры, на кои с нашей стороны уполномочен генерал Клейст[57]. Генерал Тилеман неоднократно воспрещал французским войскам проход чрез крепость и лично отказал в том Давусту.

Витгенштейн пишет от 4-го апреля, что неприятель поспешно от Люнебурга отретировался к Юльцину. Действия партизанов наших, перешедших обратно на правый берег Эльбы, ныне начались опять на левой стороне.

Граф Витгенштейн пишет, что намерен прогнать неприятеля с Нижней Саалы и овладеть дефилеями Гарца (движение, отклоняющее его совершенно от настоящей операционной линии), дабы удобнее наблюдать неприятеля от Нижней Эльбы.

Генерал Блюхер пишет от 3-го числа, что главную квартиру свою они переменяли то в левую, то в правую сторону, дабы держать неприятеля в неизвестности о направлении его армии. Кавалерийские отряды его подвинуты чрез Тюрингию. Заняв таким образом пространство между Саалою и Богемиею, овладел он плодоносною Саксониею. Летучие отряды, окружив Гарц, пресекают коммуникации Магдебурга с Эрфуртом. И уже перехвачены весьма важные депеши, подтверждающие скопления неприятельских сил под начальством Нея во Франконии, что Итальянская армия приближалась 10-го числа апреля (нового стиля) чрез Нюрнберг и что отряды ее подвинулись до Отинга. 1-я дивизия сей армии проходила чрез Аугсбург 24-го марта и должна была прити 29-го в Нюрнберг. Она состоит из 10 000 под командою генерала Морана[58]. 4-я дивизия под командою генерала Реуri[59]* идет вслед за 1-й, состоит из 12 000. Что 3000 человек кавалерии под начальством генерала Frerin** также подвигаются; что 2-я пехотная дивизия остается в Ингольштаде и Нейштате, а 3-я дивизия при Аугсбурге. Генерал Бертранд командует сею армиею.

---

* Пейри *(фр.)*.
** Фрерин *(фр.)*.

Летучий отряд из армии Блюхера, находящийся под начальством майора Гельвиха[60], атаковал 2-го апреля в местечке Лангензальце отряд баварского генерала Рехберга[61] и отнял 5-ть орудий.

9-го апреля. Растах в Рейхенбахе. При приезде в Бунцлау фельдмаршал сделался болен и не мог продолжать путь. Князь Волконский приехал один к армии и принял главное управление дел.

Весь день занимался письмами ко своим и журналом сим.

В вечеру получено известие от генералов Блюхера и Витгенштейна, что неприятель предпринимает наступательные действия от Веймара, но что направление его еще неизвестно.

Граф Витгенштейн, сделав 3-го апреля консентрическое движение к Лейпцигу, поставив Винцингероде в Борну, а Блюхера в городе Альтенбурге, находился готовым принять неприятеля. По сделанному расположению войск легко можно было соединиться в двое суток в один лагерь.

10-го апреля. Главная квартира перешла в город Бауцен.

Дорога ведет близ деревни Хохкирх, где вспомнили мы о величии Фридриха[62], который по совершенном разбитии армии его фельдмаршалом Дауном[63] чрез несколько дней сделал фланговый марш в виду всей армии неприятельской. Марш, которого Жомини называет бессмертным[64], доставивший ему возможность освободить от блокады все крепости Силезии, между тем как Даун воображал, что Фридрих пойдет в Дрезден.

Местоположение по дороге от Рейхенбаха весьма живописное. С левой стороны цепь Богемских гор, покрытых густым лесом. На подошве гор и в тени их разбросанные селения, из коих отличается Хохкирх. Белизна домов и красный цвет крышек делают прекрасную противоположность с густою зеленью растущего на горах лесу. В правой стороне теряется глаз в бесчисленности селений и разнообразия местоположения. По мере отдаления синеют предметы, потом ослабевают цветом и наконец сливаются с голубым эфиром неба.

Марш сей делал я вместе с князем[65]. В Бауцене ожидала нас торжественная встреча искренних добрых жителей. На полмили от городу нашли мы их уже собранными, ожидающими прибытия государя. Не менее того оказывают они всякому русскому, скромно между них проезжающему, те ласки, каковых владетели за золото и почести купить не могут. Часто при проезде моем, сопровождаемый одним уродливым козаком, кричали жители ура, бросали вверх шляпы, били в барабаны и на трубах играли. Из каждого окна выглядывает искреннее лицо, на котором радость написана. Это случалось со многими товарищами моими.

Бауцен прекрасный город. Строения высокие и чистые. Каждый дом почти имеет род балкону, окруженный стеллами и составляющий исходящую часть оного от самого фундамента до верху. Сие делает вид весьма разнообразным и пестрым. Жители богатые купцы.

Вечером был город иллюминован с необыкновенной расточительностью и вкусом. Каждый дом горел бесчисленным множеством разноцветных огней. Окны увиты были гирляндами, а на балконах горели транспаранты, рисунки коих доказывали хороший вкус жителей.

11-го числа приехал Карл Федорович от фельдмаршала, который его задержал при себе до сего времени. В тот же день отправился он по повелению государя к графу Витгенштейну и к генералу Блюхеру для сообщения им операционного плана.

Апреля 11. Между тем Главная армия продолжала марш свой, и 11-го числа главная квартира прибыла в местечко Радеберг. Карл Федорович приказал мне принять должность начальника отделения, я обременен был делами; необыкновенно много в те дни набралось бумаг, требующих скорого исполнения.

17-я дивизия получила новое назначение. Оставив одну бригаду в городе Мейссене, должна была присоединиться в местечке Хемниц к корпусу генерала Милорадовича.

Апреля 12. 12 апреля вступила Главная армия в Дрезден, сопровождаемая государем и величеством русского имяни. Торжество сего дня было единственное. Чтобы описать его с успехом, иметь должно высокие авторские таланты и свободное время.

Погода споспешествовала сему величественному дню и, после 7-дневных дней дождей и холоду, опять проглянуло солнце, грело умеренно, показывало предметы прекрасной природы во всем великолепии их и позлащало штыки русские.

Король прусский сопровождал государя.

На другой день, в светлое воскресение, ходил я с

Александром Ивановичем[66] в Японский дворец. Видел фарфор Саксонии, Японии и Китая. Видел древности греческие, но все слегка и второпях — обремененный делами, я не мог пользоваться Дрезденом.

15-го апреля. Возвратился Карл Федорович рано утром в Дрезден.

Неприятель, собрав силы свои около Веймара, угрожал быстрым нападением порознь разбить нас.

Карл Федорович нашел князя Петра Михайловича в постеле больного, едва языком шевелящего, государь же отбыл в Теплиц для свидания с Мариею Павловною.

Карл Федорович изложил князю причины, заставляющие нас сближить силы наши, и тотчас было дано повеление выступить Главной армии 16-го числа. Князь, к удивлению всех, в тот же самый день встал с постели совершенно здоровый.

16-го апреля. Армия двинулась двумя колоннами в направлении к Альтенбургу. Правая, при ней находилась главная квартира, следовала чрез Росвейн, Герингсвальде до Фробурга. Левая чрез Фрейберг, Митвейду до Корена. Колонны прибыли 18-го числа к своему назначению.

Между тем поехал Карл Федорович со мною 16 числа из Дрездена в Альтенбург, дабы быть ближе к действующей части армии. Мы нашли генерала Блюхера в Альтенбурге.

17-го числа неприятель сделал движение в числе 8000 из Наумбурга в Вейсенфельс, которое местечко занял вечером. Между тем покушение вице-короля чрез Галле было уничтожено авангардом графа Витгенштейна под командою генерал-майора Клейста. Неприятель прогнан за Саалу.

Казалось, что неприятель предпринимает движение от Веймара на Лейпциг.

Соединение сил наших в Альтенбурге, как в сем случае, как и во всяком другом, доставило бы нам величайшие выгоды: сохраняя свою комуникацию, мы могли бы действовать на всю операционную линию и отбросить его в Северную Германию.

Сие было мнение Карла Федоровича и самого государя. Граф Витгенштейн при свидании с Карлом Федоровичем совершенно был с ним согласен. Но вдруг присылает он свою диспозицию к Блюхеру, когда 17-го числа объявлен был главнокомандующим соединенными армиями союзных держав. По диспозиции сей следовало нам делать отступательное консентрическое движение к Гримме.

Государь, сведав о сем, послал князя Волконского к Витгенштейну объявить ему, что сие совершенно противно воле его. Тогда переменил граф Витгенштейн намерение свое и решился соединить силы около Лейпцига. Вследствие сего Блюхера корпус 18-го числа выступил к Борне, корпус Винцингероде — к Люцену.

Авангард Милорадовича из Хемница в Альтенбург.

Главная армия перешла 19 из Фробурга в Борну, между тем Блюхер занял Rötha*.

Мы с Карлом Федоровичем возвратились 19 числа из Альтенбурга в Фробург, где была главная квартира.

В тот же вечер поехал он в Борну, думая там найти Витгенштейна. Он остался больным в Борне.

19-го апреля. Неприятель в больших силах атаковал корпус Винцингероде близ Люцена и принудил его отступить. Скоро узнали о соединении всех сил неприятельских и о присутствии самого Наполеона, что ясно доказывало наступательное намерение их. И сие побудило соединить все войски наши. Вследствие чего армия Витгенштейна сделала фланговое движение влево и, присоединив Блюхера, расположилась 20-го числа на прекрасной равнине впереди Пегау, оставив влево деревню Томисен, имея пред фрунтом дорогу из Вейсенфельса в Лейпциг.

Главная армия перешла утром 20-го числа в Пегау, Милорадович — в Цейц, а корпус Винцингероде перешел ночью за линии армии, составив таким образом резервный корпус. Армия находилась в таковом расположении в 6-ть часов утра 20-го числа.

В 10-ть часов государь, граф Витгенштейн, король прусский прибыли на равнины люцинские, где армия расположена была и где надлежало решиться вторично участи Германии[67].

В 12-ть часов генерал Блюхер приехал к графу Витгенштейну просить позволения атаковать неприятеля, и сей дал ему разрешение, сказав: «Nur mit Gottes Hilfe!»**

Неприятель занимал деревню Грос-Гершен, часть войск его потянулась к Лейпцигу; остальное было скрыто.

---

* Рёту (нем.).
** «С богом!» (нем.)

Атака началась на деревню Грос-Гершен. Неприятель открыл из оной батареи свои. Главное усилие наше обратилось на сей пункт.

Но вдруг увидели мы большую массу сил его, обращающихся на левый фланг наш. Кавалерия наша обращена была туда, также и корпус Винцингероде. Тогда сражение сделалось общим на всех пунктах и весьма кровопролитным. Деревня Грос-Гершен взята была штурмом.

Неприятель, видя везде отчаянное себе сопротивление, решился маневрировать и беспрестанно переменял пункты атаки. Он обратился в 4-м часу по полудни на деревню Грос-Гершен и, обошед, опять овладел оною. Сам Наполеон вел атаку сию. Успех оной должен был решить сражение, ибо занятие деревень дозволяло присоединиться корпусу вице-короля италиянского, шедшего из Лейпцига, который в противном случае был бы совершенно отрезан.

Корпус генерал-майора Клейста, остававшийся для наблюдения дороги из Галле к Лейпцигу, принужден был оставить город сей. Когда неприятель вышел из оного и потянулся к Люцену, он опять его занял. Войска под командою генерал-лейтенанта Берха[68], подкрепленные вторым пехотным корпусом принца Евгения[69], вырвали деревню сию из рук неприятеля и заняли еще позади Грос-Гершен лежащие две деревни.

Гренадерский корпус, следовавший за сими войсками в покрепление, содействовал много к удержанию места, опрокидывая неприятельские колонны штыками[70].

Достоин примечания следующий случай: когда неприятель занимал деревню Грос-Гершен и гренадеры посланы были выгнать его, тогда почтенный предводитель их Коновницын, желая сберечь сей отличный корпус, употребляемый только в крайности, остановил его в некотором расстоянии и бросился к вперед стоящим войскам. Случай привел его к 3-й дивизии, находящейся во 2-м корпусе, а прежде состоявшей под его начальством. Едва увидели солдаты и офицеры незабвенного начальника, как громогласное ура раздалось по всей линии; обратив все внимание на него, забыли они опасность и долг.

Стрельба умолкла. Изумленный неприятель также остановил огонь.

Но как только Коновницын объяснил причину приезда своего, тогда всё бросилось вперед и неприятель опрокинут был. В ту самую минуту обожаемый сей начальник ранен пулею в ногу и принужден...*

Но цель неприятеля уже была исполнена и корпус вице-короля италиянского, подкрепив ослабевшие силы его, повел в 6 часов решительную атаку на центр и правый фланг. Сильнейший огонь открылся из батарей его, устроенных на высотах.

В сию минуту был я послан от князя отыскать Винцингероде сообщить ему приказание главнокомандующего о подкреплении пехотою принца Вильгельма[71], занимавшего одну из деревень влево от Грос-Гершена.

Я искал его в продолжении целого часа в сильнейшем огне, наконец, возвращаясь к князю, встретил его позади кавалерии. Пехота его была уже разделена, и он не мог потому исполнить приказания.

Возвратившись к князю, он тотчас послал меня привести из Мёльзена две бригады гренадер, оставленных там генералом Коновницыным для обеспечения левого фланга. К сим присоединен был и гвардейский уланской полк. Так как левый фланг наш подвинулся вперед, в сравнении расположения его до начатия атаки, то надлежало перевесть и бригады сии для занятия деревень на левом фланге нашем, где показывались неприятельские стрелки.

Исполнив сие, я возвратился к центру для отыскания князя. Я объехал все поле или лутче сказать обошел его пешком — лошадь моя падала от усталости. Войска наши ретировались. Это было 11-ть часов вечера.

Я провел ночь в поле.

В 5-ть часов утра сел я опять на лошадь. Поле совершенно было очищено от войск. Фланкеров наших видел я уже по сю сторону Грос-Гершена. Я поехал в деревню Гроич, где нашел князя. Мы вместе поехали в Альтенбург, оттуда в почтовых колясках в Пениг.

Армия ретировалась тремя дорогами. Прусское войско на Мейссен, российское чрез Вальдгейм на Дрезден. Артиллерия и обозы туда же чрез Хемниц и Фрейберг.

Главная квартира прибыла в Дрезден 22-го числа.

23-го числа вся армия находилась уже в Вильсдруфе. Авангард сильно атакован был при Носсене и отступил по сю сторону Носсена. Положено было оставить Дрезден — местоположение не позволяло взять позицию.

Авангард генерала Клейста получил от короля по-

_____
* Далее текст утрачен.

271

веление ретироваться из Лейпцига на Мюльберг. Витгенштейн о сем извещен не был. Корпус сей мог бы остановить еще на некоторое время неприятеля, оставшись в Лейпциге и, следственно, во фланге его.

25-го числа армия предприняла марш к Дрездену и ночью переправилась за Эльбу. Ариергард перешел реку сию 26-го числа. Прусские войски переправились в Мейссене. Неприятель перешел реку 28-го числа в Мейссене, в Дрездене и Пильнице. В последних двух местах искупил он переправу потерею нескольких тысяч.

Генерал Милорадович, после некоторых мне неизвестных личных сношений с графом Витгенштейном, низложил команду ариергарда в то критическое мгновение, когда неприятельская армия готовилась переправиться чрез Эльбу. Но, видя сколь худы последствия сие произвело, видя беспорядок в войсках наших, уступивших неприятелю почти без защищения переправу, принял опять командование, прогнал неприятеля и снова вошел в Нейштад, который уже был занят неприятелем. Сие происходило « »* числа[72].

На другой день неприятель начал переправляться в больших силах и Милорадович отступил к Вейсенгиршу.

Между тем главная квартира государя, перешедши из Дрездена в Бишофсверду 25 числа, 27-го переведена была в Пульзниц, а 29-го в Бауцен.

Здесь избирался укрепленный лагерь. Он назначен был впереди города. Дефилеи, кои тогда находились бы в тылу, заставили переменить намерение и избрать позицию позади города. Главная квартира перешла в деревню Вюршен 30-го числа.

Король саксонский[73] прибыл в Дрезден, заключил, без совещания с министрами и против воли народа, союз с Наполеоном. Крепость Торгау сдана французам. Губернатор оной барон Тилеман оставил отечество и прибегнул под покровительство императора.

1-го маия армия вступила в укрепленный лагерь. Между тем приближалась армия генерала Барклая[74]. 1-го числа находилась она в Губене. Ему назначено было прибыть к правому флангу позиции к 4-му числу.

Милорадович, продолжая отступление свое, 30-го числа остановил неприятеля между Вейсенгиршем и Вейсиг. Он вошел в упорное дело, неприятель употреблял боль-

___

* Пропуск в рукописи.

шие силы, но все было тщетно. В продолжении целого дня подвинулся он только на 3 версты.

Урон его простирается более 1000 человек. Потеряв от самого Дрездена более 5000 человек, неприятель с 1-го маия напирал весьма слабо и в день едва подвигался на полмили.

Милорадович за все подвиги свои возведен на степень графского достоинства и удостоен от императора рескриптом, сочиненным Данилевским.

3-го маия. Генерал Сакен уведомил о выступлении польских войск из герцогства Варшавского. 1-я колонна выступила из Подгуржа 25-го апреля, 2-я — 26-го, 3-я — 27-го, 4-я — 28-го. Войски сии следуют чрез Кальвари, Билиц, Тешен до Нейгаузена в Богемии. Кавалерии 3612, пехоты 4656 человек составляют сей корпус.

4-го маия. Аванпосты находились впереди города, войски авангарда в городе.

Армия генерала Барклая прибыла на правый фланг позиции и расположилась между Мальшвиц и Прейтиц.

Генерал Сакен доносит, что 1 маия занят авангардом его город Краков и что продолжать будет марш по доставленному ему маршруту, чрез Бреславль.

В главную квартиру приходили известия, что неприятель тянется на Берлин и что против нас находятся только корпус вице-короля италиянского и Магдональда.

В Кенигсварте действительно открыт был небольшой неприятельский отряд, принадлежавший к корпусу генерала Лауристона. Дабы утвердительное сведение о сем получить, Барклай-де-Толли отряжен был с вверенными ему войсками в Кенигсварте, подкреплен быв корпусом генерала Иорка.

8-го числа неприятель атаковал в 9 часов утра аванпосты наши. Умножая силы свои, принудил он ариергард к отступлению. Генерал Клейст, находившийся по правую сторону города Бауцена, первый оставил место. Корпус генерала Милорадовича, опиравший правый фланг свой к городу, будучи таким образом обойден неприятелем, ретировался к позиции.

Барклай возвратился из-под Кенигсварте и составил правый фланг армии, заняв высоту у деревни Глейн.

Неприятель атаковал центр, потом правый фланг корпуса генерала Блюхера. Но после движения генерала Барклая на левый фланг его, он остановил на сем пункте атаку.

Между тем левый фланг наш под командою генерала

Милорадовича сильно атакован был. Мужеством графа Сен-Приеста удержано было место, несмотря на то, что другой неприятельский корпус, состоящий из 8000 баварцев, послан был в горы, совершенно обошел линию войск графа Сен-Приеста, а в тылу оной разбросал по горам стрелков своих. 6-ть баталионов гренадер под командою Дибича[75] посланы были в горы, чтобы сбить неприятельских стрелков, что они исполнили с большою удачею. При сем случае убит находившийся при генерал-майоре Дибиче порутчик Гренгрос[76]. Неприятель был прогнан с гор. Ночь прервала действия. Мы ожидали на другое утро решительной атаки.

9-го числа в три часа по утру началась перестрелка. Неприятель обратил все свои силы на правый фланг. В центре поставил он 35 эскадронов, подкрепленные 16-ию орудиями. Левый фланг наш атакован был в горах 12-тысячным корпусом баварцев и италиянцев.

Линия войск наших занимала пространство 11-ти верст; часть резервов наших употреблена была уже накануне. При сих обстоятельствах могли ли мы ожидать успеху?

Жестокая битва продолжалась на всей линии корпусов Блюхера и Барклая. Неприятель в 4 часа по полудни овладел высотою близ деревни Глейн, которая совершенно командовала окрестностями и откуда неприятельские батареи били вдоль линий наших. Сие было знаком победы.

Корпус Барклая отошел назад и стал параллельно дороги, ведущей из Вейсенберга в Бауцен. Должно было защищать дорогу сию. Неприятель, овладев оною, отрезал бы нам отступление.

8-м баталионов Гренадерского корпуса получили повеление идти с левого фланга для занятия местечка Вейсенберга. Между тем победоносные войски левого фланга, причинив ужасный вред неприятелю, сбивали его с гор и уже начинали обходить правый фланг неприятеля. Но повеление уже дано было к отступлению.

Шесть баталионов гвардии прикрывали ретираду в центре. Армия отступала в виду неприятеля в том устройстве, которое только русским свойственно. По дороге чрез Гохкирх к Рейхенбаху ни одна пушка не досталась неприятелю.

Наполеон искупил победу потерею 30 тысяч воинов, не имев ни одной трофеи, которая бы могла засвидетельствовать справедливость пышных его слов после сражения 9-го маия.

В негодовании на генералов, не умевших приобрести значительной над нами выгоды, принял он лично команду авангарда и 10-го числа атаковал ариергард генерала Милорадовича. Сие послужило к вящей славе сего воспитанника Суворова. Державшись в продолжении 6-ти часов против всех сил неприятелских, он отступил в порядке на весьма малое пространство. Многие неприятельские колонны низложены были штыками. Между прочим убиты: гофмаршал Дюрок[77] (duc de Frioul*), дивизионный генерал Кирхнер[78] и ранен Мармонт[79], все трое *одним* ядром.

Армия ретировалась от Рейхенбаха двумя колоннами: правая чрез Герлиц, Лаубан, Левенберг, Гольдберг, Иауер, Стригау на Швейдниц. Левая колонна также на Швейдниц, чрез Вальдау, Бунцлау, Гайнау, Лигниц, Мерчюц и Рауск. Между городом Швейдниц и деревнею Гредиц укреплялся лагерь, в коем хотели ожидать неприятеля.

Главная квартира прибыла 16-го маия в Швейдниц.

Между тем продолжались переговоры о перемирии. Император послал своего генерал-адъютанта графа Шувалова из города Лаубана в главную квартиру французской армии. Он прибыл туда 11-го числа[80].

19-го числа армия вступила в укрепленный лагерь между Швейдницом и деревнею Гредиц, куда того же числа перешла главная квартира.

Неизвестно мне, кем был сделан первый шаг к перемирию. Утверждают, что австрийцы вступили в посредничество и предложили трактовать о мире.

Сие вероятно. Слабый император[81] их не отважился выступить из Богемии на комуникацию французской армии. Без сомнения, сие было единственное средство к совершенному истреблению ее, и Наполеон в другой раз был бы наказан за быстрое вторжение в неприятельскую землю, не обеспечив тыл армии своей.

Мы не могли отвергнуть предложение о перемирии. После сражения под Бауценом беспорядок господствовал в армии. Переменив главнокомандующего (что воспоследствовало 13-го маия), надобно было ему дать время к приведению армии в устройство.

Между тем французская армия находилась в ужаснейшем положении. Потеря их в сражениях под Люценом, Бауценом и в других ариергардных делах превосходи-

---

* Герцог Фриульский (*фр.*)

ла 75 тысяч. Раненые умирали в Дрездене на улицах. Не было ни лекарей, ни аптек, одним словом, ни малейшего призрения. В армии свирепствовали болезни и голод.

О сем узнали мы, к сожалению, впоследствии времени и уже по заключении перемирия.

Армия, расположившись в лагере между Швейдницом и Гредиц, ожидала подкрепления свои. 6 баталионов из Резервной армии соединились с нею уже в Иауере. Армия наша имела 101 000 под ружьем, в том числе около 35 тысяч пруссаков.

Главная квартира перешла 18-го числа в Гредиц, и здесь ожидали окончания переговоров.

23-го числа заключена конвенция, коей копия здесь прилагается. Хотя в оной и упоминается о городе Гамбурге, как о занятом нами городе, но французы имели уже известие о взятии оного.

Нещастный город сей пал жертвою, как некоторые полагали, измены Бернадота, который, высадив войска в Стралзунде, послал несколько баталионов в подкрепление генерал-майора Тетенборна, находившегося в оном с несколькими полками козаков, 4 эскадронами гусар и только 700 человек пехоты.

Когда французы приступили к штурму города, тогда объявили себя и датчане с их стороны.

Шведские баталионы получили повеление от принца оставить Гамбург. Тетенборн не мог его держать, оставшись с столь малыми силами, и отступил к Бойценбургу.

Поведение Тетенборна заслуживает всякое одобрение. Он умел приобресть любовь и доверенность жителей, и когда шведские генералы уже получили повеление оставить Гамбург, то употребил все средства уговорить их к нарушению сего повеления. Они действительно остались 24-ю часами долее в городе. Бернадот не замедлил послать им вторичное повеление, которому они уже не могли противиться. Тетенборн обвиняет его в измене.

По заключении перемирия главная квартира перешла в Рейхенбах.

25 маия. Император избрал себе Петерсвальде, любимое местопребывание Фридриха[82], когда сей великий государь навещал Силезию.

Армия расположилась по квартирам, по приложенному росписанию.

С сего времяни переменился род жизни моей, и я освобожден был от великого множества канцелярских дел. Князь Петр Михайлович удален был от должности начальника Главного штаба, сохраняя одно название. Барклай, столь щастливый в выборах своих, поручил сию наиважнейшую должность — Сабанееву!

Находясь лично при князе Петре Михайловиче, я имел случай увериться в великих способностях его. Щастливая память, сопряженная с неутомимою, можно сказать, беспримерною деятельностию, способствовали ему к скорому обозрению дел. Важную должность свою исполнял он с большим успехом. Много обязаны ему должно быть за усовершенствование внутреннего порядка армии.

Карл Федорович Толь, друг и совещатель незабвенного князя Смоленского, также удален был от должности.

Итак, начинается новая династия! Ей открывается обширное поле.

Никому неизвестно, чем решится перемирие? Дипломатические операции покрыты непроницаемою тайною.

Судя по наружности, нельзя полагаться на союз австрийцев. Мне кажется, война неизбежна.

Наполеон, оттянувший войска к Дрездену, ожидает значущия подкрепления. Дрезден приводится в оборонительное положение. Отдать нам малейшую часть завоеваний своих значило бы признаться в истощении сил. Наполеон уверен, что сие послужит к большему воспламенению умов в пользу нашу, и потому употребит все силы к усыплению тестя своего обещаниями и тем доставит себе возможность к продолжению войны.

Император отлучился из Рейхенбаха* маия в местечко Опочну, в Богемии — говорили для свидания с императором австрийским, находившимся прежде в местечке Гитчин. Но государь виделся только с Меттернихом[83].

Присудствие великих княгинь Екатерины и Марии Павловны соделала Опочну приятным местопребыванием. Ежедневно маневрировали австрийские войска. Войско, говоря, чрезвычайное, но не может сравниться с русским.

В отсутствии князя в Опочне, проводили мы время весьма приятно в Рейхенбахе с Данилевским, дядею Андрей Петровичем и почтенным Федором Яковлевичем Эйхеном.

По возвращении князя желал я быть уволен к Альтвассерским водам. Мне помог в сем почтенный Карл Федорович, и 21-го числа июня отправились мы с Михайло Андреевичем Габбе в Альтвассер.

_____
* Пропуск в рукописи.

Я имел нужду пользоваться целительными водами и свободою. После сражения под Люценом страдал я сильною лихорадкою, продолжавшеюся до времени прибытия главной квартиры в Гредиц. Несмотря на сие, продолжал я работать в канцелярии. По прибытии в Гредиц заболел и Брозин. Дела умножились. Михайло Андреевич Габбе с самого 28-го апреля был болен сильною нервическою лихорадкою. Итак, Вашутин и брат[84] были единственные мои помощники.

По сей причине не писал я замечания свои от 18-го апреля до 1-го июня. Чтоб наполнить промежуток сей, я взял в помощь журналы канцелярии. Описание происшествий со дня Люценского сражения до 1-го июня сделал я весьма сокращенным. Подробности оных заняли бы слишком много времяни.

20 июня. Письмом от 18-го маия извещает меня матушка о неудовольствиях, кои причиняет ей управитель Шишкин. Она обвиняет его в грубости и бесчестности.

Сергей Илиич[85] и брат[86] не престают писать об отставке его. Сие невозможно.

Чрез Коновницына просил я князя Петра Михайловича возобновить пашпорт, по коему пользовался отпуском до излечения болезни. Отъехав в Альтвассер, поручил я Александру Ивановичу Данилевскому оный переслать братцу.

Дорога из Рейхенбаха в Альтвассер ведет чрез Швейдниц. Приближаясь к Альтвассеру, дорога ведет на крутые горы, коих цепь простирается в направлении от севера к югу.

Альтвассер лежит в долине, в коей находится множество ключей минеральной воды.

Горы с обеих сторон высокие и стесняют вид. Домики разбросаны вдоль долины, и наружность их не обещает удобности.

Нам казалось скучно. Дождь лил проливной два дни сряду. Квартиру выбрали мы себе в доме инспектора, где за две посредственные комнаты платили 6 талеров в неделю.

Впоследствии времени нашли мы много приятностей в Альтвассере. Окрестности живописные. Вид с соседних гор теряется в неизмеримости равнины Силезии. Особенно отличается Фюрстенштейн величественными видами.

Я пользовался ежедневно ваннами с совета здешнего доктора Гинце.

В начале июля пронесся здесь слух об одержанной победе англичанами над армиею маршала Сюшета[87] в Испании и скоро воспоследовало официальное извещение. Лорд Веллингтон[88] атаковал неприятеля при городе Виктории, разбил его и отрезал отступление чрез Баионну. Неприятель принужден был идти в Наварру чрез тесные дефилеи, где потерял всю артиллерию.

16-го июля. Мы возвратились в главную квартиру. Слух носился, что военные действия скоро должны начаться.

Наполеон возвратился в Маинц 2-го июля. Маршал Сульт[89] получил повеление командовать армиею против Веллингтона.

20-го числа получил лорд Каткард[90], находящийся полномочным послом при императоре, известие о вшествии испанско-английской армии в землю французскую. Она перешла Пиринейския горы и теперь не имеет препятствий. В Праге учрежден конгресс для трактования о мире. Анштет, Гумбольд[91], Вальпуль, Меттерних трактуют в лице государей своих. Наполеон при отъезде уполномочил Коленкура[92] к окончательному ответу.

22-го числа решится участь Европы. Конгресс решит мир или войну.

26-го числа выступили три колонны в Богемию. Четвертая колонна, при коей будет следовать главная квартира, выступит 30-го числа.

Итак совершился союз трех сильных держав против Франции. Принц шведский принял командование над армиею, состоящею из шведских, прусских и российских войск, т. е. корпуса Винцингероде, всего около 100 тысяч. Назначение его действовать из Берлина на Дрезден, между тем как Главная соединенная армия под командою князя Шварценберга будет действовать на Дрезден со стороны Богемии. Для прикрытия Силезии остаются корпуса генералов Блюхера и Ланжерона, под командою первого.

В герцогстве Варшавском расположена большая резервная армия под командою Бенигсона, и получившая наименование Польской армии.

Августа 7-го. Император оставил Прагу накануне.

Главная квартира назначена была в Мельнике. Мы прибыли сюда 8-го числа поутру, но уже не нашли никого. Чрез Ваструс поехали мы в город Лаун, но император отсюда уже отбыл. Мы нашли его 9-го числа в местечке Комотау. Армии быстро приближались к границе.

10-го числа. Перешли они в Саксонию. В Мельнике оставлена была одна гренадерская дивизия.

Главная квартира в местечке Цеблице, куда император прибыл вместе с передовыми постами.

В 6-м часу вечера подошли австрийские дивизии.

Жомини и Моро[93], приехавшие в Прагу, составляли совет, Шварценберг командовал армиями. Император принимал в оном участие, хотя не хотел принять титула главнокомандующего.

Положено было быстро приближиться к Дрездену. Армии взяли направление чрез Диппольдисвальде. Дивизия Меско заняла Фрейбергскую дорогу.

13-го числа. Союзные армии обложили Дрезден. Когда император в сопровождении Шварценберга, Моро и Жомини осматривали укрепления Дрездена, мнения были различны нащет предполагаемых действий. Жомини советовал взять город приступом. Моро был противного мнения: «Sire, nous sacrifierons 200 mille hommes et nous nous casserons le nez. Il ne faut pas démoraliser nos troupres»*. Толь говорил императору в сем же смысле. Он советовал остаться под Дрезденом как в центральном пункте, откуда мы могли предупредить все покушения Наполеона на Богемию и Франконию. Сказать должно, что не сообразно было с мнением Толя быстрое приближение к Дрездену. Он желал остаться в Диппольдисвальде.

Император, бывший долго в нерешимости, последовал мнению великого Моро. Шварценберг, как придворный, казалось повиновался воле государя.

Несмотря на сие, колонны наши 14-го числа спустились с высот, и в 4 часа после обеда началась канонада в городе.

Я не постигаю, что было причиною столь скорой перемены.

Атака производилась неудачно. Мы разделились на всех пунктах, и нигде не было сильного пункта. В 6 часов вечера, когда правый фланг под командою Витгенштейна подвигался более и более к городу, Наполеон дебушировал из укреплений и подвинул сильные колонны на левый фланг наш чрез Плауенскую долину. Мы отступили.

Утром 15-го числа находились мы в прекрасной по-

---

* «Государь, мы пожертвуем 20 тысячами человек и будем отбиты. Не следует расстраивать свои войска» *(фр.)*.

зиции на высотах кругом города. В 8-м часов утра началась канонада. Проливной дождь воспрепятствовал продолжаться сражению долее 2-го часу. Мы удержали все пункты, все было в устройстве, и мы могли выдержать с успехом самых сильнейших атак. Но вдруг является диспозиция к отступлению!! 200-тысячная армия отступает!

Величайшим в свете происшествиям часто причины бывают маловажны. Я свидетелем был тому, что понудило нас отступить. Когда еще продолжалось сражение, император удалился несколько от главнокомандующего князя Шварценберга, дабы быть вне выстрелов, коим подвергал себя во все утро и из коих один лишил Моро обеих ног.

Во 2-м часу, когда утихла канонада, император получает извещение, что неприятель в больших силах переправился в Кенигштейне. То был 40 000-ный корпус Вандама[94].

Подвигаясь к Дрездену, мы сделали величайшую погрешность, не заняв сей пункт сильным корпусом. 2-й корпус принца Евгения и 1-я гвардейская дивизия были недостаточны удержать неприятеля*.

Меня удивляло, что столь медленные в предприятиях своих австрийцы на сей случай показали величайшую готовность и деятельность написать диспозицию к отступлению.

Армия отступила тремя колоннами. Одна чрез Фрейберг, другая на Диппольдисвальде, а третей колонне под командою Барклая надлежало идти по теплицкой дороге, уже занятой неприятелем. Надлежало пробиваться на пути.

Император послал генерал-майора Толя вести сию колонну. Я находился с ним. Барклай, получив диспозицию, вознамерился не следовать по назначению ее: «il faut que je passe beverges l'ennemi et je risque ma reputation»**.

Он избрал дорогу чрез Диппольдисвальде. Граф Витгенштейн составлял ариергард сей колонны. Ариергард австрийской колонны, шедшей на Фрейберг, оставил место свое прежде рассвета — против диспозиции, и не давши о

---

* Далее в рукописи оставлено свободное место.
** «Хотят, чтобы я прошел в виду неприятеля и рисковал моей репутацией» (фр.).

том знать графу Витгенштейну, почему сей последний едва не был отрезан.

Проливной дождь, продолжавшийся 24 часа, произвел ужасающую грязь. Войско, нуждавшееся четыре дни хлебом, тащилось в беспорядке. Артиллерийские лошади были изнурены до крайности. Достойно удивления, что мы не потеряли артиллерию.

Российское войско отступало в порядке. 15-ть рот австрийцев сдались в плен.

16-го числа войска и главная квартира прибыли в Альтенберг.

17-го числа продолжали мы путь к Теплицу по дороге, где едва пешеходец пробраться может (чрез Цинвальде и Ейхвальде). Главная квартира назначена была в Дуксе.

Между тем Вандам теснил гвардию и 2-й корпус принца Евгения. Первая принуждена была 17-го числа пробиваться три раза сквозь многочисленного неприятеля.

В 2 часа по полудни граф Остерман находился уже в полмили от Теплица. Неприятель продолжал весьма сильно наступать. Но граф Остерман, бывши подкреплен несколькими полками австрийской пехоты и кавалерии, твердо держался в выгодной позиции. Потеряв руку от ядра, он сдал команду генерал-лейтенанту Ермолову. Таким образом, неприятель находился уже близ цели. Заняв Теплиц, он отрезал бы всю армию, запутанную в дефилеях. Между тем как император находился с малым прикрытием в Дуксе. Следствия были бы неисчислимые. Но судьба иначе повелела!

Все войска, которые успели выдти из дефилей, были употреблены на подкрепление Ермолову, так что в течение двух часов дело взяло самый выгодный оборот и неприятель прогнан на $1^1/_2$ мили.

Когда настиг вечер, российская армия и дивизии Коллоредо[95], Бианки и вся кавалерия успела выдти из дефилей. Мы заняли выгодную позицию в одной мили от Теплица.

18-го числа вознамерились мы атаковать Вандама и наказать его за дерзостное вторжение в Богемию.

Генерал-майоры Толь и Дибич, по рекогносировании местоположения, нашли левый фланг неприятельской удобным быть атаковану. Дивизии Коллоредо и Бианки, оставив два баталиона полка Чарторижского для занятия деревни Карвиц, потянулись на высоты левого фланга неприятельского, которые командовали всею позициею его, и вместе с тем подкрепляли кавалерийские атаки, произведенные на высоте между Карвице и Бемиш — Нейдотрфель.

Генерал-майор Толь командовал атакою. Она была произведена с такою быстротою, что в течение трех часов, с 12-ти до 3-х, неприятель был обойден, сбит и прогнан.

Прусский корпус генерал-лейтенанта Клейста, шедший от Цинвальда, между тем появился на высотах Ноллендорфа, дабы отрезать неприятелю отступление к Петерсвальду. Сие довершило расстройство в неприятеле. Кавалерия показала пример к бегству. Она пробилась сквозь корпус Клейста.

Пехота бросила орудия и была истреблена нашими кирасирами и казаками. 83 пушки, 6 генералов, в том числе сам Вандам, 2 орла и 8000 пленных достались в руки победителям.

Император искренно благодарил генерал-майора Толя за удачное командование атакою. После того, когда объезжал он поле, покрытое трофеями всякого рода, приезжает курьер от генерала Блюхера с известиями о разбитии неприятельских корпусов под командою Нея.

Генерал Блюхер 14-го числа был атакован всеми силами неприятельскими, до 140 тысяч простиравшихся, под местечком Левенбергом. Сражение продолжалось два дни. Мы претерпели много, но на третий день одержали верх — неприятель приведен в бегство. Проливные дожди наполнили реки Нейссе и Кацбах так, что без мостов невозможно было им перейти. Неприятель потерял тут до 80-ти орудий, множество пленных. В расстройстве бежал он в Саксонию.

Корпус Ланжерона при Гольдберге атаковал после того Магдональда, разбил его совершенно, взял 35 орудий и 8000 пленных. Сей неприятельский корпус, бывший в 40 тысяч с начала кампании, едва ли до 10 тысяч ныне простирается.

Наполеон присутствовал 14-го числа при атаке против Блюхера. 15-го возвратился в Дрезден.

После истребления корпуса Вандама армия расположилась в крепкой позиции впереди Теплица. Главная квартира находилась в сем городе.

Сведав о движении Наполеона с главными силами из Дрездена в направлении к Бауцену, австрийская армия назначена была действовать чрез Цитау во фланг неприятеля, между тем как генерал Блюхер имел повеление избегать генерального дела.

Между тем армия российская делала движение к Дрездену. Пирна уже была нами занята.

Намерение Наполеона переменилось. Он обратился опять к Богемии. 29-го числа занял он дефилеи Ноллендорфские, между тем как 5000 корпус занял высоты на левом фланге нашей позиции. Австрийская армия, сделавшая уже два марша в направлении к Циттау, поспешно из Лейпмерица возвратилась.

30-го августа ожидали генерального сражения, но дело обошлось небольшою перестрелкою на высотах Гейерсберга.

31-го числа получили мы известие о победе принца шведского под Ютербоком, о чем здесь приложена реляция.

3-го сентября авангард под командою графа Палена сделал движение вперед и прошел уже Петерсвальде. Но потом встретил он большие силы неприятеля, которые потеснили его и заставили 4-го числа отойти к деревне Тельниц.

5-го числа в 2 часа пополудни неприятель вышел из дефилей в числе 20 тысяч и атаковал наш авангард. Он принужден был отступить. Деревня Кульм уже была занята стрелками неприятельскими. Тогда дивизии Коллоредо и Мерфельд[96], находившиеся впереди нашего правого крыла скрытно на высотах, бросились на левое крыло неприятельское. Маневр 18-го числа повторился. Неприятель был прогнан к Тельницу, потеряв 3000 пленными, одного генерала Kreutzer[97], 7 пушек и одно знамя.

Генерал сей утверждал, что вся армия Наполеона следовала за авангардом, и потому ожидали мы 6-го сентября генеральной атаки. Но тщетно. Часа два продолжалась на постах перестрелка, в прочем все было тихо.

Генерал Тилеман, отправленный на комуникации неприятеля, занял Вейсенфельс, Наумбург, взял 1500 пленных и 1 генерала.

30 тысячный корпус генерала Кленау[98] обратился также на комуникации неприятеля и находился 6-го сентября в городе Хемнице.

Армия спокойно стояла в лагере под Теплицом и ожидала прибытия армии Бенигсона, чтобы, уступив оной свое место, идти чрез Комотау в Саксонию.

15-е сентября было праздновано в лагере[99]. Утром был молебен. Церковь была устроена на кургане, кругом которого стояли гвардия и гренадеры. Потом был обеденный стол в гвардии.

Вечером был вручен императору орден английской Подвязки, двенадцать лордов привезли оную.

16-го сентября атаковал Платов соединенно с Тилеманом летучий корпус генерала Лефевра[100]. 2000 пленных и 7 пушек были взяты, а корпус приведен в расстройство.

17-го числа прибыл к Теплицу корпус генерала Дохтурова, и явился Бенигсон. Корпус сей отличается от других двух корпусов его армии хорошим своим устройством. Другие два корпуса суть: Маркова[101] и графа Толстова[102], состоящий из Нижегородского ополчения. Кавалерия и артиллерия сей армии превосходны.

Армии, назначенные идти в Саксонию со стороны Комотау, могли бы оставить Теплиц 19-го числа, но медленность в действии всегда была отличительным признаком австрийских генералов.

22-го числа перешла австрийская армия в Комотау, оставив под командою Бенигсона дивизию Коллоредо.

Витгенштейн и Клейст, выступившие гораздо ранее из-под Теплица, находились в Шварценберге. Кленау в Хемнице. Барклай с российским и прусским резервами в Бриксе.

23-го числа австрийская армия в Мариенберге. Витгенштейн в Цвикау, Барклай в Комотау.

Цеблиц и Шелленберг были заняты отдельными постами. Неприятельский корпус Виктора находился в Одеране. Лористон в Митвейде.

Посты в Цеблице и Шелленберге были заняты слабо, а последний в 2 милях от своего подкрепления. Неприятель учинил на оный 25-го числа атаку и истребил весь баталион, находившийся там. Эскадрон также взят был в плен. Говорят, что и знамя потеряно.

25-го числа. Исключая Витгенштейна, все части находились в прежнем расположении. Ему поручено было, оставив Клейста в Цвикау, атаковать в Альтенбурге Пониатовского. Но сей последний, не выждав нападения, ретировался к Фробургу.

Витгенштейн находясь в Альтенбурге, а Барклай в Комотау — армии наши были растянуты на 12-ть миль; и в сем положении мы, конечно, провели бы некоторое время, видя нерешимость князя Шварценберга. Но известие о блестящем успехе Блюхера вывело его усыпление.

Блюхер оставил Бауценскую дорогу и, поставив только 8 тысяч под начальством князя Щербатова пред Нейштатом, потянулся вниз Эльбы. 21-го числа переправился он чрез сию реку близ Элстера, обложив Витенберг частию войск своих.

Бертран, поспешивший из Дебельш (Döbelz) защитить переправу, был совершенно разбит, потерял 16 пушек, 2000 пленных и откинут был к Витенбергу.

Князь Шварценберг решился атаковать неприятеля, занявшего в силах Шелленберг и Аугустенбург. 26-го числа утром 6 часов приблизились колонны к замку, но неприятель, открыв движение с высокой горы, на коей находится замок, отступил спокойно к Митвейде.

Князь Шварценберг, приехав в Аугустенбург, получил известие, что Наполеон главными силами потянулся против Блюхера. Сие побудило его к решительному действию. Положено было идти форсированно к Лейпцигу. Вследствие сего вся австрийская армия подвинулась к Хемницу.

Кленау пошел к Пенигу. Гренадерский корпус и 3-я кирасирская дивизия к Чопау. Резерв в Мариенберг, куда прибыл 26-го числа император.

Кленау встретил на дороге неприятеля по сю сторону Пенига. Сие был авангард Понятовского, перешедшего из Фробурга. Авангард Кленау под командою Мора атаковал неприятеля и заставил его отступить к городу.

27 числа. Хотя местоположение весьма было выгодно для неприятеля по причине изгиба реки, но он оставил город утром в 9 часов и потянулся к Рохлицу, куда сближились из Митвейды корпуса Виктора и Лористона.

Платов находился сего числа в Люцене. Тилеман в...*[103] Чернышев в Касселе (NB. пустая экспедиция)[104].

Клейст соединился с Витгенштейном в Альтенбурге. Император прибыл в Хемниц, где находились мы с 26 числа.

———

По оставлении неприятелем Пенига, объезжали мы форпосты, кои по ту сторону города, подвигались вслед за неприятелем.

Поехав с генералом Толем по Фробургской дороге к передовым гусарам, увидели мы несколько людей, шедших пешком подле большой фуры. Мы почли их за пленных, но удивление наше было велико, когда увидели, что сие была аптека корпуса Понятовского, сопровождаемая тремя лекарями. Они столь были уверены найти в Пениге армию свою, что не замечали своей ошибки даже говоря с нами. Мы скоро вывели их из заблуждения.

———

* Пропуск в рукописи.

Мы имели случай опять заметить медленность австрийцев. Вместо, чтобы насесть на отступающего неприятеля, они довольствовались подвинуть форпосты.

28-го числа. Кленау занял Рохлиц и Фробург. Неприятель отступил к Кольдицу.

Авангард Витгенштейна под командою Палена был атакован близ Борны в 4 часа по полудни. Он прогнал неприятеля, взяв много пленных.

Австрийская армия в Пениге. Барклай в Хемнице. Витгенштейн и Клейст в Альтенбурге. Сильный эшелон в подкреплении Палену на половине дороги к Борне.

Главная квартира в Пениге.

Дивизия Морица Лихтенштейна[105], посланная для наблюдения корпуса Ожеро[106], приближавшегося с 5000 кавалерии и 12 000 пехоты, встретила сей корпус « »* числа в Наумбурге. Воспользовавшись дефилеем сим, он причинил много вреда неприятелю, однако же принужден был наконец отступить, видя превосходство сил его.

Здесь получено известие, что генерал Блюхер находился 26-го числа в Дюбене (Düben), а принц шведский в Радегасте (Radegast). Платов в Люцене, Тилеман в « »**[107].

29-го числа. Кленау в Фробурге. Витгенштейн и Клейст в Борне. Австрийская армия в Альтенбурге. Барклай с гвардиями[108] в Пениге. 3-й корпус гренадер и 3 кирасирская дивизия в Лангенбейле.

Неприятель от Борны отступил к Лейпцигу.

Главная квартира Шварценберга и императора в Альтенбурге.

30-го числа. Австрийская армия в Цейце. Барклай в Альтенбурге. 3-й корпус и кирасиры в Альтенбурге. Кленау в Кольдице. Неприятель оттянул силы свои к Витенбергу.

Впоследствии времяни оказалось, что Наполеон обратился туда, думая найти Блюхера между Витенбергом и Дессау, с намерением атаковать его.

Блюхер, оставив пред ним легкие корпуса, фланговым маршем к Галле соединился там с принцом шведским.

Движение Наполеона к Витенбергу обмануло сего последнего, он полагал, что Наполеон хочет идти на Берлин, и потому снова пошел на Кетен.

---

* Пропуск в рукописи.
** Пропуск в рукописи.

Блюхер подошел к Мерзебургу. Соединение сил наших около Лейпцига заставило Наполеона обратиться сюда же со всеми силами.

1-го октября. Авангард Палена у деревни Еспенгайне на большой дороге к Лейпцигу. Корпуса Витгенштейна и Клейста там же в подкрепление ему.

Корпусу Кленау назначено было идти в направлении к Либертволковицу.

Мы вознамерились атаковать неприятеля, расположенного впереди Еспенгайна, дабы удостовериться в силах его.

Корпусу Кленау назначено было обойти левое крыло неприятеля. Расположение его было следующее: ручеек, протекающий мимо деревни Магдеборн, закрывал фрунт, который проходил чрез деревню Госса и деревню Штрёмталь (Strömthal), и упирался к большому Университетскому лесу. Фрунт был почти неприступен.

Надлежало корпусу Кленау действовать во фланг. Тщетно ожидали мы сигнального выстрела.

2-го октября. В полдень началась атака. Неприятель оставил свою позицию и отступил за деревню Либертволковиц.

Вся кавалерия Ожеро была против нас; несмотря на то, что кавалерия наша была гораздо малочисленнее, мы одержали верх в кавалерийских атаках, производившихся у деревни Вахау.

Полагали, что неприятельский корпус превышает 30 тысяч. Слухи о приближении главных неприятельских сил к Лейпцигу подтверждались.

Между тем, по диспозиции австрийцев, армия их находилась в Цейце и таким образом удалилась от неприятеля. Намерение австрийцев было избегать сражений.

Генерал-майор Толь, сведав о сем намерении их, открыл оное государю и тогда от имяни его уговорил австрийцев приближиться к Лейпцигу и дать неприятелю генеральное сражение в пространных равнинах. Вследствие сего австрийская армия двинулась к Пегау, куда 3-го октября прибыли и российско-прусские резервы. Сего числа сделана диспозиция к генеральной атаке, она здесь прилагается.

4-го октября в 9-ть часов утра были сделаны первые выстрелы из батареи князя Горчакова[109]. Кленау, находившийся на правом фланге, двинулся к Либертволковицу. Мы с генералом были при Кленау.

Вскоре увидели мы большие силы неприятельские, простирающиеся далеко за правый фланг наш. Сие заставило Кленау потянуться вправо. Мы нашли значущую высоту, называемую der Qolmberg*, незанятую неприятелем. Мы тотчас поставили на оную 20-ть орудий и два баталиона в прикрытие.

Несколько баталионов атаковали деревню Либертволковиц. Остальное войско генерала Кленау находилось в резерве в 1000 шагах от батареи. Несмотря на советы Толя, Кленау и находящийся при нем полковник Роткирх не полагали нужным приближить резервы.

Несколько стрелков, занимавших кустарники впереди батареи, вскоре были вытеснены. Вслед за сим двинулись четыре сильные неприятельские колонны атаковать высоту. Они взбежали на оную с распущенными знаменами и гремящею музыкою. Находившиеся в редуте два баталиона австрийцев первые подали пример к бегству. Поспевшие из резерву два же баталиона последовали им.

Генерал и я, мы бросились к голове баталиона и повели к высоте, чтоб опрокинуть находившегося уже на ней неприятеля. Мы подвели их на 50-т шагов к неприятелю, видели, как он забирал две австрийские пушки, думали, что сие зрелище побудит колонну нашу броситься в штыки, но они, объятые страхом, бежали назад. Мне удалось еще раз остановить колонну нашу в бегстве, чтоб дать время уйти нашим пушкам.

Неприятель, заняв высоту, понудил нас отступить к деревне Пёза (Qross — Pössa), где он оставил нас спокойно в позиции нашей.

На всех пунктах линии нашей неприятель ни малейшего не имел успеху до 3-х часов пополудни. Тут повел он сильную атаку на центр. Кавалерия его два раза прорывалась сквозь 1-ю гвардейскую кавалерийскую дивизию. Лейб-казаки остановили стремления его. Гвардия приближилась, и егерские полки были употреблены для удержания деревни Госсы, которую неприятель после тщетно форсировал.

Между тем посудил генерал Толь сделать на правом фланге покушение на неприятеля, дабы развлечь его силы. Нам удалось занять деревню Зейфертсгайн, которую мы долго до самого вечера оспаривали.

4 октября 1813. Расположение фрунта армий наших в вечеру 4-го числа следующее: деревня Грёберн на левом фланге, деревня Госса в центре; от Госсы простирался фрунт к Университетскому лесу, к деревне Пёза (Qross —

---

* Колмберг (нем.).

Pössa), потом по высотам к деревне Фуксенгайн. Впереди правого фланга занято нами было Зейфертсгайн.

5-го октября вознамерились мы выждать приближение Бенигсона, Коллоредо и принца шведского. Мы имели нужду в подкреплении, ибо, распространившись на большом расстоянии, многие пункты были слабы. Для подкрепления левого фланга употреблена была часть войск, находившихся на левом берегу Плейсы под командою принца Гессен-Гомбургского[110].

Коллоредо прибыл к центру армии у Госсы в 12-ть часов утра. Бенигсон, шедший из Богемии чрез Ноллендорфские дефилеи, заставил отступить Сен-Сира[111] к Дрездену и, назначив корпуса Толстова и Маркова для наблюдения его, направился чрез Фрейберг и Колдиц к правому флангу Главной армии. Он прибыл туда во 2-м часу пополудни.

Диспозиция к генеральной атаке была уже разослана. Бенигсону надлежало начать атаку, направляясь чрез Зейфертсгайн на левый неприятельский фланг, упиравшийся к Голцгаузену.

Всему корпусу Бенигсона оставался для дебуширования тесный дефилей Зейфертсгайна.

Дождливая погода испортила дороги, артиллерия медленно подвигалась. В 5-м часу успел Бенигсон только войти в деревню. Мы вывезли едва первое орудие для сигнального выстрела, как император присылает приказание отложить атаку до следующего дня, по причине наступавшей ночи.

Мы с генералом ночевали в деревне Трена, корпусной квартире генерала Кленау. Атака должна была начаться 6-го числа в 9-м часу.

Едва выехали мы с генералом Кленау в поле, как увидели высоту (Kolmberg*), оставленную неприятелем. Генерал наш поскакал туда, дабы удостовериться в движении неприятеля. Поднявшись на гору, увидели мы неприятеля в полном отступлении, прикрывая оное кавалерийскими эшелонами. Мы взвезли на Колмберг два конных орудия, и, таким образом, генералу нашему, подавшему первый знак к сражению в славный день 6-го октября 1812 года[112], предоставлено было ровно чрез год сделать сигнальный выстрел к единственной в летописях истории баталии.

Я тотчас был послан к государю императору с донесением об отступлении неприятеля.

---

* Колмберг (нем.).

Между тем вся линия наша подвигалась.

Его величество, выслушав меня, изволил отдать чрез меня повеление генералу Бенигсону действовать совершенно в силу вчерашней диспозиции, атакуя быстро левый фланг. Генерал Бенигсон предупредил сие повеление.

Неприятель, теснимый со всех сторон, принужден был принять сражение, он остановился в позиции, упирая правый фланг к Конневицу. Фрунт простирался чрез Пробстгейде к Цукельгаузену и Голцгаузену. Гвардия Наполеона, предпринявшая уже отступление чрез Лейпциг, возвратилась для подкрепления центра.

В сем положении держался неприятель до одиннадцатого часа. Но когда Бенигсон обошел левый фланг их, имея направление на Baalsdorf*, между тем как генерал Кленау форсировал с фрунта деревню Голцгаузен, тогда неприятель в разстройстве побежал назад и занял позицию более концентрическую.

Фрунт его простирался чрез Штетериц, Цвей-Наундорф, Мелкау. Пробстгейде находилось пред фрунтом линии его и было упорно защищаемо.

Сильнейшая канонада возобновилась по всей линии. В центре несколько раз покушалась их кавалерия атаковать нашу, но всегда с уроном была опрокидываема.

Между тем приближалась армия принца шведского со стороны Дюбена. В 3 часа по полудни занял он деревни Шенфельд и Паунсдорф и повел атаку на левое крыло неприятеля. Наполеон употребил резервы свои для защищения Лейпцига с сей стороны.

Ужаснейший ружейный огонь продолжался в Пробстгейде, сия деревня переходила из рук в руки и уже в 10-м часу вечера осталась за пруссаками.

Наполеон, притесненный таким образом к тесному дефилею Елстера, принужден был предпринять отступление уже 6-го числа и продолжал оное во всю ночь.

На другой день утром увидели мы равнину Лейпцига оставленною совершенно неприятелем. Ариергард, большею частию из саксонцев, должен был защищать сколько возможно стены города.

Принц шведский в 9-м часу подал знак к штурмованию города. По малом сопротивлении город был взят. Наполеон в нем находился до последней минуты, и когда переправился он с небольшою свитою чрез мосты Елстера, повелел он взорвать их на воздух, жертвуя остальными в городе

---

* Баалсдорф *(нем.)*.

войсками для личного только спасения. Дабы выиграть время, посылал он прежде нескольких парламентеров, как будто бы от градского правительства, просить о пощаде города, но государь император отвергал всякие предложения и нимало не останавливался чрез сии переговоры; атака на город продолжалась.

Наконец, послал он генерал-майора Толя для объяснения королю, что он не намерен принимать от него предложений, а повелевает ему сдаться со всеми войсками, в городе находившимися.

Король исполнил сие, ибо во время разговора его с генералом Толем стрелки наши показывались пред окнами его.

Генерал Толь тотчас повел саксонцев против ариергарда французского*. Взорванные мосты на Елстере воспрепятствовали некоторое время преследованию неприятеля, но вскоре были они поправлены, и авангард наш под командою Васильчикова догнал неприятеля, предпринявшего отступление чрез Люцен.

Австрийский генерал Юлай[113], имевший повеление форсировать дефилей Елстерский со стороны Линденау, принужден был отступить уже 6-го числа. Хотя не мог он удержать с корпусом своим стремление неприятельских сил, искавших себе путь на Люцен, но не следовало ему бежать до самой почти Рёты (Rötha). Чрез сие потерял он много времени, и когда предпринят был фланговый марш к Вейсенфельсу и Наумбургу, корпус Юлая, составлявший авангард, не успел отрезать неприятеля от Вейсенфельса.

Армия Блюхера действовала со стороны Галле. Неприятель принужден был противопоставить ему почти три корпуса.

4-го числа взял Блюхер 30 пушек и 2000 пленных, а 5-го числа подошел под самые стены Лейпцига. Неприятель, заняв дефилеи города, препятствовал Блюхеру предпринять 6-го числа что-либо решительное, не менее того содействовал он много и в сей день к одержанию победы, тревожив неприятеля сильною канонадою.

Следствия знаменитых сражений под Лейпцигом превышали ожидание наше. 250 пушек, 15 000 пленных, 15 генералов достались в руки победителям. В числе генералов находились Лористон, Ренье, Бертранд. Понятовский,

_____

* далее зачеркнуто: «и сражение окончилось в полдень».

искавший спасение свое в бегстве, потонул в Елстере — мосты уже были подорваны.

Поле сражения покрыто было трупами французов. Особенно центр их пострадал. Гвардия Наполеона на сем пункте потеряла неимоверно. Консентрический огонь из батарей наших истреблял ряды их.

Союзные Наполеону войски сдавались во время самого сражения. 6-го числа перешло к нам таким образом 16 баталионов саксонцев и 8 баталионов поляков. Потеря Наполеона убитыми и ранеными превышает 40 тысяч, все раненые достались нам в руки.

Неприятель предпринял ретираду к Вейсенфельсу, российская армия, имея впереди корпус Юлая, сделала фланговый марш, дабы отрезать ему дорогу. Но неприятель, предупредив нас при Вейсенфельсе, пошел на Фрейбург и занял дефилей Кёзенский (Kösen). Под прикрытием поста сего продолжал он отступление к Бутельштету. К Ерфурту прибыл он 11-го числа.

Армии Блюхера и принца шведского действовали ему в левый фланг при отступлении его от Лейпцига. Австрийская армия направилась от Негау чрез Цейц, Ейзенберг на Веймар, где 12-го числа соединилась с колонною российских войск.

Наполеон остановился в позиции у Ерфурта, и полагали, что он намерен дать нам сражение. Мы еще не были извещены о великих потерях и расстройстве его армии.

Принц шведский был направлен на Зондерсгаузен, дабы обходить левый фланг позиции. Между тем и баварско-австрийская армия под предводительством графа Вреде приближалась к Рейну на коммуникации неприятеля.

Обойденный со всех сторон многочисленными войсками, Наполеон предпринял отступление от Ерфурта по большой Франкфуртской дороге.

Расстроенная уже армия его уменьшалась ежедневно. Люди его падали, мертвы от усталости, многие отставали добровольно от колонн. Дорога покрыта была сими нещастными.

Армии фельдмаршала Блюхера назначено было действовать беспрестанно на левый фланг неприятеля, между тем как авангард из австрийских войск под командою генерала Бубны[114] преследовал его по большой дороге. Принц шведский шел правее Блюхера.

Расстройство неприятеля подало нам уверенность дойти беспрепятственно до Рейна. И потому марш Главной соединенной армии назначен был следующим образом: (смотри приложенную таблицу А*).

15-го числа. Генерал Вреде 15-го числа вступил в Ашанфебург. Главная квартира — Мюльберг. Фельдмаршал Блюхер атаковал ариергард неприятельский близ Ейзенаха, взял 20 пушек и 2000 пленных.

16-го октября главная квартира — местечко Тамбах. Главная квартира государя императора в Сулау.

Князь Шварценберг получил известие от партизана Шейблера из Брюкенау от 15 октября, что город и цитадель Вирцбург сдались генералу Вреде. Гарнизон должен по условию возвратиться во Францию и в течение одного года не служить против союзников. В цитаделе же остаются 2000 человек, кои до получения ответа от Наполеона обязываются прекратить всякое действие, но что и блокирующий корпус (из 3-х баталионов) также ничего предпринять не может.

17-го октября. Главная квартира Шварценберга — Шмалкалден.

Главная квартира государя — Мейнинген.

18-го октября. Главная квартира Шварценберга — Дермбах.

Главная квартира государя — Мейнинген.

19-го октября. Гюнфельд.

Главная квартира государя — Мелрихштат.

Получено известие о приближении генерала Вреде к Ханау. 17-го числа занял он город сей и, опершись правым флангом к оному, занял большую дорогу. Несмотря на все усилия превосходнейшего неприятеля, удержал он место до вечера. Ночью отступил он на левый берег реки Кинциг. Он оставил и город для сбережения его, но когда увидел, что неприятель, заняв оный, грабил и зажигал дома, то решился он 20-го числа в полдень вновь атаковать город. Он был взят штурмом в течение получаса.

Партизаны граф Платов и Орлов — Денисов атаковали между тем при Гелленгаузене ариергард неприятельский и тем много способствовали баварцам.

Граф Вреде, находившийся в голове колонны, ранен пулею в бок.

Неприятель, потеряв более 30 тысяч, продолжал отступление к Франкфурту.

Баварская армия не могла удержать неприятеля при

---

* Таблица эта не найдена при бумагах моих. Ал. Щ. (*Примеч. автора*).

Ханау. Армия генерала Блюхера, к сожалению, взяла направления от Фульды к Вецлару, полагая, что Наполеон обратился к Кобленцу.

Баварцы при Ганау взяли 8000 пленных, 150 офицеров и 2 генералов. Польские генералы Сулковский[115] и Забиело сдались.

19 числа Наполеон прибыл в Франкфурт. Ариергард его достиг до сего города в ту же ночь.

Дивизия баварцев под командою генерала Рехберга, находившаяся в Франкфурте, перешла в Заксенгаузен. Неприятель на другой день продолжал отступление к Майнцу, и граф Платов вошел в Франкфурт.

20-го октября. Главная квартира австрийских войск в Фульде.

Главная квартира государя в Миннерштате.

21-го октября. Главная квартира австрийских войск — Шлихтерне.

Главная квартира государя — Швейнфурте.

По известиям, от графа Толстова полученных, заключить должно было, что Сен-Сир, сделав вылазку из Дрездена, нанес ему чувствительный урон. Для усиления блокадных войск и совершенного обеспечения тыла армий, отряжен был граф Кленау с своим корпусом.

После того, когда дошло до сведения государя императора, что Сен-Сир оставляет Дрезден для занятия других крепостей на Эльбе (известие оказавшееся совершенно ложным), командирован был против Сен-Сира генерал Бенигсон со всеми войсками своими.

Генерал Кленау донес, что 17-го октября соединенно с графом Толстым атаковал он расположенного в окрестных деревнях Дрездена неприятеля и вогнал его в самый город.

22-го октября. Главная квартира австрийских войск — Гелленгаузен.

Главная квартира государя императора — местечко Гомбург.

23 октября. Главная квартира австрийских войск — город Франкфурт.

Главная квартира государя императора — город Ошафенбург.

Пехота российской колонны следовала с главною квартирою Барклая по маршам, назначенным в таблице, но кирасирская дивизия и легкая гвардейская кавалерия форсированно шли с главною квартирою государя императора, ибо желание его величества было предупредить императора Франца в Франкфурте.

Итак, 24-го числа в полдень государь император прибыть изволил в город сей. Легкая кавалерия открывала шествие, потом следовали попарно генерал и флигель-адъютанты, наконец, и император в мундире конной гвардии. Кирасирския дивизии замыкали шествие. Император был принят с восклицаниями.

25-го числа встречен был император Франц со всем великолепием, коронованной главе свойственным. Вся российская кавалерия, австрийская кавалерия и пехота были выстроены в две линии по большой дороге, начиная от Нового трактира и потом по улицам города до соборной церкви, где император Франц слушал молебствие на троне римских императоров.

Герб князя примаса[116] был снят с ворот городских, и на место оного поставлен прежний герб вольного имперского города.

Несмотря на сии наружные торжества, большая часть жителей преданы французскому правительству, ибо Франкфурт имел исключительное право ввозить во Францию многие товары, между коими тайно проходили и колониальные товары и изделия. Сие обогатило жителей.

«   » число*[117].

Французы занимали еще на правом берегу Рейна пост при местечке Гохгейме. Князь Шварценберг вознамерился овладеть оным. Корпус Гиулая взял сие укрепление штурмом в полтора часа. Французы отступили в Майнц, оставив 600 человек пленных и несколько пушек.

———

Во Франкфурте вскоре собрались все коронованные головы бывшего Рейнского союза, чтобы лично уверить высоких союзников в искренности обещаний и в доброй воле их к пожертвованиям на общую пользу. Короли баварский, виртембергский, многие герцоги, принцы являлись попеременно.

«   » числа**[118] воспоследовала сдача Дрездена. Граф Толстой обще с австрийским генералом Кленау заключил капитуляцию с генералом Сен-Сиром, вследствие коей весь гарнизон может возвратиться во Францию, оставляя всю артиллерию (400 орудий) и оружье. Равное число пленных союзных армий должно быть отпущено из Франции.

Государь император не мог конфирмовать сию капи-

———

* Пропуск в рукописи.
** Пропуск в рукописи.

туляцию, и заключение оной можно отнести только сумасбродству или измене. Сен-Сиру со всем гарнизоном предоставлено возвратиться в Дрезден, причем отдано ему будет оружие, так как он на сие не согласен, то и объявлен военнопленным вместе с гарнизоном, состоящим из 18 000 человек.

Ноябрь. Генерал Бенигсон обще с принцем шведским обращены в Голландию для отрезания отступления корпусу Давуста.

14-го числа получили мы известие о генеральной инсурекции в Голландии. Города Амстердам, Гааге и другие свергнули иго правительства французского. Голландия призывает принца Оранского[119] на престол.

14-го числа вошли казаки в Амстердам.

Все укрепления на Исселе взяты штурмом. Также и батареи на устье Везера.

Принц шведский намеревался атаковать Давуста, но прежде штурмовать Гарбург и Вилгелмсбург.

Винцингероде, отрядив корпус графа Строганова для взятия Штаде, находился с остальною частью войск в Бремене, имея всю легкую кавалерию в Голландии и на берегах Исселя.

20-го ноября. Государь император надел в сей день на себя и на всех участвовавших в походе 1812 года серебряные медали на голубой ленте.

20-го ноября, вследствие ордера князя Волконского генерал-лейтенанту Толю, поступил я обратно в канцелярию его под начальство полковника Брозина...

21-го ноября празднован был день учреждения Семеновского полка.

30-го ноября выступила гвардия из Франкфурта и Офенбаха в Архейлаген, а главная квартира государя императора в Дармштат.

Армия графа Витгенштейна выступила 25-го числа из окрестностей Галле и направилась к Фрейбургу. Кирасирския дивизии, отряд Платова и 3-й корпус к Донау-Эшингену; граф Барклай-де-Толли с остальными войсками к Виллингену.

1-го декабря государь император переехал в Гейдельберг.

2-го в Карлсруэ. Принадлежащие чиновники к главной квартире его императорского величества и вся его свита имели квартиры свои в Дурлахе, в $1/2$ мили от Карлсруи, исключая князя Волконского и его штаба.

Здесь получено известие о блестящих успехах генерала Бюлова в Голландии. Он овладел всеми укрепленными местами на Исселе, как то Девентер и прочии, взял прежде того еще город Аригейм и переправился, наконец, «   »* числа ноября чрез Рейн, на левом берегу коего овладел значущею крепостью Бредою (Breda). Для поддержания успехов сих направлена была армия саксонская под командою Тилемана к крепости Везель, а потом получила повеление двинуться к Дюссельдорфу для закрытия герцогства Бергского от нападений неприятельских. 14-го получили мы известие о занятии города Кольмара. Ключи оного привезены государю императору.

10-го числа главная квартира перешла в Фрейбург. В Фрейбурге заняли мы квартиру у барона Франкенштейна, весьма почтенного старика, служившего 43 года императору австрийскому.

Башня здешней церкви по вышине своей щитается третьею в Европе, считая страсбургскую и венскую первыми двумя.

12-го числа праздновали мы день рождения великого государя нашего. Он отслушал обедню, окруженный только ближайшими из главной квартиры своей.

11-го числа переправилась главная армия австрийская чрез Рейн и вошла в Швейцарию.

14-го числа правая колонна находилась в Берне. Левая колонна, направленная от Шафгаузена на Цюрих, также приближилась к Берну. Для прикрытия движения сего направлена была дивизия Бианки от Гюнингена мимо Ландскроне к...**.

Для взятия Гюнингена назначен был корпус баварских войск под командою генерала Вреде, который, сделав траншеи, 17-го числа в ночь начал бомбардировать крепость.

Фельдмаршал Блюхер переправился 1-го генваря 1814 года нового стиля (или 20-го декабря) чрез Рейн; переправа была в двух пунктах: при Каубе и при Мангейме.

Обе колонны имели соединиться 2-го числа при Алсей (Alcey).

Граф Ланжерон с корпусом своим оставлен для блокады Майнца.

В главную квартиру ожидают лорда Кастельрега

(Castlereagh)[120], уполномоченного министра Великобритании.

Граф Андрей Разумовский[121], приехавший сюда 11-го декабря, получил назначение остаться при главной квартире государя императора. Ожидают трактований о мире.

Генерал Клейст, взяв Эрфурт в начале сего месяца, оставил небольшое число войска для блокады цитаделей; направлен на соединение с фельдмаршалом Блюхером.

Колонна, переправившаяся при Мангейме, состояла из войск генерала Сакена. Для обеспечения переправы надлежало овладеть Рейншанцом — небольшим укреплением на левом берегу. Сие исполнено было в течение одного часа. Шанец взят штурмом, и из находившихся в нем 500-т французов — 200 поколото, остальные взяты в плен[122].

24-го декабря король прусский прибыл в Фрейбург.

26-го главная квартира государя императора оставила Фрейбург и направилась в Базель, имея ночлег в деревне Шлинген.

27-го числа главная квартира прибыла в Базель. Государь император 26-го числа изволил отправиться в Шафгаузен, для свидания с великими княгинями Мариею и Екатериною Павловными.

27-го. Сего числа получено известие чрез гвардии капитана Бетхера о сдаче Данцига на условиях, государем императором предписанных. Генерал Рапп, 18-ть других генералов, 2000 офицеров и весь гарнизон сдались военнопленными на условии быть отведену в Россию.

Герцог Виртембергский[123], по получении о сем повеления от государя императора, считал невозможным исполнение оного. Зимнее время, препятствующее производить работу, истощение прусских провинций, доставлявших продовольствие, недостаток в одежде и обуви для войск делали возобновление осады чрезмерно затруднительною. С другой стороны, генерал Рапп, как предполагал герцог, имея провианту на 4-е месяца, ожидал совершения снабжения крепости со стороны датчан.

Герцог, изложив все сии обстоятельства государю императору, присовокупляет, что они, вероятно, принудят его превратить осаду крепости в блокаду и что тогда считает он потерянными все осадные орудия, в траншеях находящиеся и коих невозможно вывести по совершенному недостатку в лошадях.

Все сии причины не были достаточны, чтоб отвесть государя от его намерения. Зная о перемирии с датчанами, подающаго надежду на присоединение их к общему союзу, подтвердил он герцогу свое повеление.

Генерал Рапп, узнавши о неутверждении государем императором капитуляции, несмотря на то, принял намерение оставить крепость 12/24-го декабря, предоставив герцогу пользоваться правом сильного и взять его в плен со всем гарнизоном. Но когда сей последний утвердительно обещался встретить его огнем из батарей наших, тогда Рапп вступил в переговоры, коих следствие было — сдача крепости.

Столь неожиданная со стороны его готовность объясняется следующим обстоятельством. Надеясь твердо на исполнение капитуляции, вследствие коей надлежало ему выдти со всем гарнизоном 12/24-го декабря, пренебрег он сбережение провианта и в течение двух недель роздал все количество, в крепости находившееся и которого с обыкновенною бережливостью было достаточно на четыре месяца. Итак, когда пришло известие о неутверждении сей капитуляции, он принужден был согласиться на всякие другие условия по совершенному недостатку в съестных припасах, а частию и в артиллерийских снарядах, коих он истреблял с тем, чтобы мы не могли оными воспользоваться при занятии крепости.

Конец журнала

А. И. МИХАЙЛОВСКИЙ-ДАНИЛЕВСКИЙ

Сын малороссийского дворянина, директора Государственного заемного банка, Александр Иванович Михайловский-Данилевский (1790—1848) первоначально воспитывался в Московском Благородном пансионе, затем, в 1808—1811 гг. — в Геттингенском университете, где получил основательное гуманитарное образование, проникся глубоким интересом к истории и просветительской философии XVIII в. Его соучениками были люди, ставшие впоследствии известными вольнодумцами вроде, например, А. П. Куницына — лицейского профессора А. С. Пушкина или братьев Тургеневых — Сергея и Николая. С последним его будет отныне связывать на протяжении многих лет самая тесная дружба. В годы учения он предпринимает путешествия по Германии, Австрии, Швейцарии, Франции, обогатившие его впечатлениями политической и культурной жизни послереволюционной Европы.

Война застает А. И. Михайловского-Данилевского чиновником Министерства финансов, где он служит по возвращении из-за границы. Через племянника М. И. Кутузова — Логгина Ивановича Голенищева-Кутузова, у которого по старым семейным связям часто бывает в доме, представляется полководцу, а когда тот был избран предводителем Петербургского ополчения, поступает к нему адъютантом, по назначении же Кутузова главнокомандующим едет с ним в армию, и с тех пор становится его близким помощником — ведет секретную переписку и журнал военных действий, привлекается к составлению летучих армейских изданий, выпускавшихся агитационным центром русского штаба — походной типографией А. С. Кайсарова, вокруг которой сплотился кружок прогрессивно настроенных литераторов и военных.

А. И. Михайловский-Данилевский сражается в Бородине, совершает с армией фланговый маневр, после ранения в Тарутинском бою отправляется на лечение в Рязанскую губернию и Тулу, на исходе декабря, по дороге в действующую армию, заезжает в Петербург, а в феврале 1813 г., прибыв в главную квартиру в Плоцк, снова попадает в центр руководства боевыми действиями. Числившийся до того по ополчению, в апреле 1813 г. он получает чин штабс-капитана (с сентября — капитана) и переводится в свиту императора по квартирмейстерской части, к начальнику Главного штаба П. М. Волконскому. В 1813—1815 гг. А. И. Михайловский-Данилевский присутствует при принятии важнейших военных и дипломатических решений, выполняет ответственные поручения командования, в том числе и самого Александра I, заводит знакомства с европейскими знаменитостями — военачальниками и государственными деятелями стран антинаполеоновской коалиции, участвует в Венском конгрессе. В августе 1814 г. он причисляется к Гвардейскому генеральному штабу, год спустя производится в полковники, а в октябре 1816 г. жалуется флигель-адъютантом, сопровождая Александра I в его многочисленных поездках по России и за границей.

Обстановка послевоенного общественного подъема, переплетавшегося с реакционными поползновениями внутренней политики правительства, обостряет и критическое отношение А. И. Михайловского-Данилевского к русской действительности, особенно в сопоставлении ее с укладом жизни европейских стран, и неудовлетворение собственным положением в военно-придворной иерархии. Так, будучи одним из приближенных царя, весть о назначении флигель-адъютантом он встречает с чувством далеко необычным для человека, жаждущего одной только карьеры: «Сия неожиданная милость не столько меня обрадовала, сколько удивила: я готовился служить России, теперь должен служить лично императору; я приобретал познания человека и гражданина, а теперь должен быть царедворцем». Он порицает Александра I за ссылку М. М. Сперанского, за пренебрежение нуждами крестьянства, не оправившегося от бедствий войны, за лицемерие конституционных обещаний, за потворство распространению в русской армии плац-парадной муштры и т. д. Особую неприязнь вызывает А. А. Аракчеев, покровительствующий осужденному всей мыслящей Россией полковнику Ф. Шварцу — виновнику Семеновской истории. В этом видит А. И. Михайловский-Данилевский презрение «к общему мнению», которого «у нас еще не существует <...> или граф Аракчеев до того оного не уважает, что ставит себя выше его». Не может примириться он со стесненным положением печати, зло высмеивает правительственных цензоров, пугавшихся, как заразы, «и всякой новой мысли, и всякого смелого изречения». Сетуя в 1820 г. на отсутствие в России, «к стыду нашему», подробного жизнеописания Кутузова, он разражается по этому поводу целой инвективой: «Мы, бедные русские литераторы, находимся в самом жалком положении, ибо не имеем право печатать то, что желаем, не смеем умствовать о политических предметах, а жизнь государственного человека, каков был Кутузов, можно ли изобразить, не касаясь политики. Мы должны или безусловно хвалить или молчать. Как часто бывает мне досадно, читая в иностранных книгах упреки, делаемые нам на счет бедности нашей словесности, но пусть снимут узду, нас удерживающую, и мы <...> станем скоро наряду с европейскими писателями»*.

Еще в 1813—1814 гг., во время заграничных походов, А. И. Михайловский-Данилевский вместе с А. А. Щербининым и Н. И. Тургеневым входил в масонские ложи, включавшие в себя и других представителей вольнолюбивой военной молодежи. Вернувшись в Россию, он вступает в ложу «Избранного Михаила», находившуюся под идейным влиянием тайных декабристских организаций, а несколько позднее участвует в заседаниях Вольного Общества любителей российской словесности — их легального филиала. Сближается он и с более широким слоем передовой петербургской интеллигенции — с литераторами, журналистами, учеными, военными, печатает в лучших периодических изданиях свои очерки о наполеоновских войнах, обретает известность как их знаток и собиратель относящихся к ним материалов. В числе его приятелей из декабристской среды мы видим в разные годы, кроме упомянутого выше Н. И. Тургенева, Ф. Н. Глинку, А. Ф. Бриггена, А. О. Корниловича, П. А. Муханова, Ф. П. Толстого. Тесно сходится он и с А. Н. Муравьевым, который «более всех распространялся» о планах преобразования России и летом 1816 г. чуть было не вовлек его даже в основанный незадолго до того Союз спасения**.

Но, разделяя отчасти их свободолюбивые умонастроения, их критику самодержавно-крепостных порядков,

_____
  * ОП ГПБ, ф. 488, № 19, л. 8—9.
  ** Русская старина.— 1990.— № 9.— С. 634—644; Т а р т а к о в-
с к и й А. Г. Военная публицистика 1812 года.— М., 1967.— С. 88—
91; Б а з а н о в В. Г. Ученая республика.— М.; Л., 1964.— С. 63, 68,
281, 284, 421, 447.

А. И. Михайловский-Данилевский остается в целом в пределах умеренно-просветительского вольномыслия. По мере же «поправления» правительственного курса и успехов в служебном продвижении (в 1823 г. он уже генерал-майор и командир бригады) все более отходит от былых оппозиционных увлечений, а после 14 декабря 1825 г. отрекается от них вовсе. Но с воцарением Николая I, как и другие фавориты бывшего императора, сам оказывается не в чести и, удалившись в отставку, три года проводит в нижегородском имении, болезненно переживая отстранение от дел. Только в 1829 г. в результате долгих и мучительных хлопот он получает, наконец, разрешение вернуться на службу, в 1829 г. участвует в войне с Турцией, а в 1830—1831 гг.— в подавлении польского восстания.

В начале 1830-х гг. А. И. Михайловский-Данилевский выпускает мемуарно-исторические записки о кампаниях 1813—1815 гг., освещая их в охранительно-националистическом духе и прославляя Александра I за восстановление легитимных порядков в Европе. Этим он привлекает к себе симпатии Николая I, который одаривает его всяческими почестями — в 1835 г. он уже генерал-лейтенант, сенатор и председатель Военно-цензурного комитета. Тогда же ему поручается составление специальных трудов о войнах 1812, 1813 и 1814 гг., призванных с учено-исторической точки зрения подкрепить коренные постулаты доктрины «официальной народности». А. И. Михайловский-Данилевский вполне справляется с возложенным на него заданием и в течение нескольких лет издает 8 томов фундаментальных «описаний» этих войн, благодаря чему в 1830-х — 1840-х гг. завоевывает положение официального и весьма влиятельного в правительственных сферах историографа.

Современники не без основания упрекали автора в официозно-монархической тенденциозности и верноподданническом стремлении неоправданно возвеличить роль в войнах начала века приближенных к Николаю I лиц, замолчав заслуги тех, кто в 1830-х гг. был в опале. Но только к этому значение его «Описаний» не сводилось. Насыщенные несравненным по богатству и ценности историческим материалом, впервые введенным здесь в оборот, они как бы заново открыли русскому обществу эпическую картину борьбы России с Наполеоном и потому пользовались у читающей публики большим успехом. Л. Н. Толстой, почерпнувший из этих «Описаний» много полезного, в статье «Несколько слов по поводу книги «Война и мир» оценил их, наряду с «Историей Консульства и Империи» А. Тьера, «главным историческим произведением» о времени наполеоновских войн, имевшим «миллионы читателей», а в черновых набросках к своему роману называл один из этих трудов А. И. Михайловского-Данилевского — «Описание Отечественной войны в 1812 году» — «даровитым»*. Такому успеху в немалой мере способствовало живое ощущение автором эпохи, его громадные личные познания о ней как участника и очевидца событий, закрепленных прежде всего — об этом мало кто знал тогда — в его обширных дневниках.

Дневники эти, или «журналы» по его собственному наименованию, А. И. Михайловский-Данилевский вел с момента отъезда в 1808 г. в Геттинген и до мая 1826 г. регулярно, а в последующие годы лишь время от времени. Сперва они писались на французском языке, после 1815 г.— по-русски. Совокупность дневниковых записей за каждый год составляла отдельную тетрадь или переплетенную книгу**. Позднее он не раз возвращался к годовым «журналам», перерабатывал их, редактировал, дополнял своими припоминаниями, историческими заметками и документами, наконец, переосмысливал прежний дневниковый материал в свете изменившихся идейно-политических воззрений. Но при этом сохранял здесь и острые наблюдения над современной действительностью, придворными нравами, лицами из царского окружения, сведениями об общении со знаменитыми людьми эпохи, а также записанные в разные годы рассказы о потаенной политической истории России XVIII — первой трети XIX в. Основная часть этой работы над «журналами» была проведена в 1827—1829 гг., когда, по выходе в отставку, он стал располагать достаточным для того временем. А. И. Михайловский-Данилевский предполагал, видимо, создать на основе дневников законченный мемуарно-автобиографический труд. Однако преобразование «Журналов» в произведение собственно мемуарного типа не было доведено им до конца, и за ряд лет «журналы» являют собой смешанные синхронно-ретроспективные описания, в некоторых же сырой материал дневника преобладает над «воспомина-

---

* Толстой Л. Н. Полн. собр. соч.: В 90 т.— Т. 15.— М., 1955.— С. 88; Т. 16.— С. 12.
** Русский вестник.— 1890.— № 9.— С. 146; ОР ГПБ, ф. 488, № 44.

тельными» текстами, подчиняя их своей структуре и своему повествовательному ритму*.

«Журналы», посвященные эпохе 1812 г., представляют в этом отношении особый интерес. И не только в силу исключительной осведомленности автора в военно-политической ситуации 1812—1815 гг., но и по той огромной роли, какую эта эпоха играла в его жизни, и по тому значению, какое он придавал запечатлению памяти о ней. Еще в ходе кампаний А. И. Михайловский-Данилевский глубоко осознал исторический смысл происходящих событий и свое призвание стать их летописцем. В 1812 г. его недаром нарекли в штабе Кутузова «историографом армии»**. Уже тогда он понимал, что должен «смотреть на людей», с которыми соприкасался в внешних военных сферах, в сражениях, на маршах, «не обыкновенными глазами, а с вниманием историка»***. Именно потому, ведя «записки в походах», он стремился с особой тщательностью закреплять в них все, что знал о совершавшемся на его глазах, не упуская ни одной мало-мальски значимой детали.

Однако факт существования дневника, относящегося к кампаниям 1812—1815 гг., А. И. Михайловский-Данилевский никогда не предавал огласке, не знакомил с ним окружающих и в прижизненных публикациях многочисленных своих мемуарно-исторических сочинений на эту тему о «журналах» не упоминал. Правда, глухой намек на его военные дневники был высказан еще в 1820 г. издателем «Отечественных записок» П. И. Свиньиным: «самовидец-наблюдатель» Отечественной войны и заграничных походов «г. Данилевский принадлежит к числу тех счастливцев, кои наблюдения свои, предав бумаге, составили для себя драгоценное сокровище <...>, а для будущего историка <...> богатый источник событий, кои замечены глазом верным, беспристрастным и в коих одно слово о лице или предмете пояснит, может быть, многие дипломатические диссертации и решит противоречия о важных случаях сей любопытной эпохи XIX столетия»****. Но вряд ли что сообщение со столь высокой оценкой исторического значения дневников, вскоре, вероятно, вооб-

---

* История СССР в воспоминаниях и дневниках; Аннотированный каталог с конца XVIII в. по 1917 г.— Вып. 1.— Л., 1975.— С. 155—167.

** Исторический вестник.— 1890.— № 10.— С. 157.
*** ОР ГПБ, ф. 488, № 44, л. 101.
**** Отечественные записки.— 1820.— № 4.— С. 119—120.

ще забытое, было в должной мере понято современниками.

По обычаю, заведенному в царствование Николая I, когда уходило из жизни какое-либо видное государственное лицо, посвященное в тайны правительственной политики, военного дела, дипломатической службы, его личные бумаги немедленно опечатывались и представлялись на суд особо учрежденной для того комиссии. Не избежал этой участи и архив А. И. Михайловского-Данилевского. Разбитый параличом, он скончался 9 сентября 1848 г., а еще 5 сентября военный министр А. И. Чернышев предусмотрительно извещал директора своей канцелярии генерал-адъютанта Н. И. Анненкова: «Относительно бумаг и секретных дел, в распоряжении генерала Данилевского находящихся, я нахожу совершенно необходимым, в случае его кончины, не теряя ни минуты опечатать его кабинет». И уже через несколько часов после смерти историка назначенная с этой целью по указанию Николая I комиссия приступила к разбору архива*. По описи его сочинений, включавшей в себя 40 номеров, 26 фиксировали «журналы», причем иногда под одним номером были суммарно записаны «журналы» за ряд лет. Здесь же значился и дневник за 1813 год — «Журнал, писанный во время кампании 1813 года Александром Михайловским-Данилевским»**. Комплекс материалов, связанных с его деятельностью как официального военного историка, и собранная им коллекция исторических документов о войнах 1812—1815 гг. поступили в военное ведомство и дошли до нас почти в полном своем составе. Личные же и семейные бумаги были переданы наследникам покойного. Но возникли поначалу затруднения с «разными собственноручными записками и сочинениями, еще нигде не напечатанными», в том числе, конечно, и «журналами», поскольку, как было сказано в рапорте комиссии военному министру, «в записках покойного генерала Михайловского-Данилевского могут заключаться также обстоятельства, которые были ему известны по его служебному положению, но не могут быть сообщены во всеобщее узнание». Комиссия не брала на себя решение вопроса об их судьбе, передав его на высочайшее усмотрение***. Тем не менее и они оказались в конце концов в семье А. И. Михайловского-

---

* ЦГВИА, ф. 1, оп. 1, т. 6, д. 17538, л. 1—7, 21—24, 30.
** Там же, л. 77—80.
*** Там же, л. 64—65.

Данилевского, что далеко не лучшим образом отразилось на сохранности этих «записок и сочинений», — как и все попавшие к наследникам личные бумаги историка, «журналы» были впоследствии рассеяны.

В конце 1850-х гг. отрывки из них неожиданно всплыли на поверхность, их копии стали распространяться в Петербурге, попали в редакцию «Отечественных записок», некоторые выдержки из «журналов», касавшиеся сокровенных сторон политической истории России конца XVIII — первой трети XIX в., были переправлены в Лондон и составили ядро второй книжки «Исторических сборников» А. И. Герцена. Но после того следы «журналов» теряются и лишь с 80-х гг. их оригиналы частично попадают в руки коллекционеров и историков, от них же поступают в Публичную библиотеку*, а после революции — и в Пушкинский Дом. Только с конца 30-х гг. начинается, между прочим, и систематическая публикация «журналов» в русской периодике (хотя со значительными купюрами и искажениями) благодаря прежде всего стараниям Н. К. Шильдера, приступившего к разработке мемуарного наследия А. И. Михайловского-Данилевского.

Сосредоточенные ныне в двух его личных фондах 50 томов «журналов»** — это главным образом «мемуаризированные» в той или иной степени поденные записи, собственно же дневники в их, так сказать, первозданном виде сохранились лишь за отдельные годы, в большей же своей части они утрачены, в том числе и дневник за 1813 г., к моменту кончины историка находившийся, как мы помним, в его кабинете, — таков печальный результат многолетнего распыления архива А. И. Михайловского-Данилевского. Правда, из этого первичного дневника 1813 г. разрозненные записи на французском языке с 19 января по 24 мая в начале нынешнего столетия были напечатаны в известном издании П. И. Щукина*** — очевидно к тому времени автограф дневника 1813 г. или его списки не были еще затеряны.

Ниже мы предлагаем вниманию читателя единственно сохранившийся «журнал» А. И. Михайловского-Данилевского за 1813 г. Это текст незавершенной мемуарной пе-

---

* Т а р т а к о в с к и й А. Г. 1812 год и русская мемуаристика. — М., 1980. — С. 108—109.
** ОР ГПБ, ф. 488; РО ПД, ф. 527.
*** Бумаги, относящиеся до Отечественной войны 1812 года, собранные и изданные П. И. Щукиным. — Ч. VII. — М., 1903. — С. 286—293.

работки дневника, который он здесь упоминает как «черновой мой журнал похода 1813 года». Хотя автор старается построить связное повествование и осмыслить происшедшее в 1813 г. задним числом, через призму своего последующего жизненного опыта (например, осуждает Н. И. Тургенева «тогда близкого моему сердцу, а теперь преступного» как одного «из главных участников заговора в 1825 году»), передача самих событий зиждется в «журнале» на дневниковой первооснове. Большая часть эпизодов, наблюдений, оценок почти буквально перенесена сюда из поденных записей 1813 г. В этом нетрудно убедиться, сопоставив «журнал» с публикацией даже немногих уцелевших фрагментов дневника с 19 января по 24 мая 1813 г., о которых говорилось выше. Из него же заимствовано множество реалий боевых действий и военного быта, «привязанных» ко времени их свершения с точностью до дня и даже часа. Наконец, целые страницы «журнала» воспроизводят без заметных изменений анналистическую структуру поденных записей с их монотонно повторяющимися оборотами: «26-го марта мы выступили из Калиша в Дрезден <...>», «7-го апреля. Мы вступили в городке Лаубан в пределы Саксонии <...>», «20-го числа мы выступили в два часа пополуночи в городок Пегау <...>», «8-го мая, около полудня, мы услышали пушечные выстрелы <...>», «2-го августа, ночью, я приехал в Прагу <...>» и т. д. Можно, таким образом, считать несомненным, что публикуемый «журнал» вобрал в себя значительный материал первичных дневниковых записей, в целом ныне утраченных,— этим он более всего нам и интересен.

Для понимания промежуточного, полудневникового характера «журнала 1813 года» достаточно сравнить его с написанными в начале 1830-х гг. собственно мемуарным трудом А. И. Михайловского-Данилевского на ту же тему — «Записками о походе 1813 года» (Спб., 1834), которые уже строго и последовательно выдержаны в манере ретроспективного повествования, начисто лишенного каких-либо признаков поденных записей.

Из серии его «журналов» за период наполеоновских войн «Журнал 1813 года» менее всего известен в исторической литературе. Если аналогичный «Журнал 1812 года» (сам дневник, веденный в ходе Отечественной войны, тоже не сохранился) был напечатан полностью*, а обширные отрывки из «журналов» 1814 и 1815 гг. (в дневниковом

---

* Исторический вестник.— 1890.— № 10.

и переработанном вариантах) в 1810-х —1830-х гг. публиковались автором в прессе и выдержали несколько книжных изданий*, то данный «журнал» в полном своем виде появляется ныне в печати впервые — только отдельные цитаты из него были приведены в ряде исторических работ конца прошлого — начала нынешнего века**.

Между тем это замечательный по полноте и свежести фактических сведений источник о войне 1813 г. Но освещается она здесь не столько в своей боевой повседневности, сколько с более высокой — политико-стратегической — точки зрения, на широком фоне европейских дипломатических отношений, с позиции прямо причастного к высшему командованию офицера, которому, по его собственным словам, «тайны похода 1813 года сделались известны». В «журнале» мы находим ценные в этом смысле сообщения о закулисной подоплеке действий союзников, о летнем перемирии 1813 г. и переговорах с Наполеоном, о подъеме освободительной борьбы в Пруссии и отношении к русским войскам в Польше и германских государствах, о развертывании сил коалиции на разных этапах войны, об участии в ней русских генералов, с которыми А. И. Михайловский-Данилевский был коротко знаком еще по 1812 г.

Живые характеристики П. П. Коновницына, К. Ф. Толя, П. Х. Витгенштейна, М. А. Милорадовича, записи бесед с ними передают неповторимые черты их личного облика и их сложные порой взаимоотношения. Так, весьма интересен внесенный в «журнал» рассказ М. А. Милорадовича о его содействии назначению Барклая-де-Толли в мае 1813 г. главнокомандующим русско-прусскими войсками — в известных доселе мемуарных и эпистолярных источниках данный факт не был отражен.

Но наиболее привлекают в этом плане записи в «журнале» о Кутузове, к которому А. И. Михайловский-Данилевский испытывал величайшее уважение, ставя его среди современных полководцев на первое место. Записи эти тем важнее, что запечатлели последние недели жизни Кутузова, его болезнь и смерть, отклики на нее в армии и в самой

---

* Т а р т а к о в с к и й А. Г. Указ. соч.— С. 179, 269, 271, 273.
** Ш и л ь д е р Н. К. А. И. Михайловский-Данилевский: К столетней годовщине со дня его рождения//Русская старина.— 1891.— № 9.— С. 496—521; 523—528; О н   ж е. Император Александр I: Его жизнь и царствование.— Т. III.— Спб., 1897.— С. 139—140, 142, 147—148, 151—152 и др.; К в а д р и В. Императорская главная квартира: История Государевой свиты.— Спб., 1904.— С. 234.

России. По-своему уникально включенное сюда письмо
Н. И. Тургенева с взволнованным и красочным, основан-
ном на личных наблюдениях, рассказом о церемонии торжественного погребения праха Кутузова в Петербурге —
оно явилось, кстати, ответом на просьбу самого А. И. Михайловского-Данилевского сообщить, «какие почести воз-
даются телу бессмертного фельдмаршала, что пишут, что
говорят, что делают»*. Трудно остаться равнодушным,
когда мы читаем, что во вписанном А. И. Михайловским-
Данилевским в официальный журнал боевых действий
по поводу кончины Кутузова тексте: «войска после него
осиротели» последнее слово «было вымарано государем».
Одна эта деталь говорит о глубоко затаенной ревности
Александра I к полководческому авторитету и посмертной
славе Кутузова куда больше, нежели пространные рассуждения на сей счет иных историков. Столь же вырази-
тельна и оценка степени военно-политического влияния
Кутузова в 1812 г. сравнительно с 1813-м, когда, скованный
«присутствием государя <...>, он не имел, как в Отечественную войну, диктаторской власти». Справедливости ради
надо сказать, что эта предельно четкая, политически
заостренная квалификация в позднейших «Записках о
походе 1813 года» (с. 66—67) уже самим А. И. Михайловским-Данилевским была изъята и заменена на нечто
расплывчатое: «той обширной власти».

Вообще постоянные реминисценции Отечественной войны в записях о походе 1813 г.— важная особенность публикуемого «журнала». И дело не только в том, что в нем
рассыпано немало ярких припоминаний и заметок о напо-
леоновском нашествии на Россию. Сколько-нибудь крупные события самой войны 1813 г. тоже вызывают непременные ассоциации с прошлогодней кампанией, восприни-
мавшейся и в заграничном походе необыкновенно злобо-
дневно. Так, описание Лейпцигской битвы естественно наводит на мысль о Бородине, а поражение баварцев под
Ганау уподобляется гибельной для французов переправе
через Березину.

А. И. Михайловский-Данилевский привержен и Александру I, как и многие в то время, восторженно отзывается
о его заслугах в создании антинаполеоновской коалиции.
Но даже и при этом не может скрыть в «журнале» неприязнь к установившимся при нем в армии порядкам. Так,

---

* Сборник старинных бумаг, хранящихся в музее П. И. Щукина.— Ч. 10.— М., 1902.— С. 178.

по приезде в Плоцк ему сразу же бросается в глаза резкая перемена нравов в Главной квартире: «Государь находился с блестящею своею свитою <...> множество новых лиц, щегольских лошадей и экипажей», тогда как при Кутузове в Тарутино «все ходили запросто, нередко в сюртуках, сшитых из солдатского сукна», а «около Москвы мы жили как спартанцы». Не одобряет он военные распоряжения царя, неразбериху в управлении войсками из-за отсутствия в союзном командовании должного единоначалия: «Какая разница представлялась с войною 1812-го года, где бывало один князь Кутузов, сидя на скамейке, возносил голос свой; около него царствовала тишина, и горе тому, кто без вызова его предлагал совет». По меньшей мере недоумение вызывают попытки Александра I и его приближенных явные неудачи союзных войск в весенней кампании 1813 г. скрыть от общественного мнения или изобразить их «в реляциях в виде победы». «Какая должна быть история, основанная на подобных материалах,— с горечью замечает он по сему поводу,— а, к сожалению, большая часть историй не имеют лучших источников».

«Журнал» позволяет, наконец, конкретно представить и самого А. И. Михайловского-Данилевского в суровых обстоятельствах похода 1813 г.— его положение при Александре I и П. М. Волконском, боевые и штабные обязанности, участие в подготовке агитационных летучих изданий. Эту сторону своей деятельности он рисует, однако, в «журнале» в несколько преувеличенных тонах, утверждая, что именно ему Кутузов поручил с целью противодействия наполеоновским бюллетеням выпускать в Главной квартире на разных языках известия о ходе боевых операций. На самом деле, военная пропаганда в армии была налажена, как мы помним, еще в 1812 г. походной типографией русского штаба, в заграничном походе она, естественно, расширилась и усложнилась, но А. И. Михайловский-Данилевский и в 1812 и в 1813 гг. привлекался к составлению агитационных документов наряду с другими военными публицистами и первенствующей роли во всем этом не играл. Раскрывает «журнал» и его внутренний, духовный мир, интеллектуальные запросы, особенно острый интерес к историческим наукам, круг чтения, общение с виднейшими учеными и политическими деятелями Германии, связи с передовой офицерской средой, в частности с Ф. Н. Глинкой, адъютантом П. П. Коновницына Д. И. Ахшарумовым, Н. Д. Дурново, поэтом-воином К. Н. Батюшковым, состоявшим в 1813 г. при генерале Н. Н. Раевском. Значительны, хотя и невелики по объему, отразившиеся в «журнале» наблюдения А. И. Михайловского-Данилевского над общественным бытом и культурными достопримечательностями европейских стран.

«ЖУРНАЛ 1813 ГОДА»

Едва раны мои начали закрываться и я получил некоторое облегчение, как приехал в Петербург из армии генерал Коновницын. Он привез мне приглашение от князя Кутузова поспешить возвращением моим в главную квартиру и присовокупил, что так как он скоро туда отъезжает, то ему будет приятно, ежели я поеду с ним вместе. Я принял с должною признательностью столь лестные от двух знаменитых особ предложения, и 16 января я отправился с ним, со всем его семейством и адъютантами его, теперешними генералами Павленковым, Ахшарумовым[1] и Фроловым, в село его Киарово, находящееся в Гдовском уезде, где мы прожили неделю. Гостеприимные хозяева ласкали нас, молодых офицеров, как детей своих. Я проводил обыкновенно утра с Коновницыным, перебирая карты его, планы и бумаги, из коих самые любопытные относилися до последнего Финляндского похода, где он был дежурным генералом. У него сохранилась переписка его тогдашнего времени с князем Багратионом, графом Каменским[2], Раевским, Тучковым[3] и другими именитыми генералами и также переписка государя с графом Буксгевденом[4], коего память Коновницын уважал до такой степени, что сказал мне однажды: «Если бы граф Буксгевден был жив, то вероятно ему, а не Кутузову поручено бы было предводительствовать армиями в отечественную войну». Деяния Буксгевдена, как почти всех русских знаменитых людей, никем не изображены. Думаю, что он был бы давно забыт, ежели бы не осталось после него смелого письма к страшному и всесильному тогда военному министру графу Аракчееву, которое находится в руках у всех и содержит в себе упреки временщику в надменном его поведении, излишних взысканиях и присвоении себе власти требовать отчеты от главнокомандующих, между прочим граф Буксгевден спрашивает Аракчеева: «знает ли он, что такое значит главнокомандующий?»*

---

* Копия с сего письма приложена в конце сего журнала[5] (*Примеч. автора*).

Говоря о графе Коновницыне, я не могу не упомянуть об одной прекрасной черте его характера: он не только любил отдавать справедливость офицерам, которые под его начальством отлично служили, и при всяком случае превозносил их, но он сие делал с особенным удовольствием, выражавшимся на добром лице его; казалось, похвалы подчиненным были пищею души его, благородной и возвышенной. Таким образом он превозносил особенно убитого в Бородинском сражении полковника Гавердовского[6], уверяя, что офицер сей имел необыкновенные способности и ежели бы остался жив, то был бы отличным генералом. «Когда он служил при мне,— сказал Коновницын,— я требовал от него почти невозможного, его становилося на все». Но зато он ненавидел иностранцев и говорил, что он никогда не произвел бы чужеземца в генералы. «Осыпайте их деньгами,— были его слова,— но не награждайте чинами: они наемники». Уступление Москвы лежало у него сильно на сердце. Редкий день проходил без того, чтобы он не упоминал мне о сем обстоятельстве, присовокупляя каждый раз: «Я не подавал голоса к сдаче Москвы и в военном совете предложил идти на неприятеля». Я только один раз, сказал он, советовал отступать в отечественную войну, это было при Красной Пахре.

К обеду приезжали обыкновенно соседи. Можно легко себе представить, что разговоры относились единственно до войны 1812 года, только что окончившейся; воспоминания о ней были свежи и восхитительны! С каким вниманием слушали все, когда Коновницын рассказывал о происшествиях ея, он, знавший все тайные пружины действий тогдашнего времени. По вечерам у нас бывали танцы, и на скрипке играл, хотя весьма дурно, герой, который за несколько недель носился молниею перед полками и которого потомство будет чтить как одного из виновников освобождения России.

Коновницын разделял участь генералов, которым судьба предоставила увековечить имя свое в походе 1812 года, подобно многим из них он был выключен из службы императором Павлом и употребил время изгнания своего на размышление и обогащение памяти своей познаниями, потому что он, как и все дворяне его времени, слишком рано вступил в службу, еще прежде окончания своего воспитания. В России государственный человек должен образовать себя сам в зрелых летах, ибо кроме обыкновения, которое в самом лучшем возрасте нашем для учения влечет нас в службу, у нас недостает и заведений, где можно бы было приготовиться к высшим военным или гражданским местам. Он также занимался составлением записок для воспитания детей своих, страстно им любимых и участь которых, особенно старшего сына его и дочери, им боготворимой, в последствии сделалась так ужасна: сын его был разжалован в солдаты[7], а дочь последовала за своим мужем в Сибирь[8].

Когда он командовал третьею пехотною дивизиею, издал предписание об учении солдат; там было сказано между прочим: «Стрелок должен быть уверен, что сколько у него пуль в суме, столько он несет смертей неприятелям». Ему же приехали сказать во время сражения при Витебске близ деревни Какувачины, что неприятель теснит одно крыло, и спрашивали, что он прикажет делать? «Не пускать неприятеля»,— отвечал он.

Имя Коновницына сохранится всегда в нашей истории по великому участию его в Отечественной войне. Под Витебском, Смоленском и Бородиным он командовал в самых опасных местах, а ариергардные его дела от Смоленска до Бородина поставлены бы были в прежние времена, когда армии не были столь многочисленны как теперь, в числе генеральных сражений, потому что в них действовало ежедневно с обеих сторон до пятидесяти орудий и более тридцати тысяч человек. После уступления Москвы, когда наша армия находилась в великом беспорядке, князь Кутузов назначил его дежурным генералом, избрав его в сие звание как способнейшего для приведения войск в устройство. Не довольствуясь сим званием, он был во всех сражениях со стрелками или впереди колонн: можно сказать, что он начальствовал в сражениях под Тарутиным и Мало-Ярославцем; под Вязьмою и Красным он одушевлял воинов своим примером, носясь повсюду с неимоверною быстротою и действуя именем главнокомандующего. По получении известия, что не стало неприятельских войск в России, он испросил позволение увидеться со своим семейством; но в какую минуту потребовал он отпуск? Когда государь приехал сам в Вильну благодарить и награждать лично генералов и принял Коновницына по заслугам его, то есть самым лестным образом. В сие время естественно было стараться обратить на себя внимание монарха, чтобы получить милости за понесенные труды, но Коновницын просил одной только милости — увольнения на несколько дней, чтобы обнять супругу свою и детей. Я видел его в пылу сражений и посреди семейства его: искреннее уважение к памяти его запечатлелось в моем сердце, и изображение его никогда не выйдет из моей комнаты.

Через неделю мы поехали из Киарова в главную квартиру армии, которой тогда положено было соединиться между Позеном и Шнейдемюлем, что в последствии отменили. Дорогою до Вильны мы видели повсюду кровавые следы войны. Начиная от Двины, все деревни были выжжены; жители, лишенные крова и пропитания, гнездились в ямах, вырытых ими в земле, и только между евреями приметна была еще некоторая тень промышленности. Сим последним должно отдать справедливость, что они оказали услуги России и явили к нам преданность свою, между тем как поляки все еще сохраняли надежду, что наступающие весною неприятели вновь возвратятся в наши пределы. Вильна представляла ужасное зрелище: прилипчивые болезни свирепствовали уже в ней два месяца; не было дома, в котором бы не находилось больных и умиравших, а другие стояли пусты, оставленные хозяевами из опасения заразы. Пленные встречались во множестве и на каждом шагу; бедствия, постигшие их во время отступления их от Москвы, были столь велики, что они почитали себя счастливыми находиться в плену; даже воздух был столь тяжел, что страшно им было дышать.

Из Вильны мы поехали в Плоцк и на другой день переправились через Неман. В первом прусском местечке Калинове я нашел людей образованных, фортепиано, книги и ведомости. Это было радостное явление после бедственных картин, виденных нами в Белоруссии и Литве. Вскоре въехали мы опять в Варшавское герцогство; оно совсем не так разорено было, как русские губернии, служившие театром войны; дома и строения крестьянские стояли невредимы, между тем как у нас все было выжжено до основания.

По прибытии в Плоцк, я явился к князю Кутузову. Он принял меня очень милостиво и был гораздо веселее, нежели в Тарутине, что весьма естественно, судя по счастливому окончанию отечественной войны. «Ты опять останешься со мною»,— сказал он мне между прочим. В главной квартире я нашел великую перемену против того, что было в Тарутине, где все ходили запросто и нередко в сюртуках, сшитых из солдатского сукна, в то время как в Плоцке государь находился с блистающею своею свитою; я увидел также множество новых лиц, щегольских лошадей и экипажей, а около Москвы мы жили как спартанцы. В главной квартире все было в величайшей деятельности, писали и составляли планы будущим военным действиям, но особенное внимание обращено было на формирование запасных войск и на союз с Пруссиею и Австриею.

Генерал-квартирмейстер Толь встретил меня с распростертыми объятиями; он играл тогда первую роль: доверие к нему государя и фельдмаршала было весьма велико, к нему относились во всех делах и без его совета ничего не предпринимали. Цесаревич Константин Павлович сказал ему при изгнании французов из России: «Ты написал им славный маршрут из Тарутина через Вязьму и Красной до Немана!» Коновницына назначили начальником гренадерского корпуса; на место его начальником штаба армии — князя Волконского, который поручил мне составление военного журнала и иностранную переписку, от чего мне тайны похода 1813 года сделались известны.

У нас было множество перехваченных неприятельских бумаг, еще не приведенных в порядок; между ними были и подписанные рукою Наполеона; впоследствии многие из них затерялись к прискорбию будущего историка. Из дел сих явствовало между прочим, что французы предпринимали нашествие на Россию с великою осторожностью и весьма боялись нас. Мне также за тайну показывали письмо, присланное известным прусским министром бароном Штейном[9] к генералу Иорку, которым он уговаривал его оставаться непоколебимым в чувствах своих к России.

В начале февраля мы выступили из Плоцка в Калиш. Поход наш похож был на прогулку; везде показывалась зелень и распускались деревья; благотворное солнце нигде не бывает так страдно, как в северных странах в первые весенние дни, и мы неприметно проезжали ежедневно верст по двадцати и более. Государь был всегда верхом, одетый щеголем; удовольствие не сходило с прекрасного лица его. Мы удалились более трехсот верст от границ наших, но никто не встретил нас как своих избавителей. Одни евреи, одетые в шутовские наряды, выносили пред каждое местечко, лежавшее на нашей дороге, священные свои утвари и разноцветные хоругви с изображением на них вензеля государева; при сближении нашем они били в барабаны, играли в трубы и литавры. Иногда показывались поляки. По обыкновению своему они сами не знали, чего они хотели, одни говорили, что им наскучило иго французов, другие же смотрели на нас сердито, что было весьма естественно, как по закоренелым в них к нам чувствам, так и потому, что каждый шаг нашей армии вперед отлагал час восстановления Польши. Впрочем, полякам нельзя было на нас жаловаться: армия наша соблюдала величайший порядок.

Неприязненное расположение жителей Варшавского герцогства, нерешительность прусского и австрийского кабинетов, как ближайших к театру войны, и Висла, огражденная крепостями, которые защищаемы были сильными гарнизонами, не остановили следования нашего. Неприятели бежали в разных направлениях: одни к Дрездену, другие к Магдебургу, иные заперлись в крепости по Висле, Одеру и Эльбе, а поляки ушли в Краков, куда спаслись из Варшавы остатки народных представителей, провозглашавших в 1812 году возрождение Польши.

Сколь ни правдоподобно было, что с нами соединятся другие державы против Наполеона, но во всяком предположении надобно было основывать главную надежду будущих успехов на собственных наших войсках, которым нужно было успокоение. Сперва думали расположиться для сего предмета около Цюллихау, а потом решились остановиться в Калише, куда главная квартира прибыла 12 февраля, и армия заняла его окрестности. Отряды были посланы вперед с приказанием настигать неприятелей, истреблять их и воспламенять жителей Германии к принятию оружия, а между тем граф Витгенштейн шел к Берлину, и разные корпуса оставлены были в тылу нашем для наблюдения за крепостями, занятыми неприятелем.

Происшествия столь быстро следовали одно за другим, что недавние подвиги русских на Днепре и Двине, на Колоче и Наре, сожжение Москвы и Смоленска принадлежали уже к истории и не имели, казалось, с настоящими событиями никакой связи. Посредством побед наших все отношения наши к прочим державам изменились. Россия была теперь так же одна, как и за шесть пред тем месяцев, оставленная всеми, но она была уже не в ожидании кровопролитной войны за все, что есть священное для народов, а выступала победительницею, готовою сразиться за независимость Европы. Приобретенные ею успехи обеспечивали ее на долгое время от наступательных против нее действий, а потому и борьба, предпринимаемая государем, должна была принять другой вид. Кабинету нашему надлежало быть теперь столь же искусным в переговорах, сколько войско явило себя непоколебимым на поле чести, присвоить себе в дипломатических отношениях такую же поверхность, какая была армиею приобретена в военном деле, и заставить европейцев, обращающих внимание на настоящее благо, почувствовать цену политической свободы, которую Россия намерена им была даровать.

Не прошло много времени по прибытию в Калиш, и в нашей главной квартире начали показываться прусские офицеры, хотя появление их и рождало надежду на содействие нам Пруссии, но совершенно еще в том не уверяло, тем более, что генерал Иорк, который первый перешел на нашу сторону с своим корпусом, объявил на сделанное ему предложение совокупно с нами преследовать неприятеля, что он не пойдет с нами далее Шлохау и особенно без королевского повеления не переправится на левый берег Вислы, а прусский комендант крепости Грауденца отказал Барклаю в артиллерии, потребной для осады Торна. Скоро прибыл к нам прусский генерал Шарнгорст, известный сочинениями по военной части и один из начальников тайных обществ в Германии. Ему поручено было от короля заключить союз, а также собрать достоверные сведения о наших силах, которые старались ему и на бумаге и на словах преувеличивать. Когда в переговорах с ним зашла речь о том, кому в случае совокупного действия русских и прусских войск надобно будет начальствовать: русскому ли генералу или прусскому, с нашей стороны предложено было, чтобы тот принял команду, кто будет старее в чине, но Шарнгорст отвечал, что во всяком случае русскому приличнее будет предводительствовать, потому что его соотечественники являлись в виде союзников, или вспомогательных войск, и русские, как первые виновники войны, должны иметь преимущество.

Вслед за Шарнгорстом приехали английский посол граф Каткарт, шведский министр граф Левенгиельм и австрийский поверенный в делах Лебцельтерн[10]. Таким образом Россия начинала действовать не одна и не ограничивалась в новой войне одними собственными силами своими. Несмотря на то, надлежало еще воспламенить новых союзников наших, чтобы они решительно объявили войну, а особливо надобно было отнять у них страх, обуявший их к Наполеону. В переговорах с ними придавали нам большой вес часто получаемые известия об успехах передовых наших войск, уже подходивших к Эльбе.

Между тем занимались образованием временного правительства в Варшавском герцогстве, имея целью устроить край и обеспечить тыл и продовольствие армий. Для того учредили верховный совет из пяти членов по назначению государя и при нем комитет, составленный из депутатов каждого департамента или уезда герцогства. Неопытность наша в делах сего рода забавна. Поручено было составить проект правительства для Варшавского герцогства господину Безродному, служившему весь свой век по провиантской и комиссариатской частям; он не имел ни малейших политических сведений и даже не знал ни одного иностранного языка. Я встретился с ним перед кабинетом князя Кутузова и в то время, когда меня позвали к его светлости. Безродный остановил меня, прося убедительно доложить фельдмаршалу, что он находится в величайшем затруднении, ибо, говорил он: «Я никогда в свою жизнь не писывал конституций».

Так как заметили, что французы в печатанных ими бюллетенях и мелких сочинениях старались уверять немцев и отчасти успевали в том, будто мы преувеличиваем наши успехи и потери их в России незначительны, то князь Кутузов приказал мне издавать на русском, французском и немецком языках известия о наших военных действиях и изображать их в настоящем их виде. Никогда сочинителю не представлялось обширнейшего поля для прославления торжества своего отечества. Однажды воображение до того меня увлекло, что фельдмаршал сказал мне: «Ты испортился, ты не пишешь прозою, а сочиняешь оды». Нетрудно было найти извинение, потому что в тот день мы получили известия о занятии Дрездена и о победе, одержанной над персиянами!

Сии бюллетени сделали меня известным государю, ибо князь Кутузов был так доволен первыми из них, что сам читал его императору и сказал мне: «Я рекомендовал тебя его величеству». Постигая необходимость действовать на умы в Германии, он мне велел в то же время войти в переписку с известным остроумием своим драматическим писателем Коцебу[11], который издавал тогда в Берлине периодическое сочинение под названием «Das Wolksblatt», и посылать ему известия о военных происшествиях, что мною до кончины фельдмаршала и было исполнено. Помещаю здесь первое письмо, полученное мною от Коцебу; подлинник сохраняется при черновом моем журнале похода 1813 года. Eu. Hochwohlgeboren verpflichten mich zu dem lebhaftesten Danke, indem Sie die Güte haben, den von Seiner Durchlaucht den Fürsten Kutusow von Smolensk erhaltenen Auftrag so pünktlich zu erfüllen. Ihre erste Sendung nach Königsberg und die zweite hieher nach Berlin habe ich richtig empfangen. Da ich, des Volksblattes wegen hier in Berlin bleibe, so bitte ich auch Ihre Sendungen hieher zu adressieren. Fällt etwas wichtiges vor, so wird es ohne Zweifel durch Kuriere nach Petersburg berichtet, die wenn sie durch Berlin gehen, mir leicht ein Briefchen von Ihnen mitbringen können. Da wir weder einen Gesandten noch einen chargé d'affaires hier haben, so bitte ich Seine Durchlaucht mich einstweilen als Ihren hiesigen Agenten zu betrachten und mir den Auftrag zu ertheilen von dem was vorfällt, das Gouvernement und die hier anwesenden Treugesinnte zu unterrichten. Ish bin so frei Eu. Hochwohlgeboren die bis jetzt erschienenen Stücke des Volksblatts hier beizulegen in der Hoffnung, daß Sie es Ihrer fernern Unterstützung würdig finden werden. Der Aufruf zur allgemeinen Bewaffnung ist auch einzeln abgedruckt und viel Tausendmale auf dem Lande ausgestreut worden. Ich schmeichle mir, daß die herrliche Wirkung die der Landsturm in diesen Tagen bei Gelegenheit eines blinden Lärms in der ganzen Oder Gegend gezeigt hat, indem in wenigen Stunden mehr als 30.000 Bewaffnete auf den Beinen waren, wenigstens zum Theil eine Folge dieses Aufrufs gewesen. Vielleicht macht der Herr Feldmarschall auch Gebrauch davon, wenn er ihn zweckmäßid findet, weshalb ich bitte ihm dencelben in einer gelegenen Stunde zu überreichen. Im nächsten Blatte liefere ich auch die durch Ihre Güte erhaltenen Nachrichten.

Man sagt und schreibt mir allgemein, daß das mir anvertraute Volksblatt überall einen starken Eindruck hervorbringe und gewiß kein unnützes Werkzeug bei dem Wiederaufbau der europäischen Freiheit sey. Ich wünsche nur, da die ingeheuern Druckkosten es für Arme zu theuer machen, daß der Kaiser ein oder zwei Tausend Exemplare in den kleinen Landstädten gratis vertheilen ließe. Ich habe diesen Wunsch in meinem Briefe Seiner Durchlaucht von ferne zu erkennen gegeben, doch nicht genug ausdrücklich um seine Verwendung zu bitten. Sollte er meinen Gebanken nützlich finden, so bin ich überzeugt, er werde es ohnehin thun, zumal wenn Eu. Hochwohlgeboren die Güte, ihn aufmerksam darauf zu machen.

(Считаю долгом, Ваше Высокоблагородие, выразить Вам свою живейшую благодарность за то, что благоволите столь точно исполнить поручение от Их Светлости князя Кутузова Смоленского. Ваше первое послание в Кенигсберг и второе сюда, в Берлин, я получил без промедления.

Прошу направлять Ваши послания сюда, так как я остаюсь в Берлине ради Народной газеты. Если произойдет что-то важное, я несомненно сообщу об этом в Петербург через курьеров, которые, отправляясь в Берлин, могут передать мне от Вас письмецо. Поскольку мы не имеем в Берлине ни посла, ни поверенного в делах, то я прошу Их Светлость временно считать меня Вашим здешним агентом, поручая мне сообщать о происходящем правительству и находящимся здесь благонадежным лицам. Осмеливаюсь приложить к сему уже изданные номера Народной газеты в надежде, что Ваше Высокоблагородие оценит ее по достоинству и будет ее поддерживать впредь. Призыв ко всеобщему вооружению напечатан кроме того отдельно и распространен по всей стране во многих тысячах экземпляров. Мне лестно, что ландштурм проявил такое великолепное умение в эти последние дни, когда по ложной тревоге было за несколько часов поднято в области Одера более 30 тысяч вооруженных людей — ведь это хотя бы частично является следствием призыва Народной гезеты. Возможно, господин фельдмаршал также воспользуется им, сочтя его целесообразным, для чего и прошу Вас передать ему его в удобное время. В следующем номере я собираюсь также дать сведения, полученные благодаря Вашей любезности.

Мне говорят и пишут со всех сторон, что вверенная мне Народная газета производит повсюду сильное впечатление и оказывается отнюдь не бесполезным орудием в деле восстановления европейской свободы. Однако непомерные затраты на печатание делают ее недоступной для бедняков; поэтому мне хотелось бы, чтобы император разрешил бесплатное распространение газеты (одну-две тысячи экземпляров) в маленьких городах. Об этом пожелании я упоминал уже Их Светлости в своем давнем письме, но недостаточно ясно сумел попросить об осуществлении оного. Ежели он найдет мою мысль полезной, то я убежден, что он так и поступит, особенно если Вы, Ваше Высокоблагородие, соблаговолите обратить на это его внимание).

Таким образом протекало время в Калише; отдых подкреплял утомленные войска, и армия пополнялась прибывавшими из разных мест командами, а между тем общее мнение в Германии более и более обнаруживалось в нашу пользу. Наконец заключен был и союз с Пруссиею. Государь посещал короля прусского в Бреславле, а потом король приезжал к нам в Калиш. Его просили помедлить несколько времени своим прибытием по той причине, что новые мундиры для нашей гвардии не были готовы. Заниматься подобными мелочами в то время, когда дело шло о спасении Европы, и особенно о существовании Пруссии, казалось не у места, но государь хотел представить новому союзнику отборное свое войско в блестящем виде. Король сделал довольно нескладное приветствие по-французски князю Кутузову, который встретил его на поле перед войском и пожаловал ему орден Черного орла. После был смотр и несколько балов; король был скучен, вероятно потому, что он увидел малочисленность нашей армии и мало надеялся на успех. Его проводили с повторенными неоднократно обещаниями, что запасные войска наши скоро прибудут и что не положат оружия, доколе Пруссия не будет восстановлена.

В одно время с королем приезжал в Калиш князь Чарторыйский[12], бывший некогда любимцем Александра и его министром иностранных дел. В продолжении отечественной войны он жил в своих деревнях и не принимал никакого участия в делах, хотя отец его председательствовал в Варшавской Диэте[13], слишком рано провозгласившей Королевство Польское. Появление его в нашей главной квартире послужило доказательством тому, что поляки, размышлявшие о политических делах, начали отчаяваться в успехах Наполеона и обратились к новому солнцу, всходившему на политическом горизонте Европы.

Общее внимание обращено было на князя Кутузова. Он столько же превышал всех умом, сколько званием своим и славою. Здоровье его начинало слабеть, но память его была свежа до такой степени, что он неоднократно диктовал мне по нескольку страниц безостановочно; зато сам не любил писать, говоря, что он письму не мог никогда порядочно выучиться, хотя, впрочем, по всем частям сведения его были необыкновенные. В Калише единодушно платили справедливую дань удивления его заслугам и достоинствам, но его не любили за его лукавство. Приметно было также, что были недовольны неохотою его подаваться вперед с армиею. Осторожность всегда составляла отличительную черту его характера, но на сей раз она имела основание в сердце его. Можно ли было его винить, что после подвига, им в прошлом году совершенного, и приобретенной славы, когда ему ничего не оставалось более желать и когда бессмертие было уже его уделом, он в такое время не хотел действовать наудачу, не приняв всех возможных предосторожностей для обеспечения успеха? Хотя влияние его отчасти и ограничивалось присутствием государя и он не имел, как в отечественную войну, диктаторской власти, но без воли его ни к чему не приступали. Когда недуги не позволяли ему лично докладывать императору по делам, его величество приходил к нему сам и, часто заставая неодетым старца, увенчанного лаврами, занимался с ним делами в его кабинете. Вообще император обращался с ним со всевозможным уважением, казалось, он хотел вознаградить его за те неудовольствия, которые ему делаемы были от двора со времени Аустерлицкого сражения.

Я не мог видеть без особенного чувства фельдмаршала изнемогавшего; однажды я застал его, лежавшего на постели, и он мне сказал слабым голосом: «Мой друг, напиши от меня письмо к королю прусскому и поблагодари его, что он мне поручил свою армию». Взглянув на черты лица его, на коем было написано изнурение сил, я увидел живую картину ничтожества земного величия. Впрочем, когда он был здоров, в любезности никто не мог с ним сравниться. Известно, что он был обожателем женского пола. Однажды в Калише, на бале, я вышел из танцовальной залы в удаленные комнаты, где никого не было, наконец в одной из них слышу хохот, вхожу и что же вижу — нашего престарелого фельдмаршала, привязывавшего ленты у башмака прекрасной шестнадцатилетней польки Маячевской.

Один прусский помещик Гулевич прислал в то время фельдмаршалу письмо на латинском языке, в котором он говорил между прочим: «Poteris ne aegre ferre, site eadem lingua quae Livius Camillis et Fabios, Tullius Julium Caesarem, Flaccus Augustum, Maecenatem et Agrippam, Plinius sum Tacito Trajanum alloqui intendam?»* В заключении он говорил, что Россия должна воздвигнуть фельдмаршалу монумент с следующей надписью:

D. O. M.
Sub faustissimi auspiciis
invictis simi
Alexandri I
Totius Russiae Imperatoris

---

* «Не будешь, может, недовольным, если вознамерюсь вести с тобою речь тем же языком, что и Ливий о Камиллах и Фабиях, Туллий о Юлии Цезаре, Флакк об Августе, Меценате и Агриппе, Плиний и Тасит о Траяне?»

Semper Augusti
Michaeli Hilarionidi Smolensciae Princeps
Holeniszow Kutusow
In salvando Russia altro Camillo
Cunctaleone, sagacitate, fortitudine Annibalis victori
Fabio Maximo pari
Profligatio Gallis
Jusso Caesari Secundo
Domitis Saxonis Bavaris Italis, Virtembergis
Vestphaliensibus
Paulo Aemilio simuli
Senatus populusque Russiae
Strenuo duci
Invictus Russiae exercitus
Inclyto dictatori
Alba Russia
Suo principi
Integrum Imperium Russiae
Ratri Ratriae*.

С заключением союза с Пруссиею и с наступлением марта месяца начались наши движения, войска тронулись из кантонир-квартир к Эльбе; положено было сосредоточиться между Лейпцигом и Альтенбургом и в дальнейших действиях сообразоваться с движениями неприятелей. Летучие отряды посланы были в разные части Герма-

----

*   Д. О. М.
По благой воле
непобедимейшего
Александра I
Всея Руси Императора
Августейшего
Михаилу Илларионовичу Смоленскому Князю
Голенищеву-Кутузову.
В спасении Руси новому Камиллу
Кункталеону, прозорливостью, мужеством Ганнибала победителю
Фабию Максиму равному
Сокрушившему галлов
Приказом второго Цезаря
Укротившему Саксов, Баваров, Италов, Виртембержцев, Вестфальцев
Павлу Эмилию подобному.
Сенат и народ Руси
отважному вождю.
Непобедимое Руси войско
славному полководцу.
Белая Русь
своему князю.
Все Государство Русское
Отцу Отчизны.

нии, и наконец немцы начали мало-помалу восставать против французского ига.

26 марта мы выступили из Калиша в Дрезден; то был для меня день радости, потому что я шел в Германию, мною за полтора года оставленную, чувства и мысли мои к ней устремлялись; и быть иначе не могло: я в сей земле начал чувствовать и мыслить. Я уже в воображении вступал в Геттинген победителем, обнимал друзей моей молодости и видел первый предмет моей любви. К такому расположению духа не мало способствовала встреча моя в Калише с университетским моим товарищем Коморовским, который хотя и был там моим соперником, но — о прелесть юношеских лет! — посреди военного шума мы очутились друзьями, ибо могли говорить о той, которая в обоих нас зажгла первый огонь страсти. Я почитал себя счастливым, что мог покровительствовать Коморовскому в Калише, вблизи коего он имел поместья; он меня несколько верст провожал и при прощании заклинал, если я буду в Геттингене, хоть одним словом об нем вспомнить.

Через два дня, в прекрасную весеннюю погоду, мы вошли в Силезию, у рубежа коей написано было по-русски: «Граница Пруссии». Вероятно, надпись сделана была из предосторожности, но мы видели в ней не излишнюю заботливость немцев, но то обстоятельство, что мы наконец оставляли за собой ненавистную Польшу и вступали в дружественную землю. В первом силезском местечке Миличе духовенство и евреи встретили государя с торжеством: девушки, одетые в белые платья, усыпали путь его цветами, и несколько триумфальных ворот воздвигнуты были на дороге. До глубокой ночи народ покрывал улицы, а особенно ту, где жил государь в доме графа Мальцана. Насупротив онаго возвышались две пирамиды, с простою, но многозначащею надписью: «Немцы — Русским!» Князя Кутузова встретили с истинным восторгом; воздух потрясался от восклицаний: «Vivat papa Kutusof!» Он, призвавши меня к себе, сказал мне: «Опиши, как можно повернее, в военном журнале, встречу, нам сделанную в Силезии».

В сей день получено было также донесение Сакена о покорении им последнего оплота поляков Ченстохова и разбитии Чернышевым и Дернбергом французского генерала Морана близ Люнебурга. Под вечер приехал нарочный от великой княгини Марии Павловны из Веймара с уведомлением о занятии русскими Лейпцига.

Нарочный сей был для императора тем приятнее, что за несколько пред тем времени один из авангардных генералов писал о слухах, будто Наполеон отправил великую княгиню из Веймара в Франкфурт-на-Майне. Толь, который читал в то время все рапорты государю, дойдя до сего места, понизил голос, но император, заметив его смущение, сказал: «Так что же! Моя сестра ведь не составляет России!»

Мы переправлялись через Одер в Стейнау, и так как я почти всегда езжал на переходах один, желая на свободе мечтать, то и ныне, приближаясь к Одеру, я вспомнил, как за полтора года перед тем я возвращался из Германии в Россию, бродил одинокий по берегам его в Бреславле и думал в грусти, что уже на век оставляю любимую мою страну. Можно по сему вообразить, с каким восхищением я приближался к берегам Одера. Тут ожидал нас король прусский. Мост на Одере украшен был гирляндами, а по обоим концам возвышались триумфальные ворота. Жители поднесли императору лавровый венок, государь отослал его к князю Кутузову, а фельдмаршал, принимая венок от адъютанта государева, сказал: «Вы видите мои слезы, доложите его величеству, что это мой ответ».

В Пруссии все принимало военный вид, вооружение было поголовное, в городке Трахенберг семь мальчиков, от восьми до десяти лет, одетые в казачьи платья и с пиками, стояли в карауле у государя и у фельдмаршала. Крестьяне и граждане носили черные кокарды с белою каймою, которые в Пруссии произвели не менее действия, как трехцветные кокарды в первые годы французской революции. Правительство с своей стороны употребляло все меры, стараясь сделать войну народною, но при всем патриотизме пруссаков, видна была недоверчивость к собственным их силам: они шли в поход с готовностию и с рвением, но шли как обреченные жертвы, предвидя погибель, не надеясь победить. Безнадежность происходила от страха, поселенного в них Наполеоном, ибо события войны 1806 года, свежие в их памяти, до того поразили их воображение, что они помышляли о славной смерти, а не о победе против того, кто в несколько дней разгромил монархию Фридриха второго.

7 апреля. Мы вступили в городке Лаубане в пределы Саксонии, где в моей участи произошла великая перемена. Князь Волконской сказал мне, что государю угодно, чтобы я перешел из ополчения в военную службу, и он велел спросить меня, куда я желаю быть помещен с тем, однако

же, чтобы я остался при главной квартире. Я отвечал, что, предоставляя определение мое воле государя, ниже капитанского чина, однако же, не вступлю в армию; князь возразил, что император верно не согласится на мое предложение, но что он не менее того доложит ему. Через час он возвратился с ответом государя, что не бывало примеров, чтобы титулярных советников принимали капитанами. Я остался при моем требовании и присовокупил, что ежели государю это неугодно, то я буду служить волонтером при главной квартире и что по заключении мира я и без того намерен оставить военную службу и посвятить себя наукам. Он вторично доложил, и меня в тот же вечер приняли в квартирмистерскую часть штабс-капитаном, то есть капитаном армии. Таковое удачное упрямство с моей стороны должно бы было и на будущее время послужить мне уроком, что настойчивостию можно было успеть при дворе Александра, но я тогда так поступал, а не иначе, по той причине, что я не знал еще лично государя и не был, как в последствии, обворожен его обращением. Таким образом я сделался настоящим военным.

Саксония была для нас неприятельская земля, потому что король пребывал твердым в союзе с Наполеоном, а войска его находились под знаменами французов; не менее того добродушные саксонцы не брали никакого участия в войне, говоря, что это до них не касается, и встречали нас с гостеприимством. Хозяин дома в Лаубане, у которого я стоял на квартире, снабдил меня даже рекомендательным письмом к одному из своих приятелей в Дрездене. В каждом городке были триумфальные ворота для императора, и принимали его с восторгом, ибо владычество французов сделалось для них нестерпимо: обращение французских офицеров было самое грубое, а требования их правительства крайне обременительные. Но нигде не встретили нас так радостно, как в Бауцене. Улицы были до такой степени наполнены народом, что государь с трудом мог по ним проехать. Женщины в щегольских нарядах во множестве находились у всех окон. Вечером была прекрасная иллюминация, и к довершению радости получено было известие о взятии Барклаем Торна, от чего армии его предписано было немедленно соединиться с нами.

Одно обстоятельство печалило нас только в сие время, а именно усиливавшаяся болезнь князя Кутузова. Он простудился недалеко от Бунцлава и остановился в сем городе. Ежедневно курьеры доносили императору о состоянии его здоровья, которое час от часу становилось слабее.

Между тем как мы шли из Калиша в Дрезден, получались разные противоречащие известия о неприятельской армии. Главное опасение наше было, чтобы Наполеон не атаковал нас с левого крыла нашего, со стороны Гофа, а потому и положено было нашим корпусам, следовавшим по разным направлениям, действовать сколько можно совокупнее к предназначенному сосредоточению на пространстве между Дрезденом, Альтенбургом и Плауеном. Вопреки тому граф Витгенштейн, шедший от Берлина, подавался беспрестанно вправо, почему ему несколько раз предписывали, и наконец в довольно сильных выражениях и с видом некоторого выговора, чтобы он принял влево. Ему же сделали строгое замечание за то, что он, не имея власти, сам собою вступил в переговоры с курфюрстом Гессен-Кассельским, который предлагал содействовать нам всеми силами своими: это доказывает, что в то время, не зная, какое будет окончание войны, из осторожности не хотели льстить пустыми надеждами владетелям Германии, лишенным Наполеоном престола.

Я думаю, что только насчет Варшавского герцогства государь имел уже решительное намерение и хотел присоединить его к России; я это заключаю по снисхождению, оказываемому им полякам и которого они поведением своим не заслуживали. Например, велено было генералам, командовавшим в тылу армии отрядами, выдавать польским беглецам, приходившим к нам из крепостей, занятых французами в Пруссии и Варшавском герцогстве, виды для свободного возвращения их на родину, но вместо того они отправились к корпусу Понятовского. Из перехваченных писем, коих чтение было поручено мне, видно было, что в Польше скрытно делали различные приготовления к восстанию против нас: в окрестностях Гумбинена вспыхнул бунт, и вместо примерного наказания заговорщиков взяли только под стражу некоторых из них. Узнали также, что во многих местах Польши свозилось тайно оружие, и вместо наказания оное отбирали: меры строгости, то есть отправление буйных голов во внутренность России, употребляемы были редко. Думаю, что одна из причин, почему европейские народы долго с терпением переносили иго французов, была та, что французы поступали в управлении или лучше в угнетении с некоторым систематическим порядком. Всякой народ, подпадавший под ярмо их, знал заранее, какая будет участь его, законов его, финансов, даже самой словесности и наук; в следствие того побежденные принимали свои меры и, как могли, покоряли себя обстоятельствам. У нас же, по новости ли нашей или по непостоянству, свойственному русскому характеру, во всем были крайности, от чего происходил беспорядок, и владычество наше казалось нестерпимее ига французов; или подчиняли людям слабым, как Ланской, председатель временного правительства, учрежденного в Варшаве, или жестоким, как Эртель, начальник военной полиции.

12 апреля мы выехали из местечка Радеберга в Дрезден, вскоре открылись живописные берега Эльбы, и мы с торжеством вступили в столицу Саксонии. Государь ехал вместе с королем прусским и вел гвардию нашу. День был радостный, но самым приятным обстоятельством было тайное уверение венского кабинета, что он не намерен действовать против нас. Австрийский император известил нас даже, что он виделся в Линце с королем саксонским, который намерен был выжидать окончания первого сражения нашего с французами, ибо военные действия скоро должны были начаться, потому что в то время, когда мы жили в Дрездене, Наполеон прибыл в Веймар. К несчастию, курьер, привезший сие известие, никого не застал в нашей главной квартире: император находился в Теплице, фельдмаршал лежал на смертном одре в Бунцлаве, а генерал-квартирмейстер ездил для разных условий к графу Витгенштейну и к Блюхеру. Немедленно послали к государю нарочного и по возвращении его величества из Теплица положили идти навстречу неприятелю.

17-го апреля мы переправились на левый берег Эльбы и на другой день прибыли в Носсен, где все приняло настоящий военный вид, ибо до тех пор поход наш уподоблялся прогулке. Обозы и канцелярии отослали в Дрезден, беспрерывно проходили войска, скрип артиллерийских колес, слышанный ежеминутно на улицах, предвозвещал гром, долженствовавший скоро из них раздаться. Тут начали уже получать ежечасно сведения о неприятеле, которой подвигался вперед из Эрфурта.

В то время, когда все готовилось к сражению, пришла весть о смерти князя Кутузова. Государь велел содержать ее в тайне и не объявлять о ней до окончания предстоявшего сражения. Непритворные слезы омочили глаза многих, кому сообщили известие сие. Кутузов умер на высочайшей степени человеческого величия, со славою избавителя отечества, самая смерть не могла постигнуть его в благоприятнейшую для него минуту, ибо через два дня после его кончины мы проиграли сражение и отступали, казалось, он унес в гроб и счастие наше. Для меня лично останется незабвенно, что сей великий муж почтил меня своею доверенностию. Упоминая об его кончине в военном журнале, я написал, что войска после него осиротели, но слово сие было вымарано государем.

Из Носсена мы пошли через Борну в Фробург, местечко принадлежащее барону Блюмнеру, которому незабвенный для меня Геде[14] посвятил свое классическое путешествие по Великобритании. Я знал, что портрет Геде должен был находиться в Фробургском замке, и хотел видеть его. Долго служители не показывали его мне, под предлогом, будто его тут не было, но заметя, что я говорил не как неприятельский офицер, которого они страшились, но как ревностный почитатель Геде, они сказали мне: «Мы видим, что и вы любили этого честного человека»,— и повели меня на чердак, где между вещами господина их, спрятанными из опасения грабежа, стоял и портрет Геде, весьма похожий. Живописец сохранил выразительную и красноречивую улыбку его. Он представлен на лодке, попутный ветер надувает паруса и несет его к берегам Англии, превосходно изображенной мастерским пером его. При виде черт лица его освежились в памяти моей беседы его и прогулки наши в окрестностях Геттингена. Он первый показал мне всю прелесть учения и поселил во мне страсть к наукам, которой я обязан чистейшими наслаждениями в жизни моей, бурной и кочевой. Он вперил во мне мысль не оставлять земного поприща, не ознаменовав его каким-нибудь сочинением, дабы сохранить имя мое в памяти людей. По прошествии многих лет я увидел, что это была мечта, но она меня долго радовала, всегда облагораживала мои чувства и в горестные часы была моим утешением. Unsterblichkeit ist ein großer gedanke, er ist des Schweißer der Edlen werth*.

Может быть, я буду иметь когда-нибудь досуг его описать, но тем скажу, что дарования его были столь необыкновенные, что знаменитый историк Иоганн Мюллер[15], достойный ценитель учености, ибо сам ученейший муж своего века, называл его венцом Геттингена в то время, когда ему было только тридцать лет от роду и когда там жили Гейне[16], Блуменбах[17], Шлецер[18], Рихтер[19], Геерен[20], коих имена принадлежали бессмертию. Сошед

---

* Бессмертие — великая мысль, она достойна усилий благородных (нем.).

с чердака, я посетил любимый сад Геде, о котором он мне часто говаривал, и потом возвратился к служению Марсу.

Немедленно по получении известия о кончине Кутузова государь поручил главное начальство над армиями графу Витгенштейну. Король прусский подчинил ему также свои войска и писал Блюхеру, чтобы он назначением графа Витгенштейна не оскорблялся, ибо дело, говорил он, идет не о чинах, а о спасении отечества. Неприятели тянулись из Наумбурга в Вейгенфельс. Мы полагали, что это была демонстрация, что они хотели привлечь туда наше внимание и что коль скоро мы вдались бы в обман и пошли к Вейсенфельсу, то Наполеон бросился бы на наше левое крыло и, отрезав нас от Дрездена, отбросил бы нас в северную Германию, где мы нашлись бы в затруднительном положении, потому что крепости Торгау и Витенберг заняты были неприятелем, а потому отступление наше на правый берег Эльбы было бы затруднено. Тогда Наполеон мог проникнуть в сердце прусской монархии и соединиться с корпусом Понятовского. Уничтожение образовавшихся в Пруссии войск и восстание Польши было бы неминуемым последствием такого движения. Время, однако же, показало, что Наполеон был столь слаб, что он не имел подобных сему предположений, но опасения наши были извинительны, ибо они оправдывались двадцатилетними, почти неимоверными успехами нашего противника.

Здесь император увидел в первый раз графа Витгенштейна после похода 1812-го года. Я был свидетелем их встречи, происходившей на поле. Монарх несколько раз обнимал своего, до толь победоносного, полководца и в самых лестных выражениях благодарил его за его подвиги, которые тем более принесли ему славы, что до отечественной войны он был на счету обыкновенных генералов и никто не подозревал в нем отличных способностей. Что благодарность императора была искренняя, то доказалось назначением его в главнокомандующие в такое время, когда в действующей армии находились три генерала старее его в чине — Тормасов, Барклай и Милорадович. Возвышение его на степень главнокомандующего было приятно для армии, потому что его вообще любили за благородные свойства его, за обходительность с офицерами, чего нельзя упускать из виду, за множество орденских знаков розданных им в корпусе, находившемся под его начальством. За каждое дело, сколь бы оно маловажно ни было, представлял он к наградам. Но скоро мы увидим, что звание, в которое он был облечен, не соответствовало его силам и к нему можно по справедливости применить известный стих Вольтера: «Tel brille au second rang, qui s'eclipse au premier».

19-го апреля, по получении верного известия, что неприятели сосредоточились около Люцена, положили немедленно их атаковать. На другой день, 20-го числа, мы выступили в два часа пополудни в городок Пегау, где наша армия находилась уже сутки. Впереди сего города остановились император, король прусский, граф Витгенштейн и множество генералов, тут проходило мимо нас до 40 тысяч пруссаков, на лицах их видно было желание сразиться. В продолжение марша пруссаков жители Пегау приносили нам съестные припасы и вино и угощали с величайшим радушием.

В десять часов утра меня послали рекогносцировать неприятеля. Во-первых, я вошел на самую высокую колокольню пегаускую, откуда видны были Лейпциг, Люцен и Вейсенфельс, но по дальности я не мог различить французских войск, множество жителей стояли на колокольне, они старались как бы угадать из взглядов моих намерения наши и участь, их ожидавшую. Потом я сел верхом на лошадь и поехал вперед. Армия выстраивалась в боевой порядок, в рядах ее царствовала тишина, предвестница грома, долженствовавшего скоро над нею разразиться. Аванпосты наши стояли на курганах, с одного из них я увидел ясно неприятельские колонны, а приложа ухо к земле, я услышал, что французы били сбор или тревогу. Проехавши по цепи ведетов[21] и собрав нужные сведения, я возвращался к государю. Дорогою я встретил престарелого прусского генерала с многочисленною свитою. То был Блюхер, я здесь видел его впервые. Излишне описывать сего героя: кто его не знает? Скажу только, что, невзирая на преклонные его лета, огонь юности блистал в его глазах. «Зачем вы ездили на передовую цепь?» — спросил он меня с видом подозрения, ибо русские тогда еще не были знакомы с пруссаками и в первый раз сходились вместе. Получив мой ответ, он расспрашивал меня о положении неприятелей.

Я застал государя, ехавшего с королем прусским к войскам. Тут Александр в первый раз в моей жизни почтил меня разговором, я так оробел, что фуражка выпала у меня из рук. В продолжении Люценского сражения, будучи несколько раз употребляем лично его величеством, я удостоился и неоднократных его разговоров, а потому с сего дня император обращался со мною уже как с знакомым, то есть, встречаясь со мною, осведомлялся о моем здоровье и тому подобное.

Ровно в полдень Блюхер испросил у графа Витгенштейна позволение начать нападение; «nun mit Gottes Hülfe»* отвечал граф, и колонны, предшествуемые стрелками и орудиями, двинулись вперед. Через несколько минут раздались ружейные, а потом пушечные выстрелы: битва закипела. Государь остановился на кургане, откуда видно было все сражение. Вскоре он послал меня в деревню Гросс-Гершен посмотреть, до какой степени удалась атака пруссаков. Я приехал в селение, когда французов совсем выгоняли. По занятии деревни пруссаки подвинулись вперед, и мы увидели, как стрелки неприятельские бежали назад и что между их войсками началось колебание и беспорядок. С сею радостною вестью я поспешил к государю. Тогда он велел мне ехать к Коновницыну, бывшему версты четыре позади, уведомить его об успехах Блюхера и предупредить его, чтобы он не спешил с гренадерами, а шел тише. Теперь я вижу, что государю надлежало мне дать совершенно противное повеление, а именно, чтобы Коновницын поспешал в дело, ибо ежели бы мы подкрепили Блюхера и ввели в дело гренадер, то сражение решилось бы в нашу пользу, потому что неприятельская линия была бы перерезана. Но о сражениях легко судить по окончании, а в продолжении боя весьма редкие имеют дар видеть настоящее положение дел.

Между тем французы, сосредоточив силы свои, упорно защищали разные деревни, лежавшие перед фрунтом обеих армий, которые переходили из рук в руки и где дрались с великим ожесточением. Государь неоднократно был под градом ядер и пуль, на замечание одного из приближенных об опасности, в которую император вдавался, его величество отвечал: «Здесь для меня нет пуль». Часу в пятом мне приказали ехать с правого крыла на левое, то были самые страшные минуты в моей боевой жизни: едва я поравнялся с центром, как увидел, что неприятели поставили против оного множество пушек, впоследствии оказалось до ста, и готовились открыть из них пальбу. Фитили горели, я ожидал с каждым мгновением, что откроется ад. Не нужно говорить, что я несся во весь опор, но совершенно не избавился огня огромной батареи. В то вре-

_____

* Теперь с божьей помощью *(нем.).*

мя, когда я только что думал миновать оконечность ея, французы пустили бесчисленное множество ядер; одно из них, дав мне контузию в левое плечо, сбросило меня с лошади. Я имел силу подняться и сесть опять верхом, контузия не была сильная, и я ни на один день не рапортовался больным, однако же несколько лет при перемене погоды и при усталости чувствовал боль в плече. Я возвратился к государю часу в шестом и нашел дела наши в невыгодном положении. Сильные неприятельские колонны обходили нас справа. Против них отправили Коновницына. По своему обыкновению он поехал вдоль цепи застрельщиков, вскоре его ранили, и войска, бывшие под его начальством, должны были уступить превосходному числу французов. К несчастию, артиллерия наша начала реже стрелять. По оплошности Ермолова, командовавшего ею, запасные парки с снарядами не подоспели к сражению. Таким образом стали мы уже помышлять не о победе, но о безопасном отступлении, часу в десятом все затихло. На меня всегда производило сильное впечатление безмолвие, наступавшее после битвы, я находил в нем нечто торжественное.

Войска наши и прусские покрыли себя славою под Люценом. Прусские генералы и офицеры дрались не только храбро, но с истинным ожесточением. Я не мог налюбоваться чиновниками их генерального штаба и адъютантами; они так бесстрашно и хладнокровно развозили приказания, что в сем отношении превзошли наших офицеров. Граф Витгенштейн не явил себя в блестящем виде: распоряжения его были самые плохие. Он не умел сначала воспользоваться победою, когда растянутые силы неприятеля представляли ему к тому способ, он не воспользовался своим великим превосходством в коннице, которую за нашими линиями переводили с места на место под неприятельскими выстрелами, а когда дело было проиграно, он не принял благоразумных мер к отступлению, как увидим ниже. Не менее того он за сие сражение получил Андреевскую ленту, ибо хотели представить дело в реляциях в виде победы.

Государь в темноте отправился ночевать в деревню Гроич, а я сперва хотел навестить раненого Коновницына, лежавшего в Пегау. Дорогою представился мне истинный хаос. Вообразите поле, необъятного пространства, во всех направлениях шли войска в беспорядке, тянулись пушки, патронные ящики и подводы с ранеными, испускавшими жалобные стоны, и тащились изувеченные солдаты, которые едва могли переступать. Темнота увеличивала смятение, а когда я выехал с поля на дорогу, расстройство представилось еще в большем виде. Дорога была так узка, что на ней и в обыкновенное время двум повозкам трудно разъехаться; каково же было в ту несчастную ночь, когда артиллерия и обозы сперлися с тысячами повозок, ехавшими нам навстречу и не получившими заблаговременно приказания возвратиться. Лошади, телеги и люди падали в крутые овраги, по сторонам дорог лежащие, раненые вопили, пьяные саксонские подводчики и солдаты кричали свирепым голосом, многие солдаты разряжали ружья.

Наконец я достиг до Пегау и с трудом нашел дом, где лежал Коновницын. Он протянул мне руку в знак благодарности за мое посещение. Никогда нельзя смотреть на раненых без сожаления, но поразителен вид героя, за несколько часов подававшего пример храбрым, а теперь распростертого на одре болезни, бледного и обессиленного! Он поручил мне быть его корреспондентом в армии и извещать его, куда ему ехать и в каких городах можно будет останавливаться, чтобы в безопасности лечиться. С того времени он ежедневно до самого перемирия присылал ко мне адъютантов, которые живали у меня по суткам и более, и по моему назначению он избирал место своего пребывания. Такого рода сношения подали повод к беспрерывной между нами переписке. Вот для образца его слога и мыслей одно из писем его, в сие время мною полученное:

«Сколько я вам благодарен за все и все, любезный Александр Иванович, того объяснить довольно не могу. Вы всякой раз вящее и вящее показываете благородное свое расположение, продолжайте так, вы неоцененный! Меня везут, хотя и с великим мучением, но как быть? Много вам благодарен, что вы меня воротили от Штейнау. Раны мои чудесно хорошо идут, сверх моего ожидания, по крайней мере ожидаю я быть, хотя и не скоро, с ногою; мучения довольно, но все, благодаря бога, переношу с твердостию. Повинуюся судьбам вышняго, все будет так, как быть должно, и все на свете устроено наилучшим образом, и может быть, и все к лучшему.

Я думаю у вас все еще не до обещания мне князя Смоленского (о пожаловании боготворимой им дочери его во фрейлины) касательно моей Лизы; это прихоть, я весьма согласен, но она может быть излечила бы несколько мои раны, а семейству моему стерла хоть на часок слезы, льющиеся рекою по мне»*.

Простившись с Коновницыным, я приехал ночью в Гроич, где был государь. Я бросился на солому в конюшне его двора и уснул мертвым сном. На рассвете меня разбудили и послали к графу Витгенштейну узнать от него распоряжения его на наступавший день. Долго я ездил по полям: никто не знал, где главнокомандующий, наконец, я нашел его на поле, сидевшего с большим хладнокровием. Узнав, зачем я был к нему прислан, он мне отвечал: «В армии находится император, и я ожидаю повелений его величества». Таким образом никто не давал приказаний, государь надеялся на главнокомандующего, а тот на государя.

После сего меня отправили к Милорадовичу, с повелением ему государя принять начальство над арьергардом, и прикрывать отступление армии. Он был в городке Цейц, наблюдая за неприятелем, но в самом деле для того, чтобы не подчинить ему графа Витгенштейна, младшего его в чине. Я застал его в совершенном расстройстве. Когда мы остались наедине, он сказал мне: «Я вчера плакал, как ребенок, в первый раз в жизни слышал я пушечные выстрелы и не участвовал в деле! Доложите государю,— продолжал он,— что я буду служить под чьею командою он прикажет, ежели не вверяют мне армии, пусть мне дадут батальон или роту; мне все равно».

Из Цейца я поехал едва живой от усталости через Альтенбург в Пениг, где назначена была главная квартира, ибо положено было отступить на правой берег Эльбы. Император и несколько приближенных к нему особ проскакали мимо меня во весь опор в колясках. Князь Волконской, сидевший в одной из них, увидя меня, остановил коляску и сказал: «Напиши в реляции, что мы идем фланговым маршем!» Едва он выговорил сии слова, как закричал своему почтальону «пошел!» и понесся вслед за государем. Какова должна быть история, основанная на подобных материалах, а к сожалению, большая часть историй не имеет лучших источников. Вечером того же дня государь прислал ко мне собственную записку — следующего сдержания для помещения оной в конце реляции, она по сих пор у меня сохраняется.

«Я вообще не могу довольно отдать справедливости

---

* Подлинное в собрании моем писем любопытных людей под № 49 и 50[22] (*Примеч. автора*).

всем войскам, сражавшимся в сей достопамятный день под глазами своих государей, храбрости их, так и порядку, с коим под жарчайшим огнем все движения были исполнены. Вслед за сим не премину я представить об отличившихся»*.

Чем утомительнее были для меня дни перед Люценским сражением и двое суток, за ними последовавшие, тем отдых был приятнее. Нам приказали ехать в Дрезден, назначенный сборным пунктом армии. Из Пенига я отправился в коляске в Фрейберг, известный своими рудокопнями, и поспешил к знаменитому Вернеру[24]. Хотя я совершенный профан в минералогии, в которой сей ученый приобрел классическое имя, однако же я дышал, так сказать, в кабинете его знакомым воздухом, и два часа, проведенные мною в его беседе, заставили меня забыть и войну и усталость. Вернеру было тогда лет шестьдесят, но взор его сохранял много живости. Он принял меня сперва за офицера, которому в его доме отвели квартиру, но когда я сказал ему, что слава его возбудила любопытство мое его узнать, добрый старик так был рад моему посещению, что не знал, как меня угостить. Разумеется, что он горел нетерпением слышать о подробностях Люценского сражения и не остановятся ли армии около Фрейберга, а я склонял разговор на ученость, ибо хотя по ремеслу и мундиру был военный, но в душе пламенел к наукам. Вернер рассказал мне, что отец его служил по горной части в Лузации и дарил ему во время его детства, когда бывал им доволен, разные руды, и они-то возбудили в молодом Вернере страсть к минералогии. «Родители мои,— сказал он мне,— не хотели, чтобы я служил по горной части и послали меня в Лейпциг учиться правам, но, читая пандекты, я думал о рудниках и не мог одолеть страсти моей к минералогии, к которой меня назначала природа. Вскоре я последовал склонности моей и признаюсь, мне стыдно говорить об чем-либо другом, кроме моей науки, я ничего не читал в мою жизнь, выключая книг, относящихся до моей части». Он показывал мне превосходное свое собрание минералов до 30 тысяч руд, оно стоит около 50 тысяч талеров саксонских. Прощаясь, он подчивал меня венгерским вином.

На другое утро прекраснейшего весеннего дня я поехал с несколькими веселыми товарищами в Дрезден, по так называемой Саксонской Швейцарии. Картинные ме-

---

* В собственноручных бумагах государя Александра Павловича под № 16[23] (Примеч. автора).

стоположения следовали одно за другим. Ни с одной стороны Дрезден не представляется в таком красивом виде, как с Фрейбергской дороги, около него видно бесчисленное множество селений, расположенных в самой плодоносной равнине, а посреди ея протекает величественная Эльба.

В Дрездене все было в смятении: наши обозы и подводы с ранеными тянулись длинными рядами по всем улицам, на реке наводили плавучие мосты. Опасаясь, что Дрезден сделается позорищем сражения, жители желали, чтобы мы поспешнее уходили из Саксонии. Того и нам хотелось, ибо совестно было являться после поражения там, куда мы за несколько дней вступали с торжеством.

25-го апреля в прелестный вечер я выехал из Дрездена и остановился на полчаса в Линковых банях, любимом моем гулянье, в тот день оно было совсем пусто. Я сел на траву. Повсюду вдали пылали огни, разложенные нашими войсками, иные полки проходили еще по плавучим мостам, противоположный крутой берег Эльбы темнел в вечернем сумраке.

Дела наши были по-видимому в невыгодном положении, но мы имели много причин быть уверенными, что война окончится счастливо, ибо, кроме запасных войск, поспешавших из России и образовавшихся в Пруссии, мы не сомневались в содействии Венского кабинета, который, со свойственной ему издавна осторожностью, ожидал благовидного предлога, чтобы явно к нам пристать. Приезд посланника его, графа Стадиона, убедил нас в добром расположении к нам двора его. С другой стороны, мы знали, что Франция была уже в изнеможении и общее там мнение отклонялось от Наполеона. Германия, особенно северные области ея, также нетерпеливо желали свергнуть иго французов. Прибытие в Стральзунд шведских войск подавало нам в том краю большой перевес. В то время начались переговоры с комендантом саксонской крепости Торгау Тилеманом, и вскоре он перешел к нам. В нашу главную квартиру приезжал также тиролец Винченцо Фуриа, прося снабдить соотечественников его оружием и прислать к ним офицеров.

По переходе на правой берег Эльбы мы отступили к Бауцену, заняли там позицию и начали укреплять ее. В сем городе я стоял на квартире профессора филологии Барта, он подарил мне на память сочинения Горация. Подлинно, приятно воевать в Германии! Гостеприимство немцев, угощения их, любезность женщин, музыка, разговоры о словесности и науках заставляют забывать войну и трудности ея.

Из Бауцена государь переехал 30-го апреля в принадлежащий госпоже Герсдорф замок Вуршен, находящийся недалеко от знаменитого в семилетнюю войну селения Гохкирх. На замке видны еще ядра австрийские и прусские, и на нем находится следующая надпись: «en signa proclii». Здесь мы прожили неделю, ожидая беспрестанно нападения неприятеля. Ежедневно ездил я по нашей позиции, стараясь изучить ее, сердце мое невольно сжималось при мысли о предстоящем сражении, рассудок не мог победить сего чувства. Дни, предшествующие генеральному делу, для меня всегда были ужаснее самого сражения, ибо в огне, при свисте пуль и жужжании ядер не можно ни о чем другом думать, кроме исполнения своего долга. Милорадович сказал справедливо, что «в присутствии ста тысяч солдат нельзя быть трусом».

Милорадович в то время покрывал себя славою, начальствуя арьергардом от Люцена до Бауцена, он ежедневно имел жаркие дела с неприятелем и заставлял французов дорого платить за каждый шаг земли. Наполеон столь негодовал на своих генералов, командовавших против Милорадовича, что несколько дней лично управлял движениями своего авангарда, но и его распоряжения не были успешны. Наш полководец действовал по своему произволу и как-будто независимо от главнокомандующего, ибо граф Витгенштейн, будучи моложе его в чине, из уважения посылал к нему приказания сколько можно реже. Мне случилось находиться при нем в одном арьергардном деле, когда адъютант графа Витгенштейна привез ему приказ, противоположный тому, который дан был прежде. «Объявите графу,— сказал Милорадович адъютанту,— что, когда он бывал под моим начальством, я не посылал ему противоречащих повелений»,— и потом, оборотясь ко мне, сказал в полголоса: «Вот все мое мщение!» Подчинив себя младшему генералу, он оказал редкой пример благородства, ибо кто не служил в армии, тот не может постигнуть, сколь прискорбно находиться в команде младшего, редкие могут на сие согласиться. Например, Тормасов уехал тогда в Петербург, не желая состоять в повелениях графа Витгенштейна.

Государь был чрезвычайно доволен Милорадовичем, ежедневно посылал его благодарить и наконец пожаловал ему графское достоинство. Мне приказано было написать ему по сему случаю рескрипт, помещаю его здесь с собственноручными поправками, сделанными государем, оне отмечены красными чернилами:

«Господину генералу от инфантерии Милорадовичу. Важные заслуги, оказанные вами России на полях чести, давно уже признаны благодарным отечеством, а знаменитое участие, которое вы брали во всех походах, царствование наше ознаменовавших, обращали на вас во всякое время особенную признательность нашу. Победа была неразлучна с вами в недрах отечества и в отдаленнейших странах от него. Настоящая война увенчала подвиги ваши новою славою, стяжанною вами наипаче предводительством арьергарда армии, где каждый шаг земли заставляли вы неприятеля искупать кровью многих тысяч. В воздаяние всех таковых подвигов ваших возводим мы вас с будущим потомством вашим на степень графского Российской империи достоинства. Да узрит в сем отечество новое доказательство признательности нашей и новый залог, налагаемый на вас к вящей славе России. Впрочем пребываем вам благосклонны»*.

Между тем присоединились к нам корпуса Барклая-де-Толли, пришедшие из Торна, и Сакена, командовавшего в окрестностях Кракова против австрийского генерала Фримона. Сакен заключил с ним перемирие, в котором сказано, что корпуса сих обоих генералов, будучи наблюдательными, не должны проливать без нужды кровь. Очевидно было, что говорить в военное время о сбережении человеческой жизни означало явно, что оба полководца получили от своих дворов тайные повеления, клонившиеся к миру. Корпус польских войск, под начальством Понятовского, состоявший из 20 тысяч человек и расположенный в Галиции, выступил через Богемию в Баварию, после чего все Варшавское герцогство было очищено от неприятелей. Народное собрание поляков также разошлось, председатель Сейма Замойский издал по сему поводу жалостную прокламацию, он говорил между прочим, конечно, для того, чтобы у своих соотечественников не отнять и последней надежды, что он распускает их только на время, до благоприятнейших обстоятельств, которые, однако же, в сем смысле для поляков никогда уже не настали.

Наполеон или не надеялся на прежнее свое счастие, или

---

* Подлинный находится в собрании моем собственноручных бумаг императора Александра[25]. (*Примеч. автора*).

по малочисленности войск своих и неопытности их не действовал с тою быстротою, которою он столь долгое время поражал противников своих, он вынужден был вести методический поход, а не решать участь войны как прежде, одним громовым ударом. В сем убедило нас еще более прибытие на аванпосты любимца его Коленкура, отправленного к государю для переговоров о мире. Наполеон вызывался восстановить союзную нам Пруссию в том виде, как она находилась до Тильзитского мира, и уступить большую часть из завоеваний Франции; словом, чувствуя, что колоссальная империя его не могла иметь прочного существования, он предлагал императору Александру быть решителем всеобщего мира. Государь не принял Коленкура и велел отвечать Наполеону, что без посредничества Австрии в переговоры не вступит. Александр отвергнул на сей раз быть миротворцем Европы, жребий коей Наполеон предоставлял в его руки, ибо он узнал коварного противника своего и хотел не мириться с ним, но сокрушить его.

8-го мая около полудня мы услышали пушечные выстрелы и не обратили на них сначала внимание, полагая, что это арьергардное дело, но вскоре пальба усилилась. Я велел оседлать лошадь и поехал к Бауцену. В непродолжительном времени император и король прусский с многочисленною свитою обогнали меня. Приехав на одно возвышение, мы увидели, что неприятели превосходными силами нападали на арьергард наш, а тот по данному заблаговременно приказанию отступал на позицию. Из многих виденных мною сражений ни одно не можно более сравнить с маневром, произведенном на учебном месте, как это арьергардное дело. Все движения наши исполняемы были так точно и особенно так спокойно, что трудно было принять бой за настоящее сражение. К тому же местоположение, пересекаемое долинами, пригорками, деревнями, оврагами, кустарником, позволяло действовать войскам и развернутым фрунтом и колоннами и рассыпным строем. Сам Наполеон был при авангарде своем, а у нас Милорадович маневрировал с особенным искусством. Так как ему назначено было отступать медленно, то едва в каком-нибудь месте он замечал, что неприятели сильно напирали, как мгновенно их опрокидывал. Под вечер французы влезли на горы, к коим примыкало левое наше крыло, их согнали, и бегство их с крутых возвышений прекратило сражение. Часов в десять вечера император возвратился в Вуршен, где большая часть ночи прошла в догадках и заключениях о предстоящем дне.

9-го мая в пятом часу утра государь находился уже на высоком кургане, откуда можно было удобно обозревать все поле сражения и куда изредка долетали ядра. Государь не съезжал с кургана до отступления армий, и перед глазами его была гора, на которой стоял Наполеон, не трогаясь с нее весь день. Вообще я не видал сражения, в котором бы войска обеих противных сторон менее маневрировали и где главнокомандующие были бы менее деятельны, как в Бауценском. Оба императора, как я выше заметил, не сходили с курганов. Граф Витгенштейн не оставлял ни на минуту государя и не подъезжал ни разу к войскам, а начальник штаба его, а следственно, всех российских армий Доврай несколько часов на том же самом кургане спал. Все утро до десяти часов французы атаковали наше левое крыло, стоявшее на горах, и были всегда отражаемы. Граф Витгенштейн весьма справедливо сказал государю при сем случае: «Ручаюсь головою, что это ложная атака, намерение неприятеля состоит в том, чтобы обойти нас справа и припереть к Богемским горам». Он отгадал намерение Наполеона, но не сделал ни малейшего распоряжения, чтобы предупредить опасность. Ежели он был уверен в своем мнении, то почему он не согласился на неоднократные предложения Милорадовича, которой, присылая ему сказать, что он опрокинул неприятельское правое крыло, требовал разрешения продолжать наступление. Всякой раз ему отвечали, чтобы он довольствовался только отбитием атаки неприятеля, а сам не действовал наступательно.

Вид сражения, происходившего на горах, был истинно картинный. Неприятели карабкались на крутые возвышения и были стремглав опрокидываемы. Однажды удалось им втащить на гору несколько орудий, ядра их начали доставать до государя. «Неужели вы потерпите,— сказал Милорадович солдатам,— чтобы ядра французские долетали до императора»,— и мгновенно батарея была прогнана. «Государь на вас смотрит!» — закричал он одному полку, который при сих словах бросился в штыки и переколол французов.

Часу в одиннадцатом обнаружилось настоящее намерение неприятеля, он начал обходить правое крыло наше под командою Барклая, который от того места, где стоял государь, был по крайней мере верстах в восьми. Барклай сражался мужественно и делал самые благоразумные распоряжения, превосходство сил неприятельских ни на одну минуту не поколебало его. Около полудня я был к нему послан и нашел его столь же хладнокровным и серьезным, как и всегда. Когда неприятели повели против него грозные силы, нам нечем уже было его подкрепить, слишком бы далеко было вести к нему войска от Милорадовича, а из центра нельзя было тронуть ни одного батальона, потому что стоявшая против средины нашей боевой линии во множестве французская конница, кажется, того только ожидала, чтобы напасть на наш центр, ежели бы мы хотя какою-либо частию войск оной ослабили. Сии причины побудили думать об отступлении. Когда начали говорить о необходимости идти назад, я взглянул на короля прусского и сыновей его, безотлучно при нем находившихся, грусть начертана была на лицах их, казалось, слезы навертывались на глазах их.

, В пятом часу пополудни, когда солнце стояло еще высоко на горизонте, дали приказание к отступлению, произведенному в величайшем порядке, ибо мы не потеряли в продолжении оного не токмо ни одного орудия, но даже ни повозки, что произошло и от благоразумных распоряжений начальника арьергарда и также от недостатка конницы у неприятеля. Государь ехал медленно, стараясь утешать короля прусского, он говорил ему между прочим, что ни один батальон наш не был расстроен и по-видимому число пленных было равно с обеих сторон. Мы ночевали в городке Рейхенбах, где положено было идти на Швейдниц с двоякою целью: 1) сблизиться с корпусом Сакена, стоявшего около Кракова, и с запасными войсками, поспешавшими из России, и 2) не удалиться от австрийской границы. Опасение, что посредством сего движения неприятель, находясь ближе нас к Одеру, мог нас от него отрезать, уничтожалось тем, что и мы, в случае такого движения французов, могли стать на линии сообщений их.

Через два дня мы вступили в Силезию, где за шесть недель перед тем при походе нашем из России принимали нас с величайшей радостью; тогда при каждом городе, при каждой деревне были триумфальные ворота, а теперь присутствие наше возвещало жителям приближение неприятелей, несших в сердце злобу и мщение. Зажиточные обыватели оставляли дома свои и с семействами спасались в горы и во внутренность Силезии. Совестно было глядеть на моих хозяев, ибо мне приходилось стоять у тех самых из них, у которых мне отводили квартиры за четыре недели перед тем, когда мы шли в Дрезден. Выходя из городов и селений, мы только слышали стоны жителей. Неудовольствие их к нам было извинительно, ибо вместо ожидаемых побед они видели в отечестве своем театр войны, но нельзя было не негодовать на небрежение правительства их к нашим раненым. Прусских раненых везли на телегах, а наши изувеченные воины, пострадавшие в битвах не за Россию, а за Пруссию, большею частью тащились пешком изнуренные, полумертвые. Неоспоримо, что и наши войска подавали повод к многим жалобам, ибо побеги у нас весьма усилились, но сие обстоятельство не извиняло пруссаков в равнодушии к нашим больным. Для прекращения побегов объявлено было от имени императора прусским местным начальством, что за каждого пойманного беглеца будет выдаваемо им по червонцу.

Во время отступления к Швейдницу Барклай был назначен главнокомандующим вместо графа Витгенштейна. Сражения под Люценом и Бауценом затмили славу сего последнего и обнаружили посредственность его, а беспечность его относительно внутреннего управления армии привела ее в большое расстройство, до такой степени, что иногда не знали, где находятся иные полки. Главная квартира его походила на городскую площадь, наполненную вестовщиками. По доброте души своей он не воспрещал к себе свободного доступа никому, комнаты его наполнены были всегда праздными офицерами, которые разглашали о всех делах, даже самых сокровенных, и по сей причине самые тайные повеления, посылаемые государем к графу, немедленно делались всем известны. Я не постигаю, как Наполеон не воспользовался сим обстоятельством, чтобы иметь сведения о том, что у нас происходило. Союзники наши пруссаки равномерно были недовольны графом Витгенштейном; это и неудивительно, ибо им надобна была победа, а под его предводительством они испытали два поражения и видели ежедневно увеличивавшееся расстройство армии.

Таким образом граф Витгенштейн, недавно еще превозносимый как оплот Европы, упал с высоты и испытал общую участь всех, кому счастие перестает улыбаться, те, кто выхваляли его до небес, первые его оставили, наводнили главную квартиру государя и спешили искать места, где можно бы было приобрести им более знаков отличия, страсть к коим до невероятной степени усилилась тогда в нашей армии. Недавно ставили его наряду с Кутузовым и полагали, что кончина сего последнего не могла иметь последствий на ход военных действий, потому что место его заступил Витгенштейн, но сие самое сравнение сделалось для нового главнокомандующего пагубным, ибо при падении его начали сравнивать порядок, бывший в армии при жизни Кутузова, подчиненность между генералами и ряд неслыханных успехов с тем, что случилось при приемнике его. Легко заступить место знаменитого мужа, но трудно заменить его.

Граф Милорадович содействовал наиболее к возведению Барклая в главнокомандующие, он мне рассказал в тот самый день, как оно случилось, то есть 13-го мая, следующее. Помещаю собственные слова его.

«Я поехал поутру к графу Витгенштейну и сказал ему: зная благородный образ ваших мыслей, я намерен с вами объясниться откровенно. Беспорядки в армии умножаются ежедневно, все на вас ропщут, благо отечества требует, чтобы назначили на место ваше другого главнокомандующего. «Вы старее меня,— отвечал граф Витгенштейн,— и я охотно буду служить под начальством вашим или другого, кого император на место мое определит». После сего,— продолжал Милорадович,— я поехал к государю, изобразил ему настоящее положение дел и просил его принять лично начальство над армиею, на что император мне сказал: «Я взял на себя управление политических дел, что же касается до военных, то не беру их на себя».— «В таком случае,— отвечал я,— поручите армию Барклаю, он старее всех».— «Он не захочет командовать»,— возразил государь.— «Прикажите ему, ваше величество,— сказал я,— тот изменник, кто в теперешних обстоятельствах осмелится воспротивиться вашей воле».— «Но ты во всяком случае в армии останешься?» — спросил меня император.— «Государь, отвечал я, дайте мне батальон или роту, я и тогда за счастие поставлю доказать вам, что я достоин быть вашим подданным».

После сего любопытного разговора граф Милорадович сказал мне, что одна из самых лестных наград, полученных им в его жизни, состояла из вензелей государевых, пожалованных ему месяца за два за взятие Варшавы и письмо, по сему поводу писанное к нему Кутузовым. Он мне прислал сие письмо, которое ниже сего помещаю, при следующей своеручной записке на французском языке: «Voici la lettre en question que je vous prie de me renvoyer. Votre amitié pour moi m'a inspiré autant de confiance que j'ai de l'estime pour Vous et Vos talents, ayant l'honneur d'être avec ces ventiments de l'amitié que je Vous ait voués depuis Votre enfance»*.

Вот письмо к нему князя Кутузова:

«Милостивый государь Михайло Андреевич!

Император посылает Вашему высокопревосходительству вензловое свое имя на эполеты, отличная служба ваша столько вас приблизила к высочайшему монарху, что сей знак, вам пожалованный, сделался необходимым и вам и для государя» Конин. 9-го февраля 1813-го года.

По прибытии нашем в Швейдниц Барклай был назначен главнокомандующим и немедленно занялся устройством армии. Трудно поверить, если я скажу, что несколько дней он не мог узнать истинного счета оной, сначала полагали ее слишком во сто тысяч, потом в семьдесят, а на поверку вышло, что она состояла из девяноста тысяч. Сие происходило от того, что полки так были перемешаны, что некоторые дивизии и бригады имели полки вовсе к ним непринадлежавшие, другие же полки примыкали к чужим дивизиям, не зная, где отыскать настоящих своих начальников.

Труд сей был облегчен Барклаю перемирием, заключенным на два месяца. Главная квартира наша 25-го мая прибыла в маленький городок Рейхенбах, лежащий в прелестном местоположении, где мы расположились на все лето. В самый день прибытия нашего туда государь пожаловал мне за сражение под Люценом и Бауценом золотую шпагу с надписью «За храбрость».

Перемирие сие, по мнению историков, есть величайшая ошибка, сделанная Наполеоном в продолжении его политической жизни. Я здесь не пишу историю, то и не представлю моих замечаний на сей счет, а скажу только, что для нас оно послужило настоящим основанием побед, одержанных впоследствии, ибо армии наши укомплектовались, заключен был наконец союз с Австрией, и шведские войска вступили в театр войны. Только датский кабинет, в начале сего года обещавший нам содействие, изменил слову своему и приступил к Наполеону, узнавши, что намеревались отдать Норвегию Бернадоту за то, что он в 1812 году не вооружился против России и чтобы его теснее вовлечь в предстоявший поход. В то вре-

---

* Подлинник в собрании моем писем любопытных людей под № 26. «Вот письмо, о котором шла речь; прошу Вас его мне вернуть. Ваша дружба внушает мне доверие, равное уважению к Вам и Вашим талантам, имею честь сохранить те дружеские чувства, что я питал к Вам с самого Вашего детства» (*Примеч. автора*).

мя я познакомился с Мекленбургским принцем Карлом[26], находившимся в нашей службе, он мне рассказал, что государь отправил его из Калиша в Мекленбург для образования там поголовного ополчения против французов и что едва он приступил к исполнению данного ему поручения, как датский король прислал к отцу его, владетельному герцогу, копию с письма, полученного им от государя, в котором император предлагал копенгагенскому двору Мекленбургское герцогство взамен Норвегии. Я помещаю здесь сей анекдот для того, что я сего обстоятельства не нашел ни в одном сочинении.

Государь жил во время перемирия верстах в четырех от Рейхенбаха, в замке Петерсвальде, где происходили дипломатические переговоры, следствием коих было заключение давно желаемого союза с Австрией. Прибытие к нам некоторых цесарских офицеров было для нас радостным явлением, ибо чем медленность венского двора была продолжительнее, тем более мы надеялись, что, оставивши однажды связи с Францией, он будет непоколебим в дружбе своей с нами. После подписания союза император ездил в Богемию для свидания с австрийским монархом, а по возвращении от него провел несколько дней в Трахенберге, в Силезии с наследным шведским принцем и условились с ним о плане военных действий и о разделении всех сил наших на три армии. Главная, составленная из русских, цесарских и прусских войск, под начальством князя Шварценберга, должна была соединиться в Богемии, союзные монархи положили находиться при ней. Северная, под командою Бернадота, из русских, шведских и прусских войск, должна была действовать от Берлина, а Силезская, предводимая Блюхером и состоявшая из русских и прусских, должна была находиться в Силезии. Таким образом государь поступил без всяких честолюбивых видов, не подчинив ни одной из трех армий русскому полководцу, которым назначались второстепенные места. Предлагали его величеству вверить Силезскую армию Барклаю вместо Блюхера, но император отклонил сие и доказал тем, что он в предстоявшей войне искал не газетной славы русскому оружию, но прочного основания для общего мира. Равномерно предлагали самому императору предводительство главной армии, имевшей сосредоточение в Богемии, но и сие было отвергнуто им. Скромность государя и устранение всех личных, самолюбивых видов ручались за искренность его в новом разнонародном союзе, успех коего современники и сам

Наполеон на острове Святой Елены приписали Александру.

Жизнь моя во время перемирия была самая приятная, дел было мало, и я большую часть времени посвящал чтению, найдя в Рейхенбахе книжную лавку, изобильно снабженную сочинениями о государственном хозяйстве, из коих я почерпал материалы для моего кредита и в особенности вникал в систему прусских кредитных постановлений[27]. По вечерам я гулял по прекрасным окрестностям Рейхенбаха. Мои товарищи разъехались пользоваться целебными водами, во множестве находящимися на границе Силезии, и я остался один при князе Волконском, начальнике штаба государевом. С того времени до Аахенского конгресса я был с ним неразлучен. Всего чаще делил я время с Федором Глинкою. Мое знакомство с ним началось по следующему поводу. Граф Милорадович, коего он был адъютантом, поручил ему составить обозрение военных действий его в 1812 и 1813 годах и просил меня пересматривать работу Глинки[28]. Он был исполнен дарований и владел прекрасно русским языком, но не получил систематического образования и не имел понятий об искусстве писать историю. Вместо всяких теорий об истории я ему стал говорить о Юме, Мюллере, Таците, Паруте, показал, с какой точки зрения великие писатели смотрят на происшествия, людей, доблести их и страсти. Слушая меня, Глинка пламенел и клялся посвятить себя учению... но я более распространился бы в похвалах ему, ежели бы он менее хвалил меня в своих Письмах русского офицера[29].

Я имел случай в то время свести знакомство со многими людьми, занимавшими впоследствии блестящие места, например, с графом Каподистрия[30], Поццо ди Борго[31] и Закревским[32]. Первый из них был тогда в чине статского советника, находился при Барклае и не имел другого дела, как с супругою его играть каждый вечер в бостон, Поццо-ди-Борго и Закревский были тогда полковниками и не имели никаких занятий. Никто не подозревал тогда, чтобы сии три лица, из коих первой сделался президентом Греции, второй послом в Париже, а третий министром внутренних дел, когда-либо вышли из среды обыкновенных людей. Бывши в одно воскресение у обедни в Петерсвальде, я встретил там приезжавшего к государю из России последнего любимца Екатерины князя Зубова, который некогда управлял Россиею. Теперь он стоял в толпе придворных и отличался от них только портретом Екатерины, висевшим на его груди. Он был еще в цвете лет, роста среднего и не имел в наружности своей ничего особенного. Государь находился с ним в течении двух последних лет в постоянной переписке, но я думаю, что он не мог забыть, что сей временщик принимал его некогда в Царском селе в халате и в туфлях.

Памятнее всех останется мне барон Штейн. Подробно упоминаю о нем в записках моих о Венском конгрессе. Меня представил ему в Калише князь Кутузов, и он меня полюбил, зная приверженность мою к немецкой земле. Сколь ни возвышены были ум его и дарования, сколь ни беспредельна была его деятельность, но ненависть его к Наполеону и желание восстановить германское отечество ни с чем сравниться не могли. О каком бы предмете он ни говорил, но каждый раз склонял речь на необходимость прогнать французов за Рейн; его совершенно можно уподобить Катону, твердившему о разрушении Карфагена.

Государь имел неограниченную доверенность к Штейну, который знал лучше всех тогдашний театр войны и управлял тайными обществами в Германии. Он был душою дипломатических совещаний и заведывал делами, касавшимися до чужестранных земель, занятых нашими войсками. Он предложил между прочим дать ход в Пруссии нашим ассигнациям, переписка его по сему предмету с канцлером Гарденбергом[33] помещена во втором приложении на странице...[34]

Я теперь буду говорить о таком происшествии, которое хотя и не имеет непосредственной связи с нашим походом, но составляет эпизод оного, относящийся к вечной славе русского народа, о похоронах князя Кутузова. Ежели он оказал незабвенные заслуги России и воскресил подвиги Камилла и Пожарского, то и почести, оказанные бездыханному телу его, конечно, займут место в истории, тем более, что оне были воздаваемы не по наряду или по приказанию, но происходили от беспредельной признательности сограждан его. С прибытия бренных останков его в пределы России народ впрягался под печальную колесницу и вез ее на себе. Излишне говорить о слезах, пролитых на гробе его, и благословениях, возносимых памяти его на пространстве более тысячи верст. Я нигде не находил в истории, чтобы скорбь народная была более, как при сем случае, общая, более единодушная. Вот описание погребения Кутузова, заимствованное слово в слово из письма ко мне очевидца Тургенева, тогда близкого моему сердцу, а теперь преступного, это тот самый, который был одним из главных участников заговора в 1825 году.

«Вы спрашиваете у меня о погребении светлейшего князя. Так, надобно было видеть все, здесь по сему случаю происходившее, чтобы судить о признательности народной к спасителю отечества, ибо сие титло дают ему все, и история конечно не представит примера, когда бы глас народа был столь решителен и столь одинаков. Тело бессмертного покойника находилось долго в Сергиевской пустыне, за 13 верст отсюда. Туда спешил каждый отдать долг почитания и благодарности незабвенному, наконец тело было привезено сюда. За две версты от города лошадей остановили, и народ с нетерпением просил позволения выпрячь их и везти гроб на себе, что и сделал. Все знатные шли за гробом. При заставе народ воскликнул «ура!», и верно великая душа покойного на небесах в среде Суворова и Румянцева слышала сие восклицание, происходившее от восторга, смешавшегося с душевною горестию. Все улицы, где везли фельдмаршала, были наполнены народом, все зрители плакали. Гроб был поставлен на катафалке в Казанском соборе. В пятницу новое печальное празднество занимало каждого жителя Петербурга. По Невскому проспекту с трудом пройти можно было. Я был в церкви при отпевании. В то время, когда гроб был снят с катафалка и понесен в приготовленную в церкви же могилу, яркие лучи солнца ударили из верхнего окна прямо на могилу, прежде же того погода была пасмурная. Таким образом само небо, казалось, принимало участие в сей горести народной и благословило в могилу победителя того, которой, вооружася против человечества, вооружился и против самого бога.

Так тело покойного было предано земле. Горесть была видна на лице каждого, и каждый благославлял память его и с умилением молил бога об умершем. Конечно, спаситель миллионов насладится достойною наградою за заслуги свои в будущей жизни, где нет горести, но где радость чистая и неотравляемая слабостями и пороками людей завистливых и пристрастных.

Желал бы вам прислать что-нибудь из написанного на смерть князя, но по сие время нет еще ничего достойного памяти великого»*.

30-го июля, за неделю до окончания перемирия, на

---

* Подлинное хранится у меня в собрании писем Н. И. Тургенева[35] (*Примеч. автора*).

меня возложили лестное поручение ехать в Прагу и условиться с австрийским правительством о разных статьях, касавшихся до вступления армии нашей в Богемию. Я отправился туда вместе с добрым товарищем моим Дурновым[36], который в 1828 году, будучи генералом, пал славною смертию под Варною. Наша дорога шла через Франкенштейн, Глац, Иозефштат и Кениггрцац, едва мы въехали в пределы Богемии, как были поражены различием, существовавшим между нею и благословенною Силезией; дурные дороги, бедные селения, пашни, обработанные с небрежением, много полей вовсе незасеянных, а в городах грязные улицы, покрытые праздным народом, который с любопытством, свойственным диким, взирал на проезжающих. С другой стороны, богемцы показались нам веселее и говорливее пруссаков, что, равно как бедность первых и благосостояние вторых, происходит от законов. В Пруссии человек свободен и собственность его неприкосновенна, следовательно, он имеет много забот, не помещик его, а он сам должен защищать свои права и сохранять и улучшать свое имущество, ибо плодами трудов его никто посторонний воспользоваться не может. Напротив, в Богемии редкий поселянин имеет свою землю и во многом зависит от помещиков, следственно, ему не о чем думать, он весел, потому что он беспечен, а свободный силезский поселянин угрюм и задумчив, потому что законы, обеспечив личные права его и собственность, возложили на него в то же время и многоразличные обязанности пещися о своем достоянии.

Есть еще другая, не менее сильная причина различия характера силезцев и богемцев, она заключается в нравственной свободе первых и в нравственной неволе последних, ибо сии, по существующему в Австрийской империи гонению на все нововведения, должны обращаться в кругу понятий, приятых им от предков. Можно ли исчислить все оттенки и изменения идей, которые порождает свобода мыслей? Заставляя со вниманием рассматривать каждый предмет и рассуждать об нем, она не дает места для пустоты в жизни человеческой. По сей причине политическое существование вольных народов бывает всегда бурно, и, подавая повод гражданам к беспрерывным размышлениям, оно производит на лицах их вид задумчивый и характер их делает мрачным, чего мы не находим в тех государствах, где законы не позволяют много думать. Так спокойствие может уподобиться безмолвию кладбища, удовлетворение физических потребностей жизни, придворные интриги и ничтожные произведения словесности составляют исключительные занятия граждан.

В Богемии все принимало военный вид, австрийская армия двигалась к границам, и ополчения учились по городам. Нам, русским офицерам, в каждом местечке и в каждом городке, где были цесарские войска, отдавали особенные почести. Хотя правительство еще и не объявило войны французам, но и генералы их, и офицеры принимали нас с несомненными знаками приверженности.

2-го августа, ночью, я приехал в Прагу и отправился на другое утро к генерал-губернатору. Он просил меня занять комнаты во дворце или так называемом Рачине, куда меня отвез граф Лащанский. На улицах и гуляньях все на нас смотрели с тем большим вниманием, что мы застали еще в Праге послов наполеоновых Нарбонна и Коленкура. Через день приехал император Франц и обнародовали манифест о войне, который был принят жителями с некоторою робостью, происходившею без сомнения от двадцатилетних поражений их. Сколько я мог заметить, австрийцы не были довольны назначением князя Шварценберга в главнокомандующие. Они жалели, что не эрцгерцогу Карлу, герою монархии их, поручали сие важное звание. Вечером того же дня прибыл наш государь, его приняли с радостными восклицаниями. Я тут в первой раз имел случай видеть пышный австрийский двор, между вельможами привлекал особенное внимание князь Меттерних, которой и благородною наружностию отличался от прочих.

Жизнь в Праге была самая шумная, особенно после двух мирных месяцев, проведенных в Рейхенбахе во время перемирия. Во дворце имели пребывание два императора, король прусский и множество чиновников, принадлежавших к их свите. День и ночь приезжали от разных корпусов и отрядов адъютанты, курьеры посылались в тысячу различных мест, так что пражский дворец уподоблялся главной квартире.

В то время прибыли в Прагу два знаменитые мужа, один как писатель, другой как полководец, Жомини и Моро. О первом из них я говорю довольно подробно в журнале моем 1815-го года,[37] а здесь скажу только, что мы, русские, несказанно ему обрадовались, ибо все, от государя до последнего офицера, почитали его своим учителем. Напротив, австрийцы, из предубеждения или из гордости, обошлись с ним с самого начала весьма сухо, всегда отвергали советы его и были даже к нему недоверчивы, от чего между ними и генералом Жомини произошла вражда, продолжавшаяся весь поход. Присутствие Моро для них не казалось приятным, потому ли, что они многократно бывали им побеждаемы, или по врожденной у них ненависти к французам, но мы, русские, вообще более прочих европейских народов пристрастные ко всему новому, видели в генерале Моро вящее ручательство победы. Едва государь известился об его прибытии, как предупредил его своим посещением, повел его к австрийскому императору и к королю прусскому и осыпал ласками. С той минуты государь был с ним неразлучен в кабинете и в поле, на переходах Моро находился подле его величества[38].

Прожив шесть дней в Праге, мы выступили к Дрездену в намерении стать на путь сообщений неприятельских. Государь всегда ехал при войсках верхом. Несколько дней мы проходили горы, отделяющие Богемию от Саксонии, и 13-го августа увидели Дрезден, а впереди оного несколько французских колонн. Государь хотел, чтобы немедленно атаковали их, ибо цель нашего движения состояла в овладении столицею Саксонии, ключом операционной линии неприятелей. Но мнение государя, которое по всем соображениям должно было увенчаться успехом, ибо Наполеон с главными силами своими находился в Силезии против Блюхера, а в Дрездене оставался малочисленный гарнизон, встретило противоречие в австрийцах. Они утверждали необходимость обождать прибытия остальных войск их, которые по причине бесчисленных обозов своих находились еще позади, в теснинах гор. Австрийцы до такой степени были напуганы французами, что они хотя ясно видели малочисленность своих неприятелей, но не решались атаковать их, пока не подоспеют все наши силы. День прошел в сих пустых прениях, государь, с коим Моро и Жомини были одного мнения, не мог убедить австрийцев, и положили, чтобы на следующий день в четыре часа пополудни произвести атаку на Дрезден, то есть предоставляли Наполеону, полководцу необыкновенной деятельности, сутки времени, чтобы поспешить на помощь маршалу Сен-Сиру, находившемуся в Дрездене. Упрямство австрийцев и систематической их медленности никакими красками описать нельзя, и хотя они дорого за нее платили в прежних своих походах, но были неизлечимы.

На другое утро, 14-го августа, армия наша обложила Дрезден. То было единственное в своем роде зрелище! Нас находилось почти двести тысяч человек, которые выстраивались на высотах: многочисленность войск наших составляла настоящий лес из колонн. Однако же между генералами союзных войск не было ни одного, могущего давать надлежащее направление многочисленным полчищам и быть душою их. Сам Моро, взирая на них, бледнел, и ему труд сей казался подвигом, превышающим силы человеческие! Всего неприятнее был недостаток в единоначалии, ибо тут присутствовали три монарха и каждый окружен советниками, подававшими мнения, не редко противоречащие, а главнокомандующий князь Шварценберг не имел довольно веса, чтобы согласовать всех и принять такие меры, которые бы всех удовлетворили. Место, где стояли монархи с штабом своим и конвоем, уподоблялось шумному народному совещанию. Какая разница представлялась с войною 1812-го года, где бывало один князь Кутузов, сидя на скамейке, возносил голос свой; около него царствовала тишина, и горе тому, кто без вызова его предлагал совет.

Наконец, в пятом часу пополудни, многочисленная артиллерия двинулась вперед со всех сторон и тысячи ядер и бомб полетели на Дрезден, но уже было поздно, ибо Наполеон подоспел на помощь к осажденному городу и нам видно было, как густые колонны его спускались с гор, лежащих по ту сторону Эльбы. Пока оне не вступили в дело, поверхность была на нашей стороне, мы завладели некоторыми предместьями города, но под вечер неприятели высыпали из форштатов и сделали отчаянный отпор, вследствии которого наши войска возвратились на те возвышения, откуда днем спускались для произведения атаки. Ружейный огонь продолжался до ночи и во мраке уподоблялся фейерверку. Государь оставался очень долго на поле сражения, пока пальба утихла и заблистали тысячи огней, разложенных нашими и неприятельскими войсками, окрестности Дрездена казались в пламени.

В глубокой темноте мы приехали в замок Нетниц, где государь расположился ночевать. Я пошел к начальнику моему князю Волконскому, у него застал я зятя его князя Репнина и генерала Моро, все они были утомлены и отменно голодны и поручили мне достать что-либо съестное. По счастии, я отыскал в подвале замка, уже прежде нашего приезда австрийцами ограбленного, миску с кислым молоком, которая была принята с величайшей благодарностью. Князя Волконского позвали к государю, и мы остались трое, князь Репнин, Моро и я. Вечер этот останется мне навсегда памятен, ибо, утоливши голод, мы провели до двух часов ночи в разговорах с Моро.

Знаменитый полководец, на другой день смертельно раненый, был столько благосклонен, что позволил мне предлагать ему разные вопросы. Особенно желал я знать мнение его о знаменитом противнике его, Суворове. Невзирая на усталость и на то, что часа через три опять надлежало садиться верхом, чтобы ехать в дело, я успел записать некоторые ответы его, о коих ниже сего будет упомянуто. Потом я с трудом отыскал комнату в замке для ночлега, но в ней стекла и окна были выбиты. Поднялась ужасная буря, и полился сильный дождь, казалось, облака над нами разразились, но я, завернувшись в шинель, уснул в углу горницы так покойно, как на мягком ложе.

15-го августа, в пятом часу утра, мы были уже с государем верхом на возвышении, обе армии стояли на самом близком расстоянии и, казалось, ожидали, не прояснится ли погода, но дождь не переставал литься рекою. Через час загремели орудия. Меня послали к Австрийскому генералу маркизу Шателеру[39], бывшему некогда генерал-квартирмейстером при Суворове, и приказали доносить о действиях его корпуса. Почтенный муж сей принял меня очень ласково, предложил вина и закуску. Он был один из самых опытных и образованных цесарских генералов; пока дело не началось в его корпусе, он объяснял мне свои предположения и наставлял меня как сына, хотя тут в первый раз меня видел.

Вообще, сколько я ни встречался с отличными полководцами, все они принимали участие в молодых офицерах и желали им, так сказать, передать свою опытность, а опытность военного есть неоцененное сокровище, приобретаемое реками крови человеческой. Вскоре он приказал артиллерийскому офицеру, подле него находившемуся, податься вперед и открыть огонь. Батарея тронулась, но, когда начала сниматься с передков, два орудия опрокинулись. Немцы не суетясь их подняли и без торопливости стали прицеливаться и стрелять. Каждое ядро попадало, и полет каждого канонеры сопровождали шутками. Австрийцы не трусы и не храбры по-нашему, то есть не мечутся вперед, не шумят, у начальников не видно пены у рта, как случается у нас, но флегматически исполняют свой долг, побеждают и отдаются в плен с одинаковым равнодушием.

Шателер отбивал успешно атаки, противу него деланные, и часу в десятом отправил меня с донесением к государю, которого я застал у разложенного огня. Все были вымочены и дрожали, укутавшись в плащи, только Милорадович стоял в одном мундире, одетый щеголем, как будто готовясь ехать на бал. Между тем дела наши ежеминутно становились хуже, левое крыло наше было совсем опрокинуто, и на лицах австрийцев, которые не более как за десять дней вступили в поход, уже начертывалась безнадежность.

Между тем меня еще раза два посылали с различными приказаниями. Я едва мог ехать шагом, лощадь моя вязла в тучном черноземе, растворенном проливным дождем, а вихрь не позволял и в самой близи различать предметы. Возвратившись в часу в третьем к государю, я застал все в величайшем смятении, ибо за несколько минут перед тем ядро оторвало обе ноги у генерала Моро, стоявшего возле государя. Это была последняя улыбка фортуны Наполеону! К счастию, небо сохранило императора. Заметя, что лошадь его ударяла ногой о камень, лежавший на земле, он немного ее поворотил в сторону, а Моро только что встал на то место, где государь довольно долго находился, как роковое ядро сразило его.

Между тем неприятели возобновили нападения на наши фланги. Чтобы приостановить их, государь велел русским резервам, стоявшим в совершенном бездействии и только напрасно терявшим людей от французских батарей, спуститься с гор и атаковать неприятеля. Милорадович начал уже гренадерам переменять фронт правым флангом назад, как явился Шварценберг с велеречивым возражением об опасности сего движения и приехал Барклай-де-Толли. Он начал доказывать, что в случае, ежели оно будет безуспешно, мы лишимся всей артиллерии, которую по причине грязи нельзя будет опять взвести на горы, забывая, что то орудие, которое сделало по неприятелю несколько удачных выстрелов, уже тем самым достаточно окупилось, хотя бы оно после того и было потеряно. Убеждения их подействовали. В то же время получили донесение о появлении неприятельского корпуса на нашем правом фланге, чем Наполеон угрожал отрезать нас от Богемии. На австрийцев нашел панический страх, они все считали погибшим и вероятно в мыслях уже видели Наполеона в третий раз в Вене. Шварценберг тотчас предложил отступить в Богемию. Государь противился его мнению, возражая весьма справедливо, что в грязи и непроходимых дефилеях Эрцгебирга мы потеряем артиллерию и обозы, а возобнови сражение на другой день, потери наши — полагая даже, что мы и будем разбиты — не могут быть столь значительны, как при отступлении в бурное время по крутым горам. Ничто не превозмогло малодушия австрийцев. Сверх того они объявили, что у них оказался недостаток в продовольствии и зарядах, которые находились в Богемии и могли сделаться добычею неприятелей. Император с сокрушенным сердцем принужден был согласиться на их представления, ибо они только что не договорили, что они в противном случае отстанут от союза своего с нами.

Отступление началось в сумерки. Дождь не переставал литься, дороги с каждым шагом становились непроходимее, войска были обессилены, целые батальоны австрийские отдавались в плен, бесчисленные обозы их увязли в грязи, они бросали пушки и зарядные ящики, и неудовольствие между ними и нашими солдатами и офицерами — а под словом нашими я разумею и пруссаков — явно обнаружилось, ибо в течение десятидневного союза нашего мы были с ними в беспрестанных спорах и никак не могли согласиться во мнениях.

Нам назначено было собраться на ночлег в городок Дипольдисвальде, в темноте я растерялся с товарищами и, не зная дороги, ехал наудачу. Подобной ночи еще не запомню! Почти двухсоттысячная, расстроенная и изнуренная армия отступала в непроницаемом мраке, при сильном вихре и дожде, имея грязь по колени, только и слышны были вопли раненых и ругательства, произносимые почти на всех языках европейских, ибо, как известно, австрийская армия состоит из немцев, венгерцев, поляков, богемцев, итальянцев и других. Приехавши, так сказать ощупью, ночью в Дипольдисвальде, я встретил одного сослуживца, который имел способность находить хорошие квартиры: через несколько минут я лежал на мягком пуховике и не знал меры моему счастию. Чаша пуншевая пошла кругом, и вместо сна начался хохот и веселие.

В следующий день мы проходили горы, и тут показалась во всем превосходстве наша артиллерия. По крутым извилистым тропинкам взвозили ее на высоты почти без затруднения, как будто по ровному месту, между тем как австрийские орудия и зарядные ящики, а особенно их обозы останавливались на каждом шагу.

На третий день, 17-го августа, назначен был ночлег в Теплице. Мы все еще ехали горами, я был вдвоем с князем Волконским, мы своротили вправо, чтобы взглянуть на проходившие там войска. Вдруг послышались выстрелы.

Мы сперва сочли это за арьергардное дело, но канонада час от часу усиливалась; взобравшись на крутой утес, нам представилась прелестная картина. Вправо, в плодоносной долине, лежал Теплиц, влево цепь крутых гор, по которым тянулась многочисленная армия в разных направлениях, а у подошвы их происходило сражение, то самое, которое увековечило нашу гвардию и известно под именем Кульмского. По причине крутизны гор нам нельзя было с них спускаться иначе как шагом, и мы приехали уже к окончанию дела, груды неприятельских тел покрывали поле.

Под вечер мы прибыли в Теплиц, где рассказывали разные подробности о бывшем того дня деле. Когда герою Кульмского боя графу Остерману врачи отнимали руку, он сказал: «Не о чем жалеть, у меня осталась правая рука, и я могу делать ею знамение креста». Один из моих приятелей, барон Диест[40], в тот день особенно отличился. Увидя опасность, в которой находилась гвардия, он подъехал к одному отряду и повел его в дело именем государя, хотя на то не имел никакого повеления. Георгиевский крест был наградою за подвиг, которым он показал, что природа создала его полководцем. К сожалению, пруссаки по заключении мира переманили его в свою службу.

Мы никогда еще лучше не воспользовались обстоятельствами, как в то время, ибо заметя, что неприятельский корпус слишком далеко зашел в Богемию, сделана была в ту же ночь диспозиция для нападения на него на другое утро, что и исполнили. Наконец, небо прояснилось, и 18-го августа на рассвете прекраснейшего дня государь отправился из Теплица на высокую гору, на которой находятся огромные развалины старинного рыцарского замка. Отсюда как на ладони открылись все окрестности, усеянные войсками и корпус Вандама, расположенный на косогоре. Вскоре началась атака. Превосходство наше в силах не позволяло ни на один час сомневаться в успехе. Государь спустился с горы в то мгновение, когда в тылу неприятелей показался прусский генерал Клейст. Французы приняли его сперва за подкрепления, шедшие к ним из Дрездена, но коль скоро они уверились в противном, смятение сделалось у них общим, и в непродолжительном времени весь корпус их смешался и представил бесчисленную толпу людей. Бросаемы во все стороны, они рассеялись по горам и карабкались на утесы; преследование их уподоблялось звериной травле, некоторым удалось прорваться сквозь пруссаков, но большая часть сделалась добычей победителей, равно как и все знамена и артиллерия французов; зарядные ящики, обозы и множество трупов покрывали все поле. Между тем пленные проходили целыми колоннами мимо императора, имея офицеров во взводах, а впереди полковников и майоров. Наконец показался издали и французский главнокомандующий Вандам. Завидя государя, он сошел с лошади и поцеловал ее. Его величество сначала принял его с важностью, но когда Вандам сделал масонский знак, император сказал ему: «Я облегчу сколько можно вашу участь». Едва отвели его в Теплиц, прискакал курьер от Блюхера с донесением о победе, одержанной им при Кацбахе, «ура!» раздавалось повсюду.

Государь объезжал все поле и оказывал раненым возможное пособие. Он благодарил полки за храбрость и приветствуем был громогласными восклицаниями. Радость изображалась на лице его, это было первое совершенное поражение врагов, при котором он лично присутствовал. Ежели ничто не может сравниться с чувством, исполняющим душу нашу на победоносном поле битвы, ибо каждый празднует торжество отечества и видит честолюбие свое удовлетворенным, потому что каждый воин имеет право почитать себя участником в успехе и виновником оного, то тем более этот день был радостен для Александра, который для великого дела освобождения Европы не знал меры своим пожертвованиям. Он до конца жизни своей говаривал об нем с особенным удовольствием, и хотя он впоследствии одерживал победы, несравнимо значительнейшие, но Кульмское сражение было для него всегда любимым предметом воспоминания.

Возвращаясь в Теплиц, мы встречали на дороге повозки с нашими ранеными. Император подъезжал к ним, благодарил их, спрашивал о нуждах и называл своими сотоварищами. Как после сего военным было не боготворить Александра! Он делил с ними и непогоды и опасности, знал лично даже многих штаб-офицеров, а сраженным на поле битвы являлся в виде ангела-утешителя. Вечером государь приказал мне находиться при пленных генералах Вандаме и Аксо[41] до отправления их на другой день в Россию, но лихорадочный припадок, следствие простуды, не позволил мне принять сего поручения и познакомиться с сими двумя отличными военными.

Мы прожили в Теплице недель шесть, в которые несколько раз были дела, неприятели то спускались с Богемских гор, то отходили назад. Усилившаяся боль в про-

стрелянной руке моей в Тарутине и от контузии, полученной в Люценском сражении, вынудила меня обратиться
к пособию врачей. Они сказали, что сама судьба благоприятствовала мне, приведя меня в Теплиц, коего цели-
тельные воды были для меня наилучшим лекарством. Я
начал пользоваться ими и получил облегчение. Между тем
я продолжал составлять военный журнал, и государь, зная
состояние раненой моей правой руки, позволил мне при-
сылать к нему черновой мой журнал, который он соб-
ственноручно каждый вечер почти исправлял. Многие
листы журнала с его поправками сохраняются у меня до
сих пор[42]. 15-го сентября, в день коронации государя,
шестьдесят полковников пожалованы были в генерал-
майоры. Некто сказал, что это значило разменять Моро на
мелкую монету. В этом же приказе меня произвели за
отличие в капитаны.

В первые дни нашего возвращения в Богемию из-под
Дрездена скончался генерал Моро. Помещаю здесь
статью, мною об нем писанную; я напечатал ее в первый
раз в 3-м номере «Русского Вестника» 1817-го года[43].

О ГЕНЕРАЛЕ МОРО В РУССКОЙ АРМИИ

Приезд генерала Моро в русскую армию есть одно из
любопытных происшествий нашего времени. Хотя он не
имел случая блеснуть своими воинскими дарованиями
и погиб без пользы, но пребывание его посреди нас важно,
как поступок человека, занимающего почетное место в
истории.

Моро приобрел столь великую славу подвигами своими
и благородным поведением в революционную войну, что
вся Европа приняла участие в жребии его, когда он был
осужден на изгнание из Франции. Наполеон, избавясь в
нем соперника, не знал меры своим честолюбивым видам;
он покорял одно государство за другим. Полководцы,
которых ему противопоставляли, были разбиваемы, и
наконец, когда владычество его становилось час от часу
нестерпимее, император Александр пригласил Моро к
себе, желая пользоваться советами его.

Он приехал в нашу главную квартиру в Прагу 4-го
августа 1813 года, в то время, когда армия, выйдя из
Силезии, где она была расположена во время перемирия,
вступила в Богемию с тем намерением, чтобы перейти
на левый берег Эльбы и стать на сообщениях неприятелей,
сосредоточенных в Дрездене. На сей мысли основан был
предпринятый в половине августа марш к сему городу,

а потом в начале октября к Лейпцигу. Итак, план похода был утвержден, и войска двигались по данному им направлению к Дрездену, когда приехал Моро. Следовательно, он не имел никакого влияния как на составление сего плана, так и на приведение его в исполнение, потому что все прежде него было решено и устроено. Невзирая на то, иные, а особенно иностранцы, полагают, что он способствовал успеху сего похода, что без его предначертаний не одержали бы мы тех побед, которые увенчали наше оружие, и что даже самым занятием Парижа обязаны мы его советам. Соображая кратковременное пребывание его у нас, ибо его ранили смертельно через 10 дней после его приезда, и то, что прежде его все было решено, явствует, что присутствие его у нас не имело никаких последствий. Смерть его послужила токмо к увеличению торжества Наполеона.

Трудно судить о человеке, находящемся не в своем кругу, с людьми ему незнакомыми, которых обычаи и нравы ему неизвестны; для него все ново и странно, так как и его присутствие всем кажется необыкновенным. Если сие замечание справедливо о частных лицах, то оно имеет еще более веса в отношении к полководцам, ни об одном из них нельзя сказать что-либо утвердительное, если он не имеет диктаторской власти над предводимыми им войсками. «От чего был Аннибал разбит?» — спросил Суворов. От того, отвечали ему, что в Карфагене был гофкригсрат. Потому, хотя я видел Моро ежедневно во время пребывания его в нашей армии, я слыхал рассуждение его о походе нашем и движениях неприятеля, но не могу сказать об нем ничего утвердительного; я остался при тех мыслях, что для сего надобно бы мне было видеть его не в главной квартире русских, но под Гогенлинденом или во время отступления его через черный лес. Я жалел, что не имел случая узнать всех свойств соперника Суворова, уважавшего Моро. Я приметил в нем только одну черту, а именно, привязанность его к неблагодарному его отечеству. Однажды, рассуждая о взаимном положении армий, он сказал: «Неприятели могут сделать такое-то движение, — и вдруг, переменясь в лице, он произнес громким голосом: — Боже мой! я называю их неприятелями, а между ними есть может быть пятьдесят тысяч воинов, с которыми я сражался вместе!» В другой раз, беседуя с Жомини, он произнес сии слова: «Генерал! вы и я сделали дурачество, ни вам и ни мне не надлежало бы быть здесь». Когда 13-го августа мы подошли к Дрездену и впервые увидели две неприятельские колонны, стоявшие вне города, Моро, лишь только их заметил, вдруг сказал: «Вот войска, которые я так часто водил к победе!»

В тот самый день, возвратясь поздно из дела, ужинал я вместе с Моро в замке Нетниц, и, когда все разошлись и нас осталось только трое, он, князь Н. Г. Репнин и я, я спросил мнение его о Суворове. Вот собственные слова его: «Суворов есть один из величайших генералов, никто лучше его не умел оживлять войска, никто не имел большего воинского характера; но ошибка его состояла в том, что он слишком растягивал силы свои и что его легко можно было обмануть ложными движениями» (il donnoit dans chaque démonstration). «Как сравните вы Суворова с Наполеоном!» — спросил я.— «Сих двух полководцев никто не превзошел в военном искусстве,— отвечал Моро,— но я полагаю, что с равными силами Наполеон остался бы победителем».— «Какой есть по вашему мнению,— продолжал я,— лучший подвиг Суворова в Итальийском походе?» — «Сражение при Нови и Требии,— отвечал он,— а особенно марш к Требии, который есть изящнейшее произведение военного искусства» (c'est le sublime de l'art militaire).

В исходе сентября месяца прибыла в Богемию армия, формировавшаяся в Польше под начальством Беннигсена, в ожидании которой мы так долго прожили в Теплице. По прибытии Беннигсена мы немедленно выступили в Саксонию, чтобы опять стать на линии сообщений неприятельских так, как нами то сделано было в августе месяце, с тою разницею, что положили идти не к Дрездену, а к Лейпцигу, где положено было соединиться с Бернадотом и Блюхером. Мы надеялись тем более на успех, что в продолжение расположения главных сил наших при Теплице к нам прибыла в подкрепление целая армия и неприятелю нанесены были чувствительные удары, под Кульмом, при Кацбахе и при Денневице, отчего мысль о мнимой непобедимости Наполеона, даже и у самых робких союзников наших, начала исчезать.

Мариенберг был первый саксонский городок, в который мы вошли. Взглянув на опрятность отведенного нам дома и увидя в нем книги и эстампы, нам не трудно было догадаться, что мы уже не находимся в непросвещенной Богемии. Из Мариенберга мы потянулись на Хемниц и Альтенбург, где мы на несколько дней остановились. Поход наш был медленный, и мы шли с осторожностью, потому что мы готовились дать такое сражение, от которого должна была зависеть участь Европы. Для государя отведен был в Альтенбурге замок герцога Саксен-Готского, выстроенный на высокой горе, откуда по захождении солнца видны были тысячи огней, разложенных нашими войсками.

В один вечер, когда шел проливной дождь, государь, стоя с нами у окна замка и смотря на огни, сказал: «Что армия должна переносить в такую бурную ночь! Как же мне не любить военных и не предпочитать их штатским? Я сих последних вижу иногда из окон Зимнего дворца, как они, уснув на мягкой постели, часу в одиннадцатом идут по бульвару к своим должностям, а военные? Как можно сравнить их службу со штатскою?»

Выждав в Альтенбурге сосредоточение наших сил и известия от наследного шведского принца и Блюхера, мы двинулись 2-го октября через Борну к Лейпцигу, а между тем ежедневно были сшибки между нашею конницею и французскою, только что пришедшею из Испании и почитавшеюся лучшею в неприятельской армии, она оспаривала у нас каждый шаг, но принуждена была отступать. Наконец, 4-го октября положено было атаковать неприятеля. Государь рано поутру приехал на поле, когда еще повсюду царствовала глубокая тишина, вдруг раздался первый сигнальный выстрел из тяжелого неприятельского орудия, как вестник предстоящего грома. Многочисленная свита монархов замолчала; Милорадович, обращаясь к императору, сказал: «Неприятель приветствует приезд вашего величества»,— и шутка сия, произнесенная кстати, заставила всех улыбнуться.

В то время происходил спор между государем и князем Шварценбергом, которого поддерживали австрийские генералы. Надобно знать, что к югу от Лейпцига, по левую сторону нашей позиции, течет речка Плейса и, соединившись тут с речкою Эльстером, образует угол, в который австрийцы хотели поставить главные наши силы, пренебрегая тем обстоятельством, что из сего места войска не иначе могли бы выступать для нападения на неприятелей, как только по двум дурным мостам, находившимся почти против средины расположения французской армии. Князь Шварценберг приказал было уже войскам занимать сию позицию, но государь, видя, что убеждения его не действовали на него и что погибель сей части армии была неизбежна, решительно ему объявил, что фельдмаршал властен отряжать туда цесарцев, но что он не позволит ни одному русскому полку там стать. Во время сего спора, сделавшегося довольно жарким, император Франц и король прусский молчали, как будто посторонние, делая только изредка ничего незначащие замечания и соглашаясь попеременно то с Александром, то с Шварценбергом, каждый настоял на своем, государь не велел ни одному нашему батальону идти на другой берег Плейсы, а австрийцы повели туда свои войска. Они дорого заплатили за свое упрямство: едва они начали у деревень Конневиц и Делиц переправляться через мосты, о которых я выше упомянул, как они были с великою потерею опрокинуты и находившийся там корпусный командир и один из старших цесарских генералов Мерфельд взят был в плен, а в продолжении сражения они вывели сами из сего угла часть войск, чем справедливость мнения нашего монарха подтвердилась. Вообще, сколько я ни видал государя, рассуждавшего о военных делах на поле, его мнения были самые основательные и дальновидные, но в нем была какая-то недоверчивость к самому себе, и он имел тот недостаток для военного человека, что он не скоро узнавал местное положение поля сражения, или, говоря техническим выражением, он с трудом мог ориентироваться.

При начале сражения мне дали поручение ехать назад навстречу одному австрийскому корпусу и известить его, чтобы он как можно скорее поспешал в дело. Я проехал более десяти верст, но никого еще не видал, наконец, появились вдали австрийские маркитанты. От них узнал я, что корпус не в дальнем расстоянии. Я поскакал к нему и застал войска, спокойно сидящие за кашею, я объявил командовавшему генералу приказание спешить. Невзирая на это и на ужасную пушечную пальбу, слышанную весьма ясно, он отвечал хладнокровно, что он еще поспеет, и не дал приказания войскам торопиться.

Я возвратился к государю в самую критическую минуту, когда неприятели, сделав отчаянное нападение на деревню Госсу, оттеснили наши колонны. Против французов послали гвардейскую легкую конную дивизию, но и та была опрокинута. Многочисленная неприятельская конница, прорвав наш центр, была в самом близком расстоянии от императора. Все окружавшие его величество содрогнулись. Я смотрел нарочно в лицо государю, он не смешался ни на одно мгновение и, приказав сам находившимся в его конвое лейб-казакам ударить на французских кирасир, отъехал назад не более как шагов на пятнадцать. Положение императора было тем опаснее, что позади него находился длинный и глубокий овраг, через который не было моста. Граф Орлов-Денисов понесся впереди лейб-казаков, они врубились с удивительною храбростью и через несколько минут смяли несравненно превосходивших их числом неприятелей. Французы возвратились опрометью к своей пехоте, густые облака пыли скрыли их бегство. После того сильная пушечная пальба продолжалась до вечера.

Следующий день прошел с нашей стороны в приготовлениях к решительному нападению и ожидании армии Беннигсена и нескольких австрийских дивизий. К вечеру они присоединились, после чего мы обложили почти кругом неприятелей, ибо с северной части подошел шведский наследный принц в подкрепление Блюхеру и, перейдя с ним вместе речку Парту, примкнул к нашему правому крылу. Государь весь день был на поле, занимаясь лично распоряжениями к бою, ибо в самом деле он начальствовал армиями, а не кто другой, к князю Шварценбергу потеряли доверенность, а прочие два монарха ни во что не вступались.

Александр, ознакомившись в течении двух месяцев с австрийцами, уже не оказывал им такой уступчивости, как в начале союза своего с ними, при разногласиях он твердо настаивал в своих мнениях. Пруссаки во всем ему покорялись, и сами австрийцы, признавая его возвышенные дарования и отвержение его всяких личных, честолюбивых видов, начинали его слушаться, тем более, что присоединение к нам армий Беннигсена, Бернадота и Блюхера увеличивало число войск, непосредственно зависевших от распоряжений государя, истинного Агамемнона великой брани.

6-го октября, поутру прекраснейшего осеннего дня, повсюду загремела артиллерия, однако же общее на всех пунктах нападение с нашей стороны началось часу в одиннадцатом. В новейшей истории мы не находим ни одного сражения, в котором было с обеих воюющих сторон до полумиллиона солдат. Взор терялся в бесчисленности наших войск, подвигавшихся в величайшем порядке на полукружии к Лейпцигу, как к средоточию. В одном месте атаковали деревни, обходили их с боков, в другом действовали цепи застрельщиков на полянах и в пролесках, там конные полки неслись в атаку, вдали резервы с распущенными знаменами готовились нанести решительный удар. Более тысячи орудий громили неприятелей, можно сказать без всякого преувеличения, что земля стонала.

Государь переезжал с одной высоты на другую, подаваясь ближе и ближе вперед по трупам тел неприятельских. Он неоднократно подвергался опасности, особенно при продолжительном нападении на Пробстгейду, где множество ядер летали через него. Одно упало весьма близко от императора, ему советовали отъехать, но он сказал любимую свою пословицу: «Одной беды не бывает, посмотрите, сейчас прилетит другое ядро». Действительно, не успел он произнести сих слов, зажужжала граната и обломками ранило несколько конвойных солдат. Австрийский император и король прусский были неразлучны с государем, к которому беспрестанно приезжали адъютанты от разных корпусных командиров и от армий Беннигсена, шведского принца и Блюхера. С открытия похода они действовали тут впервые совокупно с главною или Богемскою армией и все старались отличаться наперерыв одна перед другими. Но самым радостным вестником был начальник саксонских войск, передавшийся к нам часу в третьем. Он явился к государю, который, как легко можно себе вообразить, превозносил патриотизм его; с сей минуты дела неприятелей были уже совершенно в отчаянном положении.

Русские дрались с обыкновенною своею храбростью, но не с тем остервенением, как при Бородине; это естественно: на берегах Колочи дело шло о том, быть или не быть святой Руси! Цесарцы не изменялись в своем хладнокровии, но пруссаки казались убежденными в той мысли, что в сей день надлежало им довершить восстановление отечества их от чужеземного ига. Относительно до французов, то им с самого утра было уже не до победы. Наполеон остановился в невыгодной для него позиции при Лейпциге, имея речку и дефилею позади себя, в надежде на перемирие, которого он накануне просил, но, получивши отказ, он сражался, чтобы иметь возможность отступить безопасно. Не токмо ему, как опытному полководцу, но и для всякого очевидна была несоразмерность сил его в сравнении с союзниками, ибо поле установлено было густыми колоннами нашими в несколько линий, готовых сменять и подкреплять одна другую. Спасению своему в тот день французы обязаны скоро наступившей темноте.

Бесчисленное множество огней заблистали вокруг Лейпцига, союзники ликовали, тишина была в лагере неприятельском. Безмолвие сие привело мне на мысль разницу между сим торжественным для нас вечером и ночью, предшествовавшею Бородинскому сражению, когда высоко пылали костры, зажженные перед биваками неприятелей, и слышны нам были шумные восклицания их. Они тогда мечтали, что наставал день, в который довершится владычество их над Европою, а теперь, посреди сей же самой Европы, нанесен был им смертельный удар. И этот переворот счастия случился с небольшим в один год!

С рассветом 7-го октября государь объезжал войска, благодарил их и ободрял колонны, шедшие на приступ, ибо французы в ночи оставили все деревни, которые они защищали накануне, и отступили к предместьям Лейпцига. Все окрестности были усеяны трупами неприятельскими, множеством обозов, зарядных ящиков, подбитых лафетов и всякого рода оружием. Император поворотил немного вправо, где стояли шведы. Прекрасное состояние полков их и мундиры их имели нечто особенное от союзных войск. Для русских было радостным явлением, что сей искони неприязненный к нам народ, наконец, принужден был сражаться под нашими знаменами, ибо от прозорливости Бернадота, которого я тут впервые увидел, не могло сокрыться, что будущая участь его и семейства его зависела от большей или меньшей покорности его в сие время воли Александра.

Часу в десятом наши подступили к городу, сопротивление продолжалось, предместия доставались уже в руки союзников, и государь, желая избегнуть ужасного кровопролития, неминуемо сопряженного с приступом, послал генерала Толя к королю Саксонскому предложить ему сдаться со всеми войсками, находившимися в Лейпциге, и объявить, что в противном случае император и за самую жизнь короля не ручается. Около полудня государь въехал в Лейпциг не при звуке труб и литавр, но под ружейные выстрелы французов, которые еще дрались в улицах. Пули летали около государя, и, чтобы очистить город, император отправил вперед верных своих лейб-казаков. Я был послан вслед за ними за городские ворота, где представилось мне ужаснейшее бегство неприятелей, рассыпавшихся как стадо овец вдоль берегов Плейсы и Эльстера, через которые они искали спасения, ибо в ту минуту французские инженеры, постигнутые паническим страхом, взорвали мост гораздо ранее, нежели им сделать надлежало, от чего целые корпуса их со всеми своими начальниками, оставшись на нашем берегу, достались нам в плен.

Возвратясь в город, я застал на площади государя, окруженного генералами всех союзных армий, которые поздравляли его величество и взаимно друг друга с совершенною победою; сотни орудий и тридцать тысяч пленных были трофеями нашими. На сей площади представляли государю пленных генералов, в том числе двух корпусных командиров Ренье и Лористона, бывшего последним послом наполеоновым в России. Император обошелся с ним особенно милостиво и приказал князю Репнину, вскоре назначенному губернатором Саксонии, печься, чтобы Лористон ни в чем не имел недостатка и делать ему даже угождения. Окна огромных домов, стоящих на сей площади и имеющих этажей по восьми, наполнены были восхищенными жителями, они приветствовали нас восклицаниями, телодвижениями, платками, многие рыдали от радости, а из нижних жильев предлагали нам закуски и вино. «Виват!» и «ура!» заглушали слух наш. У одного окна показался король Саксонский, государь, приметя его, отворотился.

Французские пленные были без оружия, но войска разных князей Рейнского союза, саксонские, баварские, баденские и другие, стояли вдоль улиц в полном вооружении. Смотря на мундиры их, которые мы привыкли видеть издавна в рядах наших неприятелей, трудно было принимать их за союзников наших.

Наконец, государь поехал в дом, назначенный для его величества. Тут каждый рассказывал какую-нибудь подробность о минувшем сражении, беспрерывно приходили генералы и офицеры австрийские, прусские, шведские и других держав. Условились, каким образом продолжать дальнейшие действия; нам с главною армией назначено было остаться день в Лейпциге для отдыха и потом идти параллельно, преследовать неприятеля.

Вечером, когда все начало утихать, я ходил по улицам, покрытым тысячами пленных, говоривших на всех языках европейских, это было подобие вавилонского столпотворения. Природные французские пленные совсем упали духом. Испытав с половины августа месяца несколько поражений, они казались довольными, что плен исторгал их от верной смерти. Русские солдаты и в победе и при неудаче неизменны, но французы с некоторого времени, отчаясь победить, сделались столько же малодушны, сколько они были надменны и наглы, когда им счастие улыбалось. Увидя одного французского офицера плачущего, я подошел к нему, утешал его и предлагал ему услуги, но он отвечал:

«Мне помочь никто не может, на сих днях представляют комедию моего сочинения на одном парижском театре, и я, находясь в неволе, не могу уже узнать, как она будет принята публикой». В полночь государь выслал из своего кабинета список генералов и офицеров, находившихся при нем во время последних сражений, с отметкою награждений каждому из них. Мне пожалован был орден Святой Анны 2-ой степени.

8-го октября, желая осмотреть университетскую библиотеку, я с трудом нашел ключи к ней. Начальник ее, профессор Бек, не мог довольно надивиться, что на другой день кровопролитнейшего из сражений я, русский офицер, сказал ему, что хочу в библиотеке отдохнуть от воинских трудов. Действительно, увидя себя в сем святилище наук, которые я всегда почитаю пристанью моей жизни, как мне было не радоваться, что я остался невредим после столь многих опасностей. Царствовавшее в огромных залах библиотеки молчание было истинным душевным бальзамом после грома, которым слух мой был поражен в последние дни.

Я хотел после того навестить некоторых лейпцигских ученых, но профессор Бек[44] сказал мне, что я их найду в таком испуге от бывших сражений, что вряд ли что-либо услышу от них удовлетворительного. «Все они,— сказал он,— озабочены теперь постоями. Один Платнер был в сии смутные дни настоящим стоиком». «Итак, я пойду к Платнеру»,— отвечал я.

Я нашел в нем старца лет семидесяти, еще бодрого телом, но коего душевные силы уже ослабевали. Все внимание его было обращено на политические происшествия, к которым он беспрерывно склонял речь, сколько я ни старался заговаривать о словесности и науках, в чем к концу моего посещения я отчасти и успел. «Шеллинг и Фихте,— сказал он,— философы, но они дураки: оба хотят жить в каком-то идеальном мире, которого не существует. Истинный философ должен приспособлять заключения свои к делу, к нашему свету, без того все рассуждения и умствования останутся бреднями. Из новейших философов я предпочитаю Бутервека[45], особенно его последнее сочинение под названием «Исповеди», где он сознается в прежних своих заблуждениях».

9-го октября мы пошли в поход, ночевали в Цейце и на другой день прибыли в Ену, где мне отвели квартиру у одного профессора. Добрые ученые благословляли небо, что военная буря, от которой они за семь лет так много пострадали, нынешнего года прошла мимо их. Невзирая на близость театра войны, лекции не прерывались и только прекратились в те два дня, когда наша главная квартира была в Ене. Хозяин мой, профессор, желая меня угостить, повел меня в университетскую библиотеку, заключающую до 50-ти тысяч книг. Это для германского университета немного и происходит от того, что в Ене нет капитала, определенного для покупки книг, которые умножаются добровольными пожертвованиями.

Через два дня мы выступили в Веймар. Легче вообразить, нежели описать свидание императора с великою княгинею Марией Павловной. Во время владычества французов в Германии она не оставляла своего семейства и подвержена была многим неприятностям со стороны безнравственных французских чиновников. Некоторые из них, рожденные посреди черни развращенного своего отечества, забывая высокую породу великой княгини и ее положение, позволяли себе в ея присутствии непристойные шутки насчет России. Каково это было переносить ей, воспитанной при дворе великой Екатерины!

Наполеон не остановился в Эрфурте, но спешил к Готе, было очевидно, что по сю сторону Рейна они уже не отважатся на сражение. Вследствии того государь с главною армиею пошел 14-го октября из Веймара к Тюрингенскому лесу через Кранихфельд и Арнштат, маленькой, красивый городок. Жители повсюду встречали нас как избавителей своих и не знали, как лучше нас угостить; миловидные немки играли на фортепиано, пели и поминутно спрашивали о значении разных русских слов. В Арнштате жила дочь великого археолога Гейне, коего расположением я пользовался в Геттингене. Мы вспоминали с нею о ненависти к французам знаменитого ея родителя, и я привел ей следующие слова из одной записки его ко мне, писанной в 1809 году в следствие разговора нашего, в котором Гейне с жаром, свойственным человеку, проведшему семьдесят лет в изучении древности, восставал против увезения из классической Италии в Париж произведений изящных искусств. Он писал ко мне: «Рим останется всегда Римом, и Париж никогда не будет Римом»*. Слова сии сделались пророческими в настоящих обстоятельствах,

---

* Записка сия сохраняется между геттингенскими моими бумагами[46] (*Примеч. автора*).

когда французы бежали из Германии, как за двадцать почти веков перед тем Варрон с остатками своих легионов после поражения, нанесенного ему Арминием.

15-го и 16-го октября мы проходили через Тюрингенский дремучий лес, по крутым горам, которые были покрыты снегом, и видели голые скалы, пещеры, водопады, развалины рыцарских замков и множество картинных местоположений. Страна сия, носящая на каждом шагу отпечатки дикой природы, являет также в полной мере торжество трудолюбия и образованности немцев: в местах по-видимому пустынных и непроходимых возделали они тучные нивы и завели всякого рода изделия. На каждом шагу деревни, и что селение, то новой род промышленности, здесь делают ружья, куют сабли и шпаги, прядут шерсть, ткут полотна, вырезают на камне и на стали, изготовляют писчую бумагу и кожи, пилят на мельницах лес и добывают металл из недр земли. Праздных людей кажется не существует, все за делом и веселы, румянец играет на щеках всех. Мы ночевали посреди глухого леса в городке Суле, лежащем между высокими горами, с коих открываются прелестные виды и где устроены разные гулянья. Хозяин моего дома, заметя из речей моих любопытство ознакомиться более с сим краем, который по первому на него взгляду назначен для обиталища зверей, сказал, что он удовлетворит оному. Он ознакомил меня с советником саксен-готской службы Гофом, который вместе с приятелем своим Якобсом издал описание Тюрингенского леса в четырех частях и подарил мне на память свое сочинение.

Мы вышли из лесов близь красивого городка Мейнунгена. В нем не более четырех тысяч жителей, но он заключает в себе картинную галлерею, монетный кабинет, собрание эстампов и библиотеку, состоящую из 20-ти тысяч книг. Эти признаки просвещения суть следствие протестантского исповедания, коего разницу с католическим мы вскоре увидели, ибо пойдя из Мейнунгена к Вирцбургу по краю, обитаемому католиками, и останавливаясь для ночлегов в домах зажиточных людей, мы находили их в несравненно меньшей чистоте, нежели дома простых протестантских крестьян. На одном из сих переходов, в Мюнерштате, австрийский император прислал к государю несколько орденов для генералов и офицеров, находившихся при его величестве в Лейпцигском сражении. Мне пожалован был крест Леопольда третьей степени. Граф Милорадович, узнав о сем, снял с себя знак сего ордена, который он давно уже имел, и просил меня принять оной от него на память.

21-го октября в Мюнерштате же мы узнали о поражении, претерпенном баварцами под Ганау, где Вреде хотел им преградить возвратный путь во Францию, то было подобие Березинского дела. Вреде и Чичагов имели одинаковую неудачу. Государь вознамерился прежде всех союзников своих привести русских на Рейн и потому приказал нашей армии и главной своей квартире идти усиленными маршами, не останавливаясь, до Франкфурта-на-Майне. Большая часть моих товарищей отправились в колясках, но я предпочел верховую езду. Переходы бывали верст по сороку и более, однако же я не знал усталости, потому что был один и совершенно свободен, ехал прекрасною мостовою по изобильному краю Германии и беспрестанно встречал деревни, города и красивые местоположения. Я переправлялся через Майн подле Вирцбурга, откуда выходили толпы любопытных смотреть на русских, которые в сих местах никогда прежде не бывали.

Отсюда мы пошли в Ашафенбург. Невзирая на трудный поход, я не преминул, однако же, посетить два любопытных предмета, находящиеся в сем городе: публичное гулянье и библиотеку. Первое расположено на крутом берегу Майна. Я взобрался на него, день склонялся к вечеру, и сквозь легкий сумрак я видел плодоноснейшие поля, пересекаемые вековыми тополевыми аллеями. Майн извивался в излучистых берегах около виноградных гор, уютных загородных домиков и множества селений, веял прохладный ветер и доносил ко мне звуки баварской полковой музыки, гремевшей около замка, где остановился государь, ибо тут мы встретили впервые новых союзников наших, баварцев[47]. Государь осыпал их ласками и главнокомандующему их Вреде пожаловал орден св. Георгия второй степени, вероятно, для того, чтобы он скорее забыл орден почетного легиона.

На следующее утро я осматривал библиотеку. Она принадлежала главе разрушавшегося тогда Рейнского союза, принцу Примасу, который испытал много превратностей: из частных людей он сделался монархом и с престола сошел в монастырь, но германские музы будут его помнить как одного из покровителей своих, этот род славы прочнее других. Библиотека вмещает в себе более 20 тысяч книг, относящихся до наук, художеств и словесности на разных языках. По всем частям выбрано самое лучшее, и книги переплетены прекрасно, я еще не видывал столь нарядной библиотеки. Безценною делает ее позволение каждому ею пользоваться, благодетельное обыкновение сие существует почти во всей Германии. Тут же я нашел богатое собрание гравюр с картин лучших живописцев. Некто форштмейстер Биллин, служивший мне вожатым по Ашафенбургу, отсоветывал мне идти в университет. «Библиотека не заслуживает внимания,— сказал он,— и в университете только сто пятьдесят студентов». Для германской академии такое число учащихся ничтожно.

В Ашафенбурге я опять переправился через Майн и приехал через Офенбах в Франкфурт 24-го октября, в ту самую минуту, когда государь вступал туда в торжестве, предводительствуя лично своею гвардиею. Он ехал шагом перед кирасирскими полками и был первый раз в кавалергардском мундире. Диктатор Европы являлся у пределов Франции с видом кротости, которою он побеждал сердца всех. Союзники наши и жители изумились, увидя, что русские столь поспешно прибыли из Лейпцига, а еще более увидя гвардию нашу после утомительных форсированных маршей во всем блеске ея, не заметно было усталости ни на одном человеке. Близость неприятельских границ от Франкфурта, ибо расстояние между ними не более тридцати верст, и частые сношения с Парижем сего города подавали нам повод заключать, в справедливости чего мы скоро и удостоверились, что посреди бесчисленных зрителей, коими наполнены были все улицы, находились и наполеоновы лазутчики. Пусть же, думали мы, злодеи России видят собственными глазами, что царь ея с верными своими дружинами перенесся в один год с берегов Нары на берега Рейна. По окончании парада император остановился в приготовленном для него доме на улице Цейль.

С прибытием во Франкфурт кончился поход в Германии, и она была освобождена от французского ига, ибо неприятели удалились на левый берег Рейна, оставя по сю сторону арьергард у Гохгейма, но и тот в скором времени был прогнан. Мы пробыли более месяца во Франкфурте, то есть с 24-го октября до 29-го ноября. В то время город сей, сделавшись средоточием политических дел Европы, наполнялся приезжавшими из всей Германии принцами. Я видел в приемных комнатах императора и королей, и владетелей, лишенных французами престолов своих, и членов рейнского союза, которые незадолго еще отправляли войска свои против России. Австрийцы и пруссаки могли иметь к ним более или менее притязаний, но за беспристрастие Александра ручалось могущество его. Они видели в России державу, которой не нужно было расширять свои пределы на их счет, а потому все обращались к государю, как к новому солнцу, воссиявшему на горизонте отечества их. Армия наша расположилась на выгодных кантонир-квартирах вдоль Рейна, а между тем начались дипломатические переговоры. Времени предоставлено обнаружить, искреннее ли были желание мира со стороны воюющих сторон, или делаемы были предложения взаимно друг другу только для выигрывания времени, по крайней мере, я знаю, что государь не намерен был мириться с Наполеоном, не побывав в Париже, что он почитал необходимым для чести русского имени. Он не хотел даже долго останавливаться на Рейне, а идти прямо в Париж зимою, но союзники наши как будто оробели при виде границ Франции, вероятно, от неудачных покушений их в прежние войны. Наконец, все согласились с императором и после долгих прений решились начать наступательные действия таким образом, чтобы главной армии идти к швейцарским границам.

Я провел во Франкфурте отменно приятно время. Отношения мои по службе ознакомили меня со многими знаменитыми людьми. Меня узнали монархи, министры и полководцы. Свободные минуты я проводил в кругу друзей, между которыми занимал тогда первое место Николай Тургенев. Барон Штейн, управлявший землями, занятыми нашими войсками в Германии, выписал его по просьбе моей к себе из Петербурга. Он жил со мною в одной комнате, и можно посудить, сколь сладостно нам было с ним мечтать о тех годах, которые мы проводили вместе в немецкой земле в горестных для нее обстоятельствах. Нас посещал почти каждый вечер Батюшков[48]. Стихи его до сих пор неподражаемы по чистоте слога, нежности чувств и благородству мыслей. Кроткий в обращении, скромный, как девица, осторожный в суждениях, он принадлежал к тем людям, коих души имеют нужду в сильных потрясениях. Когда заключали мир, он, скучая однообразностью занятий, выходил в отставку, но при объявлении войны летел к знаменам, бился храбро, что свидетельствуют раны его, но сражался не из честолюбия, а для того, что походы, сражения, биваки воспламеняли его воображение и представляли ему новую пищу, новые картины. Все, воспетое на очаровательной лире его, было зеркалом чистой души его; это не вымыслы поддельные, но создания глубоко перечувствованные. Сколько раз глубокая ночь заставала нас в дружеских беседах, прелести коих немало содействовал столетний рейнвейн, которым изобильно подчивал нас из зеленых рюмок хозяин моего дома Бенак, имевший около Рюдесгейма виноградные сады. Иногда оживляла наши вечера семнадцатилетняя племянница его пением своим и гитарою.

Король прусский пожаловал мне в то время орден военного достоинства, и так как я в день получения его был не совсем здоров, то дежурный генерал Селявин прислал мне следующие стихи, подшучивая в них на тот счет, что я за Лейпцигское сражение получил в три недели три ордена:

Молва мне говорит,
Что вас пур-ле-мерит
Доводит до могилы.
Рецепт врача готов:
Вновь пять иль шесть крестов
Дадут вам новы силы.

Приятнее всех наград были медали за 1812-й год, привезенные из России во Франкфурт и которые мы в сем городе надели: оне составили, подобно масонским знакам, какую-то дружескую, братскую связь между русскими военными. Хотя мы были в союзе со всею Европою, но медали напоминали о времени, когда сии же самые европейские державы, за год перед тем, склоняся под железный скипетр деспота, намеревались оттеснить нас в Азию, когда мы были одни, оставленные на произвол собственных сил наших. Когда пламенели и Смоленск, и Москва, но не устрашился Александр и не дрогнули сердца русские.

29-го ноября я простился с Франкфуртом, прелестными его окрестностями и казино, не имевшим подобных в Европе, и пошел с армиею к Базелю. Этот поход был ни что иное, как военная прогулка. Поздняя осень, холодные дожди, порывистые ветры, усиленные марши — все забывалось по вечерам в кругу веселых товарищей, в виду пылающих каминов, и на другое утро с оживленными силами мы опять садились верхом. В первый день мы ночевали в прекрасном Дармштате. Нас приглашали к герцогу на вечер, и я не могу забыть удивления придворного чиновника, приехавшего звать нас. Когда он отворил двери, мы так хохотали, что не были в состоянии ни отвечать ему, ни слышать его приглашения. Ребяческая веселость наша произошла от того, что нам отвели дом одного ученого ассесора Кудера, который поместил нас в холодной своей библиотеке. Долго не могли мы добиться дров, наконец, один из нас нашел к тому средство; он сложил множество фолиантов в камине, потом призвал хозяина и начал ему объяснять самым дурным изломанным немецким языком, который он очень слабо знал, что за недостатком дров зажжет фолианты и тысячи других находившихся тут книг. Разумеется, мы не допустили бы до такого вандализма, но хозяин, приняв угрозы за настоящее, в испуге начал тоже коверкать немецкий язык, в намерении с нами объясниться, ибо он не подозревал, что мы знали по-немецки. Через несколько минут принесли дрова, и мы, поблагодарив герцога за его приглашение, предпочли остаться дома, потому что на другой день нам надлежало идти в Гейдельберг форсированным маршем. Переход сей заключался в восьми милях или пятидесяти шести верстах. Марш был утомителен менее по пространству, нежели по ненастному времени. Невзирая на усталость, прибыв поздно вечером в Гейдельберг, я не мог отказать себе в удовольствии зайти в кофейный дом, желая взглянуть на студентов и привести себе на память годы моей независимости.

На следующее утро мы отправились в Карлсруэ, где мы прожили с неделю скучно и почти без дела. Император выезжал только по утрам смотреть проходившие войска и проводил время с тещею своею марк-графинею Баденскою и ея семейством. Из угождения к ней он желал, чтобы главная квартира его сколь можно была менее обременительна для города, а потому нас разместили по трактирам, где надобно было за все платить. Почти беспрестанно шел снег, и, когда солнце проглядывало, мы спешили в прекрасный зверинец, гулянье в нем составляло все наше удовольствие. Жители мало с нами знакомились, вероятно, из опасения, чтобы не отмстили им за то французы, коих возвращения они опасались.

Здесь император известился, что австрийцы, без ведома его, вступили в нейтральную Швейцарию, как будто бы нельзя было им в другом месте навести мост на Рейне. Такое нарушение народного права, для восстановления коего государь вел настоящую войну, было ему до такой степени прискорбно, что он сказал при получении о том донесения: «Это один из самых неприятных дней в моей жизни!»

Наконец, мы с радостью оставили Карлсруэ и перешли в Фрейбург, где мы прожили около двух недель в ожидании сосредоточения армии. Балы следовали один за другим, и государю угодно было, чтобы мы являлись на них щеголями. Мне отвели квартиру у барона Бранденштейна. Ему и супруге его было лет по семидесяти, и сия чета могла служить образцом всех старинных феодальных германских предрассудков. Слуги и знакомые их были почти их сверстниками, в доме их соблюдался этикет века Золотой буллы. Они с сожалением говаривали, смотря на нас, что для них странно, что государь окружен детьми. Приготовляясь вступить во Францию, каждый из нас запасался картами и планами нового театра войны, и все нетерпеливо желали увидеть землю, которую с давних лет гувернеры наши представляли нам как Эльдорадо.

При начале нового похода печатаются обыкновенно приказы к войскам, почему и государь отдал приказ во Фрейбурге. Какая разница между ним и тем приказом, которым Наполеон на Немане возвещал армии своей о войне с нами! В каждой строчке дышат высокомерие и самохвальство, которых без смеха нельзя читать. «Солдаты,— говорит Наполеон,— Россия увлекается роком! Судьба ея должна исполниться! Неужели почитает она нас переменившимися? Разве мы не воины Аустерлица? Перейдем Неман, внесем войну в пределы России: война сия прославит оружие французское, и мир, который мы заключим, будет прочен и положит конец пагубному влиянию России на дела Европы»[49].

Послушаем теперь слова Александра при вступлении его во Францию: «Воины! мужество и храбрость ваша привели вас от Оки на Рейн. Они ведут нас далее: мы переходим за оный, вступаем в пределы той земли, с которою ведем кровопролитную, жестокую войну. Мы уже спасли, прославили отечество свое, возвратили Европе свободу ея и независимость. Остается увенчать подвиг сей желаемым миром. Да водворится на всем шаре земном спокойствие и тишина! Да будет каждое царство под единою собственного правительства своего властию и законами благополучно! Да процветают в каждой земле, ко всеобщему благоденствию народов вера, язык, науки, художества и торговля! Сие есть намерение наше, а не продолжение брани и разорения. Неприятели, вступая в средину царства нашего, нанесли нам много зла, но и претерпели за оное страшную казнь. Гнев божий поразил их. Не уподобимся им: человеколюбивому богу не может быть угодно бесчеловечие и зверство. Забудем дела их, понесем к ним не месть и злобу, но дружелюбие и простертую для примирения руку»[50].

26-го декабря мы выступили из Фрейбурга в Базель. Погода была прекрасная, и я ехал верст сорок настоящим садом до деревни Шлинген, где был наш ночлег. Мне отвели квартиру на водяной мукомольной мельнице, здесь я нашел опрятную комнату и кровать с чистыми занавесами. После первых приветствий мельник спросил меня, не хочу ли я читать газеты? Предоставляю охотникам до политической арифметики решить задачу, во сколько лет Россия достигнет до того, что мельники наши будут получать ведомости и, следственно, принимать участие в том, что происходит в свете?

На другой день мы продолжали наш поход и проходили под стенами крепости Гюнингена, занятой неприятелем; французы стояли на валу и смотрели на наши густые колонны, покрывавшие окрестные поля. В полдень 27-го декабря я вступил в пределы Швейцарии, в том самом городе, где за четыре года перед тем я кончил мое путешествие по сей республике. Мы прожили здесь до 1-го января, потому что государю угодно было в новый год перейти Рейн, так как ровно за год, в этот самый день он переправлялся через Неман.

Здесь оканчиваю записки незабвенного для меня похода в 1813-м году. Я провел его самым приятным образом, находился в образованнейшей стране Европы; в кругу отличных людей, любим товарищами, уважаем начальниками, получил чин штаб-офицера, три русские и два иностранные ордена и, что лестнее всего, сделался известен государю, который нередко лично удостаивал меня различными повелениями. Стечение столь благоприятных обстоятельств заставляло забывать труды, пренебрегать усталостью, не разлучными с войною. Не имея большой ответственности, я не знал и забот, более нежели труды изнуряющих силы. Свободные минуты я посвящал учению и сделал выписки из тридцати трех сочинений, прочтенных в сем походе.

ПРИМЕЧАНИЯ

Дневники настоящего издания выявлены в Отделах рукописей Государственной библиотеки им. В. И. Ленина и Государственной публичной библиотеки им. М. Е. Салтыкова-Щедрина, в Архиве АН СССР и ЦГВИА СССР.

Источниками публикации их текста послужили автографы и авторизованные копии. Они печатаются по современной орфографии с сохранением некоторых языковых особенностей эпохи. Это тем более важно для письменных памятников начала XIX в. с их не вполне устоявшимся правописанием, когда еще были в обиходе речевые традиции XVIII в. и острые споры о языке окрашивались в идеологические тона, а потому те или иные орфографические формы наполнялись нередко определенным **значением** — социальным, бытовым, литературно-стилистическим и т. д. Тем самым читатель может отчасти представить себе реальную манеру речи людей 1812 г., услышать их живые, не стертые последующей нивелировкой голоса — это также элемент культуры той эпохи, для нас далеко не безразличный.

Дневник Н. Д. Дурново, веденный на французском языке, публикуется в русском переводе. Иноязычные выражения в тексте дневников выделяются полужирным шрифтом, а их переводы даны под строкой. Имена и географические названия русских оригиналов даются в их написании, переводов — в современной транскрипции. Авторские подчеркивания смыслового характера выделяются курсивом. Отточия в тексте дневников не оговариваются. Авторские сокращения имен, отчеств, фамилий, титулов, чинов, географических и этнических наименований и т. д. в необходимых случаях раскрываются без оговорок. Равным образом не оговариваются явные неисправности текста (пропуски букв, недописанные окончания, описки и т. д.). Восстановленные слова или части слов, пропущенные или утраченные в оригиналах, заключены в угловые скобки <...>.

Дневники публикуются по дате первой записи. Название месяца, независимо от его расположения в тексте, указывается один раз в виде подзаголовка. Каждая поденная запись дается по возможности с абзаца.

Переводы иноязычных текстов в «Журнале» А. И. Михайловского-Данилевского выполнены при участии К. М. Азадовского, в «Военном журнале» А. А. Щербинина — С. Г. Нелиповича.

Наиболее существенные для понимания исторического смысла дневников сведения приведены в предпосланных им вступительных статьях. В примечаниях разъясняются очевидные ошибки и неточности авторов дневников и некоторые их тексты, содержащие ранее не известную информацию. Ход сражений, боевых маневров и вообще военная сторона кампаний 1812—1814 гг. ввиду наличия обширной военно-исторической литературы не комментируется. Основное место в примечаниях занимают краткие биографические данные об упоминаемых в дневниках лицах, ограниченные эпохой 1812 г. С этой целью в ЦГВИА СССР были обследованы формулярные списки русских офицеров, главным образом квартирмейстерских, материал которых впервые вводится здесь в оборот.

Примечания составлены: к дневникам Н. Д. Дурново и И. П. Липранди — А. Г. Тартаковским, к дневнику Д. М. Волконского — В. Н. Сажиным и А. Г. Тартаковским, к «Журналу» В. В. Вяземского — С. В. Шумихиным, к «Военному журналу» А. А. Щербинина — А. В. Вальковичем, к «Журналу» А. И. Михайловского-Данилевского — Л. И. Бучиной и А. Г. Тартаковским. Формулярные списки выявлены А. М. Вальковичем.

Участники издания выражают благодарность сотрудникам указанных выше архивохранилищ за содействие в разыскании рукописей дневников, заведующей Отделом публикации ЦГВИА СССР Л. Я. Сает за помощь в их археографическом оформлении, члену Военно-исторической комиссии Исторической секции ВООПИиК А. М. Горшману, В. А. Мильчиной, В. П. Морозову за консультации в разыскании биографических сведений об упоминаемых в дневниках лицах.

Н. Д. ДУРНОВО. ДНЕВНИК 1812 г.
(ОР ГБЛ, ф. 95, № 9535)

[1] *Константин Павлович* (1779—1831), великий князь, брат Александра I, в начале Отечественной войны командовал Гвардейским корпусом, за интриги против М. Б. Барклая-де-Толли в августе 1812 г. был удален им из армии, вернулся в Главную квартиру в середине ноября, с конца 1812 г. командовал резервными войсками.

[2] *Сухтелен Петр Корнильевич* (1751—1836), барон, выходец из Голландии на русской службе, инженер-генерал-лейтенант, с 1801 г. генерал-квартирмейстер русской армии. С декабря 1809 по сентябрь 1811 и с марта 1812 по апрель 1813 г. находился с особой миссией в Швеции, выполняя обязанности посланника.

[3] *Волконский Петр Михайлович* (1776—1852), князь, генерал-лейтенант, с 1810 г. управляющий квартирмейстерской частью русской армии, с декабря 1812 г. начальник Главного штаба при М. И. Кутузове, после его смерти — при Александре I.

⁴ *Зубова Елизавета Васильевна* (1742—1813), графиня, мать братьев Д. А. и П. А. Зубовых.

⁵ *Зубова Елизавета Дмитриевна* (ум. 1862), графиня, дочь Д. А. Зубова, вышедшая в феврале 1812 г. замуж за Г. В. Розена.

⁶ *Розен Григорий Владимирович* (1782—1841), барон, генерал-майор, в 1812 г. командовал арьергардными частями 1-й Западной армии.

⁷ *Жандр Александр Андреевич*, полковник лейб-гвардии Конного полка, адъютант великого князя Константина Павловича (с 1807 г.), в 1813 г. произведен в генерал-майоры.

⁸ *Зубова Прасковья Александровна* (1772—1835), графиня, урожденная Вяземская, жена Д. А. Зубова.

⁹ *Серра-Каприола Антуан Мареско* (1750—1828), герцог, в 1801—1807 гг. посланник Королевства Обеих Сицилий в России, в 1808—1812 гг. жил в Петербурге на положении частного лица, с августа 1812 по 1822 г. вновь занимал пост посланника.

¹⁰ *Пенский Платон Иванович* (р. 1775), полковник свиты е. и. в. по квартирмейстерской части, начальник чертежного топографического отделения, в феврале 1812 г. командирован в Резервный корпус генерал-лейтенанта Ф. Ф. Эртеля.

¹¹ *Эйхен 2-й, Федор Яковлевич* (1773—1847), полковник свиты е. и. в. по квартирмейстерской части, в 1812 г. начальник секретной канцелярии генерал-квартирмейстера 1-й Западной армии К. Ф. Толля.

¹² *Демидов Григорий Александрович* (1765—1827), гофмейстер, троюродный брат Н. Д. Дурново.

¹³ Очевидно, имеется в виду Михаил Петрович Путятин (1778—1836), полковник, двоюродный брат А. И. и Н. И. Тургеневых, в первые годы XIX в. женатый на троюродной сестре Н. Д. Дурново — Александре Петровне Демидовой.

¹⁴ *Солдан (Солдаен) Христофор Федорович* (р. 1784), выходец из Голландии, с 1803 г. на русской службе, в 1812 г. ротмистр лейб-гвардии Конного полка, с 1814 г. полковник.

¹⁵ Вероятно, имеется в виду Кусов Иван Васильевич (1750—1819), петербургский купец, коммерции советник, один из основателей Российско-Американской компании, известный своей благотворительностью.

¹⁶ *Екатерина Павловна* (1786—1819), великая княгиня, сестра Александра I, жена принца Георга Ольденбургского.

¹⁷ *Деллинсгаузен Иван Федорович* (р. 1792), прапорщик свиты е. и. в. по квартирмейстерской части, с октября подпоручик, с декабря 1813 г. поручик, в 1812 г. прикомандирован к штабу 2-й Западной армии.

¹⁸ *Лукаш Николай Евгеньевич* (р. 1791), колонновожатый свиты е.и.в. по квартирмейстерской части, с 27 января 1812 г. прапорщик, с октября 1812 г. подпоручик, с сентября 1813 г. поручик.

[19] *Перовский 2-й, Василий Алексеевич* (1795—1857), колонно-вожатый свиты е.и.в. по квартирмейстерской части, с 27 января 1812 г. прапорщик, с 22 июля подпоручик, при оставлении Москвы взят французами в плен, из которого освобожден в марте 1814 г. Член Союза благоденствия и Военного общества декабристов.

[20] *Опперман Карл Иванович* (1765—1831), генерал-лейтенант, инспектор инженерного корпуса, с октября 1812 г. по март 1813 г. находился при штабе М. И. Кутузова, в 1813 г. руководил осадой Торна, затем начальник штаба Польской армии.

[21] *Бауер (Боур) Карл Федорович* (1762—1812), генерал-майор, командир кавалерийской бригады в Швейцарском походе А. В. Суворова, в кампании 1805 г. шеф Павлоградского гусарского полка, командующий кавалерийской дивизией в походе корпуса С. Ф. Голицына в Австрию 1809 г., с конца того же года в отставке.

[22] *Елизавета Алексеевна* (1779—1826), императрица, жена Александра I.

[23] *Жомини Антон-Генрих* (1779—1869), военный теоретик и историк, бригадный генерал французской армии, участник похода в Россию, в 1813 г. начальник штаба корпуса Нея, в августе перешел на русскую службу, генерал-лейтенант, состоял советником Александра I. Н. Д. Дурново имеет в виду военно-теоретический труд Жомини «Трактат о больших военных операциях» («Traité des grandes opérations des guerres militaires», t. I—II, P., 1804—1807).

[24] Возможно, имеется в виду Ададуров Алексей Петрович (1758—1835), занимавший видные придворные посты, воспитатель Александра I, с его воцарением пожалованный в шталмейстеры.

[25] *Орлов Михаил Федорович* (1788—1842), поручик Кавалергардского полка, с 1810 г. адъютант П. М. Волконского, с 2 июля 1812 г. штабс-ротмистр и флигель-адъютант, отличился во многих сражениях кампаний 1812—1814 гг., командовал партизанскими отрядами, в апреле 1814 г. за участие во взятии Парижа произведен в генерал-майоры, член Союза благоденствия и глава Кишиневской организации тайного общества декабристов.

[26] *Левшин 2-й, Александр Павлович*, штабс-капитан лейб-гвардии Егерского полка, сын тетки Н. Д. Дурново — М. Н. Левшиной, убит 26 августа 1812 г. в Бородинском сражении.

[27] *Щербинин Александр Андреевич.*— См. настоящее издание, с. 242—300.

[28] *Рамбург Иван Александрович* (р. 1793), колонновожатый свиты е. и. в. по квартирмейстерской части, с 27 января 1812 г. прапорщик, с августа подпоручик, был прикомандирован к штабу 3-й Западной армии, с февраля 1813 г. состоял при П. М. Волконском.

[29] *Мезонфор,* маркиз (р. 1791), поручик свиты е. и. в. по квартирмейстерской части, весной 1812 г. находился при русском дипломати-

ческом представителе в Швеции П. К. Сухтелене, участвовал в боевых действиях 1812 и 1813 гг.

[30] *Дурново Николай Дмитриевич* (1733—1815), генерал-аншеф, сенатор, генерал-кригс-комиссар, с 1797 г. в отставке.

[31] Очевидно, имеется в виду Свистунов Николай Петрович (1770—1815), камергер, директор департамента в Министерстве полиции, отец декабриста П. Н. Свистунова.

[32] *Селявин Николай Иванович* (1774—1833), полковник свиты е.и.в., с октября 1813 г. генерал-майор, с 29 декабря 1812 г. дежурный генерал Главного штаба русских армий.

[33] *Колычев Сергей Васильевич* (1791—1836), квартирмейстерский офицер, в 1812 г. находился в арьергардных войсках М. И. Платова, затем в партизанских отрядах А. С. Фигнера и А. Н. Сеславина.

[34] Имеется в виду генерал от инфантерии М. Б. Барклай-де-Толли (1761—1818), занимавший пост военного министра с января 1810 г.

[35] *Муравьев 5-й, Михаил Николаевич* (1796—1866), колонновожатый свиты е.и.в. по квартирмейстерской части, с 27 января 1812 г. прапорщик, с марта 1813 г. подпоручик. В начале Отечественной войны состоял при штабе 1-й Западной армии, с конца августа — при Л. Л. Беннигсен, в походе 1813 г.— при П. М. Волконском, член Союза спасения и Союза благоденствия.

[36] *Голицын 2-й, Михаил Михайлович* (1793—1856), князь, колонновожатый свиты е.и.в. по квартирмейстерской части, с 27 января 1812 г. прапорщик, состоял при штабе 4-го пехотного корпуса, в 1813 г.— при 8-м пехотном корпусе.

[37] *Зинковский (Зиньковский) Алексей Дмитриевич* (р. 1790), колонновожатый свиты е.и.в. квартирмейстерской части, с 27 января 1812 г. прапорщик, с декабря подпоручик.

[38] *Апраксин Владимир Степанович* (1796—1837), граф, колонновожатый свиты е.и.в. по квартирмейстерской части, с 27 января 1812 г. прапорщик, с ноября 1813 г. подпоручик.

[39] *Дитмарх (Дитмарс) Евгард Иоантонович* (р. 1792), колонновожатый свиты е.и.в. по квартирмейстерской части, с 27 января 1812 г. прапорщик, в 1812—1813 гг. состоял при 4-й кавалерийской дивизии.

[40] *Мейендорф 2-й, Егор Казимирович* (р. 1795), барон, колонновожатый свиты е.и.в. по квартирмейстерской части, с 27 января 1812 г. прапорщик, с октября 1812 г. подпоручик, состоял при штабе корпуса П. Х. Витгенштейна, с сентября 1813 г. поручик.

[41] *Цветков Василий Никитич* (р. 1785), колонновожатый свиты е.и.в. по квартирмейстерской части, с 27 января 1812 г. прапорщик, с января 1813 г. подпоручик, с ноября поручик.

[42] *Строганов Александр Павлович* (1794—1814), граф, сын П. А. Строганова, колонновожатый свиты е.и.в. по квартирмейстерской части, с 27 января 1812 г. прапорщик, с ноября 1813 г. подпоручик, в феврале 1814 г. убит под Краоном.

^{43} *Мейендорф 1-й, Егор Федорович* (р. 1794), барон, колонновожатый свиты е.и.в. по квартирмейстерской части, с 27 января прапорщик, с августа (по другим сведениям — с октября) подпоручик, состоял при штабе 3-го пехотного корпуса.

^{44} *Глазов Иван Яковлевич* (р. 1793), с ноября 1810 г. колонновожатый свиты е. и. в. по квартирмейстерской части, с 27 января 1812 г. прапорщик, с декабря подпоручик, состоял при К. Ф. Толе, с сентября 1813 г. поручик.

^{45} *Фаленберг Петр Иванович* (1791—1873), колонновожатый свиты е.и.в. по квартирмейстерской части, с 27 января 1812 г. прапорщик, с января 1813 г. подпоручик, в Отечественную войну был прикомандирован к 15-й пехотной дивизии 3-й Западной армии, член Южного общества.

^{46} *Данненберг 2-й, Петр Андреевич* (1792—1872), колонновожатый свиты е.и.в. по квартирмейстерской части, с 27 января 1812 г. прапорщик, с декабря 1812 г. подпоручик, состоял при 24-й пехотной дивизии, с сентября 1813 г. поручик.

^{47} *Перовский 1-й, Лев Алексеевич* (1792—1856), колонновожатый свиты е.и.в. по квартирмейстерской части, с 27 января 1812 г. прапорщик, с октября подпоручик, с сентября 1813 г. поручик.

^{48} *Муравьев 3-й, Артамон Захарович* (1794—1846), колонновожатый свиты е.и.в. по квартирмейстерской части, с 27 января 1812 г. поручик, тогда же прикомандирован к штабу Дунайской армии, в составе которой участвовал в Отечественной войне, член Союза благоденствия и Южного общества.

^{49} *Серра-Каприола Никола Мареска* (1790—1870), герцог, сын итальянского дипломата А. Серра-Каприолы от его брака с А. А. Вяземской, дочерью екатерининского генерал-прокурора А. А. Вяземского.

^{50} *Сен-Симон Луи де Рувруа* (1675—1755), французский политический деятель и писатель, автор обширнейших «Мемуаров», оказавших влияние на развитие европейской мемуарной литературы XIX в. Выдержки из «Мемуаров» Сен-Симона печатались в 1788—1789 гг., полностью опубликованы в 21 томе в 1829—1831 гг.

^{51} *Гурьев Дмитрий Александрович* (1751—1825), граф, в 1810—1823 гг. министр финансов.

^{52} *Толь Карл Федорович* (1777—1842), полковник, с ноября 1812 г. генерал-майор, ведал 2-м отделением генерал-квартирмейстерской канцелярии, с конца июня 1812 г. генерал-квартирмейстер 1-й Западной армии, с начала сентября генерал-квартирмейстер штаба М. И. Кутузова, после его смерти генерал-квартирмейстер Главного штаба Александра I, с августа 1813 г. генерал-квартирмейстер при штабе К. Ф. Шварценберга, после Лейпцигского сражения генерал-лейтенант.

^{53} *Лаваль Иван Степанович* (1761—1846), французский эмигрант на русской службе, камергер, управляющий 3-й экспедицией особой канцелярии Министерства иностранных дел. С начала XIX в. в особняке Лаваля на Английской набережной устраивались блестящие приемы для высшей столичной знати, дипломатического корпуса, литераторов, художников, музыкантов и т. д.

[54] *Дюран*, актер французской труппы в Петербурге в начале XIX в.

[55] Вероятно, имеется в виду Путятина Александра Петровна, урожденная Демидова.— См. примеч. 13.

[56] *Орлов Федор Федорович* (1792—1835), младший брат М. Ф. Орлова, с 1809 г. корнет лейб-гвардии Конного полка, с марта 1811 г. уволен в отставку, с 28 марта 1812 г. зачислен корнетом в Сумской гусарский полк, с которым участвовал в Отечественной войне. О его покушении на самоубийство см. дневник А. Я. Булгакова (Русский архив.— 1867.— Ст. 1362—1367).

[57] *Волконский Сергей Григорьевич* (1788—1865), князь, ротмистр Кавалергардского полка, с сентября 1812 г. полковник, флигель-адъютант, в Отечественной войне находился в корпусе Ф. Ф. Винценгероде, командовал летучими армейскими отрядами, с сентября 1813 г. генерал-майор, член Союза благоденствия и Южного общества.

[58] *Ланской Сергей Степанович* (1787—1862), чиновник коллегии иностранных дел и 1-го департамента сената, впоследствии министр внутренних дел.

[59] *Лачинов Александр Петрович* (р. 1791), прапорщик лейб-гвардии драгунского полка, с конца 1812 г. поручик, после Кульмского сражения штабс-капитан.

[60] *Одоевская Варвара Ивановна* (ум. 1844), княжна, родственница декабриста А. И. Одоевского, жена С. С. Ланского.

[61] *Балашев А. Д.* (1777—1847) был не военным министром, а министром полиции.

[62] Имеется в виду Лористон Жак-Александр маркиз де Лоу (1768—1828), маршал Франции, в 1811—1812 гг.— посол в России. 23 сентября 1812 г. был послан в Главную квартиру М. И. Кутузова в Тарутине для мирных переговоров. В 1813 г. дивизионный генерал, командир Обсервационного корпуса на Висле, затем — 5-го корпуса, под Лейпцигом был взят в плен.

[63] *Лопухин Павел Петрович* (1788—1873), князь, ротмистр Кавалергардского полка, с ноября 1812 г. полковник, находился при начальнике штаба 1-й Западной армии А. П. Ермолове, член Союза благоденствия.

[64] *Парни Эварист Дезире де Форж* (1753—1814), французский поэт. Пронизанная антирелигиозными мотивами поэма-памфлет «Битва старых и новых богов» (1799) продолжала вольтеровские традиции.

[65] *Згуромали Егор Иванович* (р. 1783), поручик свиты е.и.в. по квартирмейстерской части, в 1812 г. состоял при 7-й пехотной дивизии.

[66] *Демидов Петр Григорьевич* (1740—1826), двоюродный дядя

Н. Д. Дурново, директор Петербургского коммерческого училища, вышедший в 1806 г. в отставку.

[67] *Тарасов Александр Иванович* (р. 1786), капитан свиты е.и.в. по квартирмейстерской части, с ноября 1813 г. подполковник, с июня 1813 г. полковник, в Отечественной войне обер-квартирмейстер в войсках М. И. Платова.

[68] *Хомутов Сергей Григорьевич* (1792—1852), в 1812 г. подпоручик свиты е.и.в. по квартирмейстерской части, с октября 1813 г. поручик. В Отечественной войне состоял при 23-й пехотной дивизии и К. Ф. Толе, участвовал в кампаниях 1813—1814 гг.

[69] *Чуйкевич Петр Андреевич* (1783—1831), подполковник свиты е.и.в. по квартирмейстерской части, с сентября 1812 г. полковник, ближайший сотрудник М. Б. Барклая-де-Толли, обер-квартирмейстер корпуса М. И. Платова, военный разведчик, автор историко-публицистических сочинений о войнах начала XIX в.

[70] Очевидно, имеется ввиду *Ренни Роберт (Роман) Егорович* (1767—1832), полковник свиты е. и. в. по квартирмейстерской части, в 1812 г. за отличие в сражении под Городечне произведенный в генерал-майоры, генерал-квартирмейстер 3-й Западной армии, в 1813 г. начальник штаба корпуса Ф. Ф. Винценгероде.

[71] *Голицын 1-й, Андрей Михайлович* (1791—1863), князь, колонновожатый свиты е.и.в. по квартирмейстерской части, с 27 января 1812 г. прапорщик, в конце февраля вместе с П. К. Сухтеленом отправился в Швецию, затем вернулся в Россию, состоял в Главной армии, участвовал в сражении под Малоярославцем, находился при Э. Ф. Сен-При во время преследования наполеоновских войск и в походах 1813—1814 гг. С декабря 1813 г. подпоручик, с марта 1814 г. поручик.

[72] *Бибиков Василий Александрович*, поручик инженерного корпуса, сын А. А. Бибикова.

[73] *Чернышев Александр Иванович* (1785—1857), полковник, флигель-адъютант, с ноября 1812 г. генерал-майор и генерал-адъютант. В 1810— начале 1812 г. ездил в Париж в качестве личного представителя Александра I при Наполеоне, занимаясь одновременно сбором секретных сведений о французской армии. В конце 1812 г. командовал летучими кавалерийскими отрядами, в кампании 1813 г.— армейскими партизанскими отрядами в составе корпуса П. Х. Витгенштейна и Северной армии.

[74] *Орлова-Чесменская Анна Алексеевна* (1785—1848), графиня, дочь А. Г. Орлова-Чесменского.

[75] *Дурново Павел Дмитриевич* (1804—1864), с 1822 г. офицер лейб-гвардии Павловского полка, участник русско-турецкой войны, впоследствии тайный советник, гофмейстер.

[76] *Ададуров Василий Васильевич* (1765—1845), генерал-майор, командир 2-й дружины Петербургского ополчения, в 1813—1814 гг. его начальник.

[77] *Гримуард (Гримоард) Филипп-Анри, граф де* (1753—1815), французский генерал и военный писатель, автор военно-исторических и военно-теоретических трудов: «Теоретический опыт о битвах» (1775), «История последних кампаний Тюренна» (1780), «Историческая картина революционной войны во Франции», т. 1—3 (1808) и др.

[78] *Ушаков Сергей Николаевич* (1776—1814), полковник, командир Курляндского драгунского полка в 3-й Западной армии, с декабря 1812 г. генерал-майор. Убит под Краоном в 1814 г.

[79] *Щербинин 2-й, Михаил Андреевич* (1793—1841), брат А. А. Щербинина, колонновожатый свиты е.и.в. по квартирмейстерской части, до июля 1812 г. находился на топографической съемке в Финляндии, с августа — в Отдельном корпусе Ф. Ф. Штейнгеля, с декабря 1812 г.— в Главной армии при П. М. Волконском.

[80] *Сперанский Михаил Михайлович* (1772—1839), государственный секретарь, автор проекта государственных преобразований, был выслан из Петербурга в Нижний Новгород после длительной аудиенции у Александра I в ночь с 17 на 18 марта 1812 г.

[81] *Магницкий Михаил Леонтьевич* (1778—1855), сотрудник М. М. Сперанского по подготовке плана государственных преобразований, был выслан в Вологду 17 марта 1812 г.

[82] *Воейков Алексей Васильевич* (1778—1825), полковник, флигель-адъютант, правитель секретной канцелярии военного министра, доверенное лицо М. Б. Барклая-де-Толли, участвовал вместе со Сперанским в подготовке плана государственных преобразований, в связи с его удалением был отправлен из Петербурга командовать егерской бригадой в 27-й дивизии Д. П. Неверовского, за отличие в Бородине произведен в генерал-майоры.

[83] *Коцебу Василий Августович* (1784—1812), выходец из Австрии, с 1811 г. на русской службе, в 1812 г. капитан свиты е.и.в. по квартирмейстерской части, умер от ран, полученных в сражении под Полоцком.

[84] *Вильдеман Владимир Христофорович* (р. 1791), прапорщик свиты е.и.в. по квартирмейстерской части, с октября 1812 г. подпоручик, с февраля 1813 г. поручик.

[85] *Хатов Александр Ильич* (1780—1846), полковник свиты е.и.в. по квартирмейстерской части, директор Петербургского училища колонновожатых.

[86] *Вистицкий 2-й, Михаил Степанович* (1768—1832), генерал-майор, в первый период Отечественной войны генерал-квартирмейстер 2-й Западной армии, после приезда М. И. Кутузова и до начала сентября генерал-квартирмейстер 1-й и 2-й Западных армий.

[87] *Богданович 1-й, Иван Федорович* (1784—1840), выходец из штаб-офицерских детей, с 1802 г. состоял в свите е.и.в. по квартирмейстерской части, с 1809 поручик, в 1810—1811 гг. участвовал в работах по составлению подробной карты России, в период Отечест-

венной войны находился в корпусе Донских войск при генерале М. И. Платове, впоследствии генерал-лейтенант, сенатор.

[88] *Плюшар Александр Иванович* (1777—1827), петербургский книгоиздатель, литограф, художник, директор Сенатской типографии.

[89] *Демидов Николай Никитич* (1773—1828), брат матери Н. Д. Дурново, один из богатейших людей России, владелец Уральских металлургических заводов, в 1812 г. сформировал на свой счет 1-й егерский полк Московского ополчения, с которым участвовал в сражениях при Бородине, Тарутине, Малоярославце, находясь при Л. Л. Беннигсене.

[90] *Швакгейм (Швахгейм) Константин Егорович*, барон, подпоручик лейб-гвардии Преображенского полка, адъютант Инспектора внутренней стражи графа Е. Ф. Комаровского.

[91] *Докторов (Дохтуров) Николай Михайлович* (1788—1865), племянник знаменитого генерала Д. С. Дохтурова, в 1812 г. поручик лейб-гвардии Семеновского полка, адъютант Инспектора внутренней стражи графа Е. Ф. Комаровского, впоследствии генерал-лейтенант, сенатор.

[92] *Комаровский Евграф Федотович* (1769—1843), генерал-майор, генерал-адъютант, с 1811 г. Инспектор внутренней стражи.

[93] *Эссен 1-й, Иван Николаевич* (1759—1813), генерал-лейтенант, в 1812 г. (до октября) Рижский военный губернатор.

[94] *Труссон Христиан Иванович* (1746—1813), инженер-генерал-майор, начальник инженеров 1-й Западной армии.

[95] *Довре Федор Филиппович* (1766—1846), саксонец на русской службе, генерал-майор, начальник штаба 1-го отдельного корпуса П. Х. Витгенштейна, за отличие в весенней кампании 1813 г. произведен в генерал-лейтенанты.

[96] *Паренсов Дмитрий Тихонович* (р. 1792), с октября 1811 г. поручик свиты е.и.в. по квартирмейстерской части, с октября 1812 г. штабс-капитан, с сентября 1813 г. капитан, с января 1814 г. подполковник.

[97] *Брозин 1-й, Павел Иванович* (1787—1845), капитан свиты е.и.в. по квартирмейстерской части, с ноября 1812 г. подполковник, с сентября 1813 г. полковник, с октября флигель-адъютант, начальник секретной канцелярии Главного штаба Главной армии.

[98] *Шувалов Павел Андреевич* (1774—1823), граф, в начале Отечественной войны командовал 4-м пехотным корпусом, затем по болезни оставил армию. В 1813 г. состоял при Александре I, участвовал в подготовке Плесвицкого перемирия, в 1814 г. по поручению союзных монархов сопровождал Наполеона на о. Эльба.

[99] *Федоров Александр Ильич*, полковник, командир 4-го егерского полка, числившийся одновременно по лейб-гвардии Егерскому полку. Убит под Лейпцигом 4 октября 1813 г.

[100] *Мухин Семен Александрович* (1771—1828), генерал-майор,

с октября 1811 по 30 июня 1812 г. генерал-квартирмейстер 1-й Западной армии.

[101] *Муравьев 1-й, Александр Николаевич* (1792—1863), подпоручик свиты е.и.в. по квартирмейстерской части, с марта 1813 г. поручик, с ноября штабс-капитан. С марта по июнь 1812 г. состоял при Главной квартире 1-й Западной армии, затем при штабе 5-го гвардейского корпуса, с 21 августа — в арьергарде П. П. Коновницына, в 1813 г.— при генерал-квартирмейстере К. Ф. Толе, один из основателей Союза спасения и Союза благоденствия.

[102] *Потемкин Яков Алексеевич* (1781—1831), в 1812 г. полковник, затем генерал-майор, шеф 48-го егерского полка, с конца августа находился в арьергарде М. А. Милорадовича, с декабря командир лейб-гвардии Семеновского полка.

[103] *Кутайсов Александр Иванович* (1784—1812), граф, генерал-майор, начальник артиллерии 1-й Западной армии, погиб в Бородинском сражении.

[104] *Баррюэль, аббат Августин* (1741—1820), французский публицист реакционно-католического толка, автор книги «История якобинизма».

[105] *Вешняков Иван Петрович* (р. 1792), колонновожатый свиты е.и.в. по квартирмейстерской части, с февраля 1813 г. прапорщик, с апреля 1814 г. подполковник, в кампаниях 1812—1814 гг. состоял при П. М. Волконском.

[106] *Дурново Сергей Дмитриевич* (1796 — 26.XI.1812), младший брат Н. Д. Дурново.

[107] *Муравьев 2-й (Карский), Николай Николаевич* (1794—1866), прапорщик свиты е.и.в. по квартирмейстерской части, с сентября 1813 г. подпоручик, с февраля 1814 г. поручик. До Смоленска находился при штабе 5-го гвардейского корпуса, затем — при К. Ф. Толе, после оставления Москвы — в арьергардной, а потом авангардной кавалерии М. А. Милорадовича, с апреля 1813 г.— при П. М. Волконском.

[108] *Сазонов Николай Васильевич* (р. 1773), капитан свиты е.и.в. по квартирмейстерской части, с сентября 1813 г. подполковник, в 1812—1814 гг. состоял при П. М. Волконском.

[109] *Сулима Павел Яковлевич*, капитан свиты е.и.в. по квартирмейстерской части, убит в ноябре 1812 г.

[110] *Черепанов Павел Сидорович*, полковник Кавалергардского полка, в 1812 г. генерал-вагенмейстер 1-й Западной армии, с сентября — Главной армии.

[111] *Черкасов Петр Петрович* (1777—1837), полковник свиты е.и.в. по квартирмейстерской части, в 1812 г. обер-квартирмейстер 2-го пехотного корпуса и войск М. А. Милорадовича.

[112] *Колошин Михаил Иванович*, колонновожатый свиты е.и.в. по квартирмейстерской части, старший брат декабристов Петра и

Павла Колошиных, накануне и в начале Отечественной войны состоял в легкой кавалерийской дивизии, умер летом 1812 г. от тифа.

[113] *Зубов Платон Александрович* (1761—1822), светлейший князь, генерал от инфантерии, последний фаворит Екатерины II, в 1812 г. находился при Главной квартире и в Петербурге, выполняя отдельные поручения Александра I и участвуя в выработке военно-политических решений.

[114] *Уваров Федор Петрович* (1773—1824), генерал-лейтенант, командующий 1-м кавалерийским корпусом 1-й Западной армии, после Бородина командовал кавалерией в арьергарде М. А. Милорадовича, с 16 сентября начальник кавалерии Главной армии.

[115] *Дурново Иван Николаевич* (1782—1850), полковник, в 1812 г. шеф 29-го егерского полка в армии П. В. Чичагова, за отличие в Лейпцигском сражении произведен в генерал-майоры.

[116] *Ольденбургские: Петр-Фридрих-Людвиг* (1755—1822), герцог, администратор герцогства Ольденбургского, после присоединения в 1810 г. его к Франции жил в России; *Ольденбургский Петр-Фридрих-Георг* (*Георгий Петрович,* 1784—15.XII.1812), принц, сын герцога Ольденбургского П.-Ф.-Л., муж великой княгини Екатерины Павловны, генерал от кавалерии, генерал-губернатор Тверской, Ярославский и Новгородский, Главный директор путей сообщения. Оба они находились в свите Александра I во время пребывания его в начале войны 1812 г. в 1-й Западной армии.

[117] *Беннигсен Леонтий Леонтьевич* (1745—1826), ганноверец на русской службе, генерал от кавалерии, в начале войны 1812 г. состоял в свите Александра I, после его отъезда из армии — при Главной квартире М. Б. Барклая-де-Толли, с августа по октябрь начальник Главного штаба при М. И. Кутузове, в 1813 г. главнокомандующий Польской армией.

[118] *Вейс Софья Александровна* (1796—1848), дочь виленского полицмейстера, вышедшая в 1812 г. замуж за В. С. Трубецкого.

[119] *Петровский Михаил Андреевич* (1764—1828), генерал-майор, генерал-кригс-комиссар 1-й Западной армии.

[120] *Нарбонн Лара Луи-Мари-Жак* (1755—1813), граф, французский генерал, адъютант Наполеона, посланный им накануне войны с разведывательно-дипломатическим заданием к Александру I, в 1813 г. посол в Вене.

[121] *Кудашев Николай Данилович* (1784—1813), князь, в 1812 г. полковник (затем генерал-майор), адъютант великого князя Константина Павловича, командовал партизанскими отрядами, умер от ран, полученных в Лейпцигском сражении.

[122] Явная ошибка — 6-м корпусом (в составе 1-й Западной армии) командовал Д. С. Дохтуров, генерал-лейтенант Эссен 3-й, Петр Кириллович (1772—1844) командовал корпусом в Дунайской армии П. В. Чича-

гова, куда Александр I в мае 1812 г. никак не мог отправиться из Вильно.

[123] *Коновницын Петр Петрович* (1764—1822), генерал-лейтенант, в начале войны 1812 г. командовал 3-й пехотной дивизией, с 19 августа начальник арьергарда 1-й Западной армии, в Бородинском сражении сменил раненого П. И. Багратиона, с 7 сентября Дежурный генерал штаба М. И. Кутузова, с ноября командующий 3-м пехотным корпусом, в 1813 г.— Гренадерским корпусом, ранен в сражении под Люценом, с декабря 1812 г. генерал-адъютант.

[124] *Трубецкой Василий Сергеевич* (1776—1841), князь, генерал-майор, генерал-адъютант. В 1812 г. находился при Александре I в Вильно, откуда в июле привез в Москву манифест о созыве народных ополчений, затем командовал кавалерией в корпусе Ф. Ф. Винценгероде. Участвовал в главных сражениях кампаний 1813—1814 гг.

[125] *Мишо Александр Францевич* (1774—1841), граф, полковник, флигель-адъютант, состоял при штабе М. И. Кутузова, который посылал его к Александру I с донесениями об оставлении Москвы и о Тарутинском сражении.

[126] *Флориан Жак-Пьер-Клари де* (1755—1794), французский писатель, автор пасторальных романов, нравоучительных новелл и басен.

[127] *Апраксин Василий Иванович* (1788—1822), граф, с 1808 г. поручик Кавалергардского полка, с 1810 г. адъютант Ф. П. Уварова, в 1813 г. произведен в штабс-ротмистры, а затем в ротмистры, с апреля 1814 г. флигель-адъютант, впоследствии адъютант великого князя Константина Павловича.

[128] *Голицын Иван Александрович* (1783—1852), князь, поручик в отставке, участвовал в войне 1812—1813 гг. волонтером, состоял адъютантом великого князя Константина Павловича.

[129] *Барц (Бартц) Яков Петрович*, брат матери А. А. Щербинина, участник кампаний 1813—1814 гг. (См.: Х о м у т о в С. Г. Дневник свитского офицера. 1813//Русский архив.— 1869.— Ст. 295).

[130] *Левшин Николай Павлович*, прапорщик лейб-гвардии Егерского полка, сын тетки Н. Д. Дурново — М. Н. Левшиной.

[131] *Витт Иван Осипович* (1781—1840), граф, полковник, сформировал 4-ю Украинскую казачью дивизию, с которой участвовал в боевых действиях, в октябре 1812 г. произведен в генерал-майоры.

[132] Очевидно, имеется в виду князь Щербатов 2-й, Николай Григорьевич (1778—1845), полковник, с 1813 г. генерал-майор, в июне 1812 г. сформировавший казачий полк, который входил в состав Украинской казачьей дивизии И. О. Витта; отличился во многих сражениях 1812—1813 гг.

[133] *Клаузевиц Карл* (1780—1810), прусский военный деятель, в марте 1812 г. прибыл в Россию и участвовал в войне с Наполеоном в чине подполковника, затем полковника, состоял при П. П. Палене, Ф. П. Уварове и П. Х. Витгенштейне.

[134] *Фуль Карл-Людвиг* (1757—1826), немецкий военный теоретик, перешедший на русскую службу, генерал-майор, советник Александра I, автор печально известного плана дислокации 1-й Западной армии в Дрисском лагере.

[135] *Мейстер (Местр) Ксавье* (1763—1852), граф, французский эмигрант, ученый, писатель, художник, брат философа и публициста Жозефа де Местра, с 1800 г. на русской службе, с 1810 г. полковник свиты е.и.в. по квартирмейстерской части, участвовал в боевых действиях 1812 г.

[136] *Бергенстроль (Бергенстраль) Петр Иванович* (р. 1787), в марте 1812 г. принят из шведской службы поручиком в Невский пехотный полк, 5 апреля переведен в свиту е.и.в. по квартирмейстерской части подпоручиком, с ноября 1813 г. поручик.

[137] *Сегюр Октав Анри Габриель* (ум. 1818), граф, капитан 8-го гусарского полка «Великой армии», брат адъютанта Наполеона, автора известных мемуаров Ф. Сегюра.

[138] *Платов Матвей Иванович* (1751—1813), граф, генерал от кавалерии, войсковой атаман Войска Донского, командовал казачьим корпусом 1-й Западной армии, после Смоленска — арьергардом русских войск, в 1813 г.— казачьими соединениями.

[139] *Даву (Давуст) Людовик-Николя* (1770—1823), князь Экмюльский, герцог Ауэрштедский, маршал Франции, в 1812 г. командовал 1-м пехотным корпусом, при отступлении из Москвы — французским арьергардом, в 1813 г.— войсками в Саксонии, руководил обороной Гамбурга, генерал-губернатор Ганзейских городов.

[140] *Корф Федор Карлович* (1774—1823), барон, в 1812 г. генерал-майор, после Бородина генерал-лейтенант, командовал 2-м кавалерийским корпусом в 1-й Западной армии, в 1813 г.— 2-м и 3-м кавалерийскими корпусами, позднее — кавалерией Силезской армии.

[141] *Витгенштейн Петр Христианович* (1768—1842), в 1812 г. генерал-лейтенант, затем генерал от кавалерии, командующий 1-м Отдельным корпусом, прикрывавшим Петербург, после смерти М. И. Кутузова, с 16 апреля по 19 мая 1813 г. главнокомандующий русско-прусскими армиями, затем русскими войсками в Главной (Богемской) армии.

[142] *Дохтуров Дмитрий Сергеевич* (1759—1816), генерал от инфантерии, командующий 6-м пехотным корпусом 1-й Западной армии, в Бородинском сражении после ранения П. И. Багратиона командовал войсками 2-й Западной армии, в 1813 г. руководил осадой Гамбурга, в марте назначен командующим войсками в Варшаве.

[143] *Мюрат Иоахим Наполеон* (1771—1815), король Неаполитанский, маршал Франции, в 1812 г. командующий 4-м кавалерийским корпусом, в 1813 г. под Дрезденом и Лейпцигом командовал французской конницей.

[144] *Удино Николя-Шарль* (1767—1847), герцог Реджио, маршал

Франции, командовал 2-м пехотным корпусом, действовавшим на Петербургском направлении против корпуса Витгенштейна, прикрывал переправу Наполеона через Березину.

[145] *Ермолов Алексей Петрович* (1772—1861), генерал-майор, с 7 августа 1812 г. генерал-лейтенант, с 30 июня 1812 г. начальник штаба 1-й Западной армии, после ее объединения со 2-й армией начальник штаба соединенных русских армий, в 1813 г. начальник артиллерии действующих русских армий, командир Гвардейского пехотного корпуса.

[146] *Паулуччи Филипп Осипович* (1779—1849), маркиз, генерал-лейтенант, до 30 июня 1812 г. начальник штаба 1-й Западной армии, с октября рижский военный губернатор и командир отдельного корпуса, действовавшего против Макдональда.

[147] *Кульнев Яков Петрович* (1763—1812), генерал-майор, шеф Гродненского гусарского полка, командовал арьергардом в корпусе П. Х. Витгенштейна, погиб в сражении под Клястицами в июле 1812 г.

[148] *Сен-Жени Жак Мари Ноэль Делиль де Фалькон* (1776—1836), барон, бригадный генерал французской армии, командир 7-й легкой кавалерийской бригады. Ранен и взят в плен в боях при дер. Анкишты.

[149] *Вашутин Иван Иванович* (р. 1790), подпоручик свиты е.и.в. по квартирмейстерской части, с октября 1813 г. поручик, с апреля 1814 г. штабс-капитан, в 1812—1813 гг. состоял при П. М. Волконском и канцелярии генерал-квартирмейстера К. Ф. Толя.

[150] Речь идет о романе знаменитого французского писателя А. Ф. Прево (1687—1763) «Английский философ, или История Кливленда», изданного в русском переводе под названием «Аглинской философ, или Житие Клевленда, побочного сына Кромвеля, самим им писанное и с аглинского на французской, а с французского на российской язык переведенное» (М., 1783—1784).

[151] *Левенгельм (Левенгиельм) Карл Ансель* (1772—1861), граф, шведский генерал и дипломат, в 1811—1812 гг. находился в Петербурге с особой миссией, выполняя обязанности посланника Швеции в России.

[152] *Остерман-Толстой Александр Иванович* (1770—1857), граф, генерал-лейтенант, командующий (после П. А. Шувалова) 4-м пехотным корпусом 1-й Западной армии, в 1813 г. командовал правым крылом Богемской армии, отличился в сражении под Кульмом, где потерял руку.

[153] *Окулов Модест Матвеевич* (1768—1812), генерал-майор, командовал пехотной бригадой в 4-м пехотном корпусе. Убит в боях под Островной.

[154] *Бибиков Александр Александрович* (1765—1822), русский военный деятель и дипломат, сенатор, тайный советник, в 1812 г. командовал 1-м отрядом Петербургского ополчения, с конца сентября — войсками Петербургского и Новгородского ополчений.

[155] *Толстой Николай Александрович* (1765—1816), граф, действительный тайный советник, обер-гофмаршал, президент придворной конторы.

[156] *Аракчеев Алексей Андреевич* (1769—1834), граф, генерал от артиллерии, председатель Департамента военных дел Государственного совета, в 1812 г. докладчик у Александра I по военным вопросам, сопровождал его в армию в начале войны.

[157] *Дурново Дмитрий Николаевич* (1769—1834), тайный советник, обер-гофмейстер; Дурново Мария Никитична (1774—1847). О пребывании их летом 1812 г. в Москве см. воспоминания А. Г. Хомутовой (Русский архив.— 1891.— № 11).

[158] *Хомутов Григорий Аполлонович* (1750—1836), генерал-лейтенант, сенатор, с 1808 г. в отставке, жил в Москве, в его доме, славившемся хлебосольством, собирались представители московской знати, литераторы, поэты, военные.

[159] *Обрезков Николай Васильевич* (1764—1821), сенатор, Московский гражданский губернатор в 1810—1816 гг.

[160] *Демидов Иван Иванович,* родственник Н. Д. Дурново, в 1812 г. подполковник, командир Рязанской пехотной бригады.

[161] *Хомутова Анна Григорьевна* (1784—1856), дочь Г. А. Хомутова, писательница, мемуаристка.

[162] *Бахметев (Бахметьев) Владимир Петрович* (ум. 1853), предводитель дворянства Московского уезда Московской губернии (1828—1832). О его пребывании летом 1812 г. в Москве см. воспоминания А. Г. Хомутовой (Русский архив.— 1891.— № 11.— С. 312).

[163] *Игнатьев Дмитрий Львович* (1782—1833), штабс-ротмистр, затем ротмистр лейб-гвардии Гусарского полка, за отличие при взятии Полоцка произведен в полковники (8 августа 1812 г.), после Лейпцигского сражения в 1813 г.— в генерал-майоры. В Отечественную войну адъютант П. X. Витгенштейна.

[164] *Бернадот Жан-Батист-Жюль* (1764—1844), маршал Франции, с 1810 г. наследный принц Швеции Карл-Иоганн, в 1813 г. главнокомандующий Северной армией, впоследствии король Швеции Карл XIV.

[165] *Грибовский Николай Адрианович* (1793 — после 1840), сын секретаря Екатерины II А. М. Грибовского, службу начал колонновожатым в свите е. и. в. по квартирмейстерской части, с сентября 1811 г. подпоручик Изюмского гусарского полка, в июле 1812 г. произведен в поручики за отличие под Островной, ранен в сражении под Малоярославцем.

[166] *Тормасов Александр Петрович* (1752—1819), генерал от кавалерии, главнокомандующий 3-й Западной армией, с сентября 1812 г. отозван в штаб М. И. Кутузова, во время преследования наполеоновских войск командовал временно Главной армией.

[167] *Шварценберг Карл-Филипп* (1771—1820), князь, австрийский фельдмаршал, в 1812 г. командовал корпусом, действовавшим против

3-й Западной армии, в 1813 г. командир обсервационного австрийского отряда в Богемии, после вступления Австрии в антинаполеоновскую коалицию — главнокомандующий Главной (Богемской) армией союзников.

[168] *Ренье Жан-Луи* (1771—1814), граф, французский дивизионный генерал, в 1812—1813 гг. командовал 7-м (Саксонским) корпусом, составлявшим арьергард войск Шварценберга, при отступлении французов от Лейпцига взят в плен.

[169] *Николай Павлович* (1796—1855), великий князь, брат Александра I, с 1825 г. император; *Михаил Павлович* (1798—1849), великий князь, брат Александра I.

[170] *Коцебу Мориц Августович* (1788—1861), выходец из Австрии, с 1811 г. поручик свиты е.и.в. по квартирмейстерской части, в 1812 г. прикомандирован к 5-й пехотной дивизии; 10 августа при рекогносцировке у м. Белого взят в плен, откуда освобожден после взятия Парижа в 1814 г.

[171] Имеется в виду Эссен 1-й, И. Н., генерал-лейтенант.

[172] *Тидеман*, прусский военный деятель, подполковник, в 1812 г. перешедший на русскую службу, начальник штаба рижского корпуса.

[173] *Кисловский Семен Федорович* (р. 1766), поручик свиты е.и.в. по квартирмейстерской части, с мая 1813 г. капитан, с сентября 1812 г. состоял при начальнике штаба армии П. В. Чичагова генерал-лейтенанте И. В. Сабанееве.

[174] *Горчаков 2-й, Андрей Иванович* (1779—1855), князь, генерал-лейтенант, в Бородинском сражении находился на левом крыле 2-й Западной армии, в 1813 г. командовал 8-м, затем 1-м корпусами.

[175] *Тучков 1-й, Николай Алексеевич* (1761—1812), генерал-лейтенант, командующий 3-м пехотным корпусом, умер от раны, полученной в Бородинском сражении.

[176] *Кретов Николай Васильевич* (1773—1839), генерал-майор, шеф Екатеринославского кирасирского полка, командовал кирасирской бригадой во 2-й Западной армии, в 1813 г. генерал-лейтенант, командир 1-й кирасирской дивизии.

[177] *Воронцов Михаил Семенович* (1782—1856), граф, генерал-майор, с февраля 1813 г. генерал-лейтенант, командовал 2-й сводной Гренадерской дивизией во 2-й Западной армии, ранен в Бородинском сражении, по выздоровлении командовал авангардом 3-й Западной армии, обсервационными отрядами в районе крепостей Магдебург и Кюстрин, в осенней кампании 1813 г.— авангардом Северной армии.

[178] *Бахметев Алексей Николаевич* (1774—1841), генерал-майор, командир 23-й пехотной дивизии, за участие в Бородинском сражении, где ему оторвало ногу, произведен в генерал-лейтенанты; *Бахметев Николай Николаевич* (р. в нач. 1770-х), генерал-майор, командир 11-й пехотной дивизии.

[179] *Тучков 4-й, Александр Алексеевич* (1777—1812), генерал-

майор, шеф Ревельского пехотного полка, командир бригады 3-й пехотной дивизии.

[180] *Горчаков 1-й, Алексей Иванович* (1769—1817), князь, генерал-лейтенант, с 22 марта 1812 г. управляющий департаментами Военного министерства, с 24 августа военный министр.

[181] *Амвросий (Подобедов Андрей Иванович)* (1742—1818), митрополит Новгородский и Петербургский.

[182] *Висковатов Степан Иванович* (1768—1831), русский драматург и переводчик, его патриотическая пьеса «Всеобщее ополчение» была поставлена в Петербургском придворном театре 30 августа 1812 г.

[183] *Дмитревский Иван Афанасьевич* (1734—1821), знаменитый русский актер и театральный деятель.

[184] Очевидно, имеется в виду Приклонский Павел Николаевич (1767 — после 1837), поэт, драматург, переводчик, в начале XIX в. директор московских театров, причисленный к Экспедиции путей сообщений и ведавший Комиссией устроения и укрепления г. Твери, действительный камергер.

[185] *Кутузова Екатерина Ильинична* (1743—1824), княгиня, урожденная Бибикова, жена М. И. Кутузова.

[186] *Шаховской Александр Александрович* (1777—1845), князь, драматург, театральный деятель, в 1812 г. командовал одним из полков Тверского ополчения, с которым вступил в освобожденную от французов Москву.

[187] *Винценгероде Фердинанд Федорович* (1761—1818), барон, в 1812 г. генерал-майор, осенью командовал отдельным отрядом, блокировавшим Москву с северо-запада. 10 октября захвачен в плен при попытке войти в занятую французами Москву и отправлен во Францию, отбит отрядом казаков. В 1813 г. командовал русским корпусом в Северной армии, за отличие при Люцене и Лейпциге произведен в генерал-лейтенанты.

[188] *Супонев Авдей Никитич* (1770—1821), генерал-майор, владимирский гражданский губернатор в 1812—1816 гг.

[189] *Татищев Александр Иванович* (1773—1844), генерал-лейтенант, генерал-кригс-комиссар русской армии.

[190] *Кривцов (Кривцев) Владимир Иванович*, юнкер лейб-гвардии Егерского полка, 24 декабря 1812 г. произведен в прапорщики.

[191] *Кашинцов Евлампий Сергеевич*, титулярный советник, тульский полицмейстер.

[192] *Голицын Сергей Сергеевич* (1783—1833), князь, полковник, флигель-адъютант, с 1810 г. состоял при Л. Л. Беннигсене, участвовал в кампаниях 1813—1814 гг.

[193] *Полиньяк Ираклий Ираклиевич* (р. 1788), французский эмигрант на русской службе, капитан лейб-гвардии Литовского полка, командовал 1-й гренадерской ротой, с которой участвовал в Отечественной войне и заграничных походах, под Бородиным был контужен,

с января 1813 г. полковник, в кампании 1814 г.— командир Апшеронского полка, член Южного общества декабристов.

[194] *Андрекович (Андржейкович) Иван Фадеевич*, офицер лейб-гвардии Егерского полка, брат жены Л. Л. Беннигсена, его адъютант и доверенное лицо.

[195] *Римский-Корсаков Николай Александрович*, сын генерала от инфантерии, в 1812—1830 гг. генерал-губернатора Литвы А. М. Римского-Корсакова, поручик лейб-гвардии Семеновского полка, в 1812—1813 гг. адъютанта генерала от кавалерии Л. Л. Беннигсена.

[196] По воспоминаниям М. М. Евреинова — ординарца Л. Л. Беннигсена, в его окружении после оставления Москвы находились два брата Ланские — Ланской 1-й, Алексей Павлович и Ланской 2-й, Михаил Павлович, оба прапорщики лейб-гвардии Егерского полка. (Русский архив.— 1874.— № 1.— С. 109—110. См. также: Военно-исторический сборник.— 1913.— № 4.— С. 130). Кого из них имеет в виду Н. Д. Дурново — сказать трудно.

[197] *Панкратьев Никита Петрович* (1788—1836), с 1810 г. адъютант М. И. Кутузова, в 1812 г. поручик лейб-гвардии Егерского полка, с Бородинского сражения состоял при Л. Л. Беннигсене.

[198] *Голицын Александр Сергеевич* (1789—1858), князь, поручик лейб-гвардии Семеновского полка, с 20 августа 1812 г. прикомандирован к Л. Л. Беннигсену, с 20 октября назначен к нему же адъютантом, участвовал в Бородинском и Тарутинском сражениях, с сентября 1813 г. штабс-капитан, с октября капитан.

[199] *Бестужев Сергей Иванович*, аудитор. О его ранении в Тарутинском сражении и смерти см. воспоминания М. М. Евреинова (Русский архив.— 1874.— № 2.— С. 452, 454).

[200] *Кроссард (Кроссар) Иоган-Батист-Людовик*, полковник австрийской армии, принятый в октябре 1812 г. в том же чине в свиту е.и.в. по квартирмейстерской части и участвовавший в боевых действиях осенью 1812 г.

[201] *Фигнер Александр Самойлович* (1787—1813), штабс-капитан, командир 3-й легкой роты в 11-й артиллерийской бригаде, с ноября 1812 г. подполковник, с марта 1813 г. полковник. Проник с разведывательными целями в занятую французами Москву, с сентября возглавил партизанский отряд из регулярных войск и крестьян, с которым успешно действовал в тылу и на коммуникациях французской армии, а затем и в период изгнания ее из России.

[202] *Сеславин Александр Никитич* (1780—1858), капитан гвардейской артиллерии, в начале Отечественной войны состоял адъютантом М. Б. Барклая-де-Толли, выполняя обязанности квартирмейстерского офицера, за участие в боях под Ляховым произведен в полковники, предводительствовал партизанскими отрядами в 1812—1813 гг. и передовыми отрядами в корпусе П. Х. Витгенштейна, с сентября генерал-майор.

²⁰³ *Давыдов Денис Васильевич* (1784—1839), знаменитый партизан, поэт, военный писатель, в 1812 г. подполковник Ахтырского гусарского полка, затем полковник, организатор и командир одного из первых в 1812 г. партизанских отрядов.

²⁰⁴ *Армфельд Густав Густавович* (р. 1793), сын шведского государственного деятеля, перешедший в 1811 г. на русскую службу, подпоручик свиты е.и.в. по квартирмейстерской части, с конца октября 1812 г. поручик, с ноября 1813 г. штабс-капитан.

²⁰⁵ *Сысоев 3-й, Василий Алексеевич* (1774—1840), полковник, затем генерал-майор, командир казачьей бригады.

²⁰⁶ *Орлов-Денисов Василий Васильевич* (1775—1843), генерал-майор, командир лейб-гвардии казачьего полка, в 1813 г. начальник личного конвоя Александра I, командовал казачьими партизанскими отрядами, за отличие под Лейпцигом произведен в генерал-лейтенанты.

²⁰⁷ *Меллер-Закомельский Егор Иванович* (1767—1830), генерал-майор, командующий 1-м кавалерийским корпусом.

²⁰⁸ *Пиллар Егор Максимович* (1768—1840), полковник, затем генерал-майор, шеф 34-го егерского полка, командовал егерской бригадой в 1-й Западной армии, в 1813 г. командир 17-й пехотной дивизии.

²⁰⁹ *Багговут Карл Федорович* (1761—1812), генерал-лейтенант, командующий 2-м пехотным корпусом в 1-й Западной армии, убит в Тарутинском сражении.

²¹⁰ *Строганов Павел Александрович* (1774—1817), граф, генерал-майор, после Бородина генерал-лейтенант, командовал сводной гренадерской дивизией, затем 3-м пехотным корпусом, в 1813 г.— авангардом отряда в Польской армии Л. Л. Беннигсена, затем отряжен с отрядом в корпус Ф. Ф. Винценгероде.

²¹¹ *Дери*, французский генерал в войсках Мюрата, убит в Тарутинском сражении.

²¹² Имеется ввиду подпоручик лейб-гвардии Артиллерийской бригады Александр Александрович Безобразов, погибший в Бородинском сражении 26 августа 1812 г.

²¹³ *Талызин 1-й, Федор Иванович* (1773—1844), генерал-майор, шеф 3-го егерского полка Московского ополчения, затем начальник 3-й его дивизии.

²¹⁴ *Богарне Евгений* (1781—1824), сын первой жены Наполеона Жозефины Богарне, вице-король итальянский, генерал, в 1812 г. командовал 4-м корпусом «Великой армии», куда входили итальянские войска.

²¹⁵ *Раевский Николай Николаевич* (1771—1829), генерал-лейтенант, командующий 7-м пехотным корпусом, в 1813 г.— гренадерским корпусом, генерал от кавалерии.

²¹⁶ *Дельзон Алексей-Иосиф* (1775—1812), барон, французский

генерал, в 1812 г. командир 13-й пехотной дивизии 4-го пехотного корпуса, убит в сражении под Малоярославцем.

[217] *Тышкевич*, польский генерал, взятый в плен под Малоярославцем 13 октября 1812 г. ополченческим Донским казачьим полком Иловайского 9-го, Г. Д.

[218] В тексте неточно передана фамилия — в сражении под Малоярославцем был убит генерал Лефебюр.

[219] *Нарышкин Лев Александрович* (1787—1846), ротмистр Изюмского гусарского полка, адъютант Ф. Ф. Винценгероде, находился в его отряде, блокировавшем Москву, и вместе с ним взят в плен 10 октября 1812 г. Участвовал в кампании 1813 г., после Лейпцигского сражения генерал-майор.

[220] *Сен-При (Сен-Приест) Эммануил Францевич* (1776—1814), граф, французский эмигрант на русской службе, генерал-майор, начальник штаба 2-й Западной армии, в октябре 1812 г. состоял в отряде П. В. Голенищева-Кутузова, в 1813 г. генерал-лейтенант, командир 8-го пехотного корпуса, после перемирия вошедшего в состав Силезской армии, смертельно ранен в марте 1814 г.

[221] *Пеллетье,* французский артиллерийский генерал, взят в плен в сражении при Вязьме.

[222] *Вильсон Роберт Томас* (1777—1849), английский генерал, военный писатель. В 1812 г. приехал в Россию, был благосклонно принят Александром I и состоял английским эмиссаром при Главной квартире русской армии.

[223] *Болховский (Бологовский) Дмитрий Николаевич* (1780—1852), капитан, уволен от службы в 1802 г. В 1812 г. вновь вступил в армию, прикомандирован к Московскому пехотному полку, после Бородина исполнял обязанности начальника штаба 6-го пехотного корпуса, оставаясь в этой должности до конца войны.

[224] *Самсон (Сансон) Николя-Антуан* (1756 — ок. 1840), французский генерал, начальник топографического депо наполеоновской армии, начальник штаба 4-го корпуса, взят в плен в боях у Дорогобужа.

[225] *Альмейда* — явная ошибка Н. Д. Дурново. в написании фамилии дивизионного генерала французской армии Альмераса Луи, взятого в плен войсками В. В. Орлова-Денисова под Красным 3 ноября 1812 г.

[226] *Бюрт Андре,* бригадный кавалерийский генерал французской армии.

[227] *Ней Мишель* (1769—1815), герцог Эльхингенский, князь Московский, маршал Франции, в 1812 г. командовал 3-м пехотным корпусом, в Бородинском сражении — центром французской армии, в 1813 г.— группой ее корпусов.

[228] *Рибопьер Александр Иванович* (1781—1865), русский дипломат, чиновник Министерства финансов.

[229] *Арсеньев Михаил Андреевич* (1780—1838), генерал-майор,

командир лейб-гвардии Конного полка, участвовал в важнейших сражениях Отечественной войны и в преследовании наполеоновской армии из России.

[230] *Аклечеев Иван Матвеевич* (1758—1824), генерал-майор, в 1812 г. командовал Олонецкими стрелками в корпусе П. Х. Витгенштейна.

[231] *Чорба Федор Арсеньевич*, выходец из сербских дворян, капитан австрийской армии, перешедший в 1752 г. на русскую службу, участник первой русско-турецкой войны и подавления восстания Е. И. Пугачева, дослужившийся до чина генерал-поручика.

[232] *Рихтер 2-й, Борис Христофорович* (1782—1832), полковник, командир батальона лейб-гвардии Егерского полка, в сентябре 1813 г. за отличие при Кульме произведен в генерал-майоры.

[233] *Макаров Петр Степанович*, полковник лейб-гвардии Егерского полка, в ноябре 1812 г. в чине генерал-майора переведен в лейб-гвардии Павловский полк с назначением командиром полка.

[234] *Зубов Дмитрий Александрович* (1764—1836), граф, генерал-майор, брат П. А. Зубова.

[235] *Львова Екатерина Никитична* (р. 1772), урожденная Демидова, сестра матери Н. Д. Дурново, бывшая замужем за генералом от инфантерии Львовым Сергеем Лаврентьевичем (1740—1812).

[236] Имеется в виду приказ М. И. Кутузова по армиям в связи с освобождением Белоруссии от войск Наполеона от 11 ноября 1812 г., выпущенный в виде летучего издания походной типографией кутузовского штаба (Листовки Отечественной войны 1812 года. Сборник документов.— М., 1962.— С. 76—77).

[237] *Фукс Егор Борисович* (1762—1829), военный писатель, правитель дел канцелярии А. В. Суворова и его историограф, в 1812 г. состоял директором канцелярии М. И. Кутузова и по роду своей деятельности был связан с печатанием и распространением агитационных изданий походной типографии. О его причастности к составлению этих изданий не имелось до сих пор определенных сведений.

[238] *Демидова Мария Денисовна*, урожденная Мельникова, жена троюродного брата Н. Д. Дурново полковника Демидова Алексея Петровича (1777—1840, по другим данным — 1854).

[239] *Чичагов Павел Васильевич* (1767—1849), адмирал, в 1812 г. главнокомандующий Дунайской армией, с сентября (после отозвания А. П. Тормасова в Главную квартиру) объединенной под начальством П. В. Чичагова с 3-й Западной армией.

[240] *Филдинг Генри* (1707—1754), английский драматург и романист. Н. Д. Дурново имеет в виду комический роман-эпопею Г. Филдинга «История Тома Джонса, найденыша» (1770, русский перевод с французского 1770—1771).

[241] *Тёкёй Имре* (1637—1705) граф, руководитель освободительной антигабсбургской войны в Венгерском королевстве, с 1682 г. объявил

себя князем отвоеванной у Габсбургов территории и был признан турецким султаном королем Венгрии.

[242] *Нарышкин Александр Львович* (1760—1826), директор Императорских театров, обер-гофмаршал, владелец огромного состояния, устраивал в Петербурге для столичной знати роскошные приемы с концертами роговой и духовой музыки.

Д. М. ВОЛКОНСКИЙ. ДНЕВНИК. 1812—1814 гг.
(ОР ГПБ, ф. 775, № 4860; Архив АН СССР, ф. 646, оп. 1, д. 348)

[1] *Неверовский Дмитрий Петрович* (1771—1813), генерал-майор, с конца 1811 г. формировал в Москве 27-ю пехотную дивизию, с которой участвовал в Отечественной войне и кампании 1813 г. После Бородина произведен в генерал-лейтенанты. Умер от ран, полученных в Лейпцигском сражении.

[2] *Мусин-Пушкин Алексей Иванович* (1744—1817), граф, тесть Д. М. Волконского.

[3] *Мусина-Пушкина Екатерина Алексеевна* (1786—1870), графиня, сестра жены Д. М. Волконского, в замужестве Оболенская.

[4] *Мусин-Пушкин Александр Алексеевич* (1788—1813), граф, брат жены Д. М. Волконского, участник Отечественной войны и кампании 1813 г., умер от ран, полученных под Люненбургом в марте того же года.

[5] *Нащокина Дарья Алексеевна* (1787—1828), вышедшая замуж в 1812 г. за Владимира Петровича Бахметева (в первом браке был женат на М. В. Бутурлиной).

[6] *Хитрово Алексей Захарович* (1776—1854), действительный статский советник, обер-прокурор 5-го департамента сената, в 1812 г. временно исполнял должность обер-прокурора сената, женат на сестре жены Д. М. Волконского — Марии Алексеевне Мусиной-Пушкиной (р. 1782).

[7] В сентябре 1811 г. умер отец П. А. Строганова — А. С. Строганов, оставивший расстроенное состояние, что вынудило П. А. прибегать к займам и ссудам.

[8] *Бантыш-Каменский Дмитрий Николаевич* (1788—1850), историк, археограф, сотрудник Московского архива Коллегии иностранных дел, перед войной вместе со своим другом А. А. Мусиным-Пушкиным предпринявший поездку на Кавказ.

[9] *Волынская Анастасия Петровна* (1755—1812), урожденная Приклонская, вдова действительного статского советника М. В. Волынского (1746—1799).

[10] *Мусина-Пушкина Екатерина Алексеевна* (1754—1829), графиня, урожденная Волконская, теща Д. М. Волконского.

[11] *Лобанов-Ростовский Дмитрий Иванович* (1758—1838), князь, генерал от инфантерии, перед войной 1812 г. Рижский военный

губернатор, руководил формированием резервных войск, в 1813 г. командующий Резервной армией.

[12] *Петрово-Соловово Андрей Александрович* (р. 1760), двоюродный брат Д. М. Волконского со стороны матери.

[13] *Чесменский Александр Алексеевич* (1763—1820), побочный сын знаменитого деятеля екатерининского царствования А. Г. Орлова-Чесменского, служил в Конной гвардии, участвовал в войнах с Турцией, Швецией, Польшей, при Павле I был уволен от службы в бригадирском чине, помещик Рыбинского уезда Ярославской губернии.

[14] *Волконская Наталья Алексеевна* (1784—1829), княгиня.

[15] *Гудович Иван Васильевич* (1741—1820), граф, генерал-фельдмаршал. С 1809 до конца мая 1812 г. главнокомандующий в Москве, член Государственного совета, сенатор.

[16] *Петрово-Соловово Анна Васильевна* (ум. 1828), дочь лейб-гвардии секунд-майора В. Л. Петрово-Соловово.

[16а] *Нарышкина Варвара Алексеевна* (1760—1827), сестра тещи Д. М. Волконского — Е. А. Мусиной-Пушкиной.

[17] *Волконский Михаил Дмитриевич* (1811—1875), князь, сын Д. М. Волконского.

[18] *Ростопчин Федор Васильевич* (1763—1826), граф, генерал от инфантерии, с конца мая 1812 г. военный губернатор и главнокомандующий в Москве, с июля одновременно командующий 1-м округом ополчения.

[19] Имеется в виду Г. А. Хомутов.

[20] *Волконский Николай Сергеевич* (1753—1821), князь, дед Л. Н. Толстого.

[21] *Волконский Петр Алексеевич* (1759—1827), князь, бригадир, брат Е. А. Мусиной-Пушкиной, находился в Москве во время оккупации ее французами и оставил об этом воспоминания, написанные вскоре после событий (Русский архив.— 1905.— № 11.— С. 351—359).

[22] *Валуев Петр Степанович* (1743—1814), действительный тайный советник, сенатор, главноначальствующий экспедицией Кремлевского строения и мастерской Оружейной палаты.

[23] *Аббат-Сюррюг (Цурик, Цериг) Андриен* (ум. 20.XII.1812), французский эмигрант, поселившийся в России в 1790-х гг., служил учителем в доме А. И. Мусина-Пушкина, настоятель французского католического собора Св. Людовика в Москве.

[24] *Пушкина Анна Львовна* (1769—1824), тетка А. С. Пушкина.

[25] *Пушкин Василий Львович* (1761—1830), поэт, последователь Н. М. Карамзина, дядя А. С. Пушкина.

[26] *Нарышкин Михаил Петрович* (1753—1825), подполковник, и его жена Варвара Алексеевна, родители декабриста М. М. Нарышкина.

[27] *Волконская Варвара Александровна* (1785—1878), княжна,

двоюродная сестра Д. М. Волконского, двоюродная тетка Л. Н. Толстого.

[28] *Рахманов Алексей Степанович* (1755—1827), бригадир.

[29] Первая из серии знаменитых ростопчинских афиш, выпускавшихся летом 1812 г. для распространения среди московского населения. Афиша «Разговор мещанина Чихирина о французах», датированная 1 июля 1812 г., была отпечатана в виде лубочной гравюры с текстом Ф. В. Ростопчина. См.: [С а и т о в В. И.] Ростопчинские афиши 1812 г. Изд. А. С. Суворина.— Спб., 1889.— С. 15—21.

[30] *Карабановы* — *Петр Федорович* (1767—1851), известный коллекционер, собиратель преданий по истории России XVIII — начала XIX в., и его жена, *Варвара Ивановна* (1775—1834), урожденная Гагарина, племянница тещи Д. М. Волконского — Е. А. Мусиной-Пушкиной.

[31] *Гагарина Мария Ивановна* (р. 1790), дочь известного московского мистика-аристократа И. С. Гагарина, племянница, с материнской стороны, жены А. И. Мусина-Пушкина — Е. А. Мусиной-Пушкиной.

[32] *Енгалычевы, князья: Иван Александрович* (р. 1784), статский советник; *Николай Александрович* (1796—1861), коллежский асессор, племянники А. И. Мусина-Пушкина.

[33] *Августин (Виноградский Алексей Васильевич)* (1766—1819), архиепископ Московский.

[34] Речь идет о воззвании Александра I к Москве от 6 июля 1812 г. с призывом создавать ополченческие формирования. Датированное 6 июля 1812 г., оно было отправлено в Москву из Полоцка накануне отъезда Александра I из армии (Народное ополчение в Отечественной войне 1812 года: Сб. док.— М., 1962.— С. 46).

[35] Имеется в виду В. С. Трубецкой.

[36] *Шишков Александр Семенович* (1754—1841), писатель, в 1812 г. вице-адмирал, сменил М. М. Сперанского на посту Государственного секретаря, в Отечественной войне и заграничных кампаниях находился при Александре I, автор издававшихся тогда от имени царя манифестов и других законодательных актов.

[37] *Грессер (Крессер) Анна Михайловна* (1776—1827), жена генерал-майора Александра Ивановича Грессера (1772—1822), сражавшегося в 1812 г. в корпусе Н. Н. Раевского, сестра П. М. Волконского, фрейлина императрицы Марии Федоровны, переводчица.

[38] *Салтыков Петр Иванович*, граф, в 1812 г. отставной гвардии ротмистр, затем полковник, сформировал на свой счет Московский гусарский полк.

[39] *Гагарин Николай Сергеевич* (1784—1842), князь, офицер Белорусского гусарского полка, летом 1812 г. сформировал на свой счет 1-й пехотный полк Московского ополчения, с которым участвовал в Бородинском сражении.

[40] Манифест Александра I от 6 июля 1812 г. о созыве народного ополчения (Народное ополчение в Отечественной войне 1812 года: Сб. док.— М., 1962.— С. 14—15).

[41] *Татищев Николай Алексеевич* (1739—1823), генерал от инфантерии, родоначальник графской линии Татищевых, еще в 1806 г. был главнокомандующим первого областного земского (ополченческого) войска.

[42] *Марков (Морков) Ираклий Иванович* (1750—1829), граф, генерал-лейтенант, начальник Московского ополчения.

[43] *Апраксин Степан Степанович* (1747—1827), граф, генерал от кавалерии, в отставке с 1809 г., член 1-го комитета Московского ополчения, в его доме на Знаменке давались театральные представления.

[44] *Дмитриев-Мамонов Матвей Александрович* (1790—1863), граф, обер-прокурор 6-го (Московского) департамента сената, в 1812 г. на свои средства сформировал казачий полк. Основатель (совместно с М. Ф. Орловым) «Ордена русских рыцарей».

[45] *Волконская Софья Григорьевна* (1786—1869), жена П. М. Волконского, сестра декабриста С. Г. Волконского.

[46] *Толстой Петр Александрович* (1761—1844), граф, в 1812 г. генерал-лейтенант, руководил формированием резервных войск, ополчений и поставкой рекрут, начальник 3-го округа ополчения, в 1813 г. командовал корпусом в Польской армии, с октября блокировавшим Дрезден.

[47] *Муравьев Николай Николаевич* (1768—1840), основатель Московского училища колонновожатых, в 1812 г. полковник, начальник штаба 3-го округа ополчения, отец декабристов А. Н. и М. Н. Муравьевых и Н. Н. Муравьева-Карского.

[48] *Волконский Юрий Александрович* (1794 — после 1856), князь, участник ополчения 1812 г., впоследствии полковник, двоюродный брат Д. М. Волконского.

[49] *Волкова Маргарита Александровна* (1762—1820), урожденная Кошелева, жена генерал-поручика Аполлона Андреевича Волкова (1739—1806), двоюродная сестра Н. А. Волконской.

[50] *Архаров Николай Петрович* (1740—1812), генерал от инфантерии.

[51] *Гагарин Сергей Иванович* (1777—1862), сенатор, двоюродный брат жены Д. М. Волконского.

[52] *Бланкинагель (Бланкеннагель) Егор Иванович* (р. 1750), генерал-майор, русский агроном, один из основателей свеклосахарной промышленности в России, помещик Московской и Тульской губерний.

[53] *Полев Александр* (р. 1755), к началу Отечественной войны один из старейших штабных офицеров русской армии, участник русско-турецких войн конца XVIII в., с 1797 г. в отставке, вновь принят на службу в апреле 1812 г. подполковником в квартирмейстерскую часть,

с мая по сентябрь 1812 г. находился в Белграде, затем состоял квартирмейстером при штабе Кавалерийских резервов генерала А. С. Кологривова, накануне 1812 г. представил командованию ряд записок о военно-политическом положении страны и характере предстоящих боевых действий против Наполеона.

[54] *Ламберт Карл Осипович* (1771—1843), граф, французский эмигрант на русской службе. В 1812 г. генерал-майор, затем генерал-лейтенант, командовал корпусом в 3-й Западной армии и авангардом в армии П. В. Чичагова.

[55] *Волконский Сергей Александрович* (1786—1838), князь, двоюродный брат Д. М. Волконского, в 1812 г. капитан Московского ополчения, затем майор Архангелогородского полка, с которым участвовал в кампаниях 1813 г., в 1814 г. комендант Реймса.

[56] Возможно, имеется в виду Приклонский Александр Васильевич (р. 1777), переводчик Коллегии иностранных дел.

[57] *Волконский Михаил Сергеевич* (1745—1812), князь, отец Д. М. Волконского.

[58] L'Homond, Charles-François. Doctrine Chrétienn en forme de lecture de Pieté par m-s l'abbe l'Homond. P., 1801.

[59] Имеется в виду изданное в начале 20-х чисел июля 1812 г. походной типографией штаба 1-й Западной армии за подписью М. Б. Барклая-де-Толли обращение к жителям трех упомянутых губерний, имевшее характер общероссийского призыва к развертыванию крестьянской вооруженной борьбы с неприятелем (Листовки Отечественной войны 1812 года: Сб. док.— М., 1962.— С. 33—36).

[60] *Бантыш-Каменский Николай Николаевич* (1737—1814), археограф, историк, управляющий Московским архивом Коллегии иностранных дел, и его сын Д. Н. Бантыш-Каменский.

[61] Очевидно, имеются в виду Высоцкий Николай Петрович, генерал-майор, и его жена, Высоцкая Мария Ивановна, имевшие владение в селе Свиблово Московского уезда Московской губернии.

[62] *Веревкин Михаил Михаилович*, генерал-майор, служивший в конце XVIII — начале XIX в. на Кавказе.

[63] *Петрово-Соловово Екатерина Александровна*, урожденная Левашева, жена двоюродного брата Д. М. Волконского — А. А. Петрово-Соловово.

[64] Афиша Ф. В. Ростопчина от 30 августа 1812 г. с призывом к жителям Москвы собраться для защиты города от французов (но не на Поклонной горе, а на Трех горах — в районе Пресни). См. [С а и т о в В. И.] Ростопчинские афиши 1812 г. Изд. А. С. Суворина.— Спб., 1889.— С. 47.

[65] *Лавров Николай Иванович* (ум. 1814), генерал-лейтенант, в начале Отечественной войны начальник штаба 1-й Западной армии, затем командир 5-го пехотного (гвардейского) корпуса.

[66] *Виртемберской (Вюртембергский) Александр-Фридрих* (1771—

1837), принц, в 1812 г. генерал-лейтенант, затем генерал от кавалерии, Белорусский военный губернатор, участник Бородинского и Тарутинского сражений, состоял при штабе М. И. Кутузова, с апреля 1813 г. командующий войсками, осаждавшими Данциг.

[67] *Себастиани де ла Порта Орас* (1775—1851), граф, французский дивизионный генерал, в 1812 г. командовал 2-й кирасирской дивизией, в 1813 г.— кирасирской бригадой.

[68] 11 сентября 1812 г. М. И. Кутузов отправил из Красной Пахры рапорт Александру I: «Генерал-лейтенант князь Волконский, 3-й, явясь ко мне, изъявил верноподданническое желание паки на службу вашего императорского величества, которого, употребив теперь при армиях, мне вверенных, на высочайшее усмотрение о сем представляю» (М. И. Кутузов: Сб. док.— Т. IV.— Гл. 1.— М., 1954.— С. 285).

[69] *Голицына Варвара Васильевна* (1752—1815), княгиня, урожд. Энгельгардт, жена генерала от инфантерии С. Ф. Голицына (1749—1810), старинная приятельница Н. С. Волконского, переводчица.

[70] *Богданов Николай Иванович* (р. 1752), генерал-майор, в 1811—1814 гг. Тульский гражданский губернатор, в 1812 г. начальник Тульского ополчения.

[71] *Щербатов Александр Федорович* (1772—1817), князь, генерал-майор, в 1812 г. командовал сформированными им конными полками Тульского ополчения.

[72] *Похвоснев Василий Иванович*, Тульский губернский предводитель дворянства.

[73] *Верещагин М. Н.*, сын московского купца, летом 1812 г. обвиненный в переводе и распространении запрещенных цензурой сведений о Наполеоне. В момент оставления Москвы был отдан Ф. В. Ростопчиным возбужденной толпе на растерзание.

[74] *Волконский Дмитрий Петрович* (1764—1812), князь, генерал-лейтенант, дипломат.

[75] *Исленьев Петр Алексеевич* (ум. 1827), генерал-лейтенант.

[76] *Доктурова (Дохтурова) Мария Петровна*, урожденная Оболенская (1771—1852), жена Д. С. Дохтурова.

[77] *Бухарин Иван Яковлевич* (1772—1858), сенатор, в 1811—1814 гг. Рязанский гражданский губернатор.

[78] *Лихарев Михаил Дмитриевич*, Рязанский губернский предводитель дворянства.

[79] Вероятно, Грибовский Адриан Моисеевич (1767—1834), секретарь Екатерины II, автор известных Записок.

[80] *Багратион Кирилл Александрович* (1750—1828), князь, сын грузинского царевича Александра Иессевича, дядя П. И. Багратиона, генерал-майор, тайный советник, присутствующий в Московских департаментах сената.

[81] Вероятно, речь идет о Лунине Александре Михайловиче (1745—

1816), сенаторе, члене Опекунского совета, дяде декабриста М. С. Лунина.

[82] *Волконский Михаил Петрович* (ум. 1845), князь, действительный статский советник, в 1812—1817 гг. Владимирский губернский предводитель дворянства.

[83] *Волконский Андрей Сергеевич* (1746—1828), князь, дядя Д. М. Волконского.

[84] *Лопухин Степан Абрамович* (1769—1814), егермейстер.

[85] *Булгаков Александр Яковлевич* (1781—1863), чиновник по особым поручениям при Московском военном губернаторе, ведавший секретной перепиской Ф. В. Ростопчина, его друг и доверенное лицо, выехавший из Москвы при вступлении в нее французов и осенью 1812 г. находившийся во Владимире.

[86] Рескрипт Александра I Ф. В. Ростопчину от 27 августа 1812 г. об употреблении Д. М. Волконского при Московском ополчении и отношение Ф. В. Ростопчина Д. М. Волконскому от 5 октября 1812 г. с извещением об этом назначении см. ЦГАДА, ф. 1366, оп. 1, д. 49, л. 1—2.

[87] Предписание управляющего Военным министерством А. И. Горчакова Д. М. Волконскому от 29 октября 1812 г. о принятии его в службу по армии см. ЦГАДА, ф. 1366, оп. 1, д. 50, л. 1.

[88] *Дедюлин Яков Иванович*, генерал-майор, начальник Ярославского ополчения.

[89] *Платон (Левшин)* (1737—1812), митрополит Московский.

[90] *Ивашкин Петр Алексеевич* (1762—1823), генерал-майор, в 1808—1813 гг. Московский обер-полицмейстер.

[91] *Мицкой (Мицкий) Иван Григорьевич* (р. 1759), генерал-майор, в 1812—1813 гг. окружной начальник внутренней стражи.

[92] *Макдональд Жан-Стефен-Жозеф-Александр* (1765—1840), маршал и пэр Франции, в 1812 г. командовал 10-м корпусом, действовавшим под Ригой, присоединился с ним к главной французской армии во время отступления ее из России, в 1813 г. командовал 11-м корпусом.

[93] *Аргамаков Иван Андреевич* (1775—1820), генерал-майор, шеф Житомирского драгунского полка, входившего в 1812 г. в состав корпуса К. В. Ламберта.

[94] *Светчин (Свечин) Никанор Михайлович*, в ноябре-декабре 1812 г. комендант Борисова.

[95] *Шелигов (Шелихов) Дмитрий Потапович* (1792—1854), летом 1812 г. вступил в 1-й пехотный полк Московского ополчения, сформированный Н. С. Гагариным, участвовал в боевых действиях, в конце 1810 — начале 1820 г. был близок к декабристским кругам.

[96] *Мусин-Пушкин Иван Алексеевич* (1783—1836), граф, брат жены Д. М. Волконского, в 1812 г. поступил в Петербургское ополчение, участвовал во взятии Полоцка, в 1813 г. исполнял обязанности

дежурного генерала при П. Х. Витгенштейне, в мае 1814 г. произведен в генерал-майоры.

[97] *Волконский Алексей Дмитриевич* (1812—1823).

[98] *Щербатов 1-й, Алексей Григорьевич* (1776—1848), князь, генерал-лейтенант, в 1812 г. командир 18-й пехотной дивизии 3-й Западной армии, затем командующий 6-м пехотным корпусом, в 1813 г. входившего в состав Силезской армии Блюхера.

[99] *Рахманов Григорий Николаевич* (1761—1841), тайный советник, в 1809—1812 гг. Херсонский гражданский губернатор.

[100] *Голенищев-Кутузов Павел Васильевич* (1772—1843), генерал-майор, с октября 1812 г. командовал отдельным отрядом, в 1813 г.— авангардом корпуса П. Х. Витгенштейна.

[101] *Енгельгард (Энгельгардт) Григорий Григорьевич* (1759—1834), генерал-майор, шеф Староингерманландского пехотного полка, командир 8-й пехотной дивизии, в декабре 1812 г. формировал легионы из военнопленных.

[102] *Мелессино (Милисино) Алексей Петрович* (1759—1813), генерал-майор, шеф Лубенского гусарского полка, в 1812 г. командовал бригадой в 3-й Западной армии, убит в сражении под Дрезденом в августе 1813 г.

[103] Очевидно, отец декабриста А. Н. Сутгофа — Сутгоф Николай Иванович, шеф 37-го егерского полка, активный участник походов 1812—1814 гг., получивший ранения под Лейпцигом и взятый в плен при Монмери. В феврале 1814 г. произведен в генерал-майоры.

[104] *Сакен (Остен-Сакен) фон дер Фабиан Вильгельмович* (1752—1838), барон, генерал-лейтенант, командовал резервным корпусом на Волыни (действовал против Шварценберга и Ренье), с конца сентября 1812 г. подчиненным П. В. Чичагову, в 1813 г. командовал русским корпусом в Силезской армии, за отличие при Кацбахе произведен в генерал от инфантерии.

[105] *Венансон Осип Петрович* (р. 1777), граф, выходец из Пьемонта, полковник свиты е.и.в. по квартирмейстерской части.

[106] *Бибиков Дмитрий Иванович* (р. 1781), в 1812 г. майор Олонецкого пехотного полка, с 21 мая 1813 г. состоял при Д. М. Волконском дежурным штаб-офицером по Тульскому ополчению, за отличие при осаде Данцига произведен в подполковники.

[107] *Лекок Карл-Христиан Эрдман Эдлер* (1767—1830), немецкий военный, генерал-майор, в 1812 г. в составе «Великой армии» командовал 7-м саксонским корпусом, в 1813 г. командир бригады.

[108] *Марков 1-й, Евгений Иванович* (1769—1828), генерал-лейтенант, командовал корпусом в армии П. В. Чичагова, в 1813 г. начальник авангарда Польской армии.

[109] *Булатов Михаил Леонтьевич* (1760—1825), генерал-майор, командующий корпусом в армии П. В. Чичагова, в 1813 г. командовал

16-й пехотной дивизией Польской армии и отрядом в корпусе Ф. В. Остен-Сакена.

[110] *Пален 1-й, фон дер Павел Петрович* (1775—1834), в 1812 г. генерал-майор, затем генерал-лейтенант, командовал авангардным отрядом в армии П. В. Чичагова, в 1813 г.— 2-й конноегерской дивизией в корпусе Ф. К. Корфа.

[111] *Жевахов Иван Семенович* (1765—1837), князь, в 1812 г. полковник, командовал Серпуховским драгунским полком в 3-й Западной армии, с апреля 1813 г. генерал-майор.

[112] Имеется в виду Щербатов 2-й, Николай Григорьевич, князь, генерал-майор.

[113] *Ланской Василий Сергеевич* (1754—1831), в 1812 г. главноуправляющий по части продовольствия армии, в 1813 г. президент временного правительства в губерниях Варшавского герцогства.

[114] *Васильчиков 1-й, Илларион Васильевич* (1777—1847), генерал-майор, в начале Отечественной войны состоял в арьергарде 2-й Западной армии, в Бородинском сражении командовал 12-й пехотной дивизией, произведен в генерал-лейтенанты, с сентября 1812 г. командующий 4-м кавалерийским корпусом, в 1813 г.— кавалерией Силезской армии.

[115] *Капцевич Петр Михайлович* (1772—1840), генерал-лейтенант, в 1812 г. командир 7-й пехотной дивизии, в декабре — 6-го пехотного корпуса, в 1813 г. командующий блокадным отрядом у крепости Кюстрин и пехотным корпусом в Силезской армии.

[116] *Бетхер (Беттихер) Густав Иванович* (1789 — после 1843), майор Лейб-Кирасирского ее величества полка.

[117] *Грейх (Грейг) Алексей Самойлович* (1775—1845), контрадмирал, командующий флотилией при осаде Данцига, за отличие произведен в вице-адмиралы.

[118] *Сиверс Федор Федорович* (1746—1823), с 1811 г. Курляндский гражданский губернатор.

[119] *Миллер Иван Иванович*, генерал-майор, начальник внутренней стражи 1-го округа, с декабря 1812 г. командовал Тульским ополчением.

[120] Имеется в виду В. В. Ададуров.

[121] *Кулебакин Антон*, майор, батальонный начальник 4 пехотного полка Тульского ополчения, затем — подполковник, начальник 2-го пехотного полка.

[122] *Пулет*, инженер-подполковник прусской армии, отличившийся при осаде Данцига.

[123] *Турчанинов 2-й, Андрей Петрович* (1779 — после 1830), полковник, командир 3-го егерского полка в корпусе Ф. Ф. Штейнгеля, за отличие в осаде Данцига произведен в генерал-майоры.

[124] *Трескин Михаил Львович* (1765—1839), полковник, в 1812 г.

командир Азовского пехотного полка в корпусе Ф. Ф. Штейнгеля, в генерал-майоры произведен за отличие при Данциге.

[125] *Вандам Доминик-Рене* (1771—1830), граф, французский дивизионный генерал, в 1813 г. командир 1-го корпуса армии Наполеона, взят в плен под Кульмом.

[126] *Жеребцов Александр Александрович*, камергер, в 1812 г. командовал дружиной Петербургского ополчения, в 1813 г. генерал-майор, участвовал в осаде Данцига.

[127] *Блюхер Гебгард Леберехт фон* (1742—1819), генерал от кавалерии, с февраля 1813 г. командовал прусским корпусом в Силезии, затем — южной группой войск союзников, после перемирия главнокомандующий Силезской армией, после Лейпцигского сражения фельдмаршал.

[128] Имеется в виду Наталья Павловна Гедеонова (1790—1840), племянница Тверского губернского предводителя дворянства Сергея Александровича Шишкина, жена капитана Казанского драгунского полка А. М. Гедеонова, принимавшего участие в осаде Данцига.

[129] *Светчин (Свечин) Михаил Михайлович*, полковник, командир 3-го пехотного полка Тульского ополчения.

[130] *Боровской* (р. 1785), майор Мариупольского гусарского полка, в 1813 г. состоял адъютантом герцога А. Вюртембергского.

[131] *Беклемишев Петр*, подполковник, начальник 2-го конного полка Тульского ополчения.

[132] *Аксаков Николай Иванович*, капитан гвардии, состоял в 4-м пехотном полку Тульского ополчения, с 23 октября 1813 г. начальник 3-го пехотного полка.

[133] *Дона-Шлобитен (Донна, Донау) Карл-Фридрих-Эмиль* (ум. 1814), прусский полковник, командир 2-го гусарского полка Русско-немецкого легиона.

[134] Очевидно, Терский Александр Аркадьевич, поручик, состоял во 2-м конном полку Тульского ополчения.

[135] *Вельяминов Иван Алексеевич* (1771—1837), генерал-майор, в 1812 г. командир 33-й пехотной дивизии, в 1813 г. начальник штаба корпуса принца Александра Вюртембергского, осаждавшего Данциг.

[136] *Афросимов (Офросимов) Александр Павлович*, полковник, батальонный командир Егерского (4-го пехотного) полка Тульского ополчения, исполнял должность дежурного штаб-офицера при начальнике Тульского ополчения генерал-майоре И. И. Миллере.

[37] В Тульском ополчении, в 1-й пехотном полку служили прапорщики Теплов 1-й, Александр Иванович, и Теплов 2-й, Антон Семенович.

[138] *Рапп Жан* (1772—1821), граф, французский дивизионный генерал, генерал-адъютант, в 1813 г. военный губернатор Данцига.

[139] *Толубеев (Тулубев) Иринарх Степанович* (ум. 1822), морской офицер, капитан 2-го ранга (с декабря 1811 г.), командовал боевыми кораблями русского флота в Балтийском море, участвовал в блокаде

Данцига, командуя фрегатом «Амфитрида» в составе эскадры вице-адмирала А. Грейга.

¹⁴⁰ *Пейкер Александр Эммануилович* (1776—1834), полковник, командовал бригадой в корпусе П. Х. Витгенштейна, затем участвовал в осаде Данцига, с конца 1813 г. генерал-майор.

¹⁴¹ *Левиз-оф-Менар Федор Федорович* (1757—1824), генерал-лейтенант, в 1812 г. командовал отрядом в корпусе И. Н. Эссена, действовавшем под Ригой, в 1813 г. командир корпуса в составе войск П. Х. Витгенштейна, участвовал в осаде Данцига.

¹⁴² *Ришемон (Ришмон) Луи-Огюст, барон де* (1770—1853), французский военный, полковник, с 1811 г. инспектор войск на Одере и Эльбе, вместе с Ж. Раппом руководил в 1813 г. обороной Данцига, с апреля 1814 г. генерал-майор.

¹⁴³ *Фени Андрей Семенович* (1757—1828), генерал от инфантерии, участвовал в осаде Данцига.

¹⁴⁴ Очевидно, Бороздин Николай Михайлович (1777—1830), генерал-лейтенант, участвовал в важнейших сражениях 1813—1814 гг., командовал 1-й драгунской дивизией, блокировал крепость Майнц.

¹⁴⁵ *Салтыков Андрей Петрович* (1779—1836), штабс-капитан, сотенный начальник 4-го пехотного полка Тульского ополчения, троюродный брат Д. М. Волконского.

¹⁴⁶ *Голицын Павел Борисович* (р. 1796), адъютант Д. М. Волконского, офицер лейб-гвардии Преображенского полка.

¹⁴⁷ *Черныш Иван Иванович* (р. 1767), генерал-майор, в 1812 г. шеф Казанского драгунского полка, находился в отрядах Ф. Ф. Винценгероде, П. В. Голенищева-Кутузова, в 1813 г. участвовал в осаде Данцига.

¹⁴⁸ *Каховский Петр Демьянович*, генерал-майор, в 1812 г. командир 1-й кавалерийской дивизии в корпусе П. Х. Витгенштейна, в 1813 г. командовал кавалерией корпуса, осаждавшего Данциг.

¹⁴⁹ Капитан Казанского драгунского полка Александр Михайлович Гедеонов (1791—1867), впоследствии известный русский театральный деятель, директор императорских театров, во время кампаний 1813—1814 гг. отличился при осаде Данцига, был назначен адъютантом герцога А. Вюртембергского и послан им парламентером к французскому генералу Раппу для переговоров о сдаче крепости.

¹⁵⁰ *Мосенбах (Массенбах) Фридрих* (1753—1819), прусский генерал, принимавший участие в осаде Данцига.

¹⁵¹ *Рахманов И. М.*, подполковник 2-го пехотного полка Тульского ополчения.

¹⁵² *Миних Бурхард Кристоф* (1683—1767), русский военный и государственный деятель, генерал-фельдмаршал, президент Военной коллегии, в 1734 г., командуя русскими войсками, руководил осадой Данцига.

¹⁵³ *Петерсон (Петерсен) Иван Федорович* (1783—1875), подполков-

ник, старший адъютант герцога А. Вюртембергского, за отличие при осаде Данцига произведен в полковники.

[154] *Прозоровская Анна Михайловна* (1747—1824), княгиня, жена генерал-фельдмаршала А. А. Прозоровского (1732—1809), статс-дама, двоюродная сестра тещи Д. М. Волконского — Е. А. Мусиной-Пушкиной.

[155] Имеется в виду императрица Елизавета Алексеевна, жена Александра I, предпринявшая со свитой поездку в Германию в конце 1813 г. (И в а н о в В. Записки, веденные во время путешествия императрицы Елисаветы Алексеевны по Германии в 1813, 1814 и 1815 гг.— Ч. 1—2.— Спб., 1833).

[156] *Голицын Александр Михайлович*, князь, действительный камергер, гофмейстер придворного штата его императорского величества.

[157] *Амалия,* принцесса Гессен-Дармштадтская, марк-графиня Баденская.

[158] *Валуева Екатерина Петровна* (1774—1848), камер-фрейлина, дочь главноначальствующего экспедицией Кремлевского строения П. С. Валуева.

[159] *Вершинин Иван*, штабс-капитан 2-го пехотного полка Тульского ополчения.

[160] *Иорк Ганс-Давид-Людвиг* (1756—1828), генерал-лейтенант, в 1812 г. командовал прусским вспомогательным корпусом в армии Наполеона, в 1813 г.— прусским корпусом в русско-прусской армии, вошедшего после перемирия в Силезскую армию, за отличие под Вартенбургом пожалован титулом графа Вартенбург.

[161] *Репнин-Волконский Николай Григорьевич* (1778—1845), князь, троюродный брат Д. М. Волконского, генерал-майор, в 1813 г. командовал авангардом корпуса П. Х. Витгенштейна, за отличие при взятии Берлина пожалован генерал-адъютантом, с октября генерал-губернатор Саксонии.

[162] *Бобрищев-Пушкин Сергей Павлович*, полковник, начальник 4-го пехотного полка Тульского ополчения, отец декабристов Н. и П. Бобрищевых-Пушкиных.

[163] *Яковлев Александр Яковлевич*, подпоручик Тульского ополчения.

[164] *Кожин*, флота капитан 2-го ранга, батальонный начальник 1-го пехотного полка Тульского ополчения.

[165] *Эмме 1-й, Алексей Федорович* (1775—1849), капитан, в 1812 г. штаб-офицер в отряде генерал-лейтенанта Ф. Ф. Левиза, в кампании 1813 г. дежурный штаб-офицер при герцоге А. Вюртембергском, за отличие в блокаде Данцига произведен в подполковники, затем полковники, в 1814 г. переведен в Таврический гренадерский полк.

[166] *Владычин Дмитрий Семенович*, полковник, начальник 1-го пехотного полка Тульского ополчения.

...ачение в апреле 1812 г. адми-

... Дунайской (Молдавской)

...ию, Вяземский подразумевает

... задержанную после заключения

... протяжении года.

...рович (1764—1827), генерал-майор,

...отной дивизией.

«Журнала» (л. 92 об.— 93) помещен план

...го Екатерина Григорьевна и его третий сын

...сле 1854).

...рим Игнатьевич (1768—1825), генерал-майор (с декабря

...ал-лейтенант), командовал авангардом в армии Торма-

...менский Сергей Михайлович (1771—1835), граф, генерал от
...лерии, в 1812 г. командовал корпусом в армии Тормасова.

...Удом 2-й, Евстафий Евстафьевич (1760—1836), генерал-майор,
...1812 г. командовал 9-й пехотной дивизией в армии Тормасова.

[8] Хованский Николай Николаевич (1777—1837), князь, генерал-
майор, в 1812 г. командовал пехотной бригадой в армии Тормасова.

[9] Вяземский имеет в виду свое участие в сражении при Кобрине
во время Польского похода А. В. Суворова в августе 1794 г., о чем
он вспоминает на первых страницах «Журнала».

[10] Шталь (Сталь) Егор Федорович (1771 — после 1816), полковник (с 1813 г. генерал-майор), в 1812 г. командовал батальоном Лубенского гусарского полка в армии Тормасова.

[11] Сиверс 2-й, Иван Крестьянович (Христианович) (1775—?),
генерал-майор, начальник артиллерии 3-й Западной армии.

[12] Бианки (Бианко) Фридрих (1768—1855), барон, австрийский
фельдмаршал-лейтенант, командир пехотной дивизии.

[13] Бернандос (Бернадес) Пантелеймон Егорович (1761—1839),
генерал-майор, грек, с 1775 г. на русской службе, командовал пехотной дивизией в армии Тормасова.

[14] Власов 3-й, Максим Григорьевич (1768—1848), в 1812 г. подполковник, командир Донского казачьего полка в отряде А. И. Чернышева, впоследствии генерал-майор.

[15] Арнольд (Арнольди) Иван Карлович (1783—1860), в 1812 г.
майор (впоследствии генерал от артиллерии), в армии Чичагова
командовал 13-й конно-артиллерийской ротой.

[16] Кноринг (Кнорринг) Карл Богданович (1775—1817), полковник,
шеф Татарского уланского полка, в 1812 г. в армии Тормасова командовал отдельным кавалерийским отрядом, за отличие в сражении под

Городечной произведен в генерал-майоры, в 1813 г.
занскими отрядами на территории Саксонии.

[17] *Хрущов Иван Алексеевич* (1774—1824), генерал
в армии Тормасова командовал кавалерийской бригадо

[18] *Воинов Александр Львович* (1768—1832), гене
в 1812 г. командовал корпусом в армии Чичагова.

[19] Здесь в «Журнале» (л. 101) помещен план лагеря р
при Луцке.

[20] *Орели (Орелли) Андреас* (1742—1832), граф (
ошибочно называет его принцем), австрийский генерал от ка
в 1812 г. командир австрийского легкого конного полка в арми
леона. 19 сентября 1812 г. М. И. Кутузов рапортовал Алекса
о захвате штандартов полка Орелли (см.: М. И. К у т у з о в: Сб
документов.— Т. IV.— Ч. 1.— М., 1954.— С. 322—323).

[21] *Эртель Федор Федорович* (1768—1825), генерал-лейтена
в 1812 г. командовал 2-м резервным корпусом, с декабря 1812 г. вое
ный генерал-полицмейстер действующей армии.

[22] *Клейнмихель Андрей Андреевич* (1758—1815), генерал-лейтенант, директор 2-го кадетского корпуса, в 1812 г. занимался формированием пехотных полков.

[23] *Мор Иоганн-Фридрих* (1765—1847), фельдмаршал-лейтенант
австрийской армии, в 1812 г. командовал бригадой в корпусе К. Шварценберга, в 1813 — дивизией 4-го австрийского корпуса в составе
Главной (Богемской) армии.

[24] *Ланжерон Александр Федорович* (1763—1831), граф, генерал
от инфантерии, французский эмигрант, на русской службе с 1790 г.,
в 1812 г. командовал корпусом в армии Чичагова, в 1813 г. возглавлял
войска, осаждавшие Торн, после перемирия командир русского корпуса
в Силезской армии. В своих записках о русско-турецкой войне 1806—
1812 гг. упоминает В. В. Вяземского, отмечая его образованность и
хорошее знание военного дела и вместе с тем легкомыслие и нерешительность (Русская старина.— 1908.— № 4.— С. 233).

[25] *Сабанеев Иван Васильевич* (1771—1829), генерал-лейтенант,
в 1812 г. начальник штаба армии Чичагова, командовал резервным
корпусом, в 1813 г. начальник штаба русско-прусских армий. Близкий
друг Вяземского, после смерти последнего опекавший его семью.

[26] *Ланской Сергей Николаевич* (1774—1814), в 1812 г. генерал-
майор, шеф Белорусского гусарского полка, начальник отряда в армии
Чичагова, в 1813 г. начальник кавалерии в отряде Ф. Ф. Винценгероде,
после Касбаха генерал-лейтенант. Погиб под Краоном.

[27] *Паденский (Падейский) Федор Федорович*, генерал-майор,
шеф Козловского пехотного полка, в 1812 г. находился в 3-й Западной
армии в корпусе Маркова 1-го, в 15-й пехотной дивизии, затем в армии
Чичагова, в 1-м корпусе К. О. Ламберта.

[28] *Виктор Клод Перрен* (1764—1841), герцог Беллуно, маршал

Франции, в 1812 г. командовал 6-м корпусом французской армии, в 1813 г.— 2-м корпусом.

[29] Стодола — сарай, навес для повозок и скота (Даль).

[30] *Дембровский (Домбровский) Ян Генрик* (1756—1818), польский генерал, создатель польских легионов, после третьего раздела Польши (1796 г.) эмигрировал во Францию, в 1812—1813 гг. участвовал в войне с Россией на стороне Франции.

[31] Число «9» в «Журнале» было проставлено Вяземским заранее, однако записать что-нибудь Вяземский, раненый при Борисове, не успел.

И. П. ЛИПРАНДИ. «ВЫПИСКА ИЗ ДНЕВНИКА 1812 ГОДА» (ЦГВИА, ф. 474, д. 119, л. 5—11)

[1] Возможно, имеется в виду Кусов Алексей Иванович (1790—1848), сын знаменитого петербургского купца И. В. Кусова.

[2] *Глинка Федор Николаевич* (1786—1880), поручик Апшеронского пехотного полка, после войны 1805—1806 гг. вышел в отставку и поселился в своем имении в с. Сутоки Смоленской губернии, откуда в 1812 г. сопровождал отступавшую русскую армию. Сражался в Бородине, в начале октября 1812 г. в Тарутине вновь вступил в службу в тот же полк с назначением адъютантом к М. А. Милорадовичу, с которым участвовал в изгнании французской армии из России и в походе 1813 г. Поэт, публицист, после войны — член Союза спасения и один из руководителей Союза благоденствия. В его «Письмах русского офицера» (ч. IV.— М., 1815.— С. 75—77) запись за 3 сентября 1812 г. отсутствует, а в записи за 4 сентября о встречах с кем-либо во время оставления Москвы Ф. Н. Глинка не сообщает. Таким образом, и в этом случае «Выписка из дневника» заключает в себе новые сведения.

[3] *Бетев 2-й, Аполлос Агафонович* (р. 1793), в феврале 1812 г. из Горного кадетского корпуса поступил колонновожатым в свиту е.и.в. по квартирмейстерской части, с 1 октября прапорщик, состоял при дивизионном квартирмейстере 2-й кирасирской дивизии, исполнял в отсутствие последнего его обязанности.

[4] *Гартинг Мартын Николаевич* (1785—1824), в 1812 г. был не штабс-капитаном, а подполковником свиты е.и.в. по квартирмейстерской части. С января по 2 июня дивизионный квартирмейстер 17-й дивизии, затем до 30 августа обер-квартирмейстер 3-го пехотного корпуса, выполнял поручения штаба М. И. Кутузова, с января 1813 г. находился при Главной квартире армии, с февраля полковник.

[5] *Д. С. Дохтуров*, командующий 6-м пехотным корпусом.

[6] Имеется в виду И. И. Марков, начальник Московского ополчения.

[7] *Потемкин Александр Карпович* (р. 1787), подпоручик Елецкого

пехотного полка (с декабря 1812 г. поручик), состоял адъютантом при командующем 7-м пехотным корпусом генерале Д. С. Дохтурове.

[8] *Панин Александр Никитич* (1791—1850), граф, сын вице-канцлера Н. П. Панина, одного из руководителей заговора против Павла I. С 1809 г. актуариус Московского архива Коллегии иностранных дел, в августе 1812 г. вступил прапорщиком в Московское ополчение, в Бородине состоял при Д. С. Дохтурове и за отличие произведен в поручики, сражался в кампаниях 1813—1814 гг.

[9] Имеется в виду генерал-майор Ф. И. Талызин 1-й.

[10] *Нелединский-Мелецкий Сергей Юрьевич* (1796—1870), прапорщик, родственник Д. С. Дохтурова, в 1812 г. состоял при его штабе.

[11] *Ф. И. Талызин* и его брат *Талызин 2-й, Александр Иванович* (1777—1849), генерал-майор, в 1812 г. командир 2-го егерского полка Московского ополчения.

[12] *Виллие (Вилье) Яков Васильевич* (1768—1854), баронет, в 1812 г. главный военно-медицинский инспектор русской армии.

[13] *Оболенский Василий Петрович* (1780—1834), в 1812 г. был не генералом, а офицером, выполнявшим при Д. С. Дохтурове адъютантские обязанности. Генерал-майорский чин получил позднее.

[14] *Хоментовский 2-й, Михаил Яковлевич* (1775—1846), подполковник свиты е.и.в. по квартирмейстерской части, с ноября 1812 г. полковник, исполнял обязанности генерал-квартирмейстера 2-й Западной армии, после Бородинского сражения находился при штабе М. И. Кутузова.

[15] Д. С. Дохтуров был единственным из корпусных командиров, кто еще до оглашения этой диспозиции догадывался, что у Боровского перевоза армия предпримет фланговый марш-маневр в западном направлении. 3 сентября он доверительно сообщал жене: «Я полагаю, что мы пойдем по Калужской дороге». Его письма к жене за конец августа — сентябрь 1812 г. могут служить фактическим комментарием к «Выписке из дневника» И. П. Липранди (Русский архив.— 1874.— № 5.— Ст. 1096—1102).

А. А. ЩЕРБИНИН. «ВОЕННЫЙ ЖУРНАЛ 1813 ГОДА» (ЦГВИА СССР, ф. ВУА, д. 3918, л. 57—145 об.)

[1] Таблица под литерою «А», как и другие упоминаемые далее литерные таблицы и документы, в рукописи отсутствует. Очевидно, А. А. Щербинин предполагал дать документальные приложения к своему дневнику, но не реализовал этот замысел.

[2] *Пален 2-й, фон дер Петр Петрович* (1778—1864), в 1812 г. командовал 3-м кавалерийским корпусом 1-й Западной армии, в 1813 г.— летучим корпусом; после Плесвицкого перемирия командир авангарда корпуса П. Х. Витгенштейна.

³ *Лисанович Григорий Иванович* (1756—1832), генерал-майор, шеф Чугуевского уланского полка.

⁴ *Милорадович Михаил Андреевич* (1771—1825), граф, генерал от инфантерии; в начале Отечественной войны формировал резервные войска, в Бородинском сражении возглавлял войска правого фланга, затем командовал арьергардом, во второй половине кампании 1812 г. и походе 1813 г.— авангардом; после Плесвицкого перемирия командующий русско-прусской гвардии.

⁵ Корпусной командир в армии П. В. Чичагова — П. К. Эссен 3-й, в декабре 1812 г. получил назначение формировать резервные войска и сдал командование корпусом Д. М. Волконскому.

⁶ П. В. Чичагов, в 1813 г., в качестве главнокомандующего 3-й Западной армией, действовал на территории герцогства Варшавского и Восточной Пруссии; в феврале вышел в отставку. Вместо него главнокомандующим 3-й армией был назначен М. Б. Барклай-де-Толли.

⁷ *Штейнгель Фаддей Федорович* (1762—1831), граф, генерал-лейтенант, в 1812 г. командовал отдельным Финляндским корпусом, в октябре присоединенным к корпусу П. Х. Витгенштейна; в 1813 г. участвовал в блокаде Данцига.

⁸ *Шепелев Дмитрий Дмитриевич* (1771—1841), генерал-майор, в первую половину кампании 1813 г. командир авангарда корпуса П. Х. Витгенштейна; за взятие Кенигсберга произведен в генерал-лейтенанты, участвовал в осаде Гамбурга.

⁹ *Мортье Эдуард Адольф Казимир Жозеф* (1768—1835), герцог Тревизский, маршал и пэр Франции, командовал «Молодой гвардией» Наполеона, в сентябре — начале октября 1812 г. военный губернатор Москвы, с декабря 1813 г. командир «Старой гвардии».

¹⁰ *Анштет (Анстет) Иван Осипович* (1770—1835), барон, с 1789 г. французский эмигрант на русской службе; в 1812—1813 гг. директор дипломатической канцелярии М. И. Кутузова, вел переговоры о перемирии с Австрией; русский представитель на конгрессе в Праге (июль — август 1813), созванном при посредничестве Австрии для ведения мирных переговоров между союзниками (Россией и Пруссией) и Францией.

¹¹ На полях рукописи против слов: «остановился <...> с князем Шварценбергом» написано: «Отправлено письмо к матушке, сестре и брату с Кованькой, с приложением пашпорта, билетиков и приказов».

¹² *Фридрих Вильгельм III* (1770—1840), король Пруссии с 1797 г.

¹³ *Гренье Поль* (1768—1827), граф, французский дивизионный генерал, командир дивизии.

¹⁴ *Горбунцев Егор Сергеевич* (ум. 1813), генерал-майор, шеф Брянского пехотного полка.

¹⁵ *Ливен Иван Андреевич* (1768—1848), граф, в 1813 г. генерал-майор, с сентября генерал-лейтенант, командир отряда в составе корпуса Ф. В. Остен-Сакена.

¹⁶ *Иловайский 3-й, Алексей Васильевич* (1767—1842), генерал-майор, командир казачьего отряда.

¹⁷ *Кологривов Андрей Семенович* (1775—1825), генерал от кавалерии, в 1812—1814 гг. командир кавалерийских резервов.

¹⁸ *Габленц Генрих Адольф фон*, саксонский генерал-майор, в 1812—1813 гг. командовал бригадой легкой кавалерии при корпусе Ж. Л. Ренье.

¹⁹ Имеется в виду сражение под Калишем 1 (13) февраля 1813 г., в котором корпус Ф. Ф. Винценгероде наголову разбил саксонский корпус Ж.-Л. Ренье.

²⁰ *Понятовский Иосиф Антон* (1763—1813), князь, польский дивизионный генерал, в 1812—1813 гг. командир польского корпуса в армии Наполеона; за отличие при Лейпциге произведен в маршалы Франции, во время отступления наполеоновской армии был ранен и утонул в Эльстере.

²¹ *Прендель Виктор Антонович* (1766—1852), уроженец Тироля, на русской службе с 1804 г.; в 1813 г. подполковник, с марта полковник, командир армейского партизанского отряда.

²² *Иорк фон Вартенбург Ганс Давид Людвиг* (1759—1830), генерал-лейтенант, в 1812 г. командовал вспомогательным прусским корпусом в армии Наполеона, впоследствии командир 1-го корпуса Силезской армии; за отличие при Вартенбурге награжден титулом графа.

²³ *Бюлов Фридрих Вильгельм* (1755—1816), в 1813 г. генерал-майор, затем генерал-лейтенант, генерал-губернатор Восточной Пруссии, командир резервного прусского корпуса, после перемирия вошедшего в состав Северной армии, за отличие при Денневице пожалован титул графа фон Денневиц.

²⁴ *Ратт Семен Лукич* (1766—1822), в 1813 г. генерал-лейтенант, командир корпуса, с февраля находившегося при блокаде крепости Замостье.

²⁵ *Мусин-Пушкин Петр Клавдиевич* (р. 1766), генерал-майор, затем генерал-лейтенант, командир корпуса; в январе 1813 г. поручено формировать резервные войска.

²⁶ *Теттенборн Фридрих Карл* (1778—1845), барон, в августе 1812 г. принят из австрийской службы в русскую, в 1813 г. полковник, с марта генерал-майор, командир армейского партизанского отряда.

²⁷ *Власов 3-й, Максим Григорьевич* (1767—1848), в 1813 г. полковник, командир донского казачьего полка в отряде А. И. Чернышева.

²⁸ *Эммануэль Георгий Арсеньевич* (1775—1837), в 1813 г. генерал-майор, шеф Киевского драгунского полка, командир летучего отряда, после перемирия командовал кавалерией авангарда корпуса А. Ф. Ланжерона в Силезской армии.

²⁹ *Мария Павловна* (1788—1859), великая княгиня, сестра Александра I, и ее муж герцог Саксен-Веймарский Карл Фридрих (р. 1783).

Слух об их отправлении Наполеоном во Франкфурт-на-Майне был неосновательным.

[30] *Вреде Карл Филипп* (1767—1839), граф, генерал от кавалерии, в 1812—1813 гг. командовал баварскими войсками в армии Наполеона; в октябре 1813 г., по присоединении Баварии к союзникам, командующий австро-баварской армии.

[31] *Бенкендорф Александр Христофорович* (1783—1844), в 1812 г. полковник, затем генерал-майор, состоял в отряде Ф. Ф. Винценгероде, во время преследования наполеоновской армии — в отряде П. В. Голенищева-Кутузова; в 1813 г. командир армейского партизанского отряда.

[32] Ретраншемент — внутреннее укрепление, возведенное позади крепостной стены.

[33] Имеется в виду Жан Батист Жюль Бернадот, наследный принц Швеции с 1810 г.

[34] *Луковкин Гавриил Амвросиевич* (1772—1849), в 1813 г. полковник, с июня генерал-майор, командовал казачьим отрядом; после перемирия командовал казачьими полками в корпусе Ф. В. Остен-Сакена.

[35] *Греков 3-й, Степан Евдокимович* (ум. 1832), в 1813 г. генерал-майор.

[36] *Чернозубов 4-й*, в 1813 г. полковник, командир донского казачьего полка.

[37] *Шаренгорст (Шарнхорст) Герхард Иоганн Давид* (1755—1813), прусский государственный и военный деятель; в 1808—1810 гг. военный министр, в 1813 г. генерал-лейтенант, с марта генерал-квартирмейстер прусской армии, смертельно ранен при Люцене.

[38] *Трауенциен (правильно Тауенцин) Фридрих Богислав* (1760—1824), в 1813 г. генерал-лейтенант, военный губернатор провинций между Одером и Вислой, командир прусского блокадного корпуса при крепости Штеттин; после перемирия командовал прусским корпусом в Северной армии, за взятие крепости Виттенберг пожалован титул графа фон Виттенберг.

[39] *Шулер (Шюлер) фон Зенден*, генерал-майор, командир прусского корпуса, блокировавшего крепость Глогау.

[40] *Генрих Фридрих Карл* (1781—1846), принц, брат прусского короля Фридриха Вильгельма III.

[41] *Бертран Анри Грасьен* (1773—1844), граф, французский дивизионный генерал, генерал-адъютант Наполеона, в 1813 г. командир 4-го корпуса «Великой армии».

[42] На корабле, отправленном из Гамбурга в Лондон, Ф. К. Теттенборн послал казака А. Витиченко, «как живое свидетельство успеха, одержанного русскими войсками» (Богданович М. И. История войны 1813 года за независимость Германии.— Спб., 1863.— Т. I.— С. 80).

⁴³ *Ртищев Николай Федорович* (1754—1835), в 1813 г. генерал-лейтенант, главнокомандующий в Грузии.

⁴⁴ *Котляревский Петр Степанович* (1782—1852), в 1813 г. генерал-майор, командир отряда, действовавшего против персидских войск на Кавказе, за отличие при штурме крепости Ленкорань, решившего исход русско-иранской войны 1804—1813 гг., произведен в генерал-лейтенанты.

⁴⁵ *Борстель Карл Генрих Людвиг* (1773—1844), в 1813 г. генерал-майор, командир прусского отряда, блокировавшего Магдебург; после перемирия командовал бригадой в корпусе Ф. В. Бюлова.

⁴⁶ *Моран Жозеф* (1757—1813), барон, французский дивизионный генерал, в 1813 г. командир сводного отряда в Северной Германии, смертельно ранен под Люнебургом.

⁴⁷ *Дернберг Вильям Каспар Фердинанд фон* (1768—1850), уроженец Гессена, в 1812 г. принят на русскую службу в чине генерал-майора; в 1813 г. командир армейского партизанского отряда, затем — авангарда корпуса Л. Г. Вальмодена.

⁴⁸ На полях рукописи против слов «...повеление следовать <...> в местечко» написано: «Получено письмо от Кристины Пет. Писал Сергею Илиичу».

⁴⁹ Имеется в виду Брозин 1-й, П. И.

⁵⁰ К. Ф. Толь.

⁵¹ *Гаугвиц Христиан Август* (1752—1832), граф, в 1805—1807 гг. министр иностранных дел Пруссии.

⁵² *Габбе Михаил Андреевич* (р. 1794), в 1813 г. подпоручик, с октября поручик лейб-гвардии Литовского полка, адъютант К. Ф. Толя, впоследствии был близок к кругам Союза Благоденствия.

⁵³ Гарнизон крепости Торн капитулировал 4 (16) апреля 1813 г.

⁵⁴ Параллели — траншеи, устраиваемые при осаде крепости для обеспечения осадных работ.

⁵⁵ *Форнье д'Альб Гаспар Илларион* (1768—1834), французский бригадный генерал, в 1812—1814 гг. комендант крепости Кюстрин.

⁵⁶ *Тилеман (Тильман) Иоганн Адольф* (1765—1824), в 1812 г. генерал-майор саксонской армии, командовал бригадой кирасир в 4-м резервном кавалерийском корпусе; в 1813 г. генерал-лейтенант, комендант крепости Тогау, с мая на русской службе, командир армейского партизанского отряда, с октября занимался реорганизацией саксонской армии.

⁵⁷ *Клейст Фридрих Генрих Фердинанд* (1762—1823), граф фон Ноллендорф, генерал-лейтенант, в 1813 г. командир прусского корпуса; в качестве уполномоченного Пруссии участвовал в переговорах о перемирии между союзными и французскими войсками, после перемирия командовал прусским корпусом в Главной (Богемской) армии.

⁵⁸ *Моран Шарль Луи Антуан* (1771—1835), граф, французский

генерал и военный писатель, в 1812—1813 гг. командовал пехотной дивизией.

[59] *Пейри де*, итальянский дивизионный генерал, в 1813 г. командовал итальянской дивизией в корпусе А.-Г. Бертрана.

[60] *Гельвих (Гельви)*, майор прусской армии, командир легкого отряда, действовавшего на коммуникации армии Наполеона.

[61] *Рехберг-Ротенлевен Иосиф фон* (1769—1833), граф, генерал-лейтенант, в 1813 г. командовал пехотной бригадой в баварском корпусе; по присоединении Баварии к союзникам командир дивизии в австро-баварской армии К.-Ф. Вреде.

[62] *Фридрих II, король Пруссии* (1740—1786). Под Хохкирхом 3 (14) октября 1758 г. прусская армия Фридриха II потерпела поражение от австрийской армии Л. Дауна.

[63] *Даун Леопольд* (1705—1766), австрийский фельдмаршал, в период Семилетней войны (1758—1760 гг.) главнокомандующий австрийской армией.

[64] А. А. Щербинин имеет в виду классический труд А. А. Жомини «Traite des grandes opérations des guerres militaires» (Т. I—II, Paris, 1804—1807).

[65] *П. М. Волконский.*

[66] *А. И. Михайловский-Данилевский.*

[67] Имеется в виду сражение под Люценом 16 ноября 1632 г. во время Тридцатилетней войны между шведской армией Густава-Адольфа и армией германского императора под начальством А. Валленштейна.

[68] *Берх (Берг) Григорий Максимович* (1775—1838), в 1813 г. генерал-лейтенант, командир русского пехотного корпуса, отличился под Люценом.

[69] *Евгений Вюртембергский* (1788—1857), принц, двоюродный брат Александра I, в 1813 г. генерал-лейтенант русской армии, командир 2-го пехотного корпуса, отличился при Люцене, Кульме и Лейпциге.

[70] Далее в рукописи идут шесть сшитых листов, имеющих литерную пагинацию и помету А. А. Щербинина: «Сие описание на особых листах (от а до m) сообразить с главным описанием. Сие последнее дополнить нужно». Из 6 листов только первые четыре (по постраничной пагинации a — q) заполнены текстом, который, несмотря на некоторые повторы, дополняет основную часть «Военного журнала». Публикуем его частично: «...1-го маия. Милорадович наименован графом.

В Дрездене, 24 числа получил я известие о прибытии братца Петра Андреевича 13-го апреля, в первый день праздника, в Петербург. Дай боже ему всякого щастия!

После сильной простуды 20-го числа занемог я лихорадкою. Недостаток связи в записках сих суть следствия болезни моей, которая хотя оставила меня к 1-му маия, но большую я еще слабость чувствую».

[71] *Фридрих Вильгельм Карл* (1783—1851), принц Прусский, брат прусского короля Фридриха Вильгельма III.

[72] Боевые действия арьергарда союзных войск имели место 27 апреля (9 мая).

[73] *Фридрих Август I* (1750—1827), король Саксонии с 1806 г., герцог Варшавский (1807—1815).

[74] *М. Б. Барклай-де-Толли,* с 17 мая главнокомандующий всех действующих русско-прусских армий; за отличие при Лейпциге пожалован в графское достоинство, за взятие Парижа произведен в генерал-фельдмаршалы.

[75] *Дибич Иван Иванович* (1785—1831), в 1812 г. генерал-майор, обер-квартирмейстер корпуса П. Х. Витгенштейна, с апреля 1813 г. генерал-квартирмейстер русско-прусских армий, с мая генерал-квартирмейстер всех действующих русских армий; за отличие при Лейпциге произведен в генерал-лейтенанты.

[76] *Гернгрос (Гренгрос) Владимир Федорович* (1790—1813), в 1813 г. поручик свиты е.и.в. по квартирмейстерской части, состоял при главной квартире русской армии.

[77] *Дюрок Жерар Кристоф Мишель* (1772—1813), герцог Фриульский, французский дивизионный генерал, гофмаршал двора Наполеона, смертельно ранен под Рейхенбахом в мае 1813 г.

[78] *Кирхнер (правильно Кирженер) Франсуа Жозеф* (1766—1813), барон, в 1813 г. дивизионный генерал, начальник инженеров гвардии Наполеона; убит под Рейхенбахом ядром, которое затем смертельно ранило Дюрока.

[79] *Мармон Огюст Фредерик Луи Виесс де* (1774—1852), герцог Рагузский, маршал Франции, в 1813 г. командовал 6-м корпусом наполеоновской армии. Слух о смерти Мармона был недостоверен.

[80] А. А. Щербинин ошибается: П. А. Шувалов был отправлен не в главную квартиру Наполеона, а на аванпосты французской армии, куда он прибыл 16 (28) мая.

[81] *Франц I Иосиф Карл* (1768—1835), последний император «Священной Римской империи», с 1806 г. император Австрии.

[82] Имеется в виду король Пруссии Фридрих II.

[83] *Меттерних-Винебург Клеменс Венцель Лотар* (1773—1859), граф, министр иностранных дел Австрии.

[84] *Михаил Андреевич Щербинин.*

[85] *Крылов Сергей Ильич,* гоф-фурьер, тесть старшего брата А. А. Щербинина.

[86] Имеется в виду старший брат А. А. Щербинина — Петр Андреевич (ум. в ноябре 1813), штабс-капитан лейб-гвардии Егерского полка, в то время находившийся в России.

[87] *Сюше Луи Габриэль* (1772—1826), герцог Альбуферский,

маршал Франции, в 1813 г. командующий французской армии «Каталонии и Арагона».

[88] *Веллингтон Артур Уэлсли* (1769—1852), герцог, главнокомандующий английской армии в Испании; за победу при Виттории произведен в фельдмаршалы.

[89] *Сульт Николя Жан де Дье* (1769—1851), герцог Далматский, маршал Франции, в 1813 г. командовал «Старой гвардией» Наполеона, участвовал в сражении при Бауцене, затем назначен главнокомандующим французской армии «Испании и Пиреней».

[90] *Каткарт Вильям Шоу* (1755—1843), граф, английский генерал и дипломат, в 1812 г. посол Великобритании в России, в 1813—1814 гг. находился при главной квартире Александра I.

[91] *Гумбольдт Фридрих Вильгельм Христиан Карл Фердинанд* (1767—1835), прусский дипломат, с июня 1813 г. уполномоченный Пруссии в главной квартире союзников.

[92] *Коленкур Арман Огюст Луи де* (1773—1827), герцог Виченцский, французский дивизионный генерал, обер-шталмейстер, дипломат.

[93] *Моро Жан Виктор* (1763—1813), французский генерал, соперник Наполеона, в 1804 г. обвинен в заговоре, изгнан из Франции и уехал в США; по приглашению Александра I 4 августа 1813 г. прибыл в Прагу и до смертельного ранения 15 августа под Дрезденом состоял его военным советником.

[94] *Вандам Доминик Рене* (1771—1830), граф Гюнебургский, французский дивизионный генерал, в 1813 г. командир 1-го корпуса «Великой армии» Наполеона.

[95] *Коллоредо-Мансфельд Иероним* (1775—1822), граф, австрийский фельдмаршал-лейтенант, в 1813 г. командир австрийской пехотной дивизии, с сентября — 1-го корпуса; отличился при Кульме.

[96] *Мерфельд Максимилиан* (1761—1815), граф, генерал от кавалерии, командир 2-го австрийского корпуса Главной (Богемской) армии; при Лейпциге попал в плен к французам.

[97] *Крейцер Шарль Огюст* (1780—1832), французский бригадный генерал, в 1813 г. командир бригады 42-й пехотной дивизии 14-го корпуса Г. Сен-Сира; взят в плен под Кульмом.

[98] *Кленау Иоганн, граф фон Яновиц* (1758—1819), генерал от кавалерии, в 1813 г. командовал 4-м австрийским корпусом Главной (Богемской) армии.

[99] 15 сентября — день коронации Александра I.

[100] *Лефевр-Денует Шарль* (1775—1822), французский дивизионный генерал, командир гвардейской кавалерийской дивизии.

[101] *Марков Евгений Иванович* (1769—1828), генерал-лейтенант, генерал-адъютант.

[102] *Толстой Петр Андреевич* (1761—1844), граф, генерал-лейтенант.

[103] 27 сентября летучий отряд Тилемана находился у Наумбурга.

[104] Речь идет о набеге летучего отряда А. И. Чернышева на столицу Вестфальского королевства — Кассель.

[105] *Лихтенштейн Мориц Иосиф* (1775—1819), принц, генерал-фельдмаршал-лейтенант австрийской армии, в 1813 г. командовал 1-й легкой дивизией.

[106] *Ожеро Пьер Франсуа Шарль* (1757—1816), герцог Кастильонский, маршал Франции, в 1813 г. командир резервного корпуса.

[107] Летучий отряд Тильмана находился в Цейце.

[108] Имеется в виду русская и прусская гвардия.

[109] Имеется в виду Горчаков 2-й, Андрей Иванович, генерал-лейтенант, корпусной командир Богемской армии.

[110] *Гессен-Гомбургский Фридрих Иосиф* (1769—1829), наследный принц, генерал от кавалерии австрийской армии, в 1813 г. командовал резервным австрийским корпусом, в Лейпцигском сражении — левым крылом союзных войск.

[111] *Гувьон Сен-Сир Лоран* (1764—1830), маршал Франции, в 1812 г. командовал 6-м корпусом, в 1813 г.— 14-м корпусом «Великой армии», с конца сентября руководил обороной Дрездена.

[112] Имеется в виду сражение при Тарутино.

[113] *Юлай (правильно Дьюлай) Мараш-Немет и Надаска Игнатий* (1763—1831), венгерский граф, австрийский генерал-фельдцейхмейстер, в 1813 г. командовал 3-м австрийским корпусом Главной (Богемской) армии, при наступлении союзников на Лейпциг — ее авангардом.

[114] *Бубна и Литтиц Фердинанд* (1768—1825), граф, в 1813 г. фельдмаршал-лейтенант австрийской армии, командовал 2-й легкой дивизией.

[115] *Сулковский Павел Антон* (1785—1836), князь, в 1813 г. польский дивизионный генерал, после смерти Понятовского временно командовал польским корпусом.

[116] Имеется в виду великий герцог Франкфуртский Карл, примас Рейнского союза (р. 1744).

[117] Описанное событие происходило 28 октября 1813 г.

[118] Дрезден был сдан 30 октября.

[119] *Вильгельм Фредерик* (1772—1843), принц Оранский-Нассау, с 1813 г. король Нидерландов Вильгельм I.

[120] *Кастельрег (правильно Кэстльри) Роберт Стюарт, лорд Лондондерри* (1769—1822), в 1812—1822 гг. министр иностранных дел Великобритании.

[121] *Разумовский Андрей Кириллович* (1752—1836), граф, дипломат, русский посол в Вене, в 1813—1814 гг. находился при главной квартире Александра I в качестве дипломатического советника.

[122] Описанное событие произошло 20 декабря.

[123] Имеется в виду Александр Фридрих, герцог Вюртембергский, командовавший войсками, осаждавшими Данциг.

А. И. МИХАЙЛОВСКИЙ-ДАНИЛЕВСКИЙ «ЖУРНАЛ 1813 ГОДА» (ОР ГПБ, ф. 488, № 6)

[1] *Ахшарумов Дмитрий Иванович* (1792—1837), в 1812 г. штабс-капитан, с октября капитан лейб-гвардии Егерского полка, адъютант П. П. Коновницына, за отличие под Люценом произведен в полковники. Один из первых историков Отечественной войны.

[2] *Каменский Николай Михайлович* (1776—1811), генерал от инфантерии, участник русско-шведской войны 1808—1809 гг., главнокомандующий Дунайской армией в войне с Турцией.

[3] Имеется в виду Н. А. Тучков.

[4] *Буксгевден Федор Федорович* (1750—1811), генерал от инфантерии, Петербургский военный генерал-губернатор (1796—1798), Рижский генерал-губернатор (1807—1808), главнокомандующий действующей армией в период русско-шведской войны (1808).

[5] «Отношение бывшего главнокомандующего армии в Финляндии графа Буксгевдена к военному министру графу Аракчееву от 13 сентября 1809 года». См.: ОР ГПБ, ф. 488, № 6, с. 249—269.

[6] *Гавердовский Яков Петрович* (1780—1812), подполковник, с мая 1812 г. полковник свиты е.и.в. по квартирмейстерской части, состоял квартирмейстерским офицером при П. П. Коновницыне.

[7] *Коновницын Петр Петрович* (1802—1830), граф, подпоручик Гвардейского генерального штаба, член Северного общества, участник восстания 14 декабря 1825 г., разжалован в рядовые, с конца 1826 г. переведен в действующую армию на Кавказ с установлением надзора, прапорщик 8-го (Кавказского саперного) батальона.

[8] *Коновницына Елизавета Петровна* (1801—1867), жена Нарышкина Михаила Михайловича, полковника Тарутинского полка, члена Союза благоденствия и Северного общества, приговоренного к 8 годам каторжных работ с последующим поселением в Сибири, впоследствии отправленного в действующую армию на Кавказ.

[9] *Штейн Генрих-Фридрих-Карл* (1757—1831), прусский государственный деятель; в 1813 г. один из организаторов борьбы за освобождение Германии от наполеоновского ига; возглавлял Центральный правительственный совет по управлению освобожденными германскими провинциями, организатор ландвера.

[10] *Лебцельтерн Людвиг-Иозеф* (1774—1854), граф, австрийский дипломат, доверенное лицо Меттерниха.

[11] *Коцебу Август-Фридрих-Фердинанд* (1761—1819), немецкий драматург и публицист, в 1813 г., после освобождения Берлина, издавал здесь по поручению Александра I полуофициозный антифранцузский журнал «Russische-Deutsches-Volksblatt», выступал с реакционно-легимистских позиций против освободительного движения в Германии и в передовом общественном мнении Европы имел репутацию тайного агента русского правительства.

^{12} *Чарторыйский Адам Ежи (Юрий)* (1770—1861), польский и русский государственный деятель, министр иностранных дел (1804—1806); в 1810—1823 гг. попечитель виленского учебного округа; на Венском конгрессе 1814—1815 гг. один из приближенных Александра I.

^{13} *Чарторыйский Адам-Казимир* (1734—1823), польский государственный деятель; в 1812 г. маршал варшавского сейма.

^{14} *Геде Христиан-Август-Готтлиб* (ум. 1812), профессор Геттингенского университета, автор книги «England, Walles. Island und Schotland; Erinnerungenen aus Natur und Kunst aufmeiner Reise. 1802». Dresden, 1803; в 1810 г. А. И. Михайловский-Данилевский слушал его лекции по церковному праву. Сохранился их конспект (ОР, ГПБ, ф. 488, № 41).

^{15} *Мюллер Иоганн* (1752—1809), швейцарский историк, автор многотомных трудов по истории Швейцарии и всеобщей истории.

^{16} *Гейне Христиан-Готтлиб* (1729—1812), немецкий филолог и археолог, профессор Геттингенского университета.

^{17} *Блуменбах Иоганн-Фридрих* (1752—1840), немецкий анатом, зоолог и антрополог, профессор Геттингенского университета, один из основателей современной антропологии.

^{18} *Шлецер Август-Людвиг* (1735—1809), немецкий историк, публицист и статистик, член Петербургской академии наук (1765), автор знаменитых трудов по истории русского летописания, после возвращения из России преподавал историю и статистику в Геттингенском университете.

^{19} *Рихтер Аугуст-Готлоб* (1742—1812), профессор медицины Геттингенского университета.

^{20} *Геерен Арнольд-Герман-Людвиг* (1760—1842), немецкий историк, профессор философии и истории в Геттингенском университете.

^{21} Ведеты — ближайший к неприятелю конный караул.

^{22} Отрывки из писем П. П. Коновницына от 15 и 16 мая 1813 г. из Бреславля см.: Письма к Александру Ивановичу Михайловскому-Данилевскому и к другим лицам от любопытных или важных особ писанные (РО ПД, ф. 527, № 124, лл. 91—94).

^{23} Записка Александра I А. И. Михайловскому-Данилевскому от 21 апреля 1813 г. См.: ОР ГПБ, ф. 488, № 57, л. 22.

^{24} *Вернер Абраам Готлоб* (1750—1817), немецкий геолог и минералог, преподавал (с 1775 г.) во Фрейбергской горной академии, автор новой классификации горных пород и минералов.

^{25} ОР ГПБ, ф. 488, № 57, л. 41—41 об. А. И. Михайловским-Данилевским пропущено «Вуршен. Мая 5 дня 1813».

^{26} *Мекленбург-Шверинский (Мекленбургский) Карл* (1783—1833), принц, генерал-майор, шеф Московского гренадерского полка, командир 2-й гренадерской дивизии в составе 2-й Западной армии; за отличие в Бородинском сражении произведен в генерал-лейтенанты, участвовал в кампаниях 1813—1814 гг., после чего оставил русскую службу.

[27] В фонде А. И. Михайловского-Данилевского в Пушкинском Доме (Ф. 527) сохранились рукописи следующих работ его: «Банки. История возникновения и развития их», «Очерки по вопросам финансов», «Очерки по истории общественного кредита», «Очерки по истории бумажных денег».

[28] Речь идет о книге «Подвиги графа М. А. Милорадовича в Отечественную войну 1812 года с присовокуплением некоторых писем от разных особ. Из записок Ф. Глинки» (М., 1814), которую он начал писать еще с мая 1813 г. и работал над ней во время летнего перемирия. К этому времени относятся интереснейшие письма к А. И. Михайловскому-Данилевскому Д. И. Ахшарумова с критическим разбором подготовляемого Ф. Н. Глинкой труда, который он читал еще в рукописи (ЦГВИА, ф. ВУА, д. 3376, ч. 3, л. 401—402, 407—408).

[29] См.: Письма русского офицера.— Ч. V.— М., 1815.— С. 153—154.

[30] *Каподистрия Иоаннис* (1776—1831), греческий государственный деятель, в 1809—1827 гг. находился на русской дипломатической службе; в 1813 г. посланник в Швейцарии, с августа 1815 г. статс-секретарь по иностранным делам.

[31] *Поццо ди Борго Карл-Андрей (Карл Осипович)* (1764—1842), граф, русский дипломат, генерал-адъютант, генерал от инфантерии; с 1 июля 1813 г. генерал-майор, находился при Александре I, выполняя отдельные дипломатические поручения.

[32] *Закревский Арсений Андреевич* (1783—1865), подполковник, с 21 марта 1812 г. директор Особой канцелярии при военном министре, с 3 декабря 1812 г. флигель-адъютант, с 15 сентября 1813 г. генерал-майор, с 8 октября 1813 г. генерал-адъютант, находился при Александре I.

[33] *Гарденберг (Харденберг) Карл Август* (1750—1822), князь, прусский государственный деятель, в 1810—1822 гг. государственный канцлер, участник Венского конгресса.

[34] Переписка Г. Ф. Штейна с К. А. Гарденбергом при редакторской доработке рукописи «Журнала» изъята автором из основного текста и помещена в приложении (с. 269—272 авторской пагинации).

[35] Совместная поездка А. И. Михайловского-Данилевского с Н. Д. Дурново в Прагу отмечена в дневниковой записи последнего за 31 июля 1813 г. (ОР ГБЛ, ф. 95, № 9536, л. 49 об.).

[36] Письма Н. И. Тургенева к А. И. Михайловскому-Данилевскому ни в одном из фондов его в государственных хранилищах СССР не значатся.

[37] См.: М и х а й л о в с к и й - Д а н и л е в с к и й А. И. Представители России на Венском конгрессе в 1815 году//Русская старина.— 1899.— № 6.— С. 639—640.

[38] На полях против этих глав помета карандашом: «К. Зубов».

[39] *Шателер-Курсель (Шатлер) Иоганн-Габриель* (1763—1825),

австрийский фельдмаршал-лейтенант, командир гренадерской дивизии, затем командир осадного корпуса под крепостью Торгау.

[40] *Диест (Диет)*, барон, в 1813 г. подполковник, за отличие в Кульмском сражении награжден Георгиевским крестом 4-й степени, по окончании войны перешел на прусскую службу.

[41] *Аксо (Гаксо) Франсуа-Николя* (1774—1838), французский инженерный генерал, командовал инженерной частью 1-го корпуса «Великой армии».

[42] «Журнал военных действий союзных армий с 1-го сентября 1813 года по 22-е генваря 1814 года, по повелению начальства составленный во время тех походов свиты е.и.в. по квартирмейстерской части капитаном Александром Михайловским-Данилевским». См.: ОР ГПБ, ф. 488, ед. хр. № 28.

[43] Русский вестник.— 1817.— № 5 и 6.— С. XVI—XXII.

[44] *Бек Христиан-Даниэль* (1757—1832), немецкий ученый, профессор латинской и греческой литератур, возглавлял Лейпцигскую филологическую семинарию.

[45] *Бутервек Фридрих* (1766—1828), немецкий философ и историк литературы. А. И. Михайловский-Данилевский слушал его лекции по словесности и поэзии в Геттингенском университете.

[46] Записки Х.-Г. Гейне среди материалов фондов А. И. Михайловского-Данилевского не обнаружены.

[47] 26 сентября (8 октября) 1813 г. Бавария заключила союзный договор с Австрией, к которому вскоре присоединилась Россия, и баварские войска приняли участие в боях за изгнание наполеоновских войск из Германии в октябре — декабре 1813 г.

[48] *Батюшков Константин Николаевич* (1787—1855), поэт. После сдачи Москвы с сентября 1812 г. жил в Нижнем Новгороде, где генерал А. Н. Бахметев выразил готовность взять его к себе в адъютанты, однако это назначение затянулось, и Батюшков попал в действующую армию в конце лета 1813 г., был назначен адъютантом Н. Н. Раевского, участвовал в Лейпцигском сражении, с Н. Н. Раевским отправился в Веймар. Здесь и во Франкфурте-на-Майне они пробыли около двух месяцев. О знакомстве К. Н. Батюшкова с А. И. Михайловским-Данилевским не позднее еще лета 1813 г. свидетельствует письмо к нему Ф. Н. Глинки, датируемое июлем — августом 1813 г. (ОР ГПБ, ф. 859, карт. 2, № 1, л. 159 и об.).

[49] А. И. Михайловский-Данилевский приводит в русском переводе отдельные выражения из «Proclamation à la Grande Armée. 22 juin 1812». См.: Correspondance de Napoléon 1-er, publiée par ordre de l'empereur Napoléon III. V. 23. Paris, 1868, p. 528—529.

[50] А. И. Михайловский-Данилевский приводит первую половину Приказа Александра I российским войскам. См.: Собрание высочайших манифестов, грамот, указов, рескриптов, приказов войскам и разных извещений, последовавших в течение 1812, 1813, 1814, 1815 и 1816 годов.— Спб., 1816.— С. 151.

ИМЕННОЙ УКАЗАТЕЛЬ

Август, 324

Августин (Виноградский А. В.), 136, 407

Агамемнон, 366

Аглаимов С. П., 9

Агриппа, 324

Ададуров А. П., 50, 386

Ададуров В. В., 60, 163, 165, 166, 167, 170, 173, 390, 413

Ададурова, 54, 56, 61, 89, 111, 112, 113

Азадовский К. М., 383

Аклечеев И. М., 55, 106, 404

Аксаков Н. И., 166, 174, 414

Аксо (Гаксо) Ф.-Н., 360, 432

Александр I, 31, 37, 42, 44, 46, 90, 114, 115, 118, 128, 186, 190, 191, 192,
    193, 198, 302, 304, 310, 311, 312, 323, 325, 328, 333, 338, 341, 342, 349,
    360, 361, 365, 366, 368, 375, 376, 378, 384, 385, 386, 388, 390, 391, 392,
    394, 395, 396, 399, 402, 403, 407, 408, 410, 411, 416, 418, 422, 425,
    427, 428, 430, 431, 432

Альмерас (Альмейда) Л., 103, 403

Амвросий (Подобедов А. И.), 91, 136, 400

Амфитеатров А. В., 26

Анна Павловна, великая княгиня, 91

Андржейкович (Андрекович) И. Ф., 94, 106, 108, 109, 401

Анненков И. П., 24

Анненков Н. И., 307

Анштет (Анстет) И. О., 253, 274, 421

Апраксин В. И., 74, 395

Апраксин В. С., 52, 53, 387

Апраксин С. С., 138, 164, 408

Аракчеев А. А., 33, 85, 115, 118, 137, 180, 190, 193, 210, 215, 254, 302,
    313, 397, 429

Аргамаков И. А., 154, 411

Арминий, 372

Арнольди (Арнольд) И. К., 209, 417

Указатель составлен Г. Н. Игиной.

Арсеньев И. А., 121
Арсеньев М. А., 106, 403
Артуа, 249
Армфельд Г. Г., 96, 105, 109, 112, 113, 402
Архаров Н. П., 138, 408
Афросимов (Офросимов) А. П., 167, 180, 414
Ахматов, 183
Ахшарумов Д. И., 19, 312, 313, 429, 431

Бабаев Э., 47
Багговут К. Ф., 97, 402
Багмевская, 68
Багратион А. И., 410
Багратион К. А., 148, 410
Багратион П. И., 15, 44, 79, 81, 93, 142, 192, 313, 395, 396, 410
Базанов В. Г., 303
Бакунина В. И., 8
Балашев А. Д., 42, 43, 44, 54, 69, 70, 93, 137, 389
Бантыш-Каменский Д. Н., 405, 409
Бантыш-Каменский Н. Н., 120, 409
Барклай де Толли М. Б., 15, 44, 77, 79, 80, 81, 83, 126, 140, 142, 143, 149,
    164, 169, 192, 235, 243, 256, 258, 272, 273, 274, 277, 281, 285, 287,
    295, 297, 310, 328, 332, 341, 343, 345, 346, 347, 348, 349, 357, 384,
    387, 390, 391, 394, 401, 409, 421, 426
Барков П. А., 136, 141
Барсуков Н. П., 231, 232
Барт, 339
Бартенев П. И., 5, 9, 229, 230, 231
Баррюэль А., 42, 66, 68, 69, 393
Барц Е. П., 242
Барц (Бартц) Я. П., 74, 395
Батюшков К. Н., 312, 375, 432
Бауер (Боур) К. Ф., 50, 386
Башилова В. Я., 134, 135
Башмакова, 77
Бахметев А. Н., 399, 432
Бахметев (Бахметьев) В. П., 86, 132, 398, 405
Бахметев Н. Н., 399
Бахметевы, 91
Безобразов А. А., 50, 98, 402
Безобразова, 50
Безродный, 320
Бек Х.-Д., 370, 432
Беклемишев П., 86, 165, 414

Виллие (Вилье) Я. В., 240, 420

Вильдеман В. Х., 39, 61, 63, 64, 89, 391

Вильсон Р. Т., 46, 101, 403

Винценгероде (Винцингероде, Венцельроде) Ф. Ф., 92, 101, 116, 149,
149, 161, 226, 237, 251, 252, 254, 255, 256, 257, 260, 264, 265, 266, 269,
270, 271, 279, 297, 389, 390, 395, 400, 402, 403, 415, 418, 422, 423

Висковатов А. В., 188

Висковатов С. И., 91, 400

Вистицкий 2-й М. С., 62, 91, 391

Витт И. О., 76, 395

Витгенштейн (Вильиенштейн) П. Х., 80, 83, 86, 87, 102, 106, 111, 116, 139,
140, 154, 251, 252, 254, 255, 257, 258, 259, 260, 264, 265, 266, 267,
268, 269, 270, 280, 281, 282, 287, 288, 297, 310, 318, 329, 330, 332,
333, 335, 337, 340, 343, 345, 346, 387, 390, 392, 395, 398, 401, 404, 412,
415, 416, 420, 421, 426

Витиченко А., 423

Владычин Д. С., 184, 416

Власов 3-й М. Г., 208, 255, 417, 422

Воейков А. В., 61, 155, 391

Воинов А. Л., 209, 210, 212, 217, 219, 222, 223, 224, 418

Волков А. А., 408

Волков С. И., 125

Волкова (ур. Кошелева) М. А., 138, 408

Волконская А. Н., 118

Волконская А. П., 36

Волконская В. А., 131, 150, 152, 406

Волконская Е. А., см. Мусина-Пушкина Е. А.

Волконская Е. Г., 123

Волконская З. А., 122

Волконская (Мусина-Пушкина) Н. А., 119, 133, 406, 408

Волконская С. Г., 408

Волконские, 132, 139

Волконский А. Д., 411

Волконский А. С., 148, 150, 156, 411

Волконский Г. С., 118

Волконский Д. М., 10, 11, 13, 14, 15, 22, 23, 25, 27, 114, 115, 116, 117, 118,
119, 120, 121, 122, 123, 124, 125, 126, 127, 128, 129, 130, 131, 156,
250, 251, 253, 384, 405, 406, 407, 408, 409, 411, 412, 415, 416, 421

Волконский Д. П., 147, 410

Волконский М. А., 131

Волконский М. Д., 406

Волконский М. П., 148, 149, 411

Волконский М. С., 123, 409

Волконский Н. С., 118, 119, 128, 129, 130, 136, 406, 410

Волконский П. А., 134, 137, 149, 406

Коновницын П. П., 19, 46, 72, 155, 236, 240, 241, 246, 247, 249, 270, 278, 310, 312, 313, 314, 315, 317, 333, 334, 335, 336, 337, 393, 395, 430

Коновницына Е. А., 122, 429

Корнилович А. О., 303

Корф Ф. К., 80, 160, 253, 396, 413

Косовский А. И., 20

Котляровский П. С., 259, 424

Коцебу А-Ф-Ф., 320, 429

Коцебу В. А., 391

Коцебу М. А., 89, 399

Краснокутский А. Г., 19, 50

Крейцер Ш. О., 284, 427

Кретов Н. В., 91, 399

Кривцов (Кривцев) В. И., 93, 400

Кроссар (Кроссард) И-Б-Л., 95, 401

Кротошинский, 161

Крылов И. А., 32, 121

Крылов С. И., 278, 426

Кудашев Н. Д., 71, 100, 394

Кудер, 377

Кулебакин А., 163, 164, 179, 182, 183, 413

Куликовский, 147

Кульнев Я. П., 82, 397

Куницын А. П., 301

Куракина Е. М., 123

Кусов А. И., 237, 419

Кусов И. В., 49, 385, 419

Кусова, 226

Кусовников, 95, 96

Кутайсов А. И., 64, 68, 73, 76, 91, 393

Кутайсов П. И., 120

Кутузов М. И., см. Голенищев-Кутузов М. И.

Кэстльри (Кастельрег) Р. С., 428

Лаваль И. С., 53, 388, 389

Лавров Н. И., 143, 409

Лажечников И. И., 6, 10, 20

Лазаревич, 135

Ламберт К. О., 139, 193, 196, 198, 199, 200, 201, 202, 205, 206, 207, 208, 209, 210, 213, 214, 215, 216, 217, 218, 220, 221, 224, 225, 409, 411, 418

Ланжерон А. Ф., 188, 193, 218, 220, 221, 222, 279, 283, 298, 418, 422

Ланской, 94, 107, 109

Ланской 1-й А. П., 401

Ланской В. С., 160, 330, 413

Ланской 2-й М. П., 401

Мальцан, 326

Малышкин, 183

Мантейфель В. А., 194

Мантейфель И. В., 194

Мануци, 80

Манфреди (Монфреди), 165, 172, 174, 176, 180, 182

Маржет, 98

Мария Павловна, великая княгиня, 255, 268, 277, 299, 326, 371, 422

Мария Федоровна, императрица, 407

Марков 1-й Е. И., 159, 160, 161, 196, 199, 205, 207, 213, 214, 217, 218, 219, 285, 290, 412, 427

Марков (Морков) И. И., 138, 140, 144, 145, 146, 155, 156, 238, 239, 419

Мармон О. Ф., Л. В. де, 275, 426

Марченко В. Р., 46

Массенбах (Мосенбах) Ф., 177, 179, 182, 415

Маячевская, 324

Медаревич, 217

Мезонфор, 51, 52, 53, 54, 55, 57, 90, 386

Мейендорф 2-й Е. К., 41, 52, 387

Мейендорф 1-й Е. Ф., 41, 52, 388

Мейсман Э., 59

Мекленбург-Шверинский К., принц, 348, 430

Мекленбург-Шверинский, принц, 259

Мелессино (Милисино) А. П., 157, 158, 198, 199, 201, 207, 208, 209, 412

Меллер-Закомельский Е. И., 96, 402

Мельгунов С. П., 124, 128

Мельников Г. М., 188

Менчинский, 216

Мерфельд М., 265, 284, 427

Мессинг, 65

Местр Ж., 174, 396

Местр (Мейстр) К., 79, 396

Меттерних-Винебург К. В. Л., 277, 279, 353, 426, 429

Меценат, 324

Мешков К., 154

Миллер И. И., 162, 164, 165, 181, 413, 414

Мильчина В. А., 384

Милорадович М. А., 46, 94, 95, 101, 103, 139, 144, 155, 159, 160, 161, 251, 252, 253, 255, 259, 260, 267, 269, 272, 273, 274, 332, 337, 340, 341, 342, 343, 344, 346, 349, 357, 364, 372, 373, 394, 419, 420, 425, 431

Миних Б. К., 177, 415

Миркович Ф. Я., 9, 11, 13, 22

Митаревский Н., 6

Михаил Павлович, великий князь, 84

Михайлов В., 191

Михайловский-Данилевский А. И., 11, 13, 14, 15, 17, 18, 19, 20, 22, 23, 122, 188, 228, 235, 237, 244, 245, 263, 268, 273, 275, 277, 278, 301, 303, 304, 305, 306, 307, 308, 309, 310, 311, 312, 336, 383, 384, 425, 429, 430, 431, 432

Мицкий (Мицкой) И. Г., 153, 411

Мишо А. Ф., 73, 92, 395

Модзалевский Б. Л., 123

Молженинов, 149

Молотков, 132

Монтескье, 191

Мор И.-Ф., 217, 220, 252, 286, 418

Моран Ж., 260, 326, 424

Моран Ш. Л. А., 265, 424

Моро Ж. В., 280, 281, 353, 354, 355, 357, 361, 362, 363, 429

Морозов В. П., 384

Мортье Э. А. К. Ж., 252, 421

Муравьев 3-й А. З., 38, 39, 52, 388

Муравьев 1-й А. Н., 15, 32, 33, 38, 41, 43, 64, 65, 66, 69, 71, 73, 76, 77, 78, 131, 303, 393, 408

Муравьев 5-й М. Н., 38, 41, 52, 58, 72, 131, 387, 408

Муравьев Н. Н., 131, 138, 408

Муравьев Н. М., 39

Муравьев-Апостол М. И., 39

Муравьев-Апостол С. И., 227

Муравьев (Карский) 2-й Н. Н., 15, 16, 17, 38, 39, 41, 43, 66, 70, 72, 235, 393

Мурзакевич Н. А., 8

Мусин-Пушкин (Пушкин) А. А., 132, 134, 135, 140, 142, 145, 147, 151, 152, 153, 154, 156, 157, 161, 162, 170, 405

Мусин-Пушкин (Пушкин) А. И., 119, 132, 134, 140, 161, 162, 170, 405, 406, 407

Мусин-Пушкин И. А. (Пушкин И. А.), 155, 411

Мусин-Пушкин В. А., 123

Мусин-Пушкин П. К., 254, 422

Мусина-Пушкина Е. А., 120, 132, 405

Мусина-Пушкина Е. А. (ур. Волконская Е. А.), 132, 133, 406, 407, 416

Мусина-Пушкина М. А., 405

Мусина-Пушкина Н. А., см. Волконская Н. А.

Муханов П. А., 303

Мухин С. А., 64, 65, 67, 68, 73, 77, 81, 392

Мюллер И., 331, 349, 430

Мюрат И. Н., 80, 94, 95, 98, 150, 157, 396, 402

Назимов Ф. В., 196, 417

Наназин В. С., 235, 237, 238

Наполеон I, 42, 43, 44, 71, 76, 77, 79, 81, 89, 92, 103, 126, 139, 146, 150, 154,

Платов М. И., 46, 79, 81, 100, 101, 102, 144, 149, 221, 251, 252, 253, 254, 286, 287, 295, 297, 387, 390, 392, 396

Платон (Левшин), 152, 411

Плахова, 135

Плиний, 324

Плюшар А. И., 62, 392

Победоносцев П. В., 8

Погодин М. П., 121

Пожарский Д. И., 350

Полев А., 139, 408

Полиньяк И. И., 94, 400

Полиньяк Л., 53

Помарнацкий А. В., 188

Понятовский И. А. (Пониатовской), 254, 257, 260, 285, 286, 292, 329, 332, 341, 422

Попов А. Н., 228, 231

Порошин С. А., 24

Порошков, 140

Посников Г. Н., 132

Посников Д. Г., 147

Потемкин А. К., 238, 239, 419

Потемкин Я. А., 64, 65, 68, 94, 393

Потоцкий, 88, 112

Похвоснев В. И., 146, 147, 172, 410

Поццо ди Борго К.-А., 349, 431

Прево А. Ф., 397

Прендель В. А., 254, 255, 256, 422

Приклонский А. В., 140, 149, 409

Приклонский П. Н., 91, 111, 400

Приклонский, 149

Прозоровская А. М., 143, 179, 415

Прозоровский А. А., 117, 192, 416

Прохлиц, 111

Прусский Ф. В. К., принц, 271, 426

Пугачев Е. И., 404

Пулет, 163, 172, 175, 413

Путятин М. П., 49, 55, 60, 62, 385

Путятина (ур. Демидова) А. П., 54, 56, 112, 389

Пушкин А. А., см. Мусин-Пушкин А. А.

Пушкин А. И., см. Мусин-Пушкин А. И.

Пушкин А. С., 6, 25, 32, 120, 121, 122, 123, 226, 227, 230, 231, 244, 247, 301, 406

Пушкин В. Л., 120, 134, 406

Пушкин И. А., см. Мусин-Пушкин И. А.

Пушкин М. М., 53

Роткирх, 289

Ртищев Н. Ф., 259, 424

Румянцев Н. П., 121, 351

Руссо Ж.-Ж., 190

Рыдзевский, 173

Рылеев К. Ф., 20, 32

Рюриковичи, 185

Сабанеев И. В., 194, 218, 222, 277, 399, 418

Сабуров, 149

Садиков П. А., 228

Сает Л. Я., 384

Сажин В. Н., 384

Сазонов Н. В., 19, 66, 83, 84, 88, 112, 153, 154, 393

Саитов В. И., 407, 409

Сакен Ф. В., см. Остен-Сакен Ф. В.

Саксен-Веймарский К. Ф., герцог, 255, 422

Саксен-Готский, герцог, 364

Салтыков А. П., 172, 415

Салтыков П. И., 137, 407

Салтыковы, 118

Самсон (Сансон) Н. А., 102, 403

Свечин, 9

Свечин (Светчин) Н. М., 154, 411

Свечин (Светчин) М. М., 164, 165, 414

Светчина А. А., 166, 167, 168

Сверчков, 153

Свиньин П. П., 32, 121, 188

Свистунов Н. П., 53, 387

Свистунов П. Н., 387

Себастиани де ла Порта О., 144, 410

Сегюр О. А. Г., 79, 396

Сегюр Ф., 396

Селявин Н. И., 51, 66, 78, 83, 84, 86, 89, 181, 376, 387

Семевский В. И., 125

Сен-Жени де Фалькон Ж. М. Н. Д., 82, 397

Сен-Сир Г. Л., 290, 295, 296, 297, 354, 427, 428

Сен-При (Сен-Приест) Э. Ф., 9, 15, 101, 160, 161, 274, 390, 403

Сен-Симон Л. Р. де, 53, 55, 388

Сенявин Д. Н., 186, 188, 417

Серра-Каприола А. М., 49, 51, 52, 54, 55, 57, 62, 385

Серра-Каприола Н. М., 53, 388

Сеславин А. Н., 96, 387, 401

Сиверс 2-й И. К., 206, 417

Сиверс К. К., 177, 179

Татищев Н. А., 138, 408

Тауенцин (Трауенцин) Ф. Б., 257, 423

Тацит, 324, 349

Текей И., 113, 404

Теплов, 168

Теплов 1-й А. И., 414

Теплов 2-й А. С., 414

Теребенина Р. Е., 32, 36

Терский А. А., 166, 414

Тетенборн Ф. К., 255, 259, 276, 422

Тидеман, 90, 399

Тилеман (Тильман) И. А., 265, 272, 284, 285, 286, 287, 298, 339, 424, 427, 428

Титов А. А., 124

Толстая М. Н., 119, 121

Толстой Л. Н., 7, 16, 26, 27, 28, 43, 47, 48, 114, 118, 119, 120, 124, 128, 129, 130, 131, 229, 245, 304, 305, 406, 407

Толстой Н. А., 85, 398

Толстой Н. И., 119, 121

Толстой П. А., 131, 138, 139, 285, 290, 295, 296, 408, 427

Толстой С. Л., 124, 128

Толстой Ф. П., 303

Толубеев (Тулубев) И. С., 168, 414

Толь К. Ф., 46, 73, 75, 77, 81, 83, 95, 236, 238, 240, 241, 242, 243, 246, 249, 261, 267, 268, 277, 280, 281, 282, 283, 286, 288, 289, 292, 297, 310, 317, 327, 368, 385, 388, 390, 393, 397, 424

Тормасов А. П., 89, 139, 142, 145, 159, 187, 195, 199, 332, 340, 398, 404, 417

Траян, 324

Трескин М. Л., 163, 164, 413

Трубецкие, 118

Трубецкой В. С., 73, 78, 137, 394, 395, 407

Труссон Х. И., 392

Туллий, 324

Тулубеев Н. Т., 158, 161

Тульман, 174

Тургенев А. И., 385

Тургенев Н. И., 9, 244, 301, 303, 309, 311, 350, 351, 375, 385, 431

Тургенев С. И., 301

Турчанинов 2-й А. А., 163, 173, 413

Турчанинов Г., 135

Турчанинов Ф., 135

Тучков 4-й А. А., 91, 399

Тучков Н. А., 91, 93, 139, 313, 399, 429

Тышкевич, 100, 403

Харкевич В. И., 9, 247, 248, 250
Хатов А. И., 61, 391
Хитрово, 172
Хитрово А. З., 127, 131, 150, 151, 153, 155, 158, 161, 162, 405
Хитрово Н. З., 127
Хованские, 118
Хованский Н. Н., 199, 202, 205, 207, 208, 417
Хоментовский 2-й М. Я., 240, 420
Хомутов Г. А., 119, 133, 398, 406
Хомутов С. Г., 9, 56, 57, 86, 244, 390, 395
Хомутова А. Г., 9, 86, 398
Храповицкий А. В., 24
Хрон Х., 154
Хрущов И. А., 209, 418

Цветков В. Н., 387, 526
Цезарь Ю., 324
Цериг, см. Сюрриг
Цурик, см. Сюррюг
Цицианов М. Д., 120
Цявловский М. А., 232

Чаадаев П. Я., 121
Чаплиц Е. И., 199, 200, 201, 202, 203, 204, 205, 207, 208, 209, 214, 215, 216, 217, 218
Чарторыйский А. Е., 323, 429
Чарторыйский А.-К., 430
Челищева, 133
Черепанов П. С., 66, 393
Черкасов П. П., 66, 393
Чернаевич, 105
Чернов С. Н., 41
Чернозубов 4-й, 257, 423
Черныш И. И., 173, 415
Чернышев А. И., 58, 80, 226, 252, 253, 260, 286, 300, 326, 390, 422, 417, 428
Чернявский, 197
Чесменский А. А., 133, 162, 406
Чичагов П. В., 11, 14, 134, 142, 145, 154, 155, 159, 187, 193, 213, 214, 215, 216, 251, 252, 253, 254, 373, 394, 395, 399, 404, 409, 412, 413, 417, 418, 421
Чичерин А. В., 9, 12, 22
Чихирин, 128, 136
Чорба Ф. А., 106, 107, 404
Чуйкевич П. А., 57, 390

Шанбрюн К., 176

Шарнхорст (Шаренгорст) Г. И. Д., 319, 257, 423

Шателер-Курсель (Шатлер) И-Г., 356, 431

Шафиров П. П., 118

Шаховский А. А., 92, 400

Швахгейм (Швакгейм) К. Е., 63, 392

Шварц Ф., 302

Шварценберг К. Ф., 89, 155, 158, 193, 202, 204, 205, 208, 214, 220, 221, 223, 252, 253, 279, 280, 281, 286, 294, 299, 348, 353, 355, 357, 364, 365, 366, 388, 398, 399, 412, 418, 421

Шейблер, 294

Шелихов (Шелигов) Д. П., 154, 156, 411

Шеллинг, 370

Шепелев Д. Д., 252, 421

Шереметев П. С., 232

Шернаваль Э. К., 123

Шиллер Ф., 50

Шильдер Н. К., 233, 308, 310

Шишкин С. А., 164, 278, 414

Шишкина, 182

Шишков А. С., 137, 407

Шлецер А.-Л., 331, 430

Шмульский, 159

Шталь (Сталь) Е. Ф., 204, 217, 417

Штейн Г.-Ф.-К., 317, 350, 375, 429, 431

Штейнгель В. И., 127

Штейнгель Ф. Ф., 251, 253, 391, 413, 414, 421

Штензее, 132

Шувалов П. А., 64, 80, 275, 392, 397, 426

Шуллер (Шюллер) фон Зенцен, 257, 259, 422

Шумихин С. В., 384

Щербатов 1-й А. Г., 156, 198, 208, 285

Щербатов А. Ф., 146, 159, 410

Щербатов Н. Г., 160, 395, 413

Щербатов Г., 76

Щербачев Ю. Н., 245, 247, 249

Щербинин А. А., 10, 13, 15, 16, 17, 18, 19, 20, 22, 38, 39, 41, 51, 52, 55, 56, 57, 60, 61, 66, 69, 71, 72, 73, 74, 83, 88, 89, 94, 112, 235, 242, 243, 244, 245, 246, 247, 248, 249, 250, 303, 383, 384, 386, 391, 395, 420, 425, 426

Щербинин А. П., 242

Щербинин 2-й М. А., 38, 61, 244, 246, 278, 391, 426

Щербинин П. А., 426

Щукин П. И., 6, 232, 308, 311

СОДЕРЖАНИЕ

1812 год... Военные дневники/Сост., вступ. ст.
Т93 А. Г. Тартаковского; Худож. Г. Г. Федоров.— М.:
Сов. Россия, 1990.—464 с.— (Русские дневники).

В сборник включены шесть выявленных в архивах и неизвестных в литературе
дневников участников Отечественной войны — видных военачальников, квартирмейстерских офицеров. Наряду с событиями 1812 года в дневниках отражены и
заграничные походы русской армии, ее освободительная миссия в отношении по-
рабощенных наполеоновским деспотизмом народов Европы. В них содержатся
уникальные исторические сведения о крупнейших сражениях и военно-политических планах командования, о действиях народных ополчений и партизанских
отрядов, о знаменитых полководцах, о возникших еще в годы войны ранних преддекабристских организациях и т. д.
    В книгу вошли дневники Н. Д. Дурново, Д. М. Волконского, В. В. Вязем-
ского, И. П. Липранди, А. А. Щербинина, А. И. Михайловского-Данилевского.
    Составитель и автор вступительной статьи доктор исторических наук
А. Г. Тартаковский.

Г $\frac{4702010104-155}{М-105(03)90}$ 150—90   9(с)15

ISBN 5—268—00886—2